Guy Lafleur

L'Ombre et la Lumière

Photographies des pages intérieures
et de la couverture :
Bellavance Photo, Jean-Louis Boyer, Denis Brodeur,
Marc Laforce, Jim Turner
Tous les efforts possibles ont été déployés pour
retracer les auteurs des photographies apparaissant
dans cet ouvrage mais, s'il y avait des omissions,
les éditeurs apprécieraient toute information à
cet égard.

Maquette de la couverture :
France Lafond

Données de catalogage avant publication (Canada)

Germain, Georges-Hébert, 1944-
Guy Lafleur, l'Ombre et la Lumière
ISBN 2-920718-32-0 (Art Global)
ISBN 2-89111-402-7 (Libre Expression)
1. Lafleur, Guy, 1951- . 2. Joueurs de hockey
– Québec (Province) – Biographies. I. Titre.
GV848.5.L33G47 1990 796.96'2'0924 C89-096464-5

Dépôt légal :
2e trimestre 1990

Georges-Hébert Germain

Guy Lafleur

L'Ombre et la Lumière

Coédition
ART GLOBAL / LIBRE EXPRESSION

Je dois une fière chandelle
à tous les journalistes sportifs québécois
dont les écrits innombrables m'ont éclairé.

Je remercie Francine Chaloult
qui, grâce à ce livre,
ira au ciel un jour.
Et
Stéphane Laporte, sans qui je ne saurais
toujours pas regarder une partie de hockey
comme du monde.

Je dédie ce livre à
Lise Lafleur
qui croit que toute vérité
est bonne à dire.

G.-H. G.

Il roulait tout doucement sur l'autoroute 20, déjà déserte à cette heure de la matinée. Il avait le pâle soleil de fin novembre droit devant. Au loin, sur la gauche, il apercevait les buildings du centre-ville pelotonnés contre le mont Royal avec leurs panaches de vapeurs et de fumées blanches. Et il ressassait dans sa tête les scénarios qu'il avait préparés la veille au soir, quand tout était si clair et si simple.

Il avait répété chaque geste et chaque mot, chaque regard. Il avait su trouver le ton cinglant, des répliques mordantes, et même le terrible sourire chargé d'ironie et d'un peu de mépris qu'il mettrait sur sa face tout à l'heure quand il leur dirait tranquillement sa façon de penser, en les regardant droit dans les yeux, l'un après l'autre.

Puis il leur claquerait la porte au nez. Et ça ferait un vacarme épouvantable qu'on entendrait partout, à Montréal, à Québec, et jusqu'à New York, Edmonton et Los Angeles, un big-bang qui résonnerait dans toutes les villes de hockey de l'Amérique du Nord. Et on dirait : « Guy Lafleur a laissé tomber les Canadiens de Montréal. »

Et lui, enfin, il recommencerait sa vie. Sans eux. Une autre vie.

Il y aurait d'abord ce deuxième enfant dont Lise allait accoucher, peut-être le jour même de Noël, dans un mois exactement. Ils achèteraient un domaine à la campagne, une ferme ou de la forêt, quelque part dans l'Outaouais ou dans les Cantons de l'Est. Il aurait un tracteur. Lise aurait des chevaux. Un ruisseau passerait près de la maison ; et l'hiver, sur l'étang, il ferait une patinoire pour les enfants. Comme faisait son père quand il était petit, à Thurso. Et il y aurait un grand jardin aussi, une piscine, beaucoup d'arbres tout autour de la maison. Ils ne verraient personne, que des vrais amis. Ils auraient la paix, la sainte paix, enfin !

Par moments, cependant, tout cela sombrait dans un incompréhensible fouillis, comme les pièces de plusieurs puzzles qu'on aurait mélangées. Et il ne parvenait plus à se mettre dans la peau de ce héros sûr de lui et de son avenir qu'ils avaient si brillamment imaginé la veille au soir, Lise et lui. Elle, disant, rassurante, que tout se passerait bien, qu'il ne fallait pas trop s'en faire et que, de toute façon, il y avait autre chose dans la vie que le hockey ; lui, se laissant tantôt emporter par la colère, tantôt étreindre par l'angoisse.

« Tu devrais exiger un poste dans l'Organisation, disait-elle. Tu y as droit. Tu leur as donné cinq coupes Stanley. Ils ont fait une fortune avec toi.

— Avec Maurice Richard aussi. Et regarde comment ils l'ont traité. »

Il aurait quand même bien aimé comprendre ce qui s'était passé depuis un an, savoir pourquoi ils voulaient tant qu'il s'en aille, pourquoi tout d'un coup ils ne lui donnaient plus de glace et ne lui faisaient plus de place dans leurs jeux, alors que tout le monde disait qu'il était encore l'un des meilleurs joueurs de toute la Ligue nationale.

Qu'est-ce qui avait bien pu se passer pour que ses alliés, ses anciens compagnons d'armes soient devenus ses ennemis et se tournent brusquement contre lui et tentent de l'écarter ?

« Peut-être que je ne suis plus un bon joueur !

— C'est ce qu'ils voudraient que tu croies, disait Lise. C'est ce qu'ils voudraient que tu sois aussi, un joueur fini. Mais je te dis, moi, que tu es encore un grand joueur. Et ils le savent, tu peux en être sûr. Le problème n'est pas là. C'est vrai, ce que dit ton père. Tu parles trop, tu dis trop ce que tu penses. Tu remets toujours leur autorité en question. Mais moi, contrairement à ton père, je pense que tu fais bien de le faire. Jamais personne ne pourra te reprocher d'avoir dit la vérité.

— J'ai peut-être raison, mais je paye pour. C'est moi qui perds, dans ce jeu-là. C'est moi qui pars. »

En entrant dans la ville grise, il se disait que sa famille, Lise et Martin et cet autre garçon qui naîtrait bientôt, formerait désormais le socle de sa vie. Sa carrière était terminée. Dans une heure, en effet, quand il sortirait du Forum pour la dernière fois de sa vie, ce serait fini pour toujours. Peut-être même qu'il laisserait ses patins au vestiaire, ses vieux Bauer de cuir, des antiquités, les plus vieux patins de toute la Ligue nationale.

Lise s'était levée en même temps que lui. Elle avait préparé à déjeuner, même s'il disait qu'il n'avait pas faim. Elle avait dit : « Mange un peu. Tu vas en avoir besoin. » Puis il était parti reconduire Martin à l'école. Dans l'auto, il lui avait dit :

« Tu sais, Martin, papa ne jouera plus pour les Canadiens.
— Pour qui tu vas jouer ?
— Pour personne. Je vas jouer avec toi. »

Et brusquement, tout ça lui creva le cœur. Il n'était plus sûr de rien. Il se disait qu'il n'avait peut-être pas pris la bonne décision, qu'il trouverait probablement sa nouvelle vie impossible. Il savait bien que Lise devait être terriblement inquiète, elle aussi. Elle devait penser qu'il recommencerait à sortir et à boire. Ce n'est pas normal qu'un gars de trente-trois ans, riche et en santé, prenne sa retraite et n'ait plus de vrais projets. Déménager, changer d'auto, faire un jardin, du ski, un bébé, c'était bien beau, mais après ? Qu'est-ce qu'il allait faire désormais ?

L'avenir lui apparaissait comme un gouffre amer et froid. Et son passé allait se dissoudre dans l'oubli, dans l'ombre, dès qu'il s'éloignerait un peu de la scène. On ne se souviendrait bientôt plus de lui. Plus de regard, plus de lumière, plus personne. Ce vide lui faisait horriblement peur. Tout le monde sait bien qu'un homme sans avenir est un homme mort. Ou presque.

Un terrible souvenir l'assaillit, comme presque chaque fois depuis deux ans qu'il passait sur cette autoroute 20 au large de Ville LaSalle. Comme d'habitude, il jeta un coup d'œil vers l'autre chaussée, du côté de la sortie Notre-Dame, là où il avait bien failli laisser sa peau en rentrant chez lui à Baie-d'Urfé, au printemps de 1981. Il avait fauché presque deux cents pieds de clôture ; une poutrelle d'acier, en traversant le pare-brise de sa Cadillac, lui avait frôlé la tempe droite, coupé le pavillon de l'oreille et s'était fichée dans le dossier de son siège. C'était un miracle qu'il soit encore vivant !

Il remonta lentement la côte Atwater, franchit le boulevard Dorchester et aperçut l'imposante masse du Forum de Montréal. Il se revit un moment, sur la glace, en pleine lumière, en pleine gloire, avec l'immense clameur de la foule scandant son nom : « Guy ! Guy ! Guy ! » Et il levait les bras bien haut pour marquer sa victoire et cueillir les hommages. C'était bon. Mais c'était fini.

Pourtant, quelque part au fond de lui, il sentait confusément qu'il y aurait tôt ou tard autre chose. Il savait bien qu'en entrant dans le Forum, il serait de nouveau chez lui. Une dernière fois. Il retrouverait les mots et les gestes pour dire sa façon de penser. Et après, il serait libre, enfin. Après, il recommencerait sa vie. En essayant de faire mieux. Encore une fois.

Première période

Il retrouva à tâtons son chandail étendu les bras en croix, juste à côté de son lit, puis sa culotte et ses bas, soigneusement allongés, bien en ordre, de la tête aux pieds. Il s'habilla rapidement dans le noir, en prenant garde de n'éveiller personne.

Après la moelleuse chaleur du lit, c'était brutal et froid. La culotte surtout, avec son tissu glacé et ses cuissards rigides, et les bas de grosse laine qui piquait.

Il traversa le passage sur la pointe des pieds, en évitant la grille d'air chaud. Il passa devant la chambre des filles, puis devant celle de ses parents et du bébé. Arrivé au haut de l'escalier, il entendit la voix de sa mère qui chuchotait dans le noir :

« Je t'ai préparé un lunch, Guy. Dans le frigidaire. »

En bas, dans la cuisine, il alluma la lumière du comptoir. La fenêtre au-dessus de l'évier était toujours givrée. Il distinguait quand même une vague lueur du côté où le soleil se levait. Le champ de neige était rose.

Il ouvrit le réfrigérateur en grimaçant, comme pour décourager les bruits de se faire entendre. Il mit le lunch dans son sac de toile bleue où étaient rangés son équipement, son casque, son ruban adhésif, son manuel *Hockey Hints* de l'Armée canadienne, sa rondelle, des vêtements de rechange et un coupe-vent. Il mangea des oranges et des céréales. De temps en temps, il entendait un craquement là-haut, un soupir, un grincement de ressorts. Et même le tic-tac du réveille-matin de son père, qui ne sonnerait pas, aujourd'hui samedi.

Il ramassa son sac et passa dans le solarium où il mit ses jambières, ses épaulières, puis sa tuque, ses mitaines et un vieux manteau de son père. À cause des épaulières, le sien aurait été trop petit. Il prit son bâton et sortit dans la nuit.

Ce n'était plus rose, mais bleu, un bleu profond, très doux. Pendant la nuit, il était tombé une toute petite neige, sèche et cristalline, qui crissait sous les bottes. Après avoir traversé la rue Jacques-Cartier, il remonta la rue Bourget jusqu'au terrain vague derrière l'Hôtel de Ville ; il franchit la coulée, puis la voie ferrée, et se retrouva derrière l'aréna dont la lourde masse se détachait contre le ciel pâlissant où montaient les fumées de l'usine, gigantesque panache noir au-dessus de la ville endormie.

La neige crissait de plus en plus fort au fur et à mesure qu'il s'approchait du mur du hangar attenant à l'aréna. Dans le vieux mur gris en planches debout, il y avait une petite porte étroite toujours barrée et cadenassée. Il se demandait d'ailleurs chaque fois à quoi elle pouvait bien servir. Juste à côté, devant la chute par où on évacuait la vieille neige de la patinoire, il y avait trois planches qu'on pouvait facilement soulever de l'extérieur. Il poussa son sac dans le hangar et s'y glissa.

C'était tout noir. Il entendait les bruits de tuyaux des systèmes de chauffage et de refroidissement. Une main contre le mur pour se guider, il contourna la pièce jusqu'à l'autre porte et il entra dans l'immense trou d'ombre. Il retrouva cette bonne odeur mouillée, l'odeur presque animale de la glace, dont les veilleuses avivaient la lueur opalescente. On aurait vraiment dit une bête endormie, couchée dans son antre, la glace vive et lisse, une belle glace vierge sans la moindre égratignure.

Il posa son bâton contre la clôture, fouilla au fond de son sac et trouva sa vieille rondelle qu'il lança sur la glace où elle fit quelques ricochets avant d'aller se perdre dans la pénombre. Il laça soigneusement ses patins, puis s'élança sur la glace... à son tour.

Il patina tranquillement d'abord, pour le plaisir, pour se délier les muscles, se réchauffer. Ses patins traçaient de grandes arabesques sur la glace neuve. Puis il s'empara de la rondelle et entreprit une spectaculaire montée vers le filet adverse, il zigzaguait, freinait, revenait sur ses pas, se faisait une passe par la bande, franchissait la ligne bleue, fonçait dans le coin gauche, revenait vers le centre de la patinoire, déjouait l'homme invisible et se retrouvait seul devant le filet : feinte à gauche, feinte à droite, lance et compte.

Et pour marquer sa victoire, il exécuta une série de lancers frappés contre la bande. À vingt pieds, la rondelle faisait un beau bruit mat, un gros boum qui résonnait dans l'aréna. Il avait chaud. Il s'entendait respirer, patiner. C'était bon.

Il imagina que l'homme invisible l'attendait, là-bas, dans l'ombre, tout au fond de la zone ennemie. Et il fonça à toute allure vers lui, portant, poussant la rondelle. Il lui semblait même entendre le souffle de la foule. Il franchit encore une fois la ligne bleue et s'échappa vers le filet, seul... Mais il fut stoppé dans sa course par une masse de lumière qui lui tomba dessus. Et une grosse voix, alourdie de sommeil, chargée d'impatience et d'étonnement, lui dit : « Lafleur ! Qu'est-ce que tu fais là ? »

Il faillit tomber à la renverse, tellement il avait freiné brusquement. Il se retourna et se mit à chercher Ti-Paul des yeux. Mais il y avait tellement de lumière tout d'un coup, qu'il ne voyait rien.

« As-tu une idée de l'heure qu'il est, mon garçon ? Hein ! »

Ti-Paul Meloche était le nouveau gérant de l'aréna. Il semblait d'assez mauvaise humeur.

« Et puis d'abord, d'où sors-tu, à six heures du matin ? Comment ça se fait que t'es rentré ici dedans ?

— J'ai passé à travers le mur.

— Ah ! parce qu'en plus, tu passes à travers les murs ! »

Ti-Paul ouvrit le portillon du côté de l'entrée principale et s'avança vers Guy. Il était en pyjama et portait de grosses bottes de caoutchouc et un chapeau mou. C'était un gars trapu, fort, mais pas très grand. Sur ses patins, Guy Lafleur, qui venait d'avoir dix ans, était presque aussi grand que lui.

« Qu'est-ce que tu fais là, Guy, veux-tu bien me dire ?

— Ben ! Je joue au hockey, je me pratique.

— À six heures du matin ! »

Guy était resté figé devant Ti-Paul, son bâton posé sur la glace. Il regardait la rondelle immobilisée à mi-chemin entre la ligne bleue et le filet.

« Je peux pas faire autrement. Je dois servir la messe de neuf heures.

— Oui, mais nous autres, le samedi matin, on dort, figure-toi. Et on n'a pas besoin que tu viennes nous réveiller. »

Ti-Paul Meloche habitait avec sa famille le petit logement qui flanquait l'entrée principale de l'aréna. C'était comme s'il avait eu une patinoire dans sa propre maison, se disait souvent Guy Lafleur. Il aurait même pu, s'il avait voulu, se lever en pleine nuit et descendre patiner. C'était un champion, Ti-Paul. Il avait joué dans les ligues juniors. Il connaissait plein de monde. Il avait même déjà rencontré Maurice Richard, Jean Béliveau, Toe Blake.

Mais ce matin, il n'avait aucune espèce d'envie de patiner. Il s'était couché tard, après avoir fêté, comme tous les vendredis soir que le bon Dieu amenait, à l'hôtel Lafontaine. Le vendredi soir, pour Ti-Paul, c'était sacré. Le samedi matin aussi, par conséquent.

« J'ai pas voulu vous réveiller.

— Par où t'es entré ?

— Par le mur du hangar.

— Montre-moi ça, veux-tu ? »

Guy l'emmena dans le hangar et lui montra les trois planches déclouées.

« Comment t'as trouvé ça ?

— Ben, quand on nettoie la patinoire.

— T'aurais pas un peu aidé les planches à se déclouer, par hasard ?

— Mais non ! Ça s'est fait tout seul. »

Ti-Paul contemplait le mur, perplexe, franchement amusé. Un pâle petit jour filtrait dans la pièce par les interstices verticaux. On entendait les borborygmes de la tuyauterie.

« Ton père est au courant que tu viens ici en plein milieu de la nuit ?

— C'est pas le plein milieu de la nuit. Il est presque sept heures !

— Sept heures, le samedi matin, c'est encore la nuit.

— Mon père m'a dit de m'arranger avec toi.

— Ah bon ! J'ai passé une partie de la soirée d'hier avec lui. Il aurait pu me prévenir, il me semble ! »

Ti-Paul n'était plus de mauvaise humeur. Et ne semblait même plus endormi. Quand ils sont retournés dans l'aréna, il a pris le bâton des mains de Guy et s'est amusé à lancer la rondelle dans le coin gauche ; elle suivait parfaitement la courbe de la clôture, passait derrière le filet, toujours à mi-hauteur, reprenait l'autre courbe, à droite. Pendant ce temps, Ti-Paul traversait en courant la patinoire et allait cueillir sa rondelle à la ligne bleue. Comme s'il se fût agi d'un boomerang. Il semblait avoir oublié que Guy était là. Il courait en pyjama et chapeau mou sur la glace, tricotait et jonglait avec la rondelle. Puis il s'est arrêté, est revenu vers Guy, un peu essoufflé, et lui a dit :

« Je vais faire un *deal* avec toi. La brèche dans le mur va rester ouverte. Mais on n'en parle à personne. Y a juste toi qui vas le savoir. J'ai pas envie que la moitié de la ville rebondisse ici en pleine nuit. Encore moins de voir des voleurs entrer chez nous. Tu peux venir n'importe quand, trois heures du matin, si tu veux. Mais arrange-toi pour pas nous réveiller. Autrement dit, travaille à l'autre bout de l'aréna. Puis évite autant que possible de shooter sur la bande. »

Il lui montra ensuite comment allumer les spots. Il lui expliqua le fonctionnement du système de refroidissement, l'emmena dans le petit atelier où il rangeait ses outils, les pots de peinture rouge et bleue pour les lignes, les cordes pour les filets, une petite réserve de planches pour réparer la clôture, le gros tonneau troué monté sur patins qui servait à arroser la glace, la meule à aiguiser les patins...

« J'espère que tu sais pourquoi je te montre tout ça.

— Pour que je t'aide ?

— Non, mon garçon. Pour que tu gagnes ton temps de glace. Va jamais dire que je t'ai demandé de m'aider. C'est un *deal* qu'on a fait ensemble. Tu travailles une heure, je te donne une heure de glace. Tu travailles pas, t'as pas d'affaire ici. Compris ?

— Compris. »

***

Lorsqu'il sortit de l'aréna pour se rendre à l'église, il y avait tellement de soleil dans le ciel et sur la neige que c'en était aveuglant. La fumée de la McLarens montait toujours très droit et très haut au-dessus de la ville. Son père lui avait dit un jour que par beau temps, quand il n'y avait pas de vent, on pouvait voir les fumées de Thurso jusqu'à Buckingham, Rockland et même L'Orignal ou Ripon. Quand le vent, qui soufflait le plus souvent de l'ouest, les rabattait à ras de terre, on pouvait sentir les effluves de Thurso jusqu'à Papineauville et même passé Montebello. C'était un imposant mélange d'odeurs lourdes et acides de pulpe, de plumes et de cornes brûlées, de métaux en fusion, de gaz divers.

Il entra dans l'église par la petite porte de côté et il monta à la sacristie où se trouvait déjà Monsieur le curé Arsène Hébert en train de préparer sa messe. C'était tout tiède, tout doux, tout silencieux, comme à la maison ce matin. Il mit sa soutane et son surplis d'enfant de chœur par dessus son chandail et sa culotte de hockey. Ça sentait l'encens, la cire chaude et l'encaustique...

Le curé Hébert n'aimait pas beaucoup avoir le petit Lafleur comme enfant de chœur. Guy n'avait jamais pu mémoriser les répons en latin. Il était négligent et distrait, de sorte que l'officiant devait régulièrement lui souffler les paroles et lui dire quoi faire. La seule tâche dont il s'acquittait convenablement, c'était d'assister le prêtre quand il devait revêtir les vêtements sacerdotaux ; il les passait toujours, dans l'ordre rituel : l'aube, le surplis, la chasuble, l'étole, etc. Mais ensuite il était incapable de rester attentif. Il ne comprenait vraiment pas comment le curé avait pu dire à ses parents que leur fils pourrait faire un frère ou un prêtre, s'il se donnait la peine d'étudier.

« C'est un enfant intelligent. Il pourrait entrer en religion.

— Mais on n'a pas les moyens, Monsieur le curé !

— Ça peut toujours s'arranger. Si vous donnez votre enfant au bon Dieu, Il se chargera de son instruction. »

Mais l'enfant n'était pas studieux. Et l'idée d'être donné au bon Dieu le terrorisait. Il voulait bien aller au ciel comme tout le monde, mais le plus tard possible.

Pendant que le curé Hébert officiait, l'enfant de chœur pensait à son entente avec Ti-Paul, à la possibilité qu'il avait désormais d'avoir autant de glace qu'il voulait. Voir à l'entretien de la patinoire n'était pas vraiment du travail. Au contraire, c'était un rêve. On lui aurait donné le choix entre vivre dans le petit logis de Ti-Paul Meloche à l'aréna ou dans le beau grand presbytère qu'il aurait sans hésité choisi l'aréna. À ses yeux, Ti-Paul était un privilégié, un véritable châtelain.

À l'offertoire, le curé dut lui faire signe d'apporter les burettes ; au *Sanctus*, il lui rappela qu'il devait agiter la clochette ; après l'*Ite missa est*, il mit un peu de colère dans sa voix pour lui dire d'aller chercher sa barrette. Quand, plus tard, il s'aperçut que Guy portait son uniforme de hockey sous sa soutane, il lui rappela que ce n'était pas bien poli. Guy lui répondit : « Je peux pas faire autrement, j'ai une pratique à onze heures. »

Le curé sourit. Le fanatisme de ses jeunes ouailles pour le sport national l'effrayait parfois un peu ; il considérait que leur manie de collectionner les photos des joueurs de la Ligue nationale frisait l'idolâtrie. Mais il croyait que le sport était par ailleurs un sain divertissement. Lorsque Jean-Paul Meloche avait pris la responsabilité du hockey mineur à Thurso, il était allé le rencontrer pour l'assurer de son appui et l'avait fortement encouragé à inscrire ses formations dans des ligues régionales. Après la messe, pendant que Guy l'aidait à ranger les vêtements sacerdotaux et à nettoyer l'encensoir, le curé lui demanda :

« Qu'est-ce qui arrive avec le Tournoi moustique de Rockland ? Allez-vous y participer ?

— On est supposé savoir ça aujourd'hui ou demain, Monsieur le curé.

— Tu diras à Ti-Paul que le curé pense que vous devriez y aller. »

Dix minutes plus tard, Guy Lafleur était de retour à l'aréna. Une fort désagréable surprise l'attendait.

*
**

Plusieurs des joueurs de l'équipe pee wee étaient déjà sur la patinoire en uniforme : Lalonde, Duguay, Payer, Jimmy Simpson... Ils tournaient en rond tranquillement en attendant l'exercice. Au beau milieu de la patinoire, Ti-Paul était en grande conversation avec le frère Léo. Ce dernier avait ouvert son petit calepin dans lequel il consignait les scores de chaque joueur ; il semblait lire ses notes à Ti-Paul.

Guy est allé remettre ses patins, ses jambières et ses épaulières. Puis il est entré dans la ronde. Il a patiné avec les autres jusqu'à ce que retentisse le coup de sifflet de Ti-Paul. Et alors, ils sont tous allés vers lui en se bousculant. Guy allait ouvrir la bouche pour dire à l'instructeur que le curé Hébert voulait que Thurso aille au Tournoi moustique de Rockland, mais Ti-Paul en le voyant lui dit :

« Toi, Lafleur, tu vas aller pratiquer ton lancer de revers avec le frère Léo, pendant que je travaille dans ce coin-ci avec les autres.

— Comment ça, mon lancer de revers ? Je peux pas m'entraîner comme tout le monde ? »

Il voulait ajouter qu'il devait y avoir une erreur, rappeler à Ti-Paul qu'ils avaient une entente, qu'ils étaient amis. Mais sa voix s'étranglait dans sa gorge. Il ne bougeait pas. Les gars se tournaient vers lui et le regardaient.

« Écoute, Guy, tu as peut-être un bon lancer frappé, mais tu es le seul ici qui réussit pas à faire lever son revers. Va pratiquer. Quand tu l'auras, tu pourras revenir t'entraîner avec nous autres. »

Guy est allé rejoindre le frère Léo qui l'attendait à l'autre bout de la patinoire avec un seau de rondelles et un sourire aux lèvres. Le frère Léo était le nouveau directeur de l'école Sainte-Famille de Thurso. C'était un homme énergique et autoritaire, mince, grand et sec, qui aimait bien brasser un peu le monde et ne se privait pas d'allonger de temps en temps une bonne claque derrière la tête ou même un coup de pied au derrière d'un élève boudeur ou braillard. Il croyait aux vertus formatrices des sports d'équipe, de l'entraînement et de la discipline.

Il disait qu'il n'aimait pas les « suiveux », ni les « singes » ou les « pâtes molles » (c'était ainsi qu'il appelait les élèves serviles et soumis, qui ne prenaient jamais aucune initiative et se contentaient de suivre bêtement les règlements). Il préférait former des « loups », des êtres fiers et autonomes, capables d'autodiscipline et même, quand il le fallait, de se rebeller contre l'autorité, fût-elle bénie, fût-elle sienne.

Guy Lafleur avait déjà eu affaire à lui à quelques reprises. Et ça ne s'était pas très bien passé. D'abord au tout début de la saison, quand on avait annoncé qu'on formerait des équipes de hockey, Ti-Paul et le frère Léo avaient demandé à tous les élèves qui voulaient jouer de donner leur nom, leur poids et leur âge. Les gars étaient libres, en principe. Mais ils devaient avoir de sérieuses raisons pour s'abstenir. Presque tout le monde s'était donc inscrit : cent soixante-huit garçons en tout, de quoi former plusieurs bonnes équipes de divers niveaux.

Le frère les avait classés selon leur calibre et leur âge. Il avait d'abord convoqué les plus jeunes, les moustiques, parmi lesquels se trouvait Guy Lafleur. Celui-ci s'était donc présenté à l'aréna, un matin de fin septembre, avec ses patins et un bâton, comme la plupart des gars de son âge, Boulerice, Giroux, Berger, Meloche et les autres.

Ti-Paul les avait envoyés chacun leur tour sur la patinoire et leur avait demandé de porter la rondelle, de lancer, de freiner, de déjouer un adversaire imaginaire, puis un adversaire réel et un gardien de but. C'était difficile. Parce que tous les gars étaient là, le long de la clôture, même des grands de niveau pee wee ou bantam, qui regardaient et qui riaient quand quelqu'un faisait une erreur ou tombait.

Guy était mal à l'aise. Il détestait les concours. Il n'aimait pas devoir s'exécuter ainsi devant tout le monde. Mais quand son tour était enfin venu et qu'il s'était retrouvé sur la glace, il avait foncé comme un lion, lancé, déjoué les défenseurs et le gardien. Puis il avait repris la rondelle au fond du filet et entrepris une montée dans l'autre sens. Il avait encore déjoué les défenseurs et s'était retrouvé devant un filet vide. Les gars, le long de la clôture, s'étaient mis à applaudir et à crier. Guy s'était alors tourné vers Ti-Paul et le frère Léo qui riaient tous les deux en lui faisant des signes de la main pour montrer qu'ils avaient été impressionnés.

Ils s'étaient donné jusqu'au lendemain pour annoncer les résultats. Mais Guy s'était mis à suivre Ti-Paul partout à travers l'aréna et à lui demander sans arrêt :

« Vas-tu me prendre, Ti-Paul ? Vas-tu me prendre ? »

Par jeu, Ti-Paul ne voulait rien dire. Mais comme il était presque midi, que la plupart des gars étaient partis, et qu'en plus, il avait été vraiment impressionné par Guy, il avait fini par lui répondre :

« C'est bien évident qu'on va te prendre. Tu es le meilleur moustique que j'aie jamais vu. »

Et Guy Lafleur était rentré dîner à la maison dans un état d'extrême euphorie. Il n'avait soufflé mot ni à sa mère ni à ses sœurs, car il ne savait pas ou ne voulait pas dire ces choses-là.

L'après-midi, il était retourné à l'aréna pour assister aux essais des plus vieux. Il s'était planté au bout du banc des joueurs, près de Ti-Paul, et les avait regardés s'exécuter. Ils devaient passer une série d'épreuves qui lui semblaient étonnamment faciles : porter la rondelle autour de la patinoire en moins d'une minute, lancer dans le filet depuis la ligne bleue, faire des passes et en recevoir en patinant, rien qu'il ne fût capable de faire. Alors il était retourné chez lui chercher ses patins et son bâton. Il s'était mêlé aux gars de onze et douze ans. Et lorsque Ti-Paul avait crié « Au suivant », il avait sauté sur la glace. Il amorçait son tour de patinoire quand le frère Léo lui cria :

« Aïe ! Lafleur ! Qu'est-ce que tu fais là ? »

Mais il avait continué à pousser la rondelle, il avait contourné le filet, était revenu vers le centre de la patinoire, avait déjoué les deux défenseurs, fait volte-face et redéjoué dans l'autre sens les deux défenseurs, comme il l'avait fait le matin, puis il avait mis la rondelle au fond du filet. « Tu peux pas jouer pee wee, avait dit le frère Léo. T'es un moustique, Lafleur. T'as dix ans.

— Qu'est-ce que ça peut faire, avait repris Ti-Paul. Il y a une limite d'âge par en haut. Pas par en bas ! Officiellement, y a strictement rien qui nous interdit d'inscrire un enfant de dix ans, ou même de six ans ou de trois ans, dans un club pee wee !

— Oui, mais Lafleur est trop léger. Il ne pèse pas cent livres. En plus, il patine sur la bottine.

— C'est une chose qui se corrige facilement. De toute façon, il est déjà plus rapide que tous les autres.

— Mais il ne peut pas être dans deux formations en même temps !

— Pourquoi pas ? Je dis pas, s'il s'agissait de deux équipes de la même ligue qui risqueraient de jouer l'une contre l'autre. Mais c'est pas le cas. Je vois vraiment pas le problème. »

Guy avait déjà remarqué que Ti-Paul et le frère Léo n'étaient jamais d'accord sur rien. Même qu'ils semblaient prendre plaisir à s'engueuler. Pendant qu'ils discutaient, il était resté planté devant eux. Ils ne s'occupaient pas de lui, comme s'il n'avait pas été là ou que cette discussion ne l'avait pas du tout concerné. Il avait eu envie de leur dire qu'il venait de remporter le championnat de tennis contre des gars de treize et quatorze ans. Mais le frère Léo, à bout d'arguments, avait donné raison à Ti-Paul, et Guy Lafleur avait été inscrit sur la liste des élus. Il jouerait donc à la fois moustique et pee wee. Et finalement, le frère Léo l'avait félicité...

Mais deux jours plus tard, lors de la distribution des chandails aux joueurs du club pee wee, il allait donner à Guy un autre échantillon de son incassable autorité. Tous les gars voulaient avoir le célèbre numéro 9, celui de Maurice Richard, qui s'était retiré un an plus tôt. Or le frère Léo ayant décidé de donner les premiers choix aux plus vieux, le 9 avait été attribué au joueur de centre de la première ligne, un gars de septième année, grand et fort. Beaucoup de joueurs avaient été profondément déçus. Pas Guy Lafleur qui voulait le numéro 4, celui de Jean Béliveau, son idole. Mais le 4 avait été cédé à un gars de sixième année, qui n'était pas très vite sur ses patins.

Quand était arrivé le tour de Guy, qui se trouvait, en raison de son âge et de son poids, sur la dernière ligne d'attaque, il ne restait plus de beaux numéros considérés comme prestigieux. Le frère Léo lui avait alors tendu le chandail numéro 10. Guy avait fait la grimace. Le 10, c'était le numéro de Tom Johnson, un bon gars peut-être, mais un piètre compteur. Doug Harvey (numéro 2), passe encore; il avait été le meilleur défenseur du Canadien. Il avait reçu six fois le trophée James Norris; neuf fois, il avait été membre de la première équipe d'étoiles de la Ligue nationale. Mais Tom Johnson! Il n'avait eu qu'un seul trophée Norris, il n'avait participé qu'une seule fois à la première équipe d'étoiles.

«Si t'es pas content, Lafleur, avait dit le frère Léo, la porte est là, prends-la et rentre chez toi.

— Je suis content!

— Dans ce cas-là, change d'air.»

Ces deux expériences, la séance de repêchage et la distribution des chandails, n'avaient certes pas grandi le frère Léo dans l'estime du jeune Lafleur qui s'était résigné à porter le numéro 10. Mais il avait dépensé des trésors d'énergie pour qu'on sache qu'il aurait mérité mieux. Depuis le début de la saison, il s'était maintenu dans le peloton de tête des compteurs, tant chez les pee wees que chez les moustiques. Il était toujours à l'aréna, prêt à jouer dans n'importe quelle formation... Tout le monde, même Ti-Paul, disait qu'il était le meilleur joueur de la région.

Et voilà qu'on lui demandait d'aller s'exercer au lancer de revers! Le jour même où il venait de conclure une entente avec Ti-Paul Meloche qui en avait presque fait son assistant! Il était humilié et déçu.

«Vas-y, disait le frère Léo. Lance.»

Mais son revers était mou et imprécis.

Au bout d'une demi-heure, il faillit pleurer de rage. En allant ramasser les rondelles, il frappa la bande et fêla son bâton. Il voulait tout lâcher.

« La porte est là. Si t'es pas content, tu peux y aller. Je te verrai demain avec les moustiques. »

Il a repris la rondelle. Encore et encore.

« Énerve-toi pas. Attends de bien sentir le poids de la rondelle sur ta lame, fais glisser ton bâton tranquillement sur la glace. Tu vas voir. Ça va finir par lever. Tu peux pas faire autrement qu'y arriver. »

Mais c'était long, trop long, trop lourd. De rage, il lança son bâton contre la bande en criant :

« Maudite rondelle ! Je m'en vas chez nous. »

Le frère Léo courut derrière lui et le saisit par le cou.

« Écoute un peu, toi, là. C'est pas la faute du bâton, ni de la glace, ni de la rondelle, ni ma faute à moi, si t'es pas capable de lancer comme du monde. Ça dépend de toi. Rien que de toi.

— Vous m'avez dit que j'avais rien qu'à y aller si j'étais pas content. Je suis pas content, ça fait que je m'en vas.

— Figure-toi que j'ai changé d'idée. Va ramasser ton bâton. Et recommence-moi ça tout de suite. »

Guy haïssait le frère Léo. Il haïssait le hockey, la glace, la rondelle, le monde entier. Mais peu à peu, la rondelle se mit à lever. Et bientôt, depuis la ligne bleue, il la fit voler par-dessus le filet. Il était content. Tous les autres étaient partis et il continuait de lancer, de plus en plus haut, de plus en plus fort.

« Tu vois, dit le frère Léo, si t'avais démissionné pour vrai... C'est pas une bonne idée de lâcher. N'oublie jamais ça. »

***

Rockland se trouve sur l'autre rive de la rivière des Outaouais, du côté ontarien, un peu en amont de Thurso. En 1962, le petit aréna de blocs de ciment moussu et plat du toit était déjà aux trois quarts centenaire et jouissait d'une solide tradition de hockey que son gérant, Jean-Marc Lalonde, entendait bien perpétuer. On avait un bon club pee wee, les Boomers, qui l'année précédente avait tant bien que mal participé au Tournoi international pee wee de Québec, le plus prestigieux événement du monde du hockey mineur. Il y avait aussi, événement qui créait une très vive émulation chez les jeunes, le Tournoi international moustique de Rockland, à sa deuxième édition en ce mois de février 1962.

Les clubs ontariens, Rockland en tête, avaient nettement dominé le premier tournoi, écrasant à plate couture les formations québécoises, la plupart mal dirigées, mal équipées, peu motivées. Mais cette fois, il y aurait de sérieux changements. Il était peu probable que le trophée Chamberland reste sur la rive droite de l'Outaouais. En fait, avant même que ne commence le tournoi, on savait déjà qui en sortirait champion. Même Jean-Marc Lalonde, pourtant si optimiste de nature, entretenait peu d'espoir pour ses propres moustiques.

Au cours de la saison régulière, ces derniers avaient rencontré à quelques reprises le Mosquito de Thurso. Chaque fois, ils s'étaient fait battre.

On aurait dit que tout était arrivé en même temps, à Thurso. Un an auparavant, il n'y avait pratiquement pas de hockey organisé. L'aréna servait surtout aux ligues de curling de la Singer et de la Thurso Pulp et aux exercices de patinage artistique de quelques jeunes filles de bonnes familles. Et puis la Ville avait acheté l'aréna de la Singer et entrepris de le rénover. Jean-Paul Meloche, le meilleur homme de hockey de la région, avait laissé son job à la Singer et accepté de s'occuper de la formation des joueurs. Le nouveau frère directeur de l'école Sainte-Famille était un grand sportif et faisait tout pour encourager les sports d'équipe. Et il y avait cet incomparable prodige, le garçon de Réjean Lafleur, un gars de dix ans, capable de jouer dans n'importe quelle position, offensive, défensive, aile droite ou gauche, et possédant un étonnant coup de patin, un lancer frappé foudroyant et un revers d'une remarquable précision. En moins d'un an, Thurso s'était dotée de deux gros clubs pee wees et d'un bon bantam. Et les formations moustiques ontariennes regardaient venir avec effroi son terrifiant Mosquito.

Si au moins les Thursois avaient rencontré en première ronde de ce tournoi des clubs costauds susceptibles de les fatiguer ou de les ébranler un peu ! Mais l'équipe de Merivale, pourtant bien équilibrée, fut impitoyablement écrasée, 13 à 2. Le lendemain, deuxième jour du tournoi, Thurso devait affronter un adversaire plus coriace, le Lake Placid, seul club américain en lice. Celui-ci jouissait d'une effrayante réputation. Jamais personne ne l'avait vu jouer, mais tout le monde en avait une peur bleue ; on le disait brutal et expérimenté. Et on attendait avec une belle impatience le match qu'il devait disputer contre Thurso. À sept heures, le vendredi soir, mille deux cents personnes s'étaient entassées dans l'aréna. Lorsque les joueurs sautèrent sur la patinoire, une immense clameur monta de la foule surexcitée.

Ti-Paul Meloche, avec son sens du spectacle, avait fait courir le bruit que le côté nord de la patinoire était mieux éclairé que l'autre. Il prétendait que l'équipe dont le filet se trouvait de ce côté était nettement avantagée. Il proposa donc qu'on tire à pile ou face afin de déterminer qui, ce soir-là, y jouerait la première et la troisième période. Les deux instructeurs se rencontrèrent donc au milieu de la glace. Ti-Paul sortit un trente sous de sa poche et dit en le lançant en l'air :

« Pile, tu prends le bout sud ; face, c'est moi qui choisis. D'accord ?

— D'accord », dit l'autre, sans réfléchir.

La pièce tintinnabula sur la glace. C'était face.

« J'ai gagné, cria Ti-Paul. On va commencer du côté nord. »

L'Américain se rendit compte qu'il avait été roulé.

« Hey, it's not fair. You cheated.

— It was a deal, man, wasn't it ? »

L'instructeur de Lake Placid eut le bec cloué. En fait, les deux bouts de la patinoire étaient éclairés exactement de la même façon. Ti-Paul avait inventé toute cette histoire pour mystifier et déstabiliser son adversaire. Ça faisait partie de ce qu'il appelait sa « guerre psychologique ».

« Le hockey, disait-il à ses hommes, ça ne se joue pas juste sur la glace. Ça se passe beaucoup entre les deux oreilles. »

Il considérait qu'il fallait toujours, au hockey comme dans la vie, mettre toutes les chances de son côté, et jouer au plus faible et au timoré, quand l'autre se pétait les bretelles. Il était donc arrivé devant le Lake Placid dégoulinant d'humilité et tremblant de trac.

« Ça, c'est une règle, les boys. Avant un match important, il faut bluffer dans un sens ou dans l'autre. Si t'es en forme, fais semblant que t'es blessé ; si t'es blessé, arrange-toi pour que ça paraisse pas. Et des fois, pour mélanger le monde, dis les vraies affaires. »

Ti-Paul était un remarquable professeur de duplicité. Il apprenait à ses joueurs les rudiments de la guerre psychologique, le subtil jeu des feintes, de la provocation qui déstabilise, qui démoralise l'adversaire et parfois le rend fou.

« Il faut pouvoir briser la concentration de l'adversaire. Ça aussi, ça fait partie du jeu. »

Lorsqu'il était dans les ligues juniors, Ti-Paul s'était souvent retrouvé devant Henri Richard. Celui-ci était déjà un très grand joueur, « étiqueté Ligue nationale », comme on disait. Mais Ti-Paul s'était rendu compte qu'il pouvait assez facilement lui faire perdre ses moyens. Quand il se trouvait près de lui, sur la glace, et qu'il savait que l'arbitre ne pouvait pas le voir, il se raclait la gorge et crachait sur Henri, un homme très propre de sa personne, toujours bien mis, très fier aussi. Henri finissait souvent par craquer : il fonçait sur Ti-Paul et alors il récoltait une punition ou il perdait toute sa concentration et ses moyens et alors il jouait comme un pied.

Ti-Paul avait développé un bel éventail de trucs de ce genre pour esquiver, déjouer des adversaires beaucoup plus lourds et plus puissants que lui et, si possible, briser leur concentration. Et il enseignait ces trucs aux moustiques et aux pee wees de Thurso.

« Je ne peux pas te dire jusqu'à quel point ça va te servir directement, disait-il à Lafleur. Mais je suis sûr que ça peut te faire comprendre quelle sorte de jeu est le hockey. Il faut que tu connaisses les trucs des autres, si tu veux pouvoir les déjouer. »

Ainsi, au Tournoi moustique de Rockland, bien que confiant de vaincre, il feignit la faiblesse et la peur, de manière à rassurer les Américains. Et il recommanda à ses « hommes » de commencer doucement, de manière à pouvoir observer leur jeu.

Il s'avéra que la réputation du Lake Placid était hautement surfaite. Les moustiques américains se firent littéralement écrabouiller par le Mosquito de Thurso, à tel point que l'aréna s'était pratiquement vidé avant la fin du deuxième engagement. Guy Lafleur avait compté une dizaine de buts et récolté pas moins de cinq assistances. Chaque fois qu'il s'échappait et se présentait devant le gardien de but de Lake Placid, celui-ci se tassait dans le coin du filet et laissait entrer la rondelle, yeux fermés, un gant devant ses bijoux de famille, l'autre devant le visage.

Avant la troisième période, l'entraîneur américain rencontra Ti-Paul : il fut convenu que Lafleur n'utiliserait plus son lancer frappé qui terrorisait tous les joueurs. Question de fair-play, avait plaidé l'homme déconfit. Et Ti-Paul lui avait jeté un regard de souverain mépris. Selon lui, un homme qui quémandait du fair-play et faisait appel à la pitié de ses adversaires, avait un esprit sportif complètement dénaturé. Mais avant le retour au jeu, il prit le petit Lafleur à part et l'informa de son entente avec l'instructeur du Lake Placid.

« Je lui ai promis que tu ne te servirais plus de ton *slap shot* pendant la troisième période. »

L'enfant, ne sachant que répondre, baissa la tête, profondément déçu.

« Ça ne changera rien, tu vas voir, ajouta Ti-Paul. Quand tu vas te retrouver devant leur filet, fais quand même toute ta motion, comme si tu te préparais à frapper la rondelle de toutes tes forces, mais lance doucement, sans frapper... »

Ti-Paul savait fort bien que les joueurs du Lake Placid, en voyant Lafleur faire sa motion de lancer frappé, s'écarteraient tous et lui laisseraient le champ libre. En même temps, il tenait parole. Comme convenu, Guy n'utilisa plus son fameux lancer. Ce qui ne l'empêcha pas de compter encore une demi-douzaine de buts.

Thurso remporta le match 21 à 1. Le lendemain matin, c'était au tour du club d'Alexandria, lequel était dirigé par une dame, Mrs. Howard Morris, que tout le monde dans le milieu appelait familièrement « Gwen », une grande et forte femme qui possédait une flamboyante crinière rousse et une voix de stentor qu'elle utilisait pour terroriser l'adversaire. Elle avait assisté aux défaites de Merivale et de Lake Placid et s'était mis dans la tête que Guy Lafleur, responsable de plus des deux tiers des trente-quatre buts accumulés par son équipe au cours de ces deux matchs, n'était pas d'âge moustique. Une heure avant l'affrontement, elle vint dire à Ti-Paul :

« Cet enfant-là est un pee wee.

— Il a dix ans, répondit Ti-Paul, d'abord amusé.

— Il est trop grand, trop fort.

— Il tient ça de son père. Je n'y peux rien. Toi non plus, Gwen.

— Je ne te crois pas. C'est un pee wee. Je l'ai déjà vu jouer à Buckingham ou à Grenville contre des pee wees.

— Ça ne l'empêche pas d'être d'âge moustique. Il joue dans nos deux ligues.

— Je veux quand même voir son baptistaire. »

Ti-Paul était tellement éberlué qu'il fut incapable de se mettre en colère. Il avait beau faire témoigner toute son équipe et jurer sur sa propre tête que Guy Lafleur était bien le fils de son ami Réjean Lafleur et qu'il l'avait presque vu naître, Gwen continuait d'exiger des preuves légales et irréfutables. La partie fut remise. Le plus scandalisé était Guy Lafleur lui-même. Ti-Paul l'avait emmené devant Gwen et lui avait demandé sa date de naissance. Mais Guy était tellement intimidé et mortifié qu'en répondant, il s'était mis à bafouiller, il avait baissé les yeux, avec l'insoutenable impression d'avoir l'air d'un menteur. Il aurait voulu crier :

« Je n'ai jamais menti de toute ma vie. Jamais ! Il n'y a rien au monde que je déteste plus que le mensonge. »

Mais les gros yeux bleus de Gwen l'écrasaient. Elle continuait de l'observer tout en parlant à Ti-Paul et aux parents des joueurs de son équipe. Guy Lafleur retourna vers son banc terriblement mal à l'aise. La veille, l'entraîneur du Lake Placid avait exigé qu'il joue à moitié. Et maintenant, on voulait qu'il quitte la patinoire.

En attendant, ses coéquipiers patinaient et s'amusaient dans leur zone. Mais lui, il ne savait pas quoi faire. Appuyé contre la clôture, il sentait les regards de tout le monde se poser sur lui. C'était lourd et inconfortable comme s'il était en punition. Mais en même temps, tout au fond de lui, il ressentait une sorte de plaisir qu'il n'aurait su définir. Il était au centre de toute cette histoire, à la fois mal à l'aise et content.

Ti-Paul vint lui dire qu'il avait téléphoné chez ses parents à Thurso et qu'il n'y avait pas de réponse.

« Je le savais, dit Guy. Ma mère est chez grand-maman. Mon père est à l'usine.

— Aujourd'hui samedi ?

— Il fait du temps supplémentaire. »

Finalement, on réussit à rejoindre Réjean Lafleur à la McLarens. Il arriva au téléphone tout essoufflé, persuadé qu'un malheur venait de s'abattre sur sa famille. Lorsque Ti-Paul lui fit part de l'objet de son appel, il ne put réprimer sa colère.

« Je dois savoir l'âge de mon propre garçon, bout de bonyeu, c'est moi qui l'ai fait ! »

Ti-Paul avait fait dire à Gwen qu'il avait le père du petit Lafleur au bout du fil, mais Gwen, persuadée que tout cela était un coup monté, refusa de lui parler. Elle exigea qu'on téléphone au curé de Thurso et qu'on lui demande une copie du certificat de naissance de Guy Lafleur.

Finalement, la preuve irréfutable fut produite devant le notaire Brunet. Né le 20 septembre 1951, le numéro 10 des Mosquitos de Thurso, Guy Lafleur, fils légitime de Réjean Lafleur et de Pierrette Chartrand, était bel et bien d'âge moustique en février 1962. Avec plus de deux heures de retard, le match put enfin commencer.

Avant que ne débute la partie, Ti-Paul prit Guy Lafleur en aparté pour lui dire :

« Cette fois, mon homme, ton lancer frappé est permis. Je dirais même plus, il est chaudement recommandé par ton instructeur préféré. »

Mais en sautant sur la glace, Guy croisa le regard bleu de Gwen. Il crut y déceler une telle tristesse et une telle résignation que, pendant un moment, il fut complètement démotivé et incapable de bien jouer, comme s'il avait craint d'ajouter à sa peine. Il aurait presque préféré qu'elle continue d'être arrogante et injuste envers lui. Mais après cinq minutes de jeu, il commença à enfiler les buts avec une belle régularité. De temps en temps, tout au long de ce match, il revoyait le regard éploré de Gwen. Il aurait tellement aimé lui faire plaisir ! Mais il ne pouvait quand même pas se mettre à tricher. Le Mosquito de Thurso gagna 16 à 3 contre Alexandria.

⁂

Ce soir-là, en se rendant prendre un verre à l'hôtel Lafontaine, Réjean Lafleur rencontra Jean-Paul Danis et sa femme qui rentraient de Rockland où ils avaient assisté aux victoires des Mosquitos de Thurso. En l'apercevant, Danis avait rangé sa voiture contre le trottoir et s'était pratiquement jeté sur lui :

« Réjean, t'es pas venu à Rockland !

— Mais non ! Pourquoi ça ?

— Je pense que tu devrais aller voir jouer ton garçon. Ti-Paul a raison. C'est un vrai phénomène. »

Réjean Lafleur n'avait jamais vu jouer son fils dans une véritable partie de hockey organisée avec arbitre et public. Et ça ne l'intéressait pas vraiment. Tout ça, c'était pour lui des jeux d'enfants.

Dans sa jeunesse, il avait joué au hockey, comme tout le monde. Deux ou trois saisons plus ou moins régulières comme défenseur ou gardien de but. Fort comme un bœuf, il avait du souffle, de bons réflexes et pas froid aux yeux, mais il n'était pas très bon au hockey. En fait, il n'avait pas le temps de jouer. Quand un homme travaille dur, cinquante ou soixante heures par semaine, il n'a pas tellement envie d'aller se fendre en quatre sur une patinoire.

En 1962, Réjean Lafleur ne s'intéressait pratiquement plus au hockey. Bien sûr, il suivait les séries éliminatoires à la télévision, mais pendant la saison régulière, il ne regardait les matchs que lorsqu'il avait de la visite à la maison, son jeune frère Armand par exemple ou son beau-père, Léo Chartrand, un chaud partisan des Canadiens de Montréal. Mais jamais, il ne mettait les pieds à l'aréna. Il avait toujours quelques travaux en cours à la maison : rafistoler la galerie ou les gouttières, rentrer le bois de chauffage, changer les fenêtres. Ou il faisait des heures supplémentaires à l'usine. Avant que la Ville achète l'aréna de la Singer, il construisait chaque hiver une grande patinoire dans sa cour. Il avait montré à Guy à patiner, à tenir un bâton, à lancer. Mais il avait cessé par la suite de s'occuper de son éducation sportive.

Il venait à peine d'entamer son verre qu'un groupe de parents, de retour eux aussi de Rockland, entrait au Lafontaine et venait le féliciter et lui payer des bières, comme s'il avait été lui-même le héros du jour. Et on n'en finissait pas de lui raconter les exploits de son fils.

Le lendemain après-midi, sans même en avoir parlé à leur garçon, Pierrette et Réjean Lafleur allèrent à Rockland se mêler à la foule de l'aréna. Le Mosquito rencontrait alors les Moustiques de Rockland, son rival naturel. Cette fois, la lutte allait être beaucoup plus serrée que la veille. Le Rockland était plus lourd et mieux entraîné que tous les autres participants au tournoi. Il avait surtout l'appui d'une foule passionnée, fanatisée.

Les Thursois, et Guy Lafleur plus particulièrement, se retrouvaient en effet dans une véritable fosse aux lions. Chaque fois que l'un d'entre eux s'emparait de la rondelle, ils étaient tous copieusement hués par les parents et les amis, les mamans surtout, des joueurs du Rockland. La plupart des gars de Ti-Paul perdaient leur sang-froid. Guy Lafleur par contre semblait galvanisé par cette franche antipathie. Il était partout à la fois, enfonçant les défenses ennemies, brisant les offensives, portant à plusieurs reprises la rondelle depuis le fin fond de sa propre zone jusqu'au filet adverse, sans qu'aucun des cinq joueurs du Rockland qu'il déjouait successivement ne puisse toucher le disque.

Réjean Lafleur eut ce jour-là un double choc. En constatant d'abord que ce qu'on lui avait dit était vrai, peut-être même en deçà de la vérité. Guy était meilleur que les autres. Cent fois, mille fois meilleur que tout le monde. Lorsqu'il s'emparait de la rondelle, plus personne ne pouvait la lui reprendre. Il en faisait ce qu'il voulait. Mais ce qui étonnait davantage les parents Lafleur, c'était que leur garçon avait toujours tu ses exploits, et même son plaisir de jouer au hockey. Ils découvraient avec une certaine stupeur à quel point il était secret et renfermé.

Ce n'est qu'au milieu du troisième engagement que Guy Lafleur constata la présence de son père et de sa mère, dans la foule, derrière le banc des joueurs. Après avoir compté son quatrième but, il se retourna vers eux. Réjean Lafleur lui fit un grand sourire et leva les mains au-dessus de sa tête, en signe de victoire. Guy sourit lui aussi. Après le match, ses parents l'attendaient dans le vestiaire. Il ne savaient pas trop quoi dire. Lui non plus.

Ils sont allés souper ensemble au Castel de Rockland. Ils ne parvenaient toujours pas à se parler. Ils n'étaient pas dans leur environnement naturel. Et en plus, plein de gens venaient les voir et félicitaient Guy, même des gens qu'ils ne connaissaient pas. Celui-ci recevait maladroitement les hommages. En fait, il n'avait rien à dire. Il était content parce qu'il avait gagné et surtout parce que son père l'avait vu jouer. Mais de lui-même, il n'aurait pas raconté ce qui lui était arrivé ou ce qu'il avait fait. Il préférait que les autres le fassent.

Dans la famille, on disait de Guy qu'il était un Lafleur tout craché et qu'il ressemblait énormément à son père. Il était secret et effacé comme lui, presque autant que son grand-père Damien, son parrain, dont il portait le nom, Guy Damien Lafleur.

Le grand-père Damien, si on ne lui parlait pas, il ne disait presque jamais rien. Il venait parfois souper à la maison, il s'assoyait au bout de la table et mangeait en silence, sans dire un seul mot de tout le repas. Il était conducteur de locomotive pour la Thurso National Valley Railway, la ligne privée de la pulperie qui faisait vivre la moitié de la ville. L'été, il emmenait souvent son petit-fils avec lui dans son « kalamazoo », une espèce de gros wagon motorisé « made in Kalamazoo, Michigan », qui empruntait le chemin de fer jusqu'à Nominingue, à travers trois bonnes heures de forêts, de lacs et de montagnes. Au loin parfois, dans le creux des vallées, on apercevait des villages ; de temps en temps on faisait de courts arrêts pour vérifier l'état des rails et des ponts, pour cueillir des framboises, des mûres, des bleuets. Ils se parlaient à peine. Le vieux conduisait son étrange machine, perdu dans ses rêveries ; parfois, il chantonnait tout bas des vieilles choses. Et l'enfant, bien calé dans son fauteuil, regardait défiler le paysage. Il était bien. On voyait souvent des bêtes sauvages, des aigles... Il aimait ce grand silence paisible.

Léo Chartrand, son grand-père maternel, c'était tout le contraire. Il aimait rire et parler. C'était un joueur de tours, un joyeux drille, exubérant, bon vivant. Chaque fois qu'il voyait Guy, il voulait tirer au poignet avec lui et le laissait évidemment gagner à tout coup. Puis il le prenait sur ses épaules. Il boxait avec lui, se laissait renverser. Il avait deux passions : le bois et le hockey. De l'un et de l'autre, il pouvait parler pendant des heures.

Le bois, il connaissait personnellement. Il y était né, y avait vécu, y avait élevé ses enfants (dans le nord-est de l'Ontario). Léo Chartrand c'était un vrai coureur des bois, chasseur, bûcheron, draveur, le typique *raftman* de la Gatineau dont on parle dans les chansons de l'abbé Gadbois. Mais le hockey, pour lui, c'était tout autre chose. Il n'avait jamais patiné de sa vie. Mais il aimait regarder les matchs à la télé ; il criait, hurlait, engueulait l'arbitre, conspuait l'ennemi, faisait de longs sermons aux joueurs des Canadiens quand ils jouaient mal et clamait tout le temps que si le grand

Maurice Richard avait encore été là, ça ne se serait pas passé comme ça. Mais le «Rocket» avait pris sa retraite au début de la saison, pendant le camp d'entraînement des Canadiens, en septembre 1960. Léo Chartrand avait dit : «Le hockey est à moitié mort. Jamais personne ne prendra la place du Rocket. À moins que Guy s'en occupe.»

Il disait ça en riant, mais Guy le prenait au sérieux. Et ce jour-là, à Rockland, même ses parents, en entendant le récit de ses exploits, commençaient à y croire un peu.

Après avoir battu le Merivale, le Lake Placid et l'Alexandria, Guy Lafleur avait en effet mené son club à une victoire de 8 à 4 en comptant cinq buts et récoltant deux passes contre le Rockland. Le Mosquito de Thurso s'était ainsi arrogé le trophée Chamberland de la catégorie B et il écopait du lourd privilège de rencontrer, le soir même, les vainqueurs de la catégorie supérieure, les Combines de Ville Saint-Laurent.

Dans les ligues mineures (moustique, pee wee, bantam), les catégories étaient établies selon la population des villes. La catégorie C, par exemple, comprenait des clubs venant d'agglomérations de moins de sept mille cinq cents habitants (Thurso, Rockland, Buckingham); dans la catégorie A, étaient représentées des villes de plus de quinze mille habitants, dont Ville Saint-Laurent. L'usage voulait qu'à l'issue d'un tournoi, les vainqueurs de chacune des catégories s'affrontent dans un match hors concours.

Mais encore une fois, un problème se posait, que Ti-Paul Meloche allait régler à sa manière. Les deux équipes portaient des uniformes quasiment de même couleur, chandails bleu royal et casques blancs. Jean-Marc Lalonde, dont le club avait été défait, eut la gentillesse d'offrir ses chandails verts. Mais les joueurs de hockey, même dans les ligues mineures, sont terriblement superstitieux. Ni l'équipe de Thurso, ni celle de Ville Saint-Laurent n'avaient envie de changer de chandails. Tout le monde se disait que le club qui ne porterait pas ses couleurs serait désavantagé, que jouer dans la peau d'un autre, c'était malsain.

Ti-Paul fit savoir à l'entraîneur de l'équipe de Ville Saint-Laurent qu'il n'avait personnellement aucune objection à ce que ses gars changent de chandails. Il lui proposa quand même de tirer ça au sort... et lui joua le même tour qu'à celui du Lake Placid.

Deux heures plus tard, les Combines étaient défaits 8 à 4 par Guy Lafleur qui avait participé à sept buts des siens. Le combat cependant avait été beaucoup moins passionné. Les gens de Rockland, par solidarité régionale, s'étaient massivement rangés du côté des partisans du Mosquito de Thurso. Guy Lafleur était devenu l'un des leurs. Après l'avoir hué au cours de l'après-midi, ils lui servirent ce soir-là une vibrante ovation. La coupe Chamberland n'était plus en Ontario, mais au moins, grâce à Lafleur, elle restait dans la vallée de l'Outaouais.

Lors de ce tournoi, le Mosquito de Thurso avait accumulé, en cinq matchs, l'imposant total de 66 buts, dont 41 avaient été comptés par Guy Lafleur. En quelques jours, il était devenu une grande vedette dans le petit monde du hockey mineur. On put voir sa photo dans tous les journaux régionaux, recevant le trophée Boum-Boum-Geoffrion des mains de Franck Wiechle, député fédéral du comté ontarien de Kitchener, ou serrant la main du ministre des Sports de l'Ontario, du maire de Rockland, du maire et du curé de Thurso. Il eut même l'insigne privilège de déposer un baiser sur la joue rose de la reine du Carnaval, Miss Rockland 62, Madeleine Simoneau. C'était doux et chaud.

Après l'éprouvante défaite de ses moustiques aux mains du Mosquito de Thurso et la non moins incontestable victoire de ce dernier sur les Combines de Ville Saint-Laurent, Jean-Marc Lalonde s'était rendu au bar du Castel, où l'avaient rejoint deux de ses amis de l'Ontario Provincial Police. À l'époque, les agents de l'OPP et de la Sûreté du Québec servaient souvent de chauffeurs bénévoles aux joueurs des ligues mineures de l'Outaouais, qu'ils conduisaient aux arénas et ramenaient à la maison après les matchs.

Jean-Marc Lalonde était évidemment un peu déçu, d'autant plus qu'il s'apprêtait à partir avec ses Boomers pour le Tournoi international pee wee de Québec, où il savait qu'il pourrait difficilement faire mieux que l'année précédente, c'est-à-dire se classer de justesse dans les dix meilleures équipes, derrière Beaupré, Murdochville, Hershey, Pointe-Bleue... Sa formation était bien rodée, très motivée, elle possédait même une assez solide défensive, mais elle n'avait pas de vrais bons lanceurs ni de grands patineurs.

L'un des agents de l'OPP avait alors conseillé à Lalonde de faire appel à Guy Lafleur.

« Sinon, tu vas te faire écraser comme l'année passée », disait-il.

C'était une fort bonne idée. Malgré les immenses progrès qu'elle avait faits cette année-là dans le hockey mineur, Thurso n'avait pas les moyens d'envoyer une équipe au Tournoi international pee wee de Québec. Ti-Paul et le frère Léo ne refuseraient certainement pas qu'on leur emprunte pendant quelques jours le meilleur joueur de leur formation.

Lalonde hésitait. Le petit Lafleur s'était révélé un extraordinaire moustique, mais il était encore très jeune et un peu léger pour se retrouver dans un tournoi international de haut calibre auquel participaient les meilleurs pee wees canadiens et américains. La plupart d'entre eux avaient dix ou vingt livres et un an ou deux de plus que lui. Il fallait bien dire également qu'il n'avait jamais rien cassé lorsqu'il jouait dans les ligues pee wees régionales. On l'avait vu jouer à quelques reprises contre les Boomers ou contre le club de Buckingham ou celui de Brownsburg. Il était rapide, il avait un lancer puissant et précis. Mais chaque club comptait de gros défenseurs capables de le mettre en échec.

« Tout ça, c'était vrai au début de la saison, disait l'un des policiers. Mais en l'espace de deux semaines, cet enfant-là a fait plus de progrès que n'importe quel joueur ordinaire en un an. Je te dis moi, Jean-Marc, que c'est le meilleur pee wee que tu pourras jamais trouver. »

Il était peut-être un peu tard cependant. Les certificats et les formulaires d'inscription devaient être mis à la poste avant minuit ce même jour. Et en plus, les Lafleur venaient de quitter Rockland dans l'auto de Jean-Paul Danis qui ne conduisait jamais bien vite. Le temps de faire le grand détour par Ottawa, ils ne seraient pas chez eux avant une grosse heure.

Mais Jean-Marc Lalonde et ses amis de l'OPP continuaient de jongler avec cette belle idée. Et plus le temps passait, plus ils se persuadaient qu'elle était fort brillante. Le petit Lafleur venait effectivement de prendre énormément d'expérience au cours du Tournoi moustique de Rockland. Et il était capable de jouer devant la foule, même devant une foule hostile et agressive. C'était primordial, selon Jean-Marc Lalonde. Il avait vu de très bons joueurs absolument incapables de supporter la présence de la foule, même lorsque celle-ci leur était favorable. Lafleur au contraire semblait électrisé par elle.

« C'est peut-être un enfant timide dans la vie, disait Jean-Marc Lalonde, mais sur une patinoire, j'ai jamais vu personne foncer comme lui. »

Vers neuf heures, il appela chez les Lafleur. Pierrette répondit. Il demanda à parler à Réjean et lui soumit son idée.

« Quand est-ce que ça commence, ce tournoi-là ?

— Mardi dans deux semaines, le 27. Mais il faut qu'ils partent le dimanche d'avant.

— Comment?

— En auto, de Rockland.

— Ça dure combien de temps?

— Une semaine, juste. Ils vont revenir dimanche le 3 mars, dans la soirée. Mais j'aurais besoin de Guy les deux prochains samedis matin pour les pratiques des Boomers.

— Faudrait que j'en parle à ma femme.

— D'accord, mais vous êtes mieux de faire ça vite. Il nous reste trois heures pour remplir les papiers et les mettre à la poste.

— Elle dit qu'il faudrait avertir le frère Léo que Guy va manquer l'école.

— Je m'en occupe. Dis à ta femme de pas s'énerver avec ça. S'il le faut, le frère va venir avec nous. Guy ne va rien manquer.»

Pendant que Jean-Marc Lalonde lui parlait, Réjean Lafleur regardait son fils qui attendait au pied de l'escalier. Il devait être fou de joie, mais il ne laissait rien paraître sur son visage. On aurait même dit qu'il n'était pas du tout concerné par la conversation qu'avait son père au téléphone.

«Qu'est-ce qu'on fait pour les papiers? demanda Lalonde.

— C'est quoi, ces papiers-là?

— Les formulaires d'inscription. On a besoin de ta signature et de celle de ton garçon. On pourrait t'envoyer quelqu'un. En passant par la rivière, il serait chez vous en dedans d'une heure.

— Ça serait pas plus simple d'imiter nos signatures?

— J'osais pas te le demander.»

À Rockland, on contrefit les signatures de Réjean et de Guy Lafleur. Et les documents furent postés le soir même. Guy Lafleur faisait dès lors officiellement partie de l'équipe des Boomers de Rockland, grande rivale de Thurso, sa ville natale.

De mai à novembre, un bac faisait la navette entre Rockland et Thurso. L'hiver, on traversait à pied ou à skis sur la glace. Mais si la glace était mauvaise à cause des courants et des redoux ou si la débâcle arrivait trop de bonne heure, on devait passer par Ottawa, un détour d'une cinquantaine de milles. Or Réjean Lafleur n'avait jamais eu d'auto. Il avait bien son permis, mais il détestait conduire. Lui, si calme en toutes choses, devenait alors terriblement nerveux. Il allait travailler à bicyclette, lorsque la route était sèche. L'hiver, il marchait aller et retour, beau temps, mauvais temps. Il adorait la marche. Cet hiver-là, la glace sur la rivière des Outaouais était belle et solide, même au plus fort du courant. Guy n'aurait donc pas de problème.

Le samedi suivant, à l'aube, il partit avec sa traîne sauvage sur laquelle il avait arrimé son sac d'équipement. Il faisait un temps radieux, très froid. Il emprunta la rue Principale et, arrivé à la grande côte qui descend vers le quai, il s'assit sur sa traîne et se laissa glisser jusqu'en bas. La rivière est large, à cet endroit, de près d'un mille. Au milieu, il y a deux îles longues et plates entre lesquelles il faut passer pour rester en ligne avec le quai de Rockland. L'été, sur ces îles, il y a des sentiers où vont les amoureux, des massifs de bleuets, des petits suisses, des rats musqués. C'est très joli, très animé. Mais l'hiver, c'est sinistre ; les grands ormes noirs et nus craquent au vent. On aperçoit, sur l'autre rive, du côté ontarien, la grande côte qui va rejoindre le chemin de Rockland. Et le camion de Jean-Marc Lalonde, flanqué de grosses volutes bleues qui montent dans l'air glacé.

Ce premier jour, Guy dut se familiariser avec ses nouveaux coéquipiers. Il rencontra quelques-uns des moustiques qu'il avait défaits moins d'une semaine plus tôt et qui n'avaient pu s'empêcher de le haïr un peu. Il était la veille le pire ennemi du Rockland, il se retrouvait maintenant son héros.

Il se coula dans l'équipe des Boomers sans aucune difficulté. Et sans mot dire. Jean-Marc Lalonde avait eu raison. En moins de deux semaines, Guy Lafleur était devenu un respectable pee wee. Il n'avait pas pour autant vaincu sa grande timidité. Pas une seule fois, au cours des séances d'entraînement du samedi matin, il n'adressa la moindre parole à qui que ce soit. Quand on lui parlait, il répondait par monosyllabes, sans jamais élever la voix. Et quand c'était terminé, il ramassait ses affaires, les fourrait dans son sac et montait dans le camion de Jean-Marc qui le ramenait au quai de Rockland. Il retraversait l'Outaouais, montait la grande côte en tirant sa traîne sauvage et se rendait directement à l'aréna de Thurso où Ti-Paul lui disait :

« As-tu dîné ?

— Non.

— Alors vas-y. On joue pas au hockey le ventre vide. »

Vingt minutes plus tard, il était de retour.

« As-tu bien mangé ?

— Oui.

— Dans ce cas-là, va marcher un peu. On joue pas au hockey le ventre plein. »

Le dimanche 25 février, jour du grand départ pour Québec, une énorme tempête occupait le ciel de l'Outaouais. Guy devait rallier les Boomers à l'aréna de Rockland d'où partiraient les trois autos dans lesquelles s'entasseraient quinze joueurs et trois surveillants, en plus de tout l'équipement, des vêtements de rechange, des bâtons.

Vers la fin de l'après-midi, lorsque Guy partit de chez lui avec son père et sa mère, on ne voyait déjà plus ni ciel ni terre. Parvenus au milieu de la rivière, ils s'arrêtèrent un moment et se mirent à l'abri du vent sur l'une des îles. Il faisait doux, heureusement. Mais on ne voyait presque plus l'église, ni les cheminées de la Thurso Pulp. Et du côté de Rockland, rien qu'un immense mur blanc et mugissant.

« Ça nous donne pas grand-chose de continuer, disait Pierrette Lafleur. Si le chemin de Rockland est fermé, Jean-Marc Lalonde pourra pas venir au-devant de nous.

— Je vas y aller à pied.

— Tu iras nulle part à pied, mon garçon, dit Réjean. Si Jean-Marc n'est pas là dans trois quarts d'heure, à cinq heures, ça lui fera une heure de retard ; il nous restera plus qu'à rentrer chez nous.

— Si je peux rentrer chez nous à pied, je peux aussi bien aller jusqu'à Rockland.

— Rockland, c'est deux fois plus loin.

— Si je suis capable de faire la moitié du chemin, je ne vois pas pourquoi je pourrais pas le faire au complet.

— Parce que la tempête rempire, Guy. Arrête de raisonner. Tu feras ce qu'on te dira. »

Finalement, à la nuit tombée, on aperçut les phares d'une voiture qui descendait lentement la grande côte de Rockland. Puis il y eut des signaux sur la rive.

« C'est Jean-Marc. Tu peux y aller, mon Guy. Moi, je vas rentrer chez nous avec ta mère. Laisse-nous le temps d'arriver, puis appelle de là-bas, pour rassurer ta mère. »

Guy continua seul, marchant contre le fort vent, vers cette lumière aveuglante qui l'attendait de l'autre côté de la rivière, et qui finit par l'envelopper. Jean-Marc Lalonde le vit bientôt surgir de l'ombre, tout petit dans l'immense tempête, tout blanc de neige.

Ils ne partirent finalement de Rockland que vers sept heures du soir après avoir été dûment bénis par le curé et copieusement embrassés par leurs mamans, sauf Guy Lafleur, l'étranger, qui était resté à l'écart, tout le temps qu'avaient duré ces effusions.

À cause de la tempête, le voyage fut beaucoup plus long que prévu. Les trois voitures roulaient lentement dans la nuit, sans jamais se perdre de vue. Elles glissaient, voguaient sur la lourde neige en tanguant légèrement. On entendait le doux froufrou de la neige contre leurs flancs. À l'intérieur, c'était tout chaud. Il y avait de la musique, des rires.

Guy Lafleur, assis sur la banquette arrière de la grosse Chevrolet de Jean-Marc Lalonde, n'a pas desserré les dents de tout le voyage, il n'a pas dormi non plus, ni chanté avec les autres. C'était à peine s'il riait lorsque l'un ou l'autre de ses compagnons racontait une histoire drôle. Il regardait la nuit par la fenêtre. De temps en temps, lorsqu'on croisait une autre voiture, il apercevait son reflet dans la vitre. Puis il voyait des lumières au loin sur la plaine, des champs, des bois, des villes inconnues... le vaste monde. Tout cela l'excitait et le fascinait. Il se sentait parfaitement heureux. Enfin, presque. En fait, une seule chose l'inquiétait. Sa mère avait jugé bon de lui acheter de nouveaux patins, des jambières et des épaulières neuves, trop neuves. Il regrettait infiniment de ne pas avoir apporté son vieil équipement. Il n'avait jamais aimé porté du neuf. Surtout pas sur une glace qu'il ne connaissait pas. Heureusement qu'il avait gardé ses vieux gants et sa coquille.

Il s'est réveillé lorsque Jean-Marc Lalonde a immobilisé la Chevrolet dans le stationnement de la gare du Palais à Québec. Il neigeait toujours.

En principe, chaque équipe venue de l'extérieur devait être accueillie par des familles de parrainage chargées de loger les joueurs. Mais les gens qui attendaient les pee wees de Rockland, désespérant de les voir arriver, étaient tous rentrés chez eux. Les Boomers furent logés à l'hôtel Saint-Roch, juste à côté, à quelques minutes de marche. Jean-Marc Lalonde était inquiet. Cet hôtel était considéré comme un lieu de perdition. Dans le bar, en bas, il y avait des gars soûls qui parlaient fort, et des filles court-vêtues, des danseuses, qui riaient et chantaient, qui s'assoyaient sur les genoux des hommes. Et toute la nuit, sur l'étage, on fit la nouba. Les petits pee wees entendaient des rires gras, des soupirs lascifs, des chants grivois. Ils étaient entassés comme des sardines dans trois petites chambres exiguës où l'on avait étendu des matelas par terre.

Guy Lafleur ne pouvait dormir. C'était la première fois de sa vie qu'il entrait dans un hôtel, à part le Lafontaine de Thurso où il allait parfois chercher son père. Il trouvait cela à la fois inquiétant et excitant. Il avait peur que quelqu'un vienne, des hommes soûls qui voudraient leur faire du mal. Et en même temps, tous ces mystères dont il percevait les rumeurs le fascinaient. Il avait envie de se lever, d'aller voir; il tendait l'oreille. Et il avait une violente hâte de voir le jour, la ville, le Colisée.

Le lendemain matin, des gens du comité d'accueil étaient là pour prendre en charge les Boomers de Rockland et les confier à des familles de Sillery et de Sainte-Foy. Québec était littéralement ensevelie sous la neige, ce qui ajoutait à l'effervescence et à la magie du Carnaval.

Le Tournoi international pee wee, qui en était à sa troisième édition, connaissait déjà un succès phénoménal. Beaucoup de gens de la région organisaient leurs vacances de manière à pouvoir y assister. C'était un événement hautement médiatisé, cautionné, approuvé par les autorités religieuses et politiques, fortement encouragé par les industriels de toute la région, ceux du tourisme surtout. Comme on faisait appel à de nombreux bénévoles pour son organisation, la population pouvait légitimement considérer cet événement comme son œuvre.

Les clubs venaient de partout, de la Beauce, de la Gaspésie, de la vallée de l'Outaouais, de Toronto, London, Peterborough, Don Mills, du fin fond de l'Alberta, et même des États-Unis, dont le très fameux club de Hershey, qui se payait une réclame du tonnerre en distribuant à la ronde des tonnes de chocolat. Partout en ville, mais surtout aux abords du Colisée, on croisait des groupes de pee wees excités et ravis.

En tout, cinquante-trois clubs participèrent cette année-là au Tournoi international pee wee de Québec. Près de quatre-vingt-dix mille spectateurs y assistèrent. La cantine du Colisée était débordée. Depuis l'aube jusque tard en soirée, deux équipes de serveuses devaient se relayer. On dut louer de la vaisselle, des ustensiles, engager un nouveau chef, une autre infirmière, une deuxième équipe d'entretien.

Le lundi matin, vers dix heures, pour la première fois de sa vie, Guy Lafleur se rendit au Colisée de Québec avec les Boomers de Rockland, petit troupeau d'une quinzaine de pee wees énervés conduits par le berger Jean-Marc Lalonde. Seigneur, que c'était grand et impressionnant! Pendant deux heures, ils purent errer dans cet immense espace, courir sur la glace, escalader les gradins, et même monter sur les passerelles, tout là-haut, d'où l'on voyait la patinoire comme un lac de lumière vive.

Le Colisée était pour eux un lieu légendaire et magique, presque autant que le Forum de Montréal. Jean Béliveau, le plus grand joueur de l'époque, y avait fourbi ses armes. Malheureusement, depuis son départ pour Montréal, une dizaine d'années plus tôt, les As avaient périclité de façon dramatique. L'avènement de la télévision, qui diffusait les matchs de la Ligue nationale, les avaient précipités encore plus profondément dans l'ombre. Et les bonnes gens de Québec, un moment détournées des Canadiens de Montréal par les prouesses de Béliveau, s'étaient de nouveau entichées d'eux. En 1962, les As jouaient devant de tristes foules ne dépassant plus jamais les deux ou trois mille personnes. Le Colisée, si vivant à l'époque de Béliveau, ne s'animait plus que pendant le Tournoi international pee wee.

À midi, les Boomers devaient se retrouver à la cafétéria. Une demi-heure plus tard, on n'avait toujours pas de nouvelles de Guy Lafleur. Jean-Marc Lalonde envoya un léger commando de pee wees à sa recherche. On le trouva sur les tout derniers gradins, du côté ouest du Colisée. Tout seul. Il regardait la glace et le vide. Tiré de sa rêverie, il descendit dîner. Une heure après, il avait encore disparu. On le découvrit à la même place exactement, en train d'observer les exercices en cours. Chaque club disposait de la moitié de la glace pendant une demi-heure. Les joueurs pouvaient ainsi se familiariser un peu avec les lieux avant le début officiel du tournoi, le lendemain matin.

Lorsque vint le tour des Boomers d'essayer la glace, Lafleur semblait totalement déconcentré; son lancer était mou, son coup de patin, hésitant. On aurait dit qu'il n'était là qu'à moitié. Il passa l'avant-midi du lendemain sur son perchoir. Jean-Marc Lalonde et quelques-uns de ses joueurs étaient allés le rejoindre et assistèrent avec lui aux premiers affrontements du tournoi. Le point de vue était magnifique et permettait de faire une analyse rapide et complète de chacun des jeux qui se dessinaient sur la glace. Jean-Marc Lalonde réunit son équipe et lui donna de là-haut une leçon de hockey, commentant chaque passe, relevant les erreurs.

Le mardi 27 février 1962, Guy Lafleur se produisait dans un vrai match de hockey au Colisée de Québec. Les Boomers de Rockland rencontrèrent d'abord les pee wees de Beaupré qu'ils défirent facilement, 9 à 2. Guy Lafleur, le plus jeune joueur sur cette glace, compta trois buts, obtint deux passes. Le lendemain, contre Charny, il récolta encore une fois cinq points. Rockland gagna 9 à 5. Le jeudi 1er mars, devant treize mille vingt-quatre spectateurs, il conduisit encore son club à une victoire de 8 à 6 devant Murdochville.

Ce 1er mars 1962, à son troisième match, il était d'ores et déjà devenu quelqu'un dans le petit monde pee wee. On parlait de lui dans les journaux, à la radio, on le voyait à la télé. Des mille deux cents pee wees qui avaient envahi Québec, il était le plus connu, la star, le phénomène. Les entraîneurs et les joueurs qui savaient devoir l'affronter au cours des jours suivants venaient le voir jouer. Dans chacune des équipes, un joueur était désigné pour le couvrir, le suivre comme une ombre, lui nuire, le haïr.

«Faudra que tu t'habitues à ça», lui avait souvent dit Ti-Paul Meloche. «Tu vas te faire achaler. Ils vont te mettre un couvreur sur le dos. Peut-être deux. Faudra que t'apprennes à t'en débarrasser, sans perdre tes moyens.»

Jean-Marc Lalonde s'étonnait du sang-froid, de l'esprit d'initiative et de la maturité que manifestait le petit Lafleur sur la glace. Il n'hésitait jamais, n'était jamais pris au dépourvu. Mais il jouait seul. Il préparait ses propres jeux et les exécutait généralement sans l'aide de personne. En fait, aucun autre joueur de son équipe n'était assez rapide pour le suivre. À quelques reprises, cependant, se trouvant devant le filet adverse avec le gardien à sa merci, il choisit de passer la rondelle à l'un de ses coéquipiers plutôt que de compter lui-même. Voilà qui étonnait encore plus Jean-Marc Lalonde et les entraîneurs des autres équipes qui l'observaient. Guy Lafleur, grand seigneur, donnait des buts à ses compagnons. Et ce faisant, instinctivement, il affirmait encore plus sa supériorité et son pouvoir, non seulement sur l'adversaire, mais aussi à l'intérieur de son propre clan.

En dehors de la patinoire, il n'était plus du tout le même. Il ne parlait pas. Il avait une peur bleue des appareils photos. Un soir, juste avant le match du 1er mars contre Murdochville, un photographe de presse entra à l'improviste dans la chambre des joueurs au moment où les Boomers de Rockland s'agenouillaient pour dire leurs prières. Il prit une dizaine de clichés. Une photo paraîtrait la semaine suivante dans le *Star Weekly*. Quinze petits garçons souriants. Sauf un, Guy Lafleur. On ne voyait pas son visage. Il s'était caché derrière ses gants.

Le vendredi, les Boomers écrabouillèrent Amos, 8 à 0. Les gars de l'Abitibi n'avaient pas réussi à neutraliser Guy Lafleur. Plus rapide, plus expérimenté, infiniment plus doué qu'eux tous, il savait se défiler; il pouvait surtout, avec un art consommé, éviter les mises en échec et conserver la rondelle au sein des mêlées les plus denses.

Le club de Rockland qui, l'année précédente, avait terminé ce tournoi international pee wee en dixième position, remporta facilement le trophée Fernand-Bilodeau 1962.

Comme toujours dans les tournois de ce genre, les vainqueurs de chacune des catégories devaient s'affronter dans des matchs hors concours. Le samedi 3 mars, devant la plus grosse foule jamais vue au Colisée depuis dix ans, quatorze mille six cent quarante personnes, le Rockland (club de catégorie C) rencontra les champions de la catégorie A, Rimouski, qu'il défit 4 à 3, encore une fois grâce à Guy Lafleur qui compta deux buts. Mais le même soir, les champions de la catégorie AA, Peterborough, aplatissaient le Rockland 12 à 0. Ce n'était pas une défaite déshonorante, car le club de Peterborough était beaucoup plus lourd, plus âgé et expérimenté que celui de Rockland. Mais Guy Lafleur fut terriblement affecté par cette première défaite. Pendant toute cette partie, il continua de foncer avec un aveugle acharnement contre les lignes du Peterborough. Même après que les siens eurent abandonné et concédé la victoire à un adversaire trop puissant qui menait le jeu à sa guise, même quand c'était rendu 10, 11, 12 à 0 et qu'il n'y avait plus aucun espoir raisonnable, il jouait comme si c'eût été à égalité et qu'il y eût encore quelque chance de gagner.

«Les nerfs, Lafleur, lui disaient ses coéquipiers.

— Faudra que t'apprennes à perdre, Guy, disait Jean-Marc Lalonde, debout derrière le banc des joueurs.»

Guy ne savait que répondre. On perdait, c'était vrai. Mais selon lui, ce n'était pas une raison pour arrêter de jouer. Apprendre à perdre ? Mais pourquoi ? Il s'était promis d'en parler à Ti-Paul. Ti-Paul était mauvais perdant. Et il s'en vantait presque. Il disait souvent à ses «hommes» :

«La chose qu'il faut que vous haïssiez le plus au monde, c'est perdre. Soyez des mauvais perdants.»

À Thurso, Guy Lafleur était devenu le centre d'attraction. Il ne savait toujours pas aller vers les autres. Bien sûr, quand on lui parlait, il était gentil; il s'empressait même de démontrer à tous qu'il était comme n'importe qui, un gars ordinaire, timide et gauche, peu sûr de lui. Mais il y avait dans cette attitude une sorte de supercherie démagogique qu'il exerçait sans doute à son insu, par instinct. Un pieux mensonge. Le mensonge essentiel et spontané des stars populaires.

À dix ans, Guy Lafleur n'était déjà plus un gars ordinaire. Pour beaucoup de gens, il était le meilleur joueur de hockey pee wee du

Québec, de l'Ontario, de l'Alberta, de la Nouvelle-Angleterre, peut-être même du monde, bien qu'il fût encore d'âge moustique. Étiqueté Ligue nationale, comme disait Ti-Paul Meloche. Il n'était plus «le gars à Réjean»; c'était Réjean Lafleur qui était devenu le «père à Guy». À l'hôtel Lafontaine, on venait féliciter Réjean et lui payer un verre, parce qu'il était le père de Guy Lafleur, la gloire de Thurso. Il était brusquement devenu quelqu'un qu'on croyait équipé comme par magie d'opinions et d'avis sur plein de choses.

«Qu'est-ce que tu penses de Jean Lesage, de Diefenbaker, de Toe Blake, du président Kennedy? C'est vrai, Réjean, qu'on est supposé avoir de la pluie demain?»

Réjean Lafleur connaissait peu de chose à l'entraînement des athlètes. Il ne dira jamais à son garçon comment jouer, ni même comment s'entraîner. De toute façon, celui-ci possédait déjà une intuition très sûre et très juste de ces choses, une sorte de science infuse et complète du hockey. Il savait qu'il devait développer tels muscles et comment le faire, comment acquérir une plus grande vitesse, plus d'endurance, plus de souffle…

Il empruntait à son père sa montre munie d'une trotteuse et s'amusait à retenir son souffle, soixante secondes, quatre-vingt-dix secondes, deux minutes, jusqu'à ce que ses sœurs, terrorisées, se mettent à crier :

«Maman, Guy est en train de se suicider!»

Il avait vu dans des magazines des athlètes et des culturistes bardés de muscles qui brandissaient d'énormes haltères. Son père n'avait pas les moyens de lui en acheter, mais il était capable de lui en fabriquer. Il coula même de l'acier dans des vieilles bottines pour que Guy puisse renforcer ses chevilles que Ti-Paul Meloche avait jugées un peu faibles. Il s'était tracé un circuit à travers champs, un sentier fort accidenté où tous les jours, beau temps, mauvais temps, il courait, tout seul, toujours.

Quand il dormait, c'était pour récupérer et être en forme le lendemain. Même les choses qu'il n'aimait pas, il en mangeait, si on lui disait que c'était bon pour la santé. Il en vint rapidement à manger de tout. Et même à tout aimer. À l'église, il priait d'abord et avant tout pour devenir meilleur au hockey, plus rapide, plus fort. Quand il pelletait la galerie ou l'entrée de la cour ou qu'il cordait du bois chez ses grands-pères ou chez des voisins, c'était plus pour se faire des muscles que pour gagner des sous. Même chose, quand il se levait à l'aube le samedi matin et qu'il partait avec le laitier faire la grande tournée (Thurso, Plaisance, Ripon, Masson) : il courait, montait et descendait des escaliers, sous la pluie, le soleil. Tout ça pour s'endurcir... et pour une pinte de lait au chocolat qu'il buvait l'après-midi en rentrant de l'aréna. Quand il courait en se rendant à l'école, à l'aréna ou à l'église, ce n'était pas pour arriver plus vite, mais pour se donner du souffle, pour s'éclaircir le sang. Et pourquoi le ping-pong, le tennis, le ballon-poire, le ballon-chasseur ? Pour s'aiguiser les réflexes. Jour et nuit, hiver comme été, Guy Lafleur ne pensait plus qu'à cela. Il s'entraînait.

« Ton gars, mon Réjean, c'est un surdoué, disait Ti-Paul. S'il est encadré comme du monde, s'il ne fait pas le fou, s'il ne boit pas trop, s'il ne fume pas avant l'âge de dix-huit ans, s'il n'est pas gravement blessé, moi, je te le dis, mon Réjean, cet enfant-là, il est étiqueté Ligue nationale. »

Mais Réjean trouvait que Ti-Paul y allait un peu fort et un peu vite. Après tout, son garçon n'avait que dix ans. Comment peut-on savoir ce que va devenir un enfant de cet âge ? Il pouvait changer cent fois d'idée et perdre cette belle ardeur ou développer quelque autre passion.

« Moi, je ne suis pas tellement pour ça, qu'on pousse les enfants, disait Réjean. On est dans un pays libre, même pour eux.

— Mais il est pas question de le pousser, Réjean. On va juste lui ouvrir le chemin, comme font les Anglais devant leurs pierres de curling. On va mettre toutes les chances de son bord. Ce sera à lui de décider. »

Au cours de cet été 62, il y eut au Québec un orageux débat autour du hockey mineur. Certaines théories à la mode sur l'éducation sportive s'opposaient alors aux jeux de haute compétition. Des dirigeants de la Confédération des œuvres de loisirs de la province de Québec dénoncèrent publiquement les grands tournois pee wees qui, selon eux, encourageaient chez les (trop) jeunes le culte de la vedette et créaient chez certains une épuisante hantise de perdre. On craignait que la compétition à outrance fausse chez les enfants la notion de sport de participation et détruise chez eux l'esprit d'équipe. Et les théoriciens moralistes du monde de l'éducation jetaient l'anathème sur les parents ambitieux.

Des pères, opérant un monstrueux transfert, poussaient leurs jeunes fils à la limite de leurs forces, tant physiques que psychologiques, afin de réaliser par procuration, à travers eux, leur propre rêve d'enfance. Le hockey devenait à leurs yeux le plus grand sacerdoce auquel leur enfant pouvait accéder. De même que les bonnes vieilles familles canadiennes-françaises rêvaient autrefois de donner un fils à l'Église, certains parents des années 60 espéraient pouvoir offrir un jour leur fils bien-aimé au Hockey.

À Thurso, des rumeurs et des murmures circulaient déjà. On chuchotait que Réjean Lafleur poussait indûment son fils, que ce n'était pas normal qu'un enfant de dix ans soit à ce point dévoré d'ambition. On disait que Guy négligeait ses études. On accusait également le frère Léo de l'exempter trop souvent de devoirs et de leçons. Et Ti-Paul, de lui donner trop de temps de glace.

Ces allégations malveillantes peinaient énormément Réjean Lafleur et enrageaient Ti-Paul qui voyait dans ce débat de fonctionnaires et d'intellectuels des idées terriblement pernicieuses dont il fallait selon lui protéger les enfants. Il ne comprenait pas qu'on veuille ainsi interdire chez eux l'émulation et l'ambition. Ti-Paul, très américain de cœur et d'esprit, était un *go getter* pour qui la réussite et la compétition n'avaient rien de dangereux ou de honteux. Au contraire, c'était un moteur, la seule vérité du sport et de la vie. Sans cette idée de réussite, à quoi bon en effet jouer au hockey ? Pour aller où ? Pour gagner quoi ? Pour devenir qui ? Il était tout à fait légitime selon lui de vouloir être le meilleur et le plus fort, même à dix ans. Et plus tôt tu commences à vouloir, mieux c'est. C'est ce qu'il disait à ses hommes. Il leur disait aussi que la Ligue nationale, c'était fait pour du monde, que ça leur était accessible à eux, ti-culs de Thurso, autant qu'aux fendants des grandes villes et qu'il n'était pas interdit d'y penser sérieusement. Il leur répétait qu'il n'y avait pas que les Canadiens de Montréal et qu'ils pouvaient aussi regarder ailleurs, du côté des États-Unis autant que possible.

Ti-Paul avait toujours eu une dent contre les Canadiens, qu'il considérait comme le club à battre, même s'ils n'avaient pas remporté la coupe Stanley depuis deux ans. Une dent aussi contre Maurice Richard. Dans sa fureur iconoclaste, il prétendait que ce dernier avait fini sa carrière sur les genoux et que, sans ses coéquipiers (son frère Henri, Doug Harvey, Phil Goyette, Dickie Moore, Marcel Bonin) qui lui préparaient ses jeux et lui ouvraient le chemin, il n'aurait pas souvent compté. À l'hôtel Lafontaine, les blasphèmes de Ti-Paul soulevaient de magnifiques discussions. Mais à l'aréna, auprès des moustiques et des pee wees, il démystifiait bien des choses. Les rendait possibles, accessibles.

***

Après les nombreux matchs disputés au cours de la journée du samedi, il fallait refaire une beauté à la patinoire car en soirée, il y avait patinage libre au son des valses de Strauss et des Royal Canadians de Guy Lombardo. Ti-Paul mettait la musique qu'il aimait : Paul Anka, Elvis Presley ou Jerry Lee Lewis. Et il montait se chercher une bière et un Coke pour Guy Lafleur, son homme de confiance.

Ils grattaient d'abord la patinoire, puis ils tiraient le tonneau sur la glace et le remplissaient au boyau. Guy adorait manier cet énorme arrosoir, masse inerte de cinq cents livres, qu'il fallait mettre en mouvement, en s'arc-boutant, en tirant et poussant de toutes ses forces, jusqu'à ce que peu à peu il devienne léger, comme en état d'apesanteur. On pouvait alors pratiquement le contrôler au doigt et à l'œil. On ouvrait le robinet et l'eau giclait des tuyaux perforés en faisant un joli petit bruit mouillé. Et on promenait le tonneau en laisse tout autour de la patinoire. Comme un toutou géant et docile.

Mais qui pouvait bien venir patiner à l'aréna, le samedi soir, pendant que les Canadiens jouaient à la télévision ? C'était peut-être le seul moment de la semaine où lui, Guy Lafleur, avait vraiment envie d'être ailleurs qu'à l'aréna. Surtout en avril, pendant les séries éliminatoires.

Il avait quand même un petit pincement au cœur lorsque vers les six heures, il contemplait son œuvre, une belle glace parfaitement lisse, dans laquelle se mirait le plafond de l'aréna. Si Ti-Paul n'avait pas été là, en train de ranger le tonneau, les boyaux, les grattes, la benne, les filets, il aurait chaussé ses patins, il aurait marqué cette glace, il l'aurait signée, à grands coups de lames.

Mais il devait rentrer à la maison dans l'air doux de ce soir de printemps, le soleil se couchant dans son dos, derrière les lourdes fumées de la McLarens qu'affolaient les petits vents d'ouest. Il avait passé près de douze heures enfermé dans l'aréna. Il avait participé à deux exercices, battu les pee wees de Buckingham et les moustiques de Gatineau, assisté à un match bantam, refait la glace.

Il était vanné, vidé, affamé. Comme tous les samedis soir, sa mère avait préparé du spaghetti, avec beaucoup de viande et plein de légumes et des herbes, dont l'émouvante odeur l'assaillait dès qu'il entrait dans le solarium. Il mangerait à se défoncer, prendrait son bain, descendrait s'installer au salon en pyjama. Pendant que sa mère et ses sœurs feraient la vaisselle et rangeraient la cuisine, il attendrait avec son père que le hockey commence, en sentant la fatigue de la journée fondre sur lui et l'engourdir tout doucement. Et il s'assoupirait et se retrouverait seul sur le grand rond à patiner que faisait son père autrefois dans la cour. C'était à la fin de l'après-midi, dans le jour gris et lourd. Et soudain, il ne trouvait plus sa rondelle nulle part. Il la cherchait partout, désespérément, pendant ce qui lui semblait des heures, des jours, mais la glace restait vide à perte de vue. Et il patinait si loin, dans l'espoir de la retrouver, qu'il ne voyait plus la maison chez lui, ni même le gros panache de fumée de la McLarens, ni le clocher de l'église, ni les montagnes derrière le village. Il était perdu dans un infini désert de glace, tout bleu, tout froid, son bâton inutile dans la main...

Il se réveillerait en entendant le thème musical de *La Soirée du hockey* et la voix de son père appelant tout le monde à l'ordre.

Réjean Lafleur, littéralement happé par la passion de son fils, était devenu un grand amateur de hockey. Il avait construit dans le salon, juste à côté du petit écran, une étagère sur laquelle on avait aligné les trophées déjà nombreux que son jeune avait remportés, un Boum-Boum-Geoffrion, un Red Storey, des Robin Hood, que Pierrette époussetait et polissait de temps en temps. Mais Guy ne les regardait à peu près jamais. Quand on lui remettait un trophée, il le ramenait chez lui et le laissait traîner dans un coin. Il lui était même arrivé d'en oublier un à l'aréna de Rockland.

Il n'aurait su dire pourquoi, mais il n'aimait pas vraiment ses trophées, et n'en parlait jamais. Il les traitait avec beaucoup de nonchalance et un ostensible manque de délicatesse, comme s'il eût été honteux ou déplacé de manifester sa joie de les avoir remportés. Par contre, il était toujours heureux de voir que, grâce à ses exploits, l'Idéal et le Mosquito remplissaient désormais l'aréna de Thurso quand ils s'y produisaient. Il y avait tout le temps du monde pour les voir jouer, parfois même aux exercices, mais surtout évidemment le dimanche après-midi.

Le match de hockey dominical était en effet devenu un événement couru. Le Tout-Thurso était là. Les notables et les édiles s'assoyaient à côté du banc des joueurs. Il y avait le curé Arsène Hébert, le député Gaston Clermont, le maire Rodolphe Pelletier, Fernand Lafleur, président de la Commission scolaire, le frère Léo Jacques, directeur de l'école Sainte-Famille. On chantait en chœur le *Ô Canada*, les joueurs de la première ligne d'attaque debout au centre de la glace, avec l'arbitre au milieu et les défenseurs et les gardiens des deux camps à l'attention près de leurs filets, tous tournés vers le crucifix et la photo de la reine d'Angleterre accrochés au-dessus de la porte de l'entrée principale. On disait de courtes prières. Le maire ou le curé faisait la mise au jeu. Il y avait des journalistes et des photographes. Thurso existait; on en parlait dans les journaux. Thurso avait enfin des projets bien à elle, ce qui réjouissait le curé Hébert.

Personne ne savait trop par qui, ni où ni comment il fut décidé qu'on pouvait maintenant se payer un club pee wee capable de participer honorablement au quatrième tournoi international de Québec. On allait, grâce à l'Idéal, mettre Thurso sur la carte du monde pee wee. Pas question cette fois de prêter Guy Lafleur aux Boomers de Rockland. Et qu'importent les rumeurs et les murmures ! Il se passait enfin quelque chose à Thurso.

Et l'idée ne venait pas d'en haut, pas du curé, ni des patrons de l'usine, ni même du frère directeur, bien qu'ils soient tous parfaitement d'accord et qu'ils aient approuvé et béni les initiatives prises en ce sens. C'était le vrai monde de Thurso qui s'était donné un but et cherchait les moyens de l'atteindre.

On avait conclu une entente avec Valiquette Sport de Hull. On avait acheté à crédit pour dix mille dollars d'équipement (jambières, gants, épaulières, coquilles, bâtons, rondelles, masques, casques). Réjean Lafleur, Ti-Paul et quelques autres parents avaient signé une reconnaissance de dette.

« On n'est qu'une bande de quêteux, disait Ti-Paul, mais Valiquette nous fait confiance. Il sait qu'on va trouver le moyen de tout rembourser.

— Ah oui ! Comment ?

— Il y a la porte de l'aréna, qui peut nous rapporter dans les sept à huit mille dollars, si on donne un bon show. Pour le reste, on verra. Si on a un bon club, le monde de Thurso nous laissera jamais tomber.

— Et si t'as pas un bon club ?

— On va avoir un bon club. »

Dans une petite ville ouvrière, le club de hockey ou de baseball est souvent le plus solide ciment qui puisse lier les habitants. C'est le lieu même de l'identité de la ville, son ambassade, son âme et son œuvre la plus chère. L'Idéal était devenu la passion des Thursois. Guy Lafleur, son héros.

On en avait fait un être à part, distingué, unique, donc seul. Sans lui demander son avis, on lui avait confié une mission. Il avait conquis, lors du tournoi de Rockland, le trophée Chamberland ; il devait maintenant aller chercher le Bilodeau à Québec.

Lorsque Ti-Paul venait regarder le match du samedi soir chez les Lafleur, il s'installait d'autorité dans la grosse berceuse à côté de la fournaise. Pierrette et Réjean occupaient le divan de velours côtelé. Guy et Suzanne étaient assis par terre, le nez contre l'écran noir et blanc qui jouxtait l'étagère à trophées. Quand arrivaient les commerciaux au début des entractes, Guy se levait, courait se chercher une orange et rapportait des bières pour Ti-Paul et son père, parfois pour son oncle Armand, pour son grand-père Chartrand ou même pour le frère Léo qui venait lui aussi faire son tour de temps en temps. Et on écoutait Gerry Trudel, Jean-Maurice Bailly, Charlie Maillé, les sages de la Ligue du Vieux Poêle. Immanquablement, Ti-Paul critiquait leurs commentaires, les traitant de fous ou leur donnant raison.

Les Canadiens traversaient alors une assez mauvaise passe. De 1956 à 1960 inclusivement, cinq années de suite, ils avaient remporté très facilement la coupe Stanley. Mais depuis deux ans, depuis le départ de Maurice Richard, et bien qu'ils soient restés une équipe puissante, bien équilibrée, avec les meilleurs joueurs au monde (Jacques Plante, Bernard Geoffrion, Jean Béliveau, Henri Richard) et un entraîneur de génie (Toe Blake), quelque chose chez eux clochait que même Ti-Paul ne saisissait pas trop. Et ça l'ennuyait un peu, lui qui avait crié si fort « Bon débarras ! » quand le Rocket était parti et qui avait gagé que les Canadiens joueraient enfin du meilleur hockey.

Ça ne l'empêchait quand même pas d'ajouter ses observations aux commentaires de René Lecavalier et d'engueuler les joueurs et l'entraîneur de chacune des équipes, quand ils faisaient quelque mauvais coup. Les seuls moments où il se taisait, où tout le monde dans la maison se taisait, c'était quand le grand Jean Béliveau sautait sur la glace. Ils le regardaient tous aller, médusés, émus. Tout semblait si léger, si parfait, si facile.

Le « Gros Bill » s'emparait de la rondelle à la ligne rouge, il revenait dans sa zone pour laisser à ses hommes le temps de reprendre leurs positions respectives. Pendant un moment, personne ne bougeait. Les douze hommes sur la glace semblaient immobiles. La foule du Forum retenait son souffle. Et à travers tout le Canada, six millions de téléspectateurs attendaient, en silence, tendus eux aussi. Alors, lentement, à longues enjambées, comme au ralenti, Béliveau contournait son filet, dépassait ses défenseurs et fonçait à toute vitesse vers le centre de la patinoire. La première chose qu'on savait : il n'avait plus la rondelle. Il l'avait laissée derrière lui à Jean-Guy Talbot qui l'avait passée, à l'aile gauche, à Gilles Tremblay qui l'avait poussée vers Béliveau déjà rendu à la ligne bleue adverse, à l'autre bout, de l'autre côté de la patinoire. Béliveau contournait la défense ennemie (comment, on ne savait pas, on n'avait rien vu), s'approchait très près du gardien, feignait de lancer à gauche, puis à droite, puis à gauche encore, et il lançait avec force sur la jambière du gardien qui ne pouvait saisir la rondelle, il ramassait le retour et d'un puissant revers la logeait au fond du filet, par-dessus l'épaule du malheureux cerbère. Tout cela en quelques secondes. Et la foule du Forum se levait comme une masse.

«Le joueur le plus complet que t'auras jamais vu, Guy, c'est Gordie Howe des Red Wings de Detroit. Mais le plus beau à voir jouer, c'est Béliveau. Quand il est sur la glace, c'est toujours lui qui fait arriver les choses. C'est pas un vulgaire compteur de buts comme Maurice Richard. Celui-là, il ne savait pas préparer des jeux, il était pas capable d'éviter les mises en échec, ce qui fait qu'il était souvent blessé. Et un joueur blessé n'est pas très utile à son club. Mais son plus grand défaut à Maurice, c'était qu'il ne savait pas contrôler ses émotions. N'importe qui pouvait le faire craquer rien qu'en le traitant de *frog* ou de *pea soup*. Béliveau, c'est pas pareil. Pour briser la concentration de ce gars-là, t'as affaire à te lever de bonne heure. Béliveau, c'est un maître, je te le dis, Guy. Regarde jouer Jean Béliveau. C'est le meilleur exemple que tu pourras jamais avoir.»

Le frère Léo, lorsqu'il se trouvait là, protestait avec véhémence. Pour donner plus de poids à ses paroles, il se levait debout dans le petit salon et affirmait péremptoirement que Richard avait quelque chose que Béliveau n'avait pas et n'aurait jamais, une espèce d'aura, un charisme, une vraie légende. Ti-Paul était absolument réfractaire à ce genre de choses. Il répétait à Guy que s'il songeait sérieusement à faire une carrière de hockey, il devrait éviter de se laisser impressionner par les auras ou les légendes ou le charisme dont certains joueurs s'entouraient.

«Quand t'es devant un gars sur la glace, ne lui donne jamais plus que ce qu'il a, disait-il. Même s'il a compté un million de buts, même s'il dit «tu» au Premier ministre, occupe-toi pas de ça, ne pense jamais à ses scores ou à ses records. Occupe-toi rien que de lui. Fais comme si tu le voyais pour la première fois de ta vie. Dis-toi pas qu'il est plus grand ou plus vite que toi ou plus pesant. Si tu le vois comme un monument ou comme une montagne, tu pourras jamais le déjouer. Il t'aura eu avant même que tu t'approches de lui. Dis-toi que sur la glace tout le monde est pareil. Et qu'il y en a pas un de plus grand que toi.»

Rien de tout cela ne tombait dans l'oreille d'un sourd.

*
**

Comme toutes les grandes communautés enseignantes, les Frères de l'Instruction chrétienne amassaient d'impressionnantes archives sur les sociétés auxquelles ils appartenaient. Ils rédigeaient de nombreux opuscules relatant dans le menu détail ce qu'ils avaient vu et fait, au cours de leurs années d'enseignement. C'était une sorte de presse parallèle, toujours très sanctifiante, mais constituant une mine de renseignements d'une extraordinaire richesse. Pas tellement sur les réalités et les vérités de l'époque, mais sur ses peurs, ses rêves, ses visions, ses projets.

Dans ces écrits, les Frères avaient en effet l'habitude de gommer systématiquement tout ce qui n'était pas conforme à leur conception idéale du monde et de la vie. Littérature de propagande donc, pieuse et militante, souvent ennuyeuse, mais cependant très révélatrice d'une certaine époque. On y trouve une réalité soigneusement tamisée, criblée, débarrassée de tout ce qui ne cadrait pas dans le Plan idéal, dans le pieux Projet de société que caressaient alors les bons frères et les élus du peuple. Une réalité revue et corrigée. Ce qu'on voulait qui fût, plus que ce qui était vraiment.

Le petit Guy Lafleur convenait parfaitement à cette vision. Il y avait entre le Rêve et lui une parfaite adéquation. Il pouvait servir d'exemple, d'agent de propagation de la Foi, une espèce d'âme à tout faire qu'il fallait vite récupérer.

Le frère Léo rédigea sur lui un petit ouvrage qu'il allait quelques années plus tard publier à deux reprises, sans nom d'auteur ou d'éditeur. Sous sa plume, Guy Lafleur deviendra un héros comparable aux saints jeunes hommes (Dominique Savio ou Gérard Raymond) qu'on proposait alors comme modèles de vertu aux adolescents.

« Ces modestes notes écrites à la hâte et sans prétention, veulent rendre hommage à un jeune homme qui fait honneur à sa ville de Thurso, à sa famille et aux premiers instructeurs qui lui ont appris les rudiments du jeu de hockey. »

Le frère Léo s'attacha à démontrer comment, par son courage, sa ténacité, sa confiance en lui et, bien sûr, avec la grâce du Dieu tout-puissant, ce tout jeune homme avait réussi à sortir de son petit milieu et à « se réaliser pleinement ». Le frère Léo voyait là, d'abord et avant tout, un bel exemple de bonne vieille foi chrétienne. Mais aussi, très présent et très pressant, imposant même, un exemple de réussite sociale, de parfaite convenance au rêve nord-américain de l'après-guerre.

Il y avait à ce moment-là un autre héros dont les frères de l'école Sainte-Famille parlaient parfois aux enfants de Thurso : Paul Anka, jeune chanteur originaire de la région (il était né à Ottawa), qui faisait alors un très lucratif malheur aux États-Unis et même en Europe avec ses chansons, *Lonely Boy*, *Diana*, *Put Your Head on My Shoulder*. Lui aussi était proposé en exemple de ténacité, de volonté, de foi et de courage. Le message était clair et net : il fallait réussir, sortir d'ici, affronter le vaste monde.

Les Frères faisaient évidemment du prosélytisme, mais il y avait aussi chez eux (comme chez tous les religieux qui formaient encore l'intelligentsia canadienne-française) un nationalisme profond (pensons au frère Marie-Victorin, au chanoine Lionel Groulx, plus tard au frère Untel). Ils avaient un projet social bien défini. On les a accusés d'avoir tenu le Canada français dans l'obscurantisme, mais c'est tout de même de leur enseignement et de leur réflexion que sont nées une bonne partie des grandes idées qui ont fait le Québec d'aujourd'hui.

Le frère Léo n'avait peut-être pas l'envergure et la rigueur intellectuelles du chanoine Lionel Groulx ou du frère Marie-Victorin, mais il était sensible aux idées nationalistes de son époque, persuadé que le peuple canadien-français était béni, marqué, promis à de grandes choses. Il ira même jusqu'à expliquer dans son opuscule, l'immense talent de Guy Lafleur par le fait qu'il était canadien-français, donc élu de Dieu, et animé par lui d'une foi capable de transporter les montagnes, d'une irrésistible volonté de réussite et d'une force hors du commun.

« Une chose est bonne chez lui, écrivait-il, il est canadien-français, et, quand il se met une chose dans la tête, il parvient à son but. Guy est un jeune homme comblé de talents et de bonne volonté. Il écoute et essaie de suivre à la lettre les conseils de son instructeur, et je dirais même scrupuleusement. Il peut sembler revêche au début, mais il raisonne facilement, quand il sait parfaitement où il doit aller ! »

Le frère Léo fera donc de Guy Lafleur un modèle de générosité, de ténacité, de patriotisme, lui prêtant toutes sortes de talents et de vertus, l'affublant de morales, de signes et d'idéologies.

Guy Lafleur était déjà, plus ou moins malgré lui, une sorte d'icône, porteur de divers messages, une star fonctionnelle, représentant en idéologies avant d'être, plus tard, porte-parole de grands fabricants d'équipement de sport ou d'automobile.

*
**

Au Tournoi international pee wee 1963, Guy Lafleur de l'Idéal de Thurso portait le chandail du capitaine et le numéro 4, chiffre et titre tant convoités de son idole Jean Béliveau. Cette année-là, lors de la distribution des chandails, il avait eu le premier choix. Car il était une star déjà, il le savait et il en acceptait naturellement les responsabilités et les privilèges, tout comme il trouvait normal qu'on le consulte pour préparer les jeux, choisir les joueurs, former les lignes d'attaque.

Il avait alors onze ans. Il était grand et fort pour son âge. Son lancer était si puissant que, lorsqu'il se pointait devant le filet ennemi, le vide se faisait devant lui. Au tournoi de Québec, édition 1963, il allait encore battre des records et moissonner les trophées.

Il avait pourtant plutôt mal commencé. En effet, pendant les exercices au Colisée, Ti-Paul avait remarqué qu'il jouait avec moins d'intensité et de puissance que l'année précédente. En fait, il était continuellement surveillé par l'adversaire, ce qui rendait son travail pénible. Presque tous les clubs, connaissant ses exploits, lui avaient affecté deux couvreurs, de sorte qu'il n'était plus jamais libre de ses mouvements.

Ti-Paul était fort déçu. Il était parti de Thurso en répétant à tout le monde qu'il irait chercher le trophée Fernand-Bilodeau. Le troisième jour du tournoi, il rencontra par hasard Jean-Marc Lalonde qui avait déjà « coaché » Lafleur. Et il s'ouvrit à lui de son problème.

« Je vais te donner un truc, lui dit Jean-Marc Lalonde. Moi, quand je voyais qu'il ralentissait, je le plaçais à la défense. Un défenseur est toujours beaucoup plus difficile à couvrir. On ne sait jamais à quel moment ou de quel côté il va sortir de sa zone. »

Ce conseil du très magnanime Jean-Marc Lalonde à Ti-Paul allait lui coûter fort cher.

Le vendredi soir 22 février, Guy Lafleur affrontait les Boomers de Rockland qu'il avait conduits à la victoire l'hiver précédent. Ce fut un rude et spectaculaire combat. Les joueurs de Jean-Marc Lalonde connaissaient Guy par cœur, ils savaient prévoir ses mouvements, déjouer certaines de ses feintes et le mettre en échec. Pendant les deux premières périodes, ils parvinrent pratiquement à le neutraliser. Il ne compta qu'un but. Au début du troisième engagement, les Ontariens menaient 2 à 1. Ti-Paul mit alors en pratique les conseils de son généreux rival et fit jouer Guy Lafleur à la défensive.

Celui-ci put ainsi se soustraire à l'attention de ses couvreurs et compta le but égalisateur, moins de trois minutes avant la fin du match. On alla en prolongation. Cinq minutes plus tard, Jacques

Massie de l'Idéal marqua le but vainqueur. Les Thursois qui, l'année précédente, n'étaient même pas dans la course, rentrèrent chez eux avec le trophée Fernand-Bilodeau 1963. Guy Lafleur avait accompli la mission qu'on lui avait confiée. Si, au pointage de chacun des matchs de ce tournoi, on avait retranché les buts qu'il avait lui-même comptés, pas une seule fois son club n'aurait gagné.

Guy Lafleur était devenu l'homme à battre pour tous les pee wees du Québec et de l'Ontario. Même ceux qui ne l'avaient jamais vu jouer savaient plus ou moins qui il était. À Marvelville, par exemple, à une demi-heure de route au sud d'Ottawa, les gars en étaient obsédés. Ils lui tissaient, bien malgré eux, une sorte de terrifiante légende qui le grandissait et le renforçait. Tout en le craignant, on avait hâte de le rencontrer. Même Larry Robinson, qui était grand et fort lui aussi, et dont on disait également qu'il était étiqueté Ligue nationale, était inquiet. Quand enfin, sur la glace de Thurso, ils rencontrèrent l'Idéal, à l'automne de 1963, les pee wees de Marvelville étaient à moitié paralysés par la peur. Ils ne cessaient de regarder Lafleur, même quand il était sur le banc des joueurs.

« Avez-vous vu ces idiots ? disait Ti-Paul. Ils avaient perdu avant même d'arriver ici. Rien qu'en pensant à toi, Guy. Tu te souviens de ce que je t'ai dit ? Quand tu te laisses impressionner par un gars, t'es perdu. »

Très souvent, à cette époque, au lieu d'écrire dans la presse sportive que les pee wees de Cornwall, d'Amos ou de Petawawa avaient été défaits par ceux de Thurso, on titrait tout simplement « Guy Lafleur écrase Petawawa » ou « Lafleur Leads Thurso into Hockey Final ». Exactement comme on faisait vingt ans plus tôt, pendant la Deuxième Guerre mondiale, dans la presse canadienne : « Richard défait les Rangers 5 à 3 » ou « Les Hawks ne peuvent contenir Richard ».

Mais Richard n'avait fait parler de lui dans les journaux et à la radio qu'après son entrée dans la Ligue nationale, à l'âge de vingt et un ans. Pas une seule fois auparavant le grand public n'avait entendu son nom ou vu son visage. Guy Lafleur, lui, était déjà une vedette hautement médiatisée dès l'âge de douze ans. Red Storey, renommé ex-arbitre de la Ligue nationale, lui avait déjà remis à deux reprises le trophée portant son nom destiné au meilleur compteur de la Ligue pee wee.

En 1964, Lafleur participa pour la troisième année consécutive au Tournoi international pee wee de Québec. Il jouissait d'une telle célébrité dans la Vieille Capitale que sa visite au Village du Carnaval et au Palais de glace fut un événement signalé dans les journaux. Il était devenu un personnage, un être dont les faits et gestes retenaient l'attention et qui créait des remous sur son passage.

On le comparait à Jean Béliveau, son idole de toujours. Or le vrai, le seul, l'unique Jean Béliveau, alors dans toute sa gloire, était venu assister au tournoi de Québec. Il avait affirmé, impressionné par le jeune prodige, que c'était un « véritable Maurice Richard » qu'il avait vu jouer. On écrivit que Guy Lafleur était « le jeune Canadien le plus susceptible d'hériter du surnom de Boum Boum ». On le compara également à Terry Harper pour la puissance de son lancer, à Bobby Hull pour sa force d'accélération.

Aux côtés de Guy Lafleur, d'autres jeunes commençaient alors à s'illustrer, qui étaient susceptibles de devenir de grandes stars de la Ligue nationale : Gilbert Perreault, Jacques Richard, Marcel Dionne... Ce dernier, originaire de Drummondville, un bon gars rieur et chaleureux, se montrait remarquablement à l'aise devant la presse. Jacques Richard était lui aussi un véritable feu d'artifice, à tu et à toi avec les journalistes. Chaque fois qu'il enfilait un but, il manifestait bien haut sa joie, saluant la foule du Colisée et se livrant devant elle à de spectaculaires et sympathiques pitreries. On l'aimait, on l'applaudissait.

Guy Lafleur continuait d'arborer sur toutes les photos un visage sévère et fermé où se dessinait à peine de temps en temps l'ombre d'un sourire. Il ne trouvait rien d'autre à dire aux journalistes qui l'entouraient après les matchs qu'il était bien content d'avoir gagné. Mais lorsqu'il évoluait sur la glace, c'était quand même toujours lui qui volait le show et soulevait la foule.

La puissance de son lancer était telle qu'il terrifiait tous les gardiens de but. Pour rencontrer l'Idéal de Thurso, plusieurs d'entre eux portaient deux plastrons et des bourrures, lourde carapace qui les protégeait un peu, bien sûr, mais qui les embourbait et les alourdissait dangereusement. Et ça ne changeait pas grand-chose.

« L'étonnant Guy Lafleur qui émerge par sa grandeur et ses talents du club de Thurso a étourdi le cerbère du South Durham hier en décrochant un formidable lancer frappé qui l'atteignit à la poitrine. Le jeune gardien a dû être évacué de la patinoire, mais il est revenu quelques minutes plus tard pour féliciter Guy Lafleur qui venait d'éliminer son club. »

Les journaux du lendemain publièrent une photo du pauvre petit gardien tendant la main au vainqueur. Il y avait de l'admiration dans son regard, de la sympathie dans son sourire. Mais Guy ne souriait toujours pas.

Lors de l'affrontement Thurso–Petite-Rivière, le jeune Réjean Sansfaçon souleva l'admiration de la foule du Colisée. Même s'il était petit au point de pouvoir aisément se tenir debout à l'intérieur du filet, il eut l'audace d'affronter Lafleur dont les boulets avaient déjà envoyé deux joueurs à l'infirmerie. Il ne fit pas beaucoup mieux que les autres, mais il fut chaleureusement applaudi pour son courage et sa ténacité. Ce jour-là cependant, beaucoup des bonnes mamans venues voir jouer leurs fils chéris honnissaient le terrible Guy Lafleur. Non seulement il brisait leurs espoirs de voir leurs rejetons figurer parmi les meilleurs, mais il faisait peur à ceux-ci, il leur faisait mal.

Il remontait le long de la clôture en portant la rondelle, lorsqu'il entendit distinctement une femme hurler : « Guy Lafleur, maudit sauvage. » Ça lui a donné des ailes. Il est entré en trombe dans la zone adverse et a frappé si fort que le gardien est tombé à la renverse et que la rondelle a roulé au fond du filet. Lafleur ne s'est même pas retourné vers la femme qui l'avait invectivé. Il est rentré vers son banc sous les applaudissements et les huées de la foule. Sans le moindre sourire, évidemment. Il croyait entendre encore cette femme le traiter de « maudit sauvage ». Elle n'avait pas le droit de dire ça. Il avait toujours joué franc jeu, il n'avait jamais donné de coup bas ou sournois. Ce n'était quand même pas sa faute s'il était meilleur que les autres !

Le lendemain, 5 février 1964, l'Idéal de Thurso rencontrait une fois de plus ses chers ennemis, les Boomers de Rockland, qui lui avaient donné beaucoup de fil à retordre lors du précédent tournoi. Ce jour-là, Guy Lafleur allait compter sept buts. Jamais il n'avait ressenti un tel *feeling*. Tout au long du match, il avait eu l'impression exaltante de savoir dans les moindres détails ce qui allait se passer au cours des prochaines secondes... Tout était parfait, magique : le poids de la rondelle sur son bâton, la température, les cris de la foule, la texture de la glace, la position des autres joueurs sur la patinoire. Il jouait sans penser à son jeu, sans plan, comme en rêve, porté par une force à laquelle il s'abandonnait sans retenue.

Sept buts en un match. Un record dont on chercha longtemps l'équivalent dans les archives, non seulement du hockey mineur et junior, mais aussi chez les professionnels. Les statisticiens découvrirent finalement qu'un tel exploit avait été enregistré le 31 janvier 1920 par Joe Malone, l'as des Bulldogs de Québec, qui avait déjoué sept fois le gardien des Maple Leafs de Toronto, le pauvre Howard Lockhart ! Malone avait brisé le record de six buts en un match établi vingt et un jours plus tôt par Newsy Lalonde des Canadiens de Montréal. Mais depuis ce temps, soit quarante-quatre ans, jamais nulle part on n'avait vu, dans aucune ligue majeure ou mineure du hockey organisé, six ou sept buts comptés en un match par un seul joueur. On fit coudre en vitesse sept rondelles de velours noir sur le chandail du numéro 10 de l'Idéal de Thurso. Et Guy Lafleur posa fièrement pour les photographes. Pour une fois (enfin !), il arborait un large sourire satisfait.

Il était heureux, non seulement d'avoir réussi un exploit pratiquement incomparable, mais aussi d'avoir fait connaissance avec cette Force mystérieuse qui s'était emparée de lui, la joie aussi de savoir qu'elle reviendrait et qu'il était en train d'acquérir une grande maîtrise du jeu.

Ce même jour, il rencontra Paul Dumont pour la première fois. Célibataire et fonctionnaire, Dumont avait beaucoup de temps libre qu'il consacrait aux clubs fermes des As de Québec. Il s'était mis dans la tête de relancer le hockey junior dans la Vieille Capitale. Il savait que ce serait sans doute fort long et qu'il faudrait nécessairement penser à long terme. Pour tout le monde, Paul Dumont était l'homme fort du hockey au Québec, une sorte de parrain bienveillant, planificateur intelligent et bien organisé, un visionnaire. Il savait reconnaître le talent et le faire valoir.

Il se disait que parmi les quelque mille deux cents joueurs qui se produisaient au Colisée pendant le Tournoi international pee wee, il y avait sans aucun doute de quoi former, dans cinq ou six ans, un bon club junior A. C'est pourquoi, chaque hiver, il prenait congé pour pouvoir assister à tous les matchs pee wees disputés au Colisée. Il préparait des petites fiches sur les joueurs qui lui semblaient les plus intéressants.

Comme tout le monde, il avait remarqué Guy Lafleur au tournoi de 1962. Mais il avait souvent observé des pee wees d'aussi grand talent qui, après une saison fulgurante, se désintéressaient complètement du hockey, comme s'ils avaient brusquement perdu le feu sacré. Il semblait bien cependant que ce jeune Lafleur était parti pour aller loin. Le jour où il compta ses sept buts, Paul Dumont se rendit dans le vestiaire des joueurs, sous les gradins, du côté est du Colisée. Il se dirigea directement vers Guy, le félicita et lui dit :

« Si ton père est à Québec, j'aimerais le voir.

— Je vas aller vous le chercher. »

Trente secondes plus tard, Réjean Lafleur était dans la chambre des joueurs, son chapeau à la main, formidablement intimidé par l'élégant Paul Dumont.

« Quand Guy aura quinze ans, dit ce dernier après les présentations d'usage, j'aimerais l'avoir à Québec dans notre organisation. »

On échangea adresses et numéros de téléphone. En rentrant chez lui, ce soir-là, Paul Dumont, qui était un maniaque de l'ordre et du rangement, mit dans ses dossiers les coordonnées de Guy Lafleur et les notes qu'il avait prises sur lui.

« Ça va sortir en temps et lieu », se dit-il.

Guy Lafleur, à douze ans, venait d'entrer dans le système du hockey. Il était d'ores et déjà certain qu'il ne pourrait s'en échapper avant très longtemps.

*
**

À la rentrée de 1964, il y avait un nouveau professeur de mathématiques à l'école Sainte-Famille de Thurso, un gars de Montréal, vingt-quatre ans, rieur et timide, les dents tout de travers, le cheveu hirsute, Normand Chouinard, bientôt universellement surnommé la Chouine.

La Chouine était le grand ami de la famille du frère Léo Jacques. Un jour qu'ils étaient venus lui rendre visite, ce dernier les avait traînés à l'aréna voir un jeune joueur de hockey qu'il considérait comme « absolument phénoménal ». Normand Chouinard à cette époque ne s'intéressait pas au hockey et aurait préféré aller se promener dans la campagne outaouaise. Mais ce qu'il vit ce jour-là à l'aréna de Thurso le fascina, pas tellement le spectacle en cours sur la glace auquel il ne comprenait pas grand-chose, mais tout ce qui se passait autour, ce vibrant enthousiasme que les Thursois manifestaient à leur club pee wee, l'Idéal, et à son meilleur compteur, un petit blond qui était partout sur la glace et qui semblait avoir magnétisé la rondelle et la foule. C'était touchant, électrisant, exaltant.

Jamais nulle part Normand Chouinard, le gars de la grande ville brutale et commerciale, n'avait vu ça, tant de passion, de chaleur, de plaisir. Il fut séduit par les gens de Thurso. Et quelques mois plus tard, apprenant qu'un poste d'enseignant était ouvert, il posa sa candidature en se disant qu'il parviendrait bien à oublier les horribles odeurs de la ville.

Il prit une chambre chez les Malette, rue Bourget, tout près des Lafleur. Or au printemps suivant, les Malette faisaient l'acquisition d'une roulotte dans laquelle ils allaient s'installer définitivement au cours de l'été. Plus de place chez eux, donc, pour la Chouine. Un beau soir, faisant sa promenade digestive, celui-ci passa devant la maison des Lafleur. Pierrette était en train de préparer les plates-bandes de son parterre. Dès que la Chouine lui eut fait part de son problème, elle lui dit :

« T'as rien qu'à t'en venir rester chez nous.

— Mais vous êtes déjà sept avec les enfants !

— On sera huit, si ça te tente. »

Normand Chouinard déménagea chez les Lafleur quelques jours plus tard. Il n'était pas gros, ses bagages non plus : une malle de cuir contenant ses vêtements, une boîte de livres. Il partagea avec Guy la longue chambre étroite qui faisait le côté sud de la maison. Une fenêtre et un lit étroit à chaque bout, une petite table contre le mur aveugle, deux chaises droites, une grosse commode. Rien d'autre sur les murs bleu pâle qu'un crucifix et un rameau béni au-dessus de la porte, pas d'affiches ou de posters représentant des joueurs de hockey, des bagnoles ou des motos rutilantes ou de superbes bêtes sauvages, aucune de ces images qu'on s'attend habituellement à trouver sur les murs de la chambre d'un garçon de treize ans.

Guy Lafleur était un jeune garçon bien sage, extrêmement discipliné et ordonné, animé d'une détermination à toute épreuve, mais si timide que la Chouine, pourtant si volubile, resta quelques jours interdit, un peu mal à l'aise, se demandant même s'il était de trop et si le petit Lafleur n'aurait pas préféré rester seul dans sa chambre. Il se confia à Pierrette qui elle non plus ne savait que penser. Elle disait souvent que son garçon n'était pas « jasant », alors que ses quatre filles étaient de véritables moulins à paroles, même Lucie qui n'allait pas encore à l'école.

« Mais on finit toujours par savoir d'une manière ou d'une autre ce qu'il pense, dit-elle à la Chouine. Attends, tu vas voir. »

Quelques jours plus tard, les Lafleur partaient dans le « kalamazoo » du grand-père Damien, leur train et leur chauffeur privés, pour leur camp de chasse presque tout aussi privé, qu'ils tenaient du gouvernement par bail emphytéotique. Ils devaient passer une semaine à pêcher la truite grise et le brochet. Seuls Guy, qui préparait des examens, et la Chouine, qui en corrigeait, étaient restés à la maison. Le mardi après-midi, devoir accompli, ils décidaient d'aller rejoindre la famille. En passant par Ripon, Montpellier, Chénéville, une bonne heure de fort jolie route à travers un pays de montagne peu peuplé, densément boisé. Ensuite, on devait faire une longue marche à travers bois sur un mauvais chemin qui se ramifiait sans cesse. La Chouine fut étonné du sens de l'orientation et de l'assurance de son compagnon.

Il faisait nuit noire lorsqu'ils arrivèrent au camp, fatigués, transis, un peu effrayés, disant qu'ils avaient aperçu une ourse avec ses petits en traversant le bois. La Chouine clamait que Guy avait eu peur. Guy disait que la Chouine voyait partout des ombres menaçantes. De toute évidence, ils étaient devenus de bons amis.

Le lendemain, il faisait un temps radieux. Ils partirent dès l'aube afin de rentrer à Thurso à temps pour l'école. Ce genre de randonnée imprévue était la grande spécialité de la Chouine. Il adorait la route. Surtout pour aller nulle part. Au cours de l'été, Guy et parfois Suzanne, sa sœur aînée, passèrent avec lui des centaines d'heures à parcourir les routes de la Gatineau, poussant parfois jusqu'au Témiscamingue, jusqu'au massif du Mont-Tremblant et aux parcs de La Vérendrye, de Kipawa… Guy s'était découvert une véritable passion pour les cartes routières et topographiques qu'il pouvait lire avec une étonnante rapidité. Il voulait sans cesse faire le point, savoir où ils se trouvaient par rapport à Thurso, Ottawa, Montréal. La Chouine lui acheta un atlas, le premier livre que Guy Lafleur fréquenta avec plaisir et assiduité.

La Chouine fit donc rapidement partie intégrante de la famille. Quand vint la longue grève générale des enseignants et qu'il ne put payer sa pension, Pierrette conclut avec lui un arrangement les satisfaisant tous les deux. Il ne paierait plus jamais de pension ; il ferait sa part dans la famille. Et plus jamais, entre les Lafleur et lui, il ne fut question d'argent.

Il servit évidemment de chauffeur. Il devint aussi, en quelque sorte, le précepteur des enfants, révisant avec eux les leçons, leur donnant de temps en temps des cours de rattrapage et s'arrangeant avec ses confrères pour que Guy ait congé de devoirs et de leçons quand il devait disputer un match important.

En septembre 65, Guy monta en huitième année et eut la Chouine comme professeur titulaire. Celui-ci, qui ne l'avait pratiquement jamais vu qu'à la maison ou à l'aréna où il était toujours le centre d'attraction, fut étonné de le découvrir si effacé, si timide, si peu démonstratif. Il avait l'impression qu'il était celui de ses élèves qu'il connaissait le moins. Jamais en classe Guy ne levait la main pour poser ou répondre à une question. Il suivait, mais de loin, avec une sorte d'indifférence ou de détachement poli, sans plus. Il n'aimait pas l'école, parce qu'il n'y croyait pas. Pour certaines choses, il possédait un pouvoir de concentration extraordinaire, mais pour l'étude…

Il pouvait cependant être très discipliné, très sérieux. Lorsqu'il le fallait. Lorsqu'il le voulait. Ce qui l'ennuyait et le rebutait en classe, il parvenait toujours, dirigé par la Chouine, à l'assimiler en quelques minutes, le soir après souper.

Il arrivait que la Chouine n'ait pas le choix et doive le garder en retenue après la classe. Un soir, Réjean Lafleur demanda à son garçon pourquoi il était rentré si tard de l'école.

Guy gardait le nez dans son assiette. La Chouine mentit :

« J'avais besoin de lui pour nettoyer les fenêtres de la classe. Il m'a donné un coup de main. »

Guy leva brusquement la tête et dit que ce n'était pas vrai, qu'il était resté en retenue. Il avait une espèce de peur presque maladive du mensonge. Il pouvait se taire et garder secrets ses sentiments et ses pensées. Mais il ne pouvait se résoudre à mentir, ni même à laisser qui que ce soit le faire à sa place.

La Chouine devint une sorte d'interlocuteur entre lui et ses parents, un arbitre parfois, un conseiller. Ainsi, quand Guy voulut suivre la mode et se laisser pousser les cheveux, et que Réjean Lafleur de toutes ses forces s'y opposa, la Chouine intervint et servit de médiateur.

« Laisse-le faire, Réjean, voyons. Des cheveux longs, ça n'a jamais fait de mal à personne.

— Non, mais c'est laid, puis c'est sale.

— Pas quand c'est lavé ! Quand même !

— Je veux pas que mon gars ait l'air d'une fille.

— Si j'étais toi, Réjean, je m'inquiéterais pas de ça. »

À la Chouine, Guy parlait parfois des filles de l'école dont il rêvait, mais qu'il n'osait approcher. La Chouine avait remarqué que Guy exerçait une certaine fascination chez beaucoup d'élèves, garçons et filles. Ses prouesses sportives avec l'Idéal, mais aussi avec le club de baseball ou sur le court de tennis, lui conféraient un grand prestige. Il était physiquement plus fort, plus grand, plus rapide et plus agile que tout le monde. Mais il y avait autre chose, une espèce de mystère dont plus ou moins consciemment il s'entourait. Malgré sa timidité, il savait toujours parfaitement ce qu'il voulait. Et il était probablement le seul de toute l'école à le savoir, ce qui en faisait un être à part, différent de tous les autres garçons de son âge. Toute la ville s'était mobilisée pour que, trois années de suite, il aille chercher des trophées à Rockland et à Québec. On avait misé sur lui. On lui avait confié de lourdes responsabilités.

Systématiquement, la Chouine le poussait à développer ses talents. Il avait entendu Jacques Plante, le fameux gardien de but des Canadiens, « le plus grand de tous les temps » disait Ti-Paul, vanter les vertus du ping-pong pour aiguiser les nerfs et les réflexes. Comme on ne disposait pas d'espace à la maison pour installer une table de ping-pong, la Chouine eut l'idée de faire jouer Guy contre la cloison séparant la cuisine du salon. Ça durait parfois des heures, toc, toc, toc, tous les soirs après souper... toc, toc, toc, dos à la fenêtre, debout entre la table et le réfrigérateur... toc, toc, toc, pendant que ses sœurs lavaient la vaisselle ou faisaient leurs devoirs... toc, toc, toc, jusqu'à ce que Madame Lafleur, excédée, dise :

« Guy, pour l'amour du saint Ciel, tu pourrais pas t'arrêter un moment donné ! »

Et lui, sans arrêter de jouer, disait :

« Si j'arrête, qu'est-ce que je vais faire ? »

N'avoir rien à faire le terrorisait. Il se sentait alors désarmé, menacé, terriblement seul au monde. Il n'y avait que dans l'action, que dans le feu de l'action, qu'il était réellement bien.

Un jour de grosse pluie, au printemps, la Chouine trouva Guy devant la table de la cuisine en train de couvrir des pages et des pages de son nom, sa griffe, son parafe, des dizaines et des dizaines de fois. Il signait et contresignait : Guy Lafleur, Guy Lafleur, Guy Lafleur, Guy, Guy, Guy.

Ce manège-là a duré des jours. Même en classe, sur ses cahiers d'écolier, il signait et contresignait. La Chouine et tout le monde lui disaient :

« Aïe ! Guy Lafleur, tu te pratiques à signer des autographes ! As-tu décidé de devenir célèbre ? »

En quelques semaines, sa signature aura complètement changé.

Selon les graphologues, la signature révèle ce que l'on voudrait être, alors que toute autre écriture dévoile la personnalité réelle ; l'une est chargée du rêve, l'autre de la réalité. Chez certains individus, il arrive qu'avec le temps les deux se confondent. Au printemps 66, Guy Lafleur s'était forgé une signature très vigoureuse et nerveuse, projetant de lui l'image d'un homme déterminé qui savait s'affirmer avec force et ne craignait pas l'avenir et qui en même temps, avec ses jolies arabesques, voulait d'abord et avant tout séduire.

Comme chaque année, Paul Dumont, directeur des clubs fermes des As juniors de Québec et responsable du recrutement et de la formation des joueurs, profita de ses vacances d'été pour mettre de l'ordre dans ses dossiers. En regardant une à une les fiches qu'il avait rédigées sur les meilleurs joueurs bantams et pee wees au cours des années précédentes, il tomba sur «Lafleur, Guy, 20 sept. 51, Thurso, excellent patineur, lancer de la droite puissant et précis, jeu intéressant de feintes à gauche et à droite. Excellent joueur d'avant. Peut aussi jouer défensivement».

«Tiens! ce garçon aura quinze ans en septembre. Demain, j'appelle son père à Thurso. »

Le lendemain, en fin d'avant-midi, au moment où il rentrait d'une partie de golf, son propre téléphone sonnait; c'était le père de Guy Lafleur qui lui rappelait que son fils s'en allait sur ses quinze ans et qu'ils étaient prêts à le rencontrer s'il en avait toujours envie.

«Bien sûr que j'en ai toujours envie!

— Dans ce cas-là, je vous passe un ami de la famille... Vous allez vous arranger avec lui.»

L'ami de la famille, c'était évidemment Normand Chouinard. Au grand soulagement de Réjean Lafleur, il avait décidé d'autorité qu'il agirait comme interlocuteur auprès de l'organisation des As juniors. Ce jour-là, au téléphone, il demanda à Paul Dumont des précisions sur la façon dont on logeait les jeunes joueurs venus de l'extérieur, dans quelle sorte d'école on les envoyait, quelle surveillance on exerçait sur eux... Presque rien sur le hockey, ce qui disposa favorablement Paul Dumont. Il s'était assez souvent fait casser les oreilles par des parents qui se mêlaient d'un peu trop près à son goût de l'entraînement et de la formation de leur fils, exigeant pour lui un minimum de temps de glace, telle ou telle position et un débouché garanti vers les ligues majeures.

Dumont invita les Lafleur et leur mentor à descendre à Québec pour faire connaissance avec les gens des As juniors. Toutes dépenses payées, évidemment, et chambres réservées au motel Universel de Sainte-Foy. Guy et ses parents n'avaient pas du tout l'habitude de ce genre d'endroit. En se levant, le lendemain matin, Pierrette dut se faire violence pour ne pas faire les lits et le ménage. La Chouine, lui, était parfaitement à l'aise. En tant que représentant régional du Syndicat des enseignants de l'Outaouais, il allait souvent dans la Vieille Capitale pour des réunions. C'était justement à ce même motel qu'il rencontrait ses confrères enseignants et les fonctionnaires du ministère de l'Éducation. Il connaissait bien Québec. Il aimait discuter et négocier. Les Lafleur s'en remirent donc totalement à lui.

On expédia le dossier de l'éducation; Guy serait inscrit en neuvième année à l'école Jean-de-Brébeuf qui, renseignements pris, était une honorable et efficace institution. Dès la fin de la saison de hockey, il rentrerait à Thurso pour terminer son année scolaire sous la surveillance de la Chouine. Nourri et logé, il recevrait en outre huit dollars d'argent de poche par semaine. Tout cela faisait le bonheur de Guy et de ses parents. Ces derniers, cependant, refusaient catégoriquement qu'il s'engage à long terme avec les As de Québec. Il était trop jeune. Québec, paradis des pee wees, offrait peu d'avenir à un joueur ambitieux. Les ligues mineures y étaient fort bien structurées. Mais le hockey junior majeur sombrait dans la désorganisation la plus totale.

«Justement, on ne s'en sortira jamais, plaidait Paul Dumont. Tant et aussi longtemps que les bons joueurs vont continuer de nous bouder, on ne parviendra pas à former de bons clubs. C'est un cercle vicieux. On approche des jeunes joueurs prometteurs comme Guy, parce qu'on espère qu'ils vont rester chez nous et nous aider à bâtir quelque chose.

— Très beau projet! disait la Chouine, mais on ne voudrait pas que Guy en fasse les frais.»

Paul Dumont comprenait. Il n'avait pas le choix de toute facon. À Québec, un joueur de la trempe de Guy Lafleur, même dans le hockey mineur, pouvait poser ses conditions.

«On voudrait qu'il évolue tout de suite dans le junior A, disait la Chouine. Pas dans le B.

— Si je comprends bien, vous voulez lui faire sauter une année.

— C'est à peu près ça, oui.

— Vous pensez qu'il est capable?

— Tout à fait sûr.

— Il est très jeune pour le A, vous savez. Un gars de quinze ans dans le junior A, je ne me souviens pas d'avoir vu ça.

— Peut-être, mais pour nous ça ne change rien. Il est trop fort pour le B, vous verrez.

— Dans ce cas-là, il ne devrait pas y avoir de problème.»

Il y en eut.

Guy s'était pourtant bien préparé pour cette première vraie saison de hockey. Il avait suivi un programme d'entraînement strict et intensif. Et en plus, il avait passé trois mois sur la ferme de Jean-Marc Perras. Il adorait les travaux de la ferme : faire de la clôture, nettoyer les fossés, essoucher, faire les foins surtout, l'une des plus belles et des plus enivrantes activités de plein air qui se puissent pratiquer sous nos latitudes. D'abord, ça ne se fait que par très beau temps, sous le ciel du plein été, avec une petite brise qui monte gentiment de la rivière, et ça sent incroyablement bon (un gars de Thurso est toujours très sensible aux bonnes vieilles odeurs naturelles). C'est physique et mystique... C'est de la musique, de la poésie.

Guy développa une véritable passion pour la terre. Il prit la décision que si jamais il lui arrivait malheur — on ne sait jamais, une cheville ou un genou brisé par exemple — et qu'il était forcé de renoncer à une grande carrière de hockey, il deviendrait fermier. De toute façon, lorsqu'il prendrait sa retraite, il allait acheter une ferme, quelque part dans l'Outaouais ou dans les Laurentides, avec des animaux et un grand bois, une érablière peut-être. Il savait que ce goût de la terre ne le quitterait jamais. En attendant, il en profitait pour se faire des bras.

Durant les fins de semaine, quand il faisait beau, il allait nager dans l'Outaouais. Avec quelques amis, il ramassait des « pitounes » échappées des estacades des moulins à papier et qu'ils revendaient aux papeteries. Ça ne payait presque pas (deux ou trois dollars la corde), mais c'était un jeu. Et pour Guy Lafleur, une manière de se donner du souffle et de l'endurance, des réflexes plus rapides, une plus grande souplesse.

À la mi-août, il suivit un stage d'une dizaine de jours à l'École moderne de hockey. Il y avait déjà plusieurs institutions de ce genre au Québec. La plupart étaient dirigées par des professeurs d'éducation physique, théoriciens et techniciens diplômés et chevronnés, qui faisaient appel à des joueurs de la Ligue nationale pour animer les ateliers et les cours pratiques. Cette école, dirigée par Guy Marcotte et Jean Trottier, était sans contredit la plus prestigieuse et la plus courue de ces maisons d'enseignement.

Rattachée à l'Université de Montréal dont elle utilisait l'amphithéâtre, les gymnases, les pistes et les pelouses, elle était fréquentée par la crème des hockeyeurs mineurs. On les faisait s'entraîner deux ou trois heures sur la glace tous les matins, puis suivre toute une série d'exercices en studio ou dans la montagne, derrière le Centre sportif de l'université. L'après-midi, il y avait des cours théoriques sur les jeux offensifs et défensifs, l'entraînement, la musculation, la nutrition, etc.

Henri Richard, qui lançait de la droite comme Guy Lafleur, donnait des cours de maniement et enseignait les jeux de passes. Jacques Plante dévoilait ses trucs de gardien de but. Jean-Claude Tremblay aidait les jeunes à développer leurs techniques défensives. Et de temps en temps, un jeune joueur des Canadiens juniors de Verdun, Jacques Lemaire, venait donner des démonstrations de lancer frappé, le fameux et si efficace et si contesté *slap shot*. C'est avec lui surtout que Lafleur aimait travailler. Des heures durant, les deux hommes bombardaient à tour de bras le filet ou la bande de boulets d'une terrible puissance. Lemaire était impressionné. Certains entraîneurs voyaient encore d'un mauvais œil le lancer frappé qui, selon eux, manquait de précision. Il était en effet difficile d'en régler la hauteur et la direction. Mais le jeune Lafleur atteignait la cible avec une régularité jamais vue.

Guy se retrouvait alors aux commandes de la plus merveilleuse machine qui soit, un corps d'athlète parfaitement bien rodé, puissant, extraordinairement performant. Et cette machine-là semblait s'être emballée. Guy ne pouvait plus s'arrêter : il courait, patinait, travaillait sans relâche. On aurait dit qu'il avait complètement inversé certaines fonctions biologiques ; le repos semblait l'épuiser, l'effort et l'action le reposaient et le détendaient.

Ainsi, lorsqu'en septembre il se présenta au camp d'entraînement du junior A à Québec, il était au meilleur de sa forme. Pourtant, on devait assez rapidement se rendre compte que, malgré son incomparable talent et sa forme et sa force exceptionnelles, il était encore trop peu expérimenté et vraiment trop léger (à peine cent trente-cinq livres) pour évoluer dans la Ligue junior A et qu'il devrait passer un an ou quelques mois au moins à parfaire sa formation dans le junior B.

Cette rétrogradation ne faisait évidemment pas son bonheur. Il croyait toujours qu'on ne pouvait s'améliorer qu'en jouant avec des plus forts que soi. Par conséquent, il craignait de s'affaiblir en jouant avec des égaux ou des moins bons que lui. Paul Dumont, bon pédagogue, lui fit cependant comprendre qu'il n'avait pas le choix.

« Fais-nous un peu confiance, mon garçon, disait-il. Tout le monde ici, dans l'organisation, a intérêt à ce que tu deviennes un grand joueur. On ne prendrait pas le risque de te renvoyer dans le B, si on n'était pas certain que tu as encore des choses à apprendre. Dis-toi bien une chose, Guy Lafleur : bon comme tu es, il est peu probable que des organisateurs le moindrement sérieux et intelligents compromettent ta carrière de quelque façon que ce soit. Mets-toi bien ça dans la tête : tu n'es pas en danger, ni ici, ni nulle part ailleurs. Ton grand talent te protège. Alors respecte-le. Et développe-le comme il faut. »

Le jeune Lafleur était tellement doué, tellement bon, qu'il avait négligé d'apprendre plein de choses. Chez les pee wees ou les bantams, il pouvait s'emparer de la rondelle avec une énorme facilité aussitôt qu'il sautait sur la glace, et il lançait de la ligne bleue avec beaucoup de force et une précision étonnante. Les autres joueurs avaient tellement peur de ses lancers qu'ils lui laissaient la plupart du temps le champ libre, faisant pratiquement une haie d'honneur à sa rondelle qui s'en allait droit au fond du filet. Il n'avait donc jamais eu besoin d'apprendre à déjouer ses adversaires, à tricoter ou à se développer un jeu de feintes un peu compliquées.

Mais dans le junior A, il y avait des gars drôlement plus costauds. Lafleur lui-même s'était déjà rendu compte qu'il ne pouvait plus si facilement s'emparer de la rondelle et qu'on ne lui laissait plus aussi volontiers le champ libre.

Il avait beau être grand et fort pour son âge, il ne faisait pas le poids. Il venait d'avoir quinze ans. Et il y avait sur la glace des gars de dix-huit et dix-neuf ans qui faisaient parfois près de deux cents livres.

Il fut donc convenu qu'il commencerait la saison dans la Ligue junior B, avec le club de Canadian Tire & Repair, le CTR. Il en éprouva une cruelle déception, bien qu'il comprît la situation, ce qui selon Paul Dumont prouvait qu'il était un vrai grand joueur, ambitieux et intelligent.

Le 20 septembre, ses parents lui téléphonèrent pour lui souhaiter bonne fête. C'est alors seulement que Réjean Lafleur apprit que son fils avait été rétrogradé. Il en fut ulcéré. Lui, ordinairement si timide, surtout avec des gens cultivés et importants comme Paul Dumont, décida sur-le-champ de l'appeler et de lui dire qu'il n'était pas question que Guy reste plus longtemps à Québec pour y perdre son temps.

« J'avais promis, vous avez raison, avoua Dumont, lorsque Réjean Lafleur le laissa enfin parler. Mais comprenez que je pense d'abord à Guy, dans cette affaire-là. Si on le laisse dans le A, il va se faire écraser. Il est beaucoup trop jeune, trop léger. Il est surdoué, je vous l'ai dit. Et il peut devenir un joueur de la trempe de Béliveau ou de Bobby Hull ou de Gordie Howe. C'est probablement le meilleur junior que j'aie jamais vu de ma vie. Mais il doit faire ses classes. Si on veut en faire un grand joueur, il doit faire ses classes. »

Réjean Lafleur était encore au téléphone, debout contre le comptoir de la cuisine, près de la porte d'entrée, lorsque la Chouine rentra de l'école. Il comprit tout de suite qu'il se passait quelque chose d'important.

« Paul Dumont veut descendre Guy dans le B, lui dit Pierrette. Et comme tu peux voir, Réjean ne veut rien savoir de ça.

— Moi, je pense que Dumont a probablement raison, dit la Chouine. C'est comme à l'école, cette affaire-là. Ce n'est pas toujours bon de faire sauter des années aux élèves, même aux surdoués. »

Mais Réjean Lafleur, toujours au téléphone, continuait d'expliquer que son garçon était devenu un grand joueur parce qu'il avait toujours évolué avec des plus vieux et des plus lourds que lui.

« Vous l'avez vu jouer quand il était pee wee, Monsieur Dumont ? Oui ou non ? La première année, il était d'âge moustique. Et c'est lui qui a eu le trophée Red Storey ! Il a été le joueur le plus utile à son club. Et c'était le plus jeune, justement. »

La Chouine lui faisait de grands signes.

« Calme-toi, Réjean. Dis que tu vas rappeler. »

Réjean raccrocha, se prit une autre bière, s'assit à la table et se laissa convaincre par Pierrette et la Chouine que Paul Dumont avait probablement raison. Il accepta finalement, non sans amertume, que son fils soit rétrogradé dans le B. La Chouine rappela Paul Dumont le soir même. Il fut entendu que Guy jouerait une dizaine de parties avec le junior A au cours de la saison régulière et que, si tout se passait bien, il évoluerait dans cette formation pendant les séries éliminatoires du printemps.

En attendant, Guy Lafleur, conscient de ses lacunes et de ses faiblesses, se lança à fond de train dans l'entraînement. Mais même dans le junior B, l'année commença plutôt mal. Malgré l'enthousiasme qui le portait, il n'était visiblement pas dans son élément. Pas encore. Un jour, à un mois environ du début de la saison, Paul Dumont appela Réjean Lafleur à Thurso pour lui dire qu'il pensait que son garçon avait des problèmes.

« Comment ça, des problèmes ?

— Je pense qu'il a peur.

— Guy ? Peur de quoi ?

— Je ne sais pas. On dirait qu'il a peur de jouer.

— J'arrive. »

Le lendemain, Réjean Lafleur descendait à Québec avec Normand Chouinard. Il pleuvait à boire debout, une grosse pluie glacée de novembre. Ils se sont rendus à Limoilou, rue La Sarre, dans la pauvre maison où pensionnait Guy.

Les familles qui acceptaient de loger des joueurs de septembre à mai ne le faisaient évidemment pas pour l'amour du hockey, mais surtout pour les quelque 60 $ bruts que leur versait chaque mois l'organisation des As. Ainsi, c'était très souvent les moins bien nantis et les moins bien logés qui accueillaient chez eux des joueurs écoliers.

Cette première année à Québec, Guy avait été placé dans une famille de fort bonnes gens, mais qui hébergeait deux joueurs dans un appartement exigu et déjà surpeuplé. Guy et son compagnon, Dave Boidas, couchaient dans le salon sur deux divans défoncés disposés en L. Ils faisaient leurs devoirs d'école, en même temps que les quatre enfants de la famille, sur la chambranlante table de la cuisine. Parfois, le soir, quand le papa et les «mon oncles» décidaient de prendre un coup, dormir exigeait un formidable pouvoir de concentration.

Réjean Lafleur emmena son fils au restaurant. Rien qu'eux deux, le père et le fils.

«Qu'est-ce que t'as, Guy ? Es-tu peureux ?

— L'instructeur dit que je suis trop prudent.

— As-tu peur des gars ?

— Non, mais j'ai peur de faire des erreurs et d'avoir des punitions.

— Des punitions, je pense que tu devrais en ramasser quelques-unes de temps en temps. Rappelle-toi ce que te disait le frère Léo. Les gars parfaits, qui respectent trop les règlements, ils s'en vont directement nulle part, il ne leur arrive jamais rien. Au hockey comme dans la vie, il faut savoir mériter des punitions. Compris ?»

Le soir même, Guy joua avec le CTR contre un club de la Beauce. Il eut deux punitions mineures. Il compta deux buts, récolta une passe. Il venait d'apprendre que dans la vie, on ne peut pas toujours donner uniquement le meilleur de soi-même. Qu'il faut tout donner, le meilleur... et de temps en temps, le pire aussi.

Au début, voulant trop bien faire, et respecter à la lettre tous les règlements de ce nouveau monde qui ne lui était pas encore familier, il s'était retrouvé prisonnier d'une foule d'interdits. Il ne savait plus comment se comporter sur la glace.

En outre, pour bien produire en tant que joueur, il avait toujours eu besoin d'une période d'adaptation, le temps d'apprivoiser les lieux, de faire connaissance avec ses coéquipiers, avec la foule qui n'était nulle part la même. En fait, Guy Lafleur était d'ores et déjà un séducteur dans l'âme, un charmeur de foules. Tant qu'il n'avait pas la certitude que son charme agissait ou pouvait agir, il jouait froidement et nerveusement, prudemment. Au début, il avait eu l'impression que le rare public qui assistait aux parties du CTR l'observait avec froideur et indifférence. Et ça le gelait, littéralement. Mais à partir du moment où il a senti qu'il avait gagné l'estime et la sympathie de ce public, il se mit à jouer de tout son cœur, de toutes ses forces.

Jouer dans le junior B, c'était quand même vivre dans l'ombre, ce qui n'est pas trop grave quand on a quinze ans et toute la vie devant soi. Mais Guy Lafleur avait tout de même la nostalgie des grandes années pee wees. Aux fêtes, malgré de remarquables performances, les clubs du junior B se produisaient devant quelques centaines, parfois quelques dizaines de personnes, papas, mamans, frères et sœurs, proches amis des joueurs.

Ce n'était guère mieux dans le A où Guy se produisit pour la première fois le 25 novembre. Paul Dumont voulait voir ce qu'il avait dans le ventre. Il le fit jouer ce soir-là contre les Éperviers de Sorel, grands maîtres des mises en échec et des coups bas d'une extrême violence. Pour la première fois de sa carrière, Guy Lafleur se retrouva dans un jeu vraiment très rude. Il avait souvent assisté et participé à des batailles chez les bantams et les midgets, mais jamais rien d'aussi violent, d'aussi gratuit. Les Éperviers jouaient l'homme, c'est-à-dire qu'ils s'en prenaient au porteur de la rondelle. Tous les coups étaient donnés, sinon permis.

En envoyant Guy dans cette mêlée, Paul Dumont et Martin Madden, son instructeur, entendaient lui faire passer un test, une sorte d'initiation obligée pour tout jeune joueur sérieux. L'une des lois non écrites du hockey exige en effet que chacun s'affirme et s'impose devant ses pairs, non seulement par sa science et son art du hockey, mais par son audace et son sang-froid. C'était donc à une épreuve de force, une sorte de baptême du feu qu'on voulait soumettre Guy Lafleur, ce soir-là. Il le savait comme tout le monde dans les deux camps. Il n'était pas là pour compter, mais pour se battre.

Il ne récolta ni passe, ni but. Il étonna cependant. Pas une seule fois, au cours des quelque dix minutes qu'il passa sur la glace, il ne fut sérieusement mis en échec, bien qu'il eût porté la rondelle plus souvent qu'à son tour. Il parvenait à esquiver tous les coups. Vingt fois au moins, des adversaires fonçant sur lui avec l'intention de l'écrabouiller, frappèrent le vide ou s'écrasèrent contre la bande. En les voyant venir, Guy accélérait ou freinait ou changeait brusquement de trajectoire, de sorte qu'il restait intouchable. Ses esquives et ses feintes soulevèrent plusieurs fois l'admiration de la petite foule de l'aréna de Sorel. Au cours de la troisième période, un fier-à-bras sorelois l'ayant chargé, Lafleur se pencha, le cueillit sur son dos, se redressa et l'envoya pirouetter derrière lui. Épreuve parfaitement réussie !

Tel que convenu, il joua au cours de la saison régulière une dizaine de matchs dans le junior A, avec les grands ; il compta deux buts, récolta sept assistances.

« C'est bien », disait Paul Dumont.

Il prit beaucoup de poids, près de quinze livres. Et pas une once de graisse. Que du muscle, jeune, souple, ferme.

« Ça, c'est encore mieux, d'affirmer Paul Dumont. Te voilà prêt pour le junior A. »

Était-ce une bonne nouvelle ? Les As juniors allaient de mal en pis. À Noël, ils étaient au dernier rang de la ligue, très loin derrière les Rangers de Drummondville, les Éperviers de Sorel, les Bruins de Shawinigan ; et ils conservèrent cette position jusqu'aux séries éliminatoires. La saison se termina par une éclatante victoire du B et une spectaculaire défaite du A, à laquelle finalement Guy participa. Il s'était amélioré presque aussi rapidement que les As juniors se détérioraient. Et à la fin de cette saison, il figurait parmi les bons joueurs de la formation.

Mais en fin de compte ça ne voulait peut-être pas dire grand-chose et ça ne pouvait peut-être pas mener bien loin. En effet, que peut-on gagner à jouer dans une équipe médiocre ?

Guy Lafleur adorait Québec, mais il n'hésiterait pas à aller vivre ailleurs si la qualité du hockey ne s'y améliorait pas. Il y avait plein de bons clubs juniors partout en Ontario.

Dès la fin de la saison de hockey, le jour même de l'ouverture spectaculaire de l'Exposition universelle de Montréal en 1967, il rentrait à Thurso, et retombait sous la férule de la Chouine qui l'avait inscrit à l'école secondaire de Buckingham où il terminerait sa neuvième année. Chaque soir, après souper, la Chouine revoyait avec lui la matière du jour, pointait ses faiblesses, lui donnait quelques exercices à faire.

Pierrette Lafleur leur avait aménagé une sorte de studio au sous-sol. Une table, deux bancs sans dossier, une petite lampe, une vieille radio.

« Contrôle dans une demi-heure. Si tu passes, tu as droit à deux tours de bloc. »

Guy restait seul au sous-sol. Il entendait la télé là-haut, des pas, des rires. Ses sœurs qui s'amusaient et se chamaillaient. Il s'ennuyait à périr. Mais il étudiait de toutes ses forces. Car il tenait à être prêt pour le contrôle.

La Chouine avait trouvé de quoi motiver son élève. Cette année-là, à Québec, Guy s'était découvert une véritable passion pour les voitures. Depuis son retour, chaque jour, il demandait à la Chouine de lui montrer à conduire. Celui-ci avait une magnifique Chevrolet Impala beige, décapotable. Un rêve !

« D'accord. Tu fais tes devoirs, tu apprends tes leçons, je te fais un contrôle. Si tu passes, je te laisse conduire. »

La Chouine était inflexible et incorruptible. Lorsque Guy échouait au contrôle, l'Impala restait dans la cour. Mais quand il réussissait, ils partaient tous les deux, Guy au volant, fier comme un paon, et ils faisaient le tour du bloc… Après avoir acheté du temps de glace à Ti-Paul Meloche, Guy achetait maintenant du temps de route à la Chouine. Dans un cas comme dans l'autre, il payait de sa personne, laborieusement.

Fin mai, quand le jour s'étirait jusqu'à neuf heures, on partait faire un tour par en haut, du côté de Ripon, les filles assises derrière, parfois même Pierrette et Réjean, toute la famille. Huit dans l'auto. Il faisait doux, on avait baissé le toit et mis la radio. Guy conduisait. C'était le bonheur, le bon temps.

L'été serait beau. Et la rentrée de hockey serait la plus excitante jamais vue. Six nouvelles équipes feraient alors partie de la Ligue nationale : les Seals de la Californie, les Kings de Los Angeles, les North Stars du Minnesota, les Flyers de Philadelphie, les Pingouins de Pittsburgh et les Blues de St. Louis. Le calendrier de la saison régulière comprenait maintenant soixante-quatorze matchs.

Les puristes cependant étaient inquiets. Ils disaient que le hockey serait moins beau, moins bon. La vieille Ligue nationale d'avant 1967 avec ses six clubs (Canadiens de Montréal, Maple Leafs de Toronto, Bruins de Boston, Rangers de New York, Black Hawks de Chicago et Red Wings de Detroit) faisait appel aux cent vingt-cinq ou cent cinquante meilleurs joueurs de hockey au monde, la super-crème. Désormais, ce serait les trois cents ou cinq cents meilleurs qu'on verrait évoluer sur les grandes patinoires nord-américaines. La qualité du hockey allait, toujours selon les purs et les durs, s'en ressentir.

Mais un jeune joueur de l'âge et de la trempe de Guy Lafleur ne pouvait quand même pas s'empêcher de rêver un peu. Douze équipes, soixante-quatorze parties, ça représentait un nombre fantastique d'heures de glace par saison. Et on disait que ce n'était pas fini, que l'expansion ne faisait que commencer, qu'il y aurait un jour seize clubs, peut-être dix-huit ou même vingt.

Jamais, dans toute l'histoire du hockey, il n'y avait eu autant de glace qu'en 1967. Pour un jeune et brillant joueur comme Guy Lafleur, tous les espoirs étaient désormais permis.

Premier entracte

Aujourd'hui, rue Bourget, à Thurso, à la place du rond à patiner que faisait chaque hiver Réjean Lafleur, se dresse une gigantesque antenne parabolique tournée vers le ciel américain. C'est Guy qui l'a fait installer pour que ses parents puissent le suivre sur les glaces de New York, Chicago, Los Angeles. C'est lui aussi qui a fait dresser dans le salon le monumental autel électronique (écran géant de quarante-cinq pouces, magnétoscope, tourne-disque, lecteur de cassettes, haut-parleurs ultra-sophistiqués) dont Réjean Lafleur s'entête à ne pas vouloir connaître le maniement. Chaque fois qu'il veut enregistrer ou visionner quelque image, il doit demander l'aide de sa femme ou de l'une de ses quatre filles qui habitent toutes dans la région et viennent encore souvent faire leur tour à la maison.

La cloison contre laquelle Guy jouait autrefois au ping-pong — toc, toc, toc, pendant des heures — a fait place à une grande arche entre la cuisine et le salon. Une idée de Guy qui aime les grandes pièces. Quand il s'achète une maison, il commence presque toujours par jeter les cloisons à terre.

Réjean Lafleur ne connaît rien aux « machines ». Mais c'est un homme d'ordre. Dans une commode ancienne, il a soigneusement rangé les vidéocassettes sur lesquelles, avec le concours de Suzanne ou de Lucie, il a enregistré quelques-uns des hauts faits de la carrière de son fils. On y trouve toute une série de montées fulgurantes du « Démon blond », son 100e but, son 500e, son dernier match avec les Canadiens, le 24 novembre 1984, et son retour au jeu à New York quatre ans plus tard, son intronisation au Temple de la Renommée. Il y a surtout l'inoubliable fête au Forum, le 17 décembre 1988, lorsqu'il a endossé le chandail des Rangers devant une foule délirante aux visages ruisselants de larmes. C'était un geste que beaucoup ont trouvé terriblement provocant, mais que Réjean Lafleur a beaucoup aimé.

Ce jour-là, il a été vraiment très fier de son garçon. Ils étaient dans le salon, Pierrette et lui, devant la télé. Guy leur avait dit de pas aller au Forum, qu'ils ne pourraient pas le voir à cause de tous les journalistes qui seraient autour de lui. Ils ne savaient pas qu'il ferait ça. Personne ne savait.

D'autres images qu'affectionne Réjean Lafleur, ce sont celles d'une partie de chasse, à l'île d'Anticosti. Guy était allé là-bas avec des amis journalistes et des cameramen de Radio-Canada, qui ont réalisé un petit reportage-souvenir. Réjean Lafleur, quand il le montre à la visite, raconte à l'avance ce qui va se passer, ce qu'on va voir ou entendre.

« Regardez ça ! Guy ne voudra pas descendre du canot parce qu'il n'a pas ses bottes en caoutchouc. Il y a un gars qui va le prendre sur son dos pour le mettre sur la grève. Puis Guy va se mettre à rire. Il va dire : « Aïe ! c'est du service, ça, monsieur ! » Regardez ! »

Le grand canot touche la grève, un géant équipé de cuissardes imperméables prend Guy sur son dos et le dépose bien au sec ; Guy salue la caméra en riant très fort et dit : « Aïe ! c'est du service, ça, monsieur ! » Comme s'il tournait un commercial. Puis on se promène à travers bois, on voit plein de belles choses, la rivière Jupiter, l'océan, des dizaines de chevreuils, un petit renard. Guy, au soleil couchant, tire un chevreuil, à trois cents pieds, un beau mâle panaché qui tombe comme une masse.

Et le voilà sur sa grosse Harley-Davidson, dans les rues de Montréal, tête nue. Ou signant des autographes à la sortie du Forum. Comptant un but au Forum. Pilotant une Formule Un sur le circuit du Mont-Tremblant. Portant à bout de bras la coupe Stanley. Et la foule partout, tout le temps, criant son nom : « Guy ! Guy ! Guy ! »

Dans le petit salon de Thurso, Réjean Lafleur regarde tout ça, pour la centième fois peut-être, toujours aussi fier, de plus en plus nostalgique. Ces images, c'est presque tout ce qui lui reste de son fils qu'il voit maintenant si peu, son fils qui vit dans le grand monde, qui n'a plus besoin de son père, ne le consulte plus !

À l'âge de quatorze ans, Réjean Lafleur est entré à la Singer où il a appris le dur métier de soudeur qu'il devait pratiquer toute sa vie. Presque un demi-siècle dans le métal hurlant d'une grosse usine de fer et de ciment, ça vous « magane » drôlement l'ouïe et les poumons, les nerfs et le dos et même l'âme.

Aujourd'hui, Réjean Lafleur est un homme usé, fatigué. Il a mal aux os, froid aux yeux. Le matin, quand il enfourche sa bicyclette pour se rendre à la McLarens, il entend craquer ses articulations.

Il doit rouler un bon moment contre le vent avant de retrouver sa souplesse. Ses grosses mains caleuses ne sont plus si sûres et souvent s'engourdissent. Il mange comme un oiseau, lui qui autrefois dévorait à belles dents tout ce qu'on mettait dans son assiette. À l'été de 1989, quelques jours avant ses soixante ans, le médecin l'a mis au repos pendant plus d'un mois et lui a conseillé de commencer à penser sérieusement à sa retraite.

« Dans mon cas, c'est du sérieux, dit-il, ce sera une vraie retraite, pas du tout comme celle de Guy. Moi, je n'ai pas le choix. C'est le terminus. Lui, il faisait rien que changer de route, en fait. Il avait une correspondance. Pas moi. »

Et il sourit, tristement, comme s'il s'attendait à ce qu'on dise quelque chose comme : « Mais non, Monsieur Lafleur, ce n'est pas si terrible, ça va s'arranger, vous verrez. » Mais on sent bien qu'au fond de lui, il a déjà démissionné. Il a travaillé trop fort, trop longtemps, pour trop peu : une petite maison qu'il a mis vingt ans à payer, une bicyclette, pas de char, un canot, un camp de pêche dans le Nord qui n'est même pas tout à fait à lui, la télé, rien que ne possède n'importe qui.

Réjean Lafleur est malgré tout content de sa vie. Il a un fils célèbre, riche et comblé, qui fait sa joie, qui est sa passion, son passe-temps. Il porte au doigt une énorme chevalière au chaton plat sertie de pierres précieuses sur laquelle sont gravés des armoiries et des chiffres : « Coupe Stanley Cup, Canadiens de Montréal Canadiens, 1972-1973. » C'est l'une des cinq fameuses bagues de la coupe Stanley que Guy a remportées avec les Canadiens. Il en garde toujours une qu'il porte de temps en temps. Jean-Yves Doyon, son grand ami de toujours, en a une. Jerry Petrie, qui était dans le temps son agent d'affaires et un bon ami, en a eu une lui aussi ; mais il paraît qu'il l'aurait vendue, depuis que Guy et lui se sont perdus de vue. La cinquième bague, on ne sait pas trop où elle est.

« Guy a tellement d'affaires ! dit son père. Il n'a pas le temps de s'en occuper. »

Il n'a plus aucune des montres-souvenirs que reçoivent les joueurs de la première équipe d'étoiles de la Ligue nationale dont il fut également cinq fois membre. Et ses trophées, ses Art Ross, son Lester B. Pearson, son Seagram's Seven Crowns Sports Award, ses Red Storey, ses Victor, ses Hart, son Connie Smythe et tous les autres, des dizaines et des dizaines de petites statuettes ou de bibelots de bronze, chromés ou dorés, il les a longtemps laissés ici chez ses parents.

« On se serait cru dans un musée, dit sa mère. Ça prenait presque la moitié du salon. Un jour, j'ai dit à Guy : « C'est à toi, ces bebelles-là, ramène-les chez vous ; moi, je suis tannée de les épousseter. » Il a mis ça pêle-mêle dans des caisses et je pense qu'il ne sait même plus où c'est rendu. Il les a donnés, il les a jetés ou perdus. Guy n'a jamais eu une âme de collectionneur. En tout cas, s'il y a une chose dans le monde qui ne l'intéresse pas, ce sont ses trophées. »

Réjean Lafleur aimait particulièrement les petits Robin Hood, premiers trophées que son garçon a reçus, quand il était encore atome ou moustique. Dans ce temps-là, les meuneries Robin Hood commanditaient le hockey mineur et le sport amateur. Pendant trois ans, Guy a récolté tous leurs trophées, des petits Robin Hood vert et rouge avec des bottes, un casque et un arc, qu'on mettait sur le dessus du réfrigérateur.

« Je ne sais pas ce qui est arrivé avec ça. Faut croire qu'il s'est dépêché de les perdre. Comme le reste. »

Le père de Guy Lafleur a certainement été son fan le plus fidèle et le plus créateur. Et son premier, son plus grand biographe. Il a constitué sur lui des archives monumentales. Treize gros albums de vingt-quatre pouces sur dix-huit, d'une vingtaine de livres chacun, qui contiennent des milliers et des milliers de coupures et de photos de presse, tout ce qu'il a pu trouver dans les journaux et les magazines canadiens et américains, européens aussi. Partout, on parle de son fils, en français, en anglais, en russe, en suédois, en tchèque, en italien. « Guy, c'est mondial », dit-il.

Patiemment, depuis près de trente ans, Réjean Lafleur lit, cueille, découpe, collige, classe, assemble, colle soigneusement tous ces textes, ces photos, gros titres, commentaires élogieux, critiques, poèmes, menues statistiques, effectuant un travail comparable à celui des moines copistes du Moyen Âge qui inlassablement copiaient et recopiaient le Livre saint.

Depuis un an et demi, à cause de la fatigue et de la maladie, mais aussi parce qu'il ne comprend plus très bien la carrière de son garçon, il a accumulé beaucoup de retard.

« Il est pas facile à suivre, cet enfant-là ! »

En juillet 1989, quand Guy signa avec les Nordiques de Québec, son père n'avait pas encore fini de classer les centaines de coupures qu'il avait ramassées ou qu'on lui avait envoyées de New York, Québec, Sherbrooke, Trois-Rivières, Toronto ou Los Angeles, sur son retour au jeu, en août 1988, avec les Rangers de New York.

Aujourd'hui, quand il pense aux albums qu'il a bâtis, Réjean Lafleur se demande parfois ce qu'il a retiré de tout ça, de ces milliers d'heures passées à lire et à relire dans le menu détail la vie de son fils et à en assembler patiemment les épisodes. Bien sûr, Guy rend encore visite à ses parents de temps en temps. Ou il téléphone quand il ne peut venir. Mais il ne les consulte plus jamais lorsqu'il a de graves décisions à prendre, ne leur parle pas ou peu de ses faits et gestes. C'est un voisin qui, en novembre 1984, vint leur dire qu'on parlait à la radio de la démission de leur fils. C'est par les journaux qu'ils ont su, quelques mois plus tard, qu'il avait quitté l'organisation des Canadiens. Et c'est au *Téléjournal* de Radio-Canada qu'ils ont appris, le 14 juillet 1989, que Guy Lafleur rentrait de New York pour se joindre aux Nordiques de Québec.

Cette indifférence dans laquelle Guy les tient aujourd'hui les peine, les froisse un peu, surtout que parfois des journalistes les appellent pour avoir leurs commentaires sur telle décision que leur fils a prise ou tel virage qu'il a effectué dans sa carrière ou dans sa vie. Et ils n'en savent pas plus, parfois même beaucoup moins, que les journalistes eux-mêmes.

Mais ils disposent d'une incroyable masse de documentation sur leur fils, une œuvre tout à fait unique, magistrale, absolument incomparable, les treize albums. C'est là, dans le premier de ces énormes volumes, qu'est soigneusement conservée toute l'enfance de Guy, dont ses parents sont les vigilants dépositaires.

Quand il retourne à Thurso ou va passer deux jours au camp de chasse du lac Simon, ce sont d'abord les paysages et les visages de son enfance qu'il recherche, et dont il dit tout le temps qu'elle fut heureuse et comblée. Il n'informe plus ses parents de ce qu'il fait maintenant, pour ne pas les inquiéter ou les ennuyer. Mais en fait, il ne veut pas déranger les souvenirs heureux de son enfance avec ses petites histoires de contrats ou ses chicanes de ménage, ses investissements, sa carrière, ses triomphes ou ses déboires. Il veut préserver la pureté, le calme et l'ordre, ne pas troubler le beau rêve des premières pages du premier album.

Souvent froissées et séchées au point d'être devenues cassantes, les coupures de journaux et de magazines ne se présentent pas tout à fait en ordre chronologique. Mais au fur et à mesure qu'on avance dans l'histoire de Guy Lafleur, tout cela devient magnifiquement ordonné et se lit comme un véritable roman.

Le hockey est en soi une littérature. Il a ses lois, ses héros, ses critiques. La presse sportive, au Québec surtout, est excessivement prolixe et prolifique. Elle voit tout, dit tout, le vrai et le faux ; elle extrapole, interprète, confesse, encense, crée des intrigues, provoque des drames de toutes sortes. Elle joue un rôle fort important dans le hockey professionnel. Les entraîneurs et les joueurs doivent composer avec elle, la nourrir, sans cesse lui donner matière à réflexion. Parfois aussi lui obéir. Elle dévore tout avec une implacable voracité, scandales, brouilles et vétilles, chutes, victoires. Elle s'intéresse autant aux états d'âme des joueurs qu'à leur condition physique. Elle cherche les causes tant des défaites que des victoires. Elle exerce sur le hockey une sorte de gouvernement parallèle, très puissant et, contrairement à celui des dirigeants des équipes, pratiquement impossible à renverser.

On est frappé, en lisant l'œuvre de Réjean Lafleur, de constater à quel point, depuis une vingtaine d'années, la presse sportive a pris du pouvoir. Elle écrit nettement mieux, fait des titres plus accrocheurs, des photos extraordinaires, de meilleurs reportages et entrevues.

Réjean Lafleur a pris de l'expérience, lui aussi. Il maîtrise davantage son art. Il utilise un meilleur papier, une colle plus efficace, que sa femme prépare avec de la farine, du vinaigre et de l'eau qu'elle fait ensuite cuire à feu doux. Elle obtient ainsi une colle très blanche qui s'étend bien, reste souple et ne jaunit pas, contrairement à la plupart de celles qu'on trouve dans le commerce.

La première photo du premier album date de 1962. Elle réunit autour du petit Guy Lafleur, dix ans, tous les personnages symboliques de prestige ou d'autorité du Canada français de la fin de la Grande Noirceur, cette zone historique qui a précédé la Révolution tranquille. C'est encore la pénombre en quelque sorte. C'est tout en noir et blanc, évidemment, un peu jauni et fripé.

On trouvera, ici et là dans ces photos, le frère directeur de l'école Sainte-Famille, presque toujours coiffé d'un gros bonnet de fourrure, messieurs le maire et le député, le chef de police, le curé de la paroisse, les grands Boss anglais de la Thurso Pulp et de la Singer, longs manteaux noirs, longs visages blancs, en train de faire des mises au jeu ou de remettre des trophées.

Monsieur et Madame Réjean Lafleur sont là eux aussi. Et il y a, bien sûr, la Reine de beauté du Carnaval d'hiver de Rockland, édition 1962, la pulpeuse Madeleine Simoneau, son troublant sourire, sa crinoline et son manchon en peau de lapin. Et au milieu de tout ce monde-là, sur chacune des photos, les bras chargés de trophées, le petit Guy Lafleur, toujours béat, rarement souriant.

« C'était un solitaire, dit son père. Il ne parlait pas beaucoup dans ce temps-là. Même pas à nous. Quand il rentrait de l'aréna, il fallait toujours le questionner pour savoir ce qui s'était passé. « Guy, as-tu joué comme il faut ? — Oui. — As-tu gagné ? — Oui. — As-tu compté ? — Oui. » Guy, si tu lui demandais rien, tu savais jamais rien. »

C'est encore vrai. Guy Lafleur est resté un homme secret qui ne se livre jamais spontanément. Si on veut savoir quoi que ce soit de lui, il faut le lui demander. Mais alors, il répond sans retenue et sans détour aux questions les plus embarrassantes et les plus pénétrantes.

« Guy, c'est un timide comme moi, ajoute Réjean Lafleur. Mais avec la vie qu'il a faite et tout le monde qu'il a rencontré, il a bien fallu qu'il passe par-dessus sa gêne. Aujourd'hui, il est capable de parler à n'importe qui. Quand un gars réussit, il n'a plus aucune raison d'être gêné. Il peut dire ce qu'il veut à qui il veut. Mais je ne suis pas du tout certain que ça soit toujours bon. »

Le seul défaut que Pierrette Lafleur trouve à son fils, c'est qu'il ne parle pas beaucoup. Le seul défaut que lui trouve son père, c'est qu'il parle trop.

« Il dit toujours ce qu'il pense. À mon avis, il s'est souvent attiré un paquet de troubles avec des gars comme Savard et Lemaire. Il aurait mieux fait de se fermer la trappe. »

Mais Guy a appris, de Ti-Paul Meloche et plus tard d'Henri Richard, un homme qu'il a beaucoup aimé et admiré, à ne pas se laisser impressionner par le « grand monde ». Ou plutôt à voir et à rechercher chez les grands de ce monde non pas ce qui les distingue ou les différencie du commun des mortels, mais plutôt ce qui en eux lui ressemble. Il restera timide, comme son père, mais pas plus avec le Premier ministre qu'avec son coiffeur ou son garagiste. À l'un comme aux autres, il parlera sur le même ton des mêmes choses. Il a cependant une conscience aiguë des classes. Il sait très bien faire la différence entre le haut et le bas. Mais à ses yeux, ce n'est jamais l'échelon qu'occupe un homme dans l'échelle sociale qui détermine sa valeur. De même, ce n'est pas le prestige d'un joueur qui le rend bon. C'est ce qu'il fait sur la glace.

En 1978, Réjean Lafleur a signé un autre livre intitulé *Guy Lafleur, mon fils*. C'est le photographe d'origine russe Michel Ponomaref qui a eu l'idée de cet ouvrage et qui l'a rédigé à partir d'entrevues qu'il a réalisées avec Réjean Lafleur. Il raconte pêle-mêle quelques anecdotes de l'enfance de Guy et des premières années de sa carrière professionnelle. Même s'il est par moments tombé dans le panégyrique pieux, Ponomaref a donné un nouvel éclairage à l'enfance de Guy Lafleur et au milieu dont il était issu. Il a su le premier évoquer les grands traits de la figure du père dans la vie de Guy Lafleur.

« Tous les hommes du monde veulent avoir un garçon, c'est normal », dit Réjean Lafleur, en caressant rêveusement sa chevalière de la coupe Stanley. « Moi, j'ai eu quatre filles. Mais si j'avais pas eu de garçon, j'aurais considéré ça comme une épreuve du bon Dieu. »

Guy Lafleur est né le 20 septembre 1951, un jeudi, quelques heures avant l'équinoxe d'automne. Sous le signe de la Vierge (ordre et calme). Et du Chat (souplesse et ruse) dans l'astrologie chinoise. C'était un gros bébé, presque dix livres.

« J'ai eu cinq gros bébés, dit Pierrette Lafleur, des bons bébés, faciles et en santé. »

Elle aussi respire la santé, l'équilibre, la jeunesse, la bonne humeur. Cette petite femme active, curieuse et rieuse, timide, qui approche de la soixantaine, paraît au moins dix ans plus jeune.

Réjean et Pierrette Lafleur forment le couple typique des milieux ouvriers canadiens-français de cette génération. L'homme est fatigué, silencieux et renfermé, entêté (« Je suis pas malade. Je veux pas voir le docteur »), mais plus très sûr de lui. À l'usine, et de temps en temps à la taverne, il était pratiquement coupé du monde. Aujourd'hui, à l'approche de la retraite, il se sent démuni, seul, sans ressources ni projets. La femme, elle, est plus instruite, mieux informée. Pendant des années, elle a fait et refait le ménage, le lavage, le repassage et préparé des dizaines de milliers de repas. Elle a travaillé fort, elle aussi. Mais, contrairement à son mari qui était un employé, elle a régné sur son univers en maîtresse absolue, autonome et indépendante, libre. Et elle est restée, grâce à la radio par exemple, beaucoup plus que lui en contact avec le monde. Elle a refait « sa petite école » autant de fois qu'elle a eu d'enfants. Elle a suivi avec eux toute la restructuration scolaire et vu se produire les grands changements sociaux de la Révolution tranquille.

Pierrette Lafleur parle beaucoup, le regard presque toujours ailleurs ; de temps en temps cependant, elle vous jette un petit œil un peu inquiet, comme pour vérifier l'effet de ses paroles. Guy lui ressemble. Il parle et il écoute tout en regardant ailleurs la plupart du temps. Il maîtrise ainsi la conversation, comme sur la glace, la rondelle, parce qu'il sait, mieux que personne, la contrôler, la dérober aux yeux des autres. Mais quand, achevant une phrase importante, il vous regarde droit dans les yeux, c'est qu'il vient de vous confier quelque chose d'important, de vous faire une passe. Ne la manquez pas, car il ne sait pas et ne veut pas se répéter.

Dans la cuisine de la petite maison de Thurso, il y a une grande affiche de Guy et de Martin, son fils aîné, tous deux en uniforme des Canadiens. Sur le réfrigérateur, là où se trouvaient autrefois les Robin Hood vert et rouge, il y a maintenant une minuscule figurine représentant un joueur des Canadiens, le numéro 10. Au mur du salon, une photo de Guy en action, cheveux au vent, chargeant à toute vitesse, la rondelle collée au bâton. Une dédicace : « À Pierrette et à Réjean. De votre fils qui vous aime beaucoup. Guy. » Il est partout, Guy, dans cette maison.

Pierrette Lafleur a sorti ses boîtes de photos qui couvrent toute la table de la cuisine. On y trouve, pêle-mêle, l'histoire complète de Guy Lafleur. Et celle desj hommes et des femmes de sa vie. Le frère Léo Jacques est là. On voit Paul Dumont, Martin Madden et Maurice Filion, les instructeurs des As juniors et des Remparts de Québec. C'est un soir de grande victoire sans doute ; ils arborent de larges sourires. Voici Maurice Richard avec Guy, puis Toe Blake, puis Gordie Howe. Ici, c'est la Chevrolet Impala de la Chouine, la voiture avec laquelle Guy a appris à conduire. Ici, c'est Pierre Elliott Trudeau qui lui serre la main. Et puis Jean Trottier et Gaston Marcotte de l'École moderne de hockey où il a suivi des stages de formation trois ou quatre étés de suite.

Et on voit Guy en atome, en moustique, en pee wee, en bantam, en midget, puis dans l'uniforme des Canadiens, des Nordiques, des Remparts, des Rangers de New York, Guy dans le temps des juniors A, avec une dent cassée et une vilaine blessure sous l'œil droit. Celui-là avec la cigarette au bec, c'est Ti-Paul Meloche... Et puis Guy avec Lorne Greene, avec Mireille Mathieu ; à Las Vegas, à Paris, à New York, à Saint-Tropez, à Moscou avec Lise, à Los Angeles avec Shutt et Lemaire, avec Claude Quenneville quand ils allaient à la pêche ensemble. Guy encore, avec sa femme et ses deux fils, devant l'énorme chalet qu'il s'est fait construire il y a deux ans au Mont-Tremblant et où il n'ont presque jamais eu le temps d'aller. Ça, ce sont les maisons qu'ils ont eues, celle de Baie-d'Urfé, de Verchères, de Kirkland, et leur appartement du Sanctuaire. Lui, c'est le « Beaver », Narcisse Charette, un grand ami à Guy du temps qu'il habitait à Baie-d'Urfé.

Ces trois albums-là racontent le jour de ses noces. Ici, il embrasse sa femme, Lise Barré. Jean Béliveau était là. Et Henri Richard, Jacques Laperrière et Yvon Lambert, presque deux générations complètes des Canadiens de Montréal. Tout le monde. Lui, c'est Roger Barré, son beau-père, un monsieur charmant même s'il avait beaucoup d'argent. Quand il est mort, Guy a eu énormément de peine. Tiens ! c'est Yoland Guérard qui chantait à leur mariage. Et le buffet, regardez le buffet ! Des montagnes de homards, une coupe

Stanley en glace pleine de fruits, un immense gâteau avec le sigle des Canadiens. C'était en juin 1973. Tous les hommes dans ce temps-là portaient les cheveux longs (à part Jean Béliveau, évidemment), des chemises à fleurs et des cravates larges. Ce jour-là, il pleuvait à boire debout et il faisait froid. On se serait cru en novembre.

Madame Lafleur va chercher une grande photo en couleurs. Guy et son père posent, hilares, sans doute un tantinet éméchés, devant la salle des Chevaliers de Colomb qui se trouve juste de l'autre côté de la rue. Ils tiennent la coupe Stanley dans leurs mains, la vraie coupe Stanley que Guy, un soir de grande fête, avait « empruntée » aux Canadiens de Montréal et emportée pour une nuit à Thurso. Sur la photo, il porte le chandail que lui avait offert son ami Gilles Villeneuve, un chandail jaune safran sur lequel est écrit, en belles grosses lettres noires : « World Champion, Ferrari. » Guy regarde son père. Et lui, la caméra. Dans ses yeux, on voit briller la fierté, la réussite. Ces deux hommes-là se ressemblent de façon frappante. Pas leurs vies, cependant !

Guy Lafleur appartient à la génération du *baby boom*, cette puissante horde, la plus grosse qui, de mémoire de démographe, ait jamais déferlé sur l'humanité. Au cours des années 50, partout en Amérique du Nord, on lui a ouvert la voie, brisant devant elle tout obstacle à son épanouissement, à son bonheur ; on a construit pour elle, entre autres, des arénas, des terrains de jeu, des piscines, des écoles.

Ces enfants seront bien équipés, les mieux éduqués, les plus aimés, dorlotés, écoutés et applaudis de toute l'histoire de l'humanité. Cette génération de *baby boomers* sera l'extraordinaire chef-d'œuvre dont pourront s'enorgueillir les hommes et les femmes de la génération de Pierrette et de Réjean Lafleur, qui étaient des travailleurs et des bâtisseurs, d'humbles gens de sacrifice et de devoir. Leurs enfants seront des joueurs et des jouisseurs — joueurs de hockey, joueurs de guitare, joueurs de tours — des êtres, non pas de devoir comme eux, mais de récréation, de loisir et de plaisir, pour qui la vie est un jeu, d'abord et avant tout.

Pierrette et Réjean Lafleur considèrent qu'ils ont réussi leur vie et mené à bien leur projet. Ils ont créé une étoile, ils ont fait un Guy Lafleur, dont la vie ne ressemble pas à la leur.

Deuxième période

Cet été-là, pendant qu'il faisait les foins ou trayait les vaches de Jean-Marc Perras, Guy Lafleur remaniait sans cesse dans sa tête son scénario favori. Il entrait au Centre de loisirs Saint-François-d'Assise, à Limoilou, comme un gars qui revient de très loin et qui a vu passer les gros chars aller et retour, un gars transformé, tout bronzé, des biceps plein les manches, les cheveux un peu longs, avec sa chemise à fleurs très ample, ses jeans Land Lubber et sa grosse ceinture de cuir à clous d'argent. Il allait s'asseoir tout seul au comptoir du snack-bar, commandait une frite et un Coke d'un air nonchalant, un peu absent, légèrement préoccupé, puis il faisait pivoter son banc vers les allées de quilles et laissait son regard errer dans le vague, les coudes appuyés sur le comptoir, son Coke à la main.

Et elle serait là, baignant dans la lumière du juke-box, avec son sourire enjôleur, ses yeux...

Laquelle d'entre elles ? La blonde aux yeux bleus qui s'appelait Suzanne ou Roxane ? La brune à la peau mate qui était la sœur de Lépine, un gars qui avait déjà joué ou failli jouer avec les As juniors ? Ou l'autre avec ses lèvres de velours et ses gros seins provocants ? Peu importe. L'une ou l'autre. Elle serait là, devant le juke-box. Leurs yeux se croiseraient. Et ce serait comme un choc électrique. Il sourirait lui aussi, un tout petit sourire de presque rien, juste assez pour qu'elle se demande s'il avait vraiment souri, qu'elle se pose mille et une questions et imagine plein de choses, mais ne sache rien.

Puis il irait rejoindre les gars autour de la table de billard. Il jouerait une partie du tonnerre. À plusieurs reprises, il sentirait son regard se poser sur lui, brûlant, troublant. Mine de rien, il continuerait de jouer, nonchalamment comme si de rien n'était, comme s'il était seul au monde. Mais à la fin, après avoir rentré la 8 dans son coin, il irait droit vers elle, la rousse aux yeux bleus ou la noire qui rit tout le temps ou la grande blonde vaporeuse, peu importe, et il lui parlerait doucement. Mais de quoi?

À partir de là, son scénario s'embrouillait et se compliquait tellement qu'il avait décidé de le laisser en plan. De toute façon, il trouvait tout cela terriblement dangereux. On lui avait assez répété qu'un bon athlète devait se tenir loin des filles, que la carrière et l'amour n'allaient pas bien ensemble!

Il fallait mener une vie de moine, ne pas boire, ne pas fumer, ne pas trop penser aux filles, surtout éviter de tomber gravement amoureux (à éviter, même en rêve), avant d'avoir achevé sa formation et d'être en pleine possession de tous ses moyens.

Il devait donc oublier ce troublant scénario. Et s'il n'y parvenait pas, il faudrait qu'il s'abstienne d'aller au Centre de loisirs Saint-François-d'Assise, pour ne plus jamais les revoir, ni l'une ni l'autre.

Mais il rêvait encore d'elles, au volant de l'Impala de la Chouine, en descendant à Québec, fin août, pour le camp d'entraînement des As juniors. Ce départ était évidemment beaucoup moins empreint d'angoisse que l'année précédente. D'abord, il avait maintenant la certitude absolue qu'il jouerait dans le junior A. Non seulement Paul Dumont et Guy Rouleau, l'instructeur des As juniors, le lui avaient-ils promis, mais tout le monde le disait. Il était tout à fait prêt, fort, lourd, grand. Il ne serait plus le petit gars en exil, tout seul, loin de sa maman. Il savait enfin où il s'en allait; il s'était fait quelques amis à Limoilou, des coéquipiers qu'il retrouverait avec plaisir, en même temps que l'excitante atmosphère des amphithéâtres, les parents et les amis des joueurs de la région de Québec qui les suivaient partout, les encourageaient, les applaudissaient, quelques fans aussi, et surtout ces deux ou trois filles qu'il connaissait à peine, mais dont les visages l'avaient hanté tout l'été.

Il se sentait en super-forme. Il avait suivi un deuxième stage à l'École moderne de hockey, après avoir travaillé fort tout l'été. Il s'était bien entraîné. Au volant de son gros canot à moteur de soixante-quinze chevaux-vapeur, la Chouine l'avait fait skier pendant des heures sur les eaux de l'Outaouais. Ils appelaient ça «traîner l'eau». La Chouine filait à basse vitesse, Guy s'enfonçait jusqu'à mi-mollet, de sorte qu'il devait, pour ne pas se planter, s'arc-bouter des genoux, des cuisses, du dos, des épaules. Il avait vraiment l'impression de traîner toute l'eau de la rivière. C'était lourd et dur, mais remarquablement efficace... le prix à payer pour l'Impala.

Seule la question du logement l'inquiétait. Il avait vécu, l'année précédente, dans une petite maison surpeuplée, rue La Sarre, à deux pas du Centre de loisirs, à trois pas du Colisée. Les gens étaient charmants. Il adorait ce quartier ouvrier, plein d'enfants. Et il voulait y rester. Mais il rêvait d'avoir une chambre particulière, comme certains de ses confrères.

La Chouine avait décidé d'en faire un nouvel élément de négociation avec Paul Dumont. Il savait que ce dernier et toute l'organisation des As juniors étaient grandement impressionnés par les performances de Guy et qu'ils tenaient absolument à le garder avec eux.

« On ne vous demande pas plus d'argent, dit la Chouine. Mais on veut que Guy soit mieux logé. Ce n'est pas uniquement une question de confort. Il doit pouvoir étudier dans de bonnes conditions.

— On va lui offrir ce qu'on a de mieux, répliqua Paul Dumont. Il pourra choisir. »

Dumont lui avait effectivement trouvé une maison immense, propre et tranquille, mais elle se trouvait à l'autre bout de la ville, loin de Limoilou, ce sympathique quartier où l'hiver précédent il avait commencé à développer des habitudes et des amitiés. Il était catastrophé.

« Veux-tu rentrer avec nous ? demanda sa mère.

— Mais non. Je n'ai pas le choix. Je vais m'habituer. Inquiétez-vous pas pour moi. »

Mais il était au bord des larmes quand ses parents reprirent la route pour Thurso.

Le lendemain matin, Paul Dumont téléphona chez les Lafleur et informa Pierrette qu'elle pourrait rejoindre son garçon à son ancienne adresse, rue La Sarre. La veille au soir, après le départ de ses parents, Guy avait appelé Dumont pour lui dire, avec des sanglots dans la voix, qu'il ne voulait pas demeurer dans cet endroit.

Paul Dumont, qui le connaissait, avait vite compris qu'il était vraiment en colère.

« Prends un taxi et viens me rejoindre au Colisée. »

En chemin, Guy Lafleur se mit à rêver. Il demanda à Dumont de le loger quelque part dans le Colisée. Il devait bien y avoir dans cette bâtisse-là un coin qu'on pourrait aménager de manière à en faire une chambre à coucher ! Paul Dumont trouva l'idée jolie, mais lui fit comprendre que ce n'était pas possible.

Guy retrouva donc le petit salon de la rue La Sarre, puis les visages familiers des snack-bars et des « bineries » du quartier, du Patro Roc-Amadour et du Centre de loisirs Saint-François-d'Assise.

Un dimanche après-midi justement, il entra au Centre de loisirs, s'assit au comptoir du snack-bar, commanda une frite et un Coke, fit pivoter son banc et laissa errer son regard dans le vague, du côté des allées de quilles, les coudes sur le comptoir, son verre à la main…

Et soudain, elle était là, baignant dans la lumière du juke-box, Roxane, la blonde aux yeux bleus, qui lui adressa un large sourire et s'avança vers lui.

« Salut, tu es revenu ! »

Ils devinrent rapidement bons amis. Elle l'invita chez elle, lui présenta son père, sa mère, son frère, son chat. Guy fit bientôt partie de la famille, il allait régulièrement souper chez eux, regardait le hockey dans leur salon, jouait dans leur ligue de quilles, allait pelleter leur galerie, sortait même avec eux, comme un fils de famille.

Un soir, pendant une partie de quilles, Madame Côté, la mère de Roxane, lui présenta une dame Baribeau, Èva Baribeau, une petite bonne femme vive et très rieuse, sportive, veuve, début de la soixantaine, qui vivait seule, rue Benoît-XV, au 238, à deux pas de la rue La Sarre, dans un appartement de neuf pièces qui lui appartenait et qu'elle trouvait beaucoup trop grand depuis que ses trois garçons étaient mariés.

« Pourquoi vous ne prendriez pas un chambreur ? lui proposa la mère de Roxane.

— J'y ai pensé, mais je n'ai pas vraiment besoin de ça. Et puis on ne sait jamais sur qui on va tomber. »

Deux ou trois parties de quilles plus tard, Guy revint lui-même à la charge, étonné de sa propre audace. Madame Baribeau était peut-être la première personne au monde avec laquelle il ne se sentait pas du tout intimidé. Avec elle, tout lui paraissait simple. Il lui confia que, là où il habitait, il n'était pas très à l'aise pour faire ses devoirs et ses leçons. Il dormait mal. Il craignait que ses études en souffrent, que sa carrière soit compromise.

« Mon rêve, ce serait d'avoir une chambre à moi tout seul.

— Il faudrait d'abord que vous voyiez les lieux, lui dit Madame Baribeau. Passez me voir demain matin, je vous montrerai la chambre. »

Le lendemain matin, à l'heure convenue, il sonnait au 238, Benoît-XV. Il avait sa valise à la main.

« Mais vous n'avez même pas vu la chambre ! Je vous trouve un peu vite en affaires !

— Je vous ai vue, ça me suffit. Je sais que je vais aimer ça ici. »

La chambre était blanche et propre, bien éclairée, avec de beaux vieux meubles bien polis, un vrai lit trois-quarts et même une descente de lit, une penderie, une table de travail, une lampe de chevet. Guy Lafleur n'avait jamais vécu dans un tel luxe d'espace, de paix et d'ordre. Il se glissa dans ce milieu comme on entre dans un bain chaud.

Ce qu'il aimait par-dessus tout, c'était la bonhomie et la chaleureuse bonne humeur de sa logeuse. Et surtout, elle n'était jamais intimidante. Au contraire. En sa compagnie, Guy Lafleur, que tout le monde, même dans sa propre famille, avait toujours considéré comme un être taciturne et très renfermé, se mit à parler, comme jamais il ne l'avait fait dans sa vie avec qui que ce soit. De tout, de rien, tout le temps. De Thurso, du lac Simon, de ses sœurs, de ses projets, de la ferme de Jean-Marc Perras. Elle lui cuisinait d'excellents repas, prenait soin de son linge qui était toujours d'une impeccable propreté, bien rangé dans la commode ou la penderie.

Le soir, après souper, il faisait ses devoirs et ses leçons dans sa chambre, avec la radio en sourdine ; elle lisait au salon ou recevait sa sœur ou des amis. Le dimanche matin, ils allaient ensemble à la grand-messe, à l'église Saint-François-d'Assise, où ils retrouvaient les trois fils Baribeau avec femmes et enfants. Et tout ce monde-là venait dîner rue Benoît-XV. Guy avait une deuxième famille dont il était le petit dernier, l'enfant gâté, choyé.

Èva Baribeau prit l'habitude d'aller voir jouer son fils adoptif lorsque les As juniors se produisaient dans la région de Québec. Le lendemain matin, au déjeuner, elle commentait ses performances et faisait une critique du match généralement fort pertinente. La veille d'une partie importante, elle lui préparait des plats spéciaux, « forts en vitamines » et l'envoyait se coucher tôt pour qu'il soit en forme. Quand il partait pour l'école Jean-de-Brébeuf, elle le passait en revue de la tête aux pieds.

« Vous ne pouvez pas porter ce veston-là avec votre chandail bleu. Les couleurs ne vont pas. »

Quand il rentra, elle était allée lui acheter un chandail plus seyant.

Les As juniors cependant avaient des hauts et des bas. Surtout des bas. Ils devenaient même la risée de la Ligue junior du Québec. Au Colisée, l'assistance se limitait à au plus huit cents personnes. Ce vide, dans lequel résonnaient lugubrement quelques cris et bruits épars, était toujours terriblement oppressant.

Guy Lafleur connut tout même de fort bons moments : quatre points dans le match du 7 octobre, cinq dans celui du 28 janvier. En tout, au cours de cette saison 1967-1968, il réussira à marquer trente buts et obtiendra dix-neuf mentions de passes en quarante-trois matchs.

Au printemps, il était devenu une impressionnante vedette dans le milieu du hockey junior. Lorsqu'il rentra à Thurso, pour achever sa dixième année, on l'accueillit en véritable héros, officiellement étiqueté «Ligue nationale», ce qui ne manquait pas d'inquiéter la Chouine chaque fois qu'il le voyait partir au volant de sa Rambler décapotable.

«Si jamais il t'arrivait quelque chose, c'est moi qui serais blâmé.»

Il n'arriva rien. Pas même avec les filles de Thurso qu'il prenait parfois à son bord pour aller faire un tour. Il se contentait d'explorer systématiquement les routes de la région. Sur ses cartes routières qu'il connaissait pratiquement par cœur, il repérait un lieu perdu, au bout des chemins, demandait à la Chouine les clés de la Rambler et, seul ou avec d'autres, s'y rendait. Pour le plaisir, pour voir. À la fin de l'été, il avait en tête la carte de ce pays de lacs et de forêts, la Gatineau, les Laurentides, de Hull à Mont-Laurier.

Au cours de cet été-là, des représentants de quatre équipes de la puissante Ligue junior A de l'Ontario (St. Catharines, Kitchener, Ottawa et le Canadien junior) rencontrèrent Guy Lafleur et ses parents et leur firent de très alléchantes propositions. On ne pouvait lui donner de plus importants émoluments que ce qu'il recevait déjà à Québec; c'eût été contrevenir au code déontologique du hockey. Mais on lui offrit de jouer au sein des meilleures équipes canadiennes, dans une ligue beaucoup mieux structurée, infiniment plus dynamique que la toujours pauvre Ligue junior du Québec.

Il refusa pourtant toutes ces offres, malgré les pressions exercées par son père et par Ti-Paul Meloche qui croyaient, non sans raison, qu'il apprendrait davantage en Ontario qu'au Québec. Il n'osait l'avouer, mais il craignait l'inconnu, il avait peur de se retrouver encore une fois dans un milieu étranger, anglophone de surcroît, où il devrait apprivoiser une nouvelle foule et recommencer à se faire des amis. Par ailleurs, il aimait profondément Québec, Madame Baribeau, Roxane, les gars de l'équipe, Paul Dumont... En fait, il était prisonnier de l'affection et de l'admiration qu'on lui portait. Ainsi, parce que Québec l'aimait, il ne partirait pas. La Chouine, pour de tout autres raisons, était assez d'accord avec lui. Il considérait que Paul Dumont avait été «correct» avec eux, qu'il menait un projet intéressant et qu'on devait lui laisser sa chance.

La deuxième saison avec les As juniors, que dirigeait maintenant Martin Madden, ressembla sensiblement à la première. Quelques hauts, beaucoup de bas. Mais les gens de Québec commençaient tout de même à s'intéresser à leur club junior. À cause de Guy Lafleur, évidemment. Et sans doute aussi parce que Paul Dumont, qui savait l'importance déterminante des médias dans le succès d'une campagne de hockey, avait vendu son projet aux journalistes qui couvraient systématiquement les activités de son club, créant plus ou moins artificiellement une sorte de suspense chaque fois que les As jouaient, si bien qu'ils parvenaient parfois à rendre les pires défaites intéressantes et amusantes, voire stimulantes.

«Jusqu'où nos As s'enliseront-ils?», «Les As juniors feront-ils pire ce soir?» «Parviendront-ils à briser la séquence de sept (ou huit ou dix) défaites consécutives?»

Le matin, avant de partir pour l'école, Guy lisait à haute voix à Madame Baribeau les articles du *Soleil* ou de *L'Action*. Même dans les pires moments, elle parvenait toujours à le faire rire. De même, au Centre de loisirs ou à la salle de quilles, il se rendait compte que le monde commençait vraiment à parler des As et à les aimer, malgré leurs faiblesses.

Le public de Québec voulait vraiment de toutes ses forces. Plus que partout ailleurs, très certainement. C'est peut-être l'une des raisons pour lesquelles Guy Lafleur, si passionnément volontaire, se sentait instinctivement chez lui dans cette ville. Même si le club de hockey ne valait pas cher. On avait tellement la foi, que ça ne pouvait pas faire autrement que de débloquer un jour ou l'autre.

Il n'y avait pas de bonnes équipes de hockey junior dans la Vieille Capitale, mais une foule extraordinaire, sensible, attentive, intelligente, prête à tout. D'ailleurs, on s'emballait dès qu'on sentait poindre la moindre chance ou qu'on remarquait la plus petite amélioration dans la tenue des joueurs.

Ainsi, le 30 octobre 1968, le hasard et la température firent qu'il y avait plus de deux mille personnes au Colisée. On n'avait pas vu ça depuis neuf ans. Le lendemain on annonçait partout la fin du marasme des As.

«Est-on en train de revivre les beaux jours du temps des Citadelles de Québec?» se demandaient à pleines pages les journalistes. Et les commentateurs radiophoniques affirmaient que le beau temps était revenu. On rappelait les exploits des Gilles Tremblay, André Lacroix, René Drolet, Jean Béliveau.

Mais fin novembre, les As s'enlisèrent de nouveau. À Noël, ils étaient en avant-dernière position du circuit, devant les malchanceux Maple Leafs de Trois-Rivières, très loin des Bruins de Shawinigan (en tête de la Ligue grâce au champion compteur Michel Brière), et des Rangers de Drummondville (bons deuxièmes grâce à Marcel Dionne et à un instructeur intelligent, exigeant, stimulant, Maurice Filion), derrière les Éperviers de Sorel (méchants troisièmes grâce à la terreur et à la violence) et les Canadiens de Thetford Mines (quatrièmes grâce à la chance ou au hasard).

Lafleur continuait cependant à faire parler de lui. Même quand les As perdaient, il réussissait à se faire remarquer.

Ainsi, le 2 décembre 1968, les As juniors de Québec se faisaient écrabouiller 13 à 3 par les terrifiants Éperviers de Sorel ; le lendemain matin, dans les journaux de la Vieille Capitale, personne n'insista sur cette défaite. On racontait d'abord et avant tout que Guy Lafleur avait participé aux trois buts des As (deux buts sans aide et une passe). Paul Dumont était fasciné.

« Chaque fois que ce gars-là touche à la rondelle, c'est un événement. »

Mais même quand il n'y touchait pas, il parvenait parfois à faire parler de lui. Ainsi, en février, les As juniors furent de nouveau humiliés par les Éperviers de Sorel, 19 à 0. La manchette ? : « Guy Lafleur, blessé à une cheville, n'a pas participé à la défaite d'hier soir. »

Dumont en éprouvait presque des remords de conscience. Il se rendait bien compte que cet immense talent qu'il voyait éclore sous ses yeux ne pouvait s'épanouir tout à fait et qu'il risquait à plus ou moins long terme d'être contaminé par la médiocrité ambiante. Il cherchait désespérément une façon de harnacher ces forces vives. Il suffirait de quelques autres bons joueurs, un solide gardien de but ou deux défenseurs efficaces et un ou deux ailiers fonceurs et rapides, capables de préparer des jeux avec lui... et d'un esprit d'équipe un peu plus fort, un peu plus inspiré, d'un entraîneur davantage autoritaire et stimulant. Martin Madden était un trop bon gars. Il pouvait former des joueurs, mais il ne parvenait pas à insuffler une véritable cohésion à l'équipe.

« Un bon coach, quelques bons joueurs, ça se trouve », répétait inlassablement Paul Dumont. Dans quelques mois, dans quelques semaines, il les trouverait. Promis ! Il avait de bons *prospects* déjà sur la glace : Jacques Richard, Michel Brière peut-être et quelques autres. Il finirait bien grâce à eux par créer à Québec un milieu dans lequel Guy Lafleur pourrait enfin s'épanouir.

« Sinon, en mon âme et conscience, dit-il à Martin Madden, je n'aurai pas d'autre choix que de le laisser aller, même si ça me crève le cœur. On ne peut quand même pas demander à ce garçon de risquer de compromettre sa carrière dans l'espoir que le hockey finisse par démarrer à Québec. »

Personne, pas même Paul Dumont et Martin Madden, ne fut surpris de voir, dans *Le Soleil* du 28 janvier 1969, sur quatre sinistres colonnes : « Guy Lafleur intéressé à poursuivre sa carrière en Ontario dès l'an prochain. »

Lafleur termina cette deuxième saison du junior A avec cinquante buts et soixante passes, un impressionnant record d'équipe. Jusqu'où serait-il allé s'il avait joué dans un vrai bon club ? Les méchantes langues disaient qu'il n'aurait pas nécessairement fait mieux, qu'il était grand parce qu'il jouait avec des minables et que, dans la Ligue junior de l'Ontario, il n'aurait été qu'un bon joueur parmi bien d'autres. Paul Dumont et Martin Madden croyaient au contraire que Lafleur, s'il avait été entouré de joueurs compétents, aurait littéralement explosé et battu le champion compteur de la Ligue, le petit Michel Brière des Bruins de Shawinigan.

Cependant, Paul Dumont, toujours soucieux de relancer le hockey junior à Québec, jonglait depuis quelque temps avec de formidables idées. C'était fou, risqué, rempli de si et de peut-être, mais ça pouvait marcher.

En fait, ça dépendait d'abord et avant tout, presque uniquement, de Guy Lafleur. Il s'agissait de le garder à Québec. Paul Dumont allait lui tendre le plus beau piège dont pouvait rêver un jeune et brillant joueur de hockey.

Les As de Québec (les grands As seniors de la Ligue américaine et les petits As juniors de la Ligue junior provinciale) étaient depuis 1967 la propriété exclusive des Flyers de Philadelphie qui les avaient acquis de l'Union nationale au prix de 600 000 $, ce qui à l'époque était absolument exorbitant. Mais les Flyers n'avaient pas vraiment le choix. Comme tous les nouveaux clubs de la Ligue nationale, ils devaient alors se constituer de bonnes réserves de joueurs s'ils voulaient rivaliser un jour avec les Canadiens, les Bruins ou les Wings. Voilà pourquoi ils avaient acheté les As.

Or ils étaient franchement mal tombés. Ils perdaient avec leurs formations québécoises quelque 50 000 $ par année. Et ils ne voyaient pas le jour où ils pourraient en tirer un seul bon joueur efficace et payant.

De plus, on avait établi de nouveaux règlements régissant le recrutement. Les clubs de la Ligue nationale ne pouvaient plus se constituer de telles chasses gardées. Dans le bon vieux temps, les grandes équipes possédaient des clubs fermes, comme ces As juniors par exemple, des sortes de viviers dans lesquels elles conservaient et entraînaient des jeunes joueurs qu'elles pouvaient au besoin et à leur guise exclusive repêcher, vendre ou échanger, sans jamais même les consulter. Ce système féodal fut aboli à la fin des années 60, quelques mois à peine après que les Flyers eurent acquis les As, et remplacé par celui du repêchage universel.

Chaque club s'était alors doté d'un commando d'éclaireurs qui écumaient les patinoires d'un océan à l'autre, repéraient les bons joueurs et tentaient par la suite de se les approprier lors de l'encan annuel qui se tenait généralement en juin, à Montréal, où la vénérable Ligue nationale de hockey avait ses bureaux, square Dominion, dans le magnifique édifice de la Sun Life.

Les Flyers n'avaient plus aucun intérêt à entretenir des clubs juniors impossibles à rentabiliser. Ils se désintéressaient donc totalement du sort de leurs équipes québécoises, comme des pêcheurs d'un lac réputé «vide». Paul Dumont savait, lui, qu'il y avait là un très gros poisson et que la meilleure façon de se l'approprier était d'acheter les As de Québec (grands et petits). On ferait ensuite table rase et on recommencerait tout à zéro, en restructurant de fond en comble le hockey junior québécois et en créant à Québec une nouvelle équipe autour de Guy Lafleur. Il s'agissait en fait de fabriquer une sorte d'écrin dans lequel le plus beau joyau du hockey junior canadien prendrait toute sa valeur.

Dumont commença par réunir une vingtaine d'hommes d'affaires de la région et fonda avec eux la société Colibec. Chacun des vingt actionnaires investit mille dollars : cinq cents lors la formation de la société, cinq cents autres qu'il s'engagea à verser à la mi-saison suivante. C'était, dans le temps, un montant assez important, d'autant plus qu'on n'était sûr de rien. En avril, on rencontra Bill Putnam, le directeur-gérant des Flyers ; il accepta sans se faire prier un dollar canadien en échange de ses As. Et il promit d'aider Colibec à éponger le déficit, au moins la première année, en acquérant quelques-uns de ses moins mauvais joueurs.

Mais il n'y eut pas de déficit. Au contraire. Les gens de Colibec allaient faire de l'argent, beaucoup d'argent. En moins d'un an, ils auront changé complètement, grâce à Guy Lafleur, la géographie du hockey junior majeur canadien.

Depuis des années, les équipes québécoises, beaucoup trop faibles, mal dirigées et peu motivées, étaient systématiquement écrasées par les clubs de la ligue ontarienne au cours des séries éliminatoires de la coupe Memorial qui n'avait pas franchi l'Outaouais depuis neuf ans. Les clubs québécois jouaient entre eux, entre perdants, entre exclus, de plus en plus faibles, de moins en moins motivés. En neuf ans, pas un seul joueur de la Ligue provinciale, dont faisaient partie les As juniors, n'avait été repêché par la Ligue nationale. Les Canadiens de Montréal s'approvisionnaient principalement à même leur propre club, les Canadiens juniors, qui appartenaient à la ligue de l'Ontario, véritable pépinière de la Ligue nationale.

Dumont savait bien qu'il ne pourrait réaliser son rêve de monter un vrai bon club de hockey junior majeur à Québec si les autres clubs de la Ligue provinciale restaient aussi faibles et démunis. Pour réussir, il lui fallait des adversaires solides, une ligue forte, un milieu stimulant. On devait donc restructurer le hockey junior à l'échelle provinciale. Il existait alors trois ligues dans ce domaine : la Provinciale, la Métropolitaine et celle du Saguenay–Lac-Saint-Jean. Dumont réalisa la fusion des deux premières pour former la Ligue de hockey junior A du Québec comptant désormais douze clubs.

Une fois le circuit restructuré, il entreprit de retaper la pauvre machine qu'il venait d'acquérir des Flyers de Philadelphie. On décida que les As, d'effroyable mémoire, ne s'appelleraient plus les As. Par voix de concours, on trouva un nouveau nom qui convenait beaucoup mieux au club de Québec, seule ville fortifiée de l'Amérique du Nord : les Remparts. Et on développa la mise en marché.

Dumont, qui s'était déjà assuré de la complicité des journalistes sportifs de la Vieille Capitale, se lança dans une grande campagne de presse qui rapidement déborda des pages sportives et intéressa les gens d'affaires, les édiles municipaux, les industriels du tourisme, le grand public. On eut bientôt un nouvel emblème, un nouveau nom, de nouvelles couleurs, un nouvel uniforme et un nouveau logo, le fameux R crénelé.

Il s'agissait maintenant de trouver un bon instructeur.

Tout le monde parlait de Maurice Filion qui avait fait ses preuves avec les Rangers de Drummondville, lesquels avaient dominé la Ligue provinciale au cours des dernières années. Il accepta assez rapidement la proposition de Paul Dumont. Jean Sawyer, linotypiste drummondvillois, très actif auprès de Filion dans l'organisation des Rangers, décida de le suivre à Québec et de s'occuper de la promotion du nouveau club. Les journalistes avaient surnommé Filion «Monsieur 100 000 volts», comme le chanteur français

Gilbert Bécaud, qui avait alors un puissant tube à la radio, *L'important, c'est la rose*.

Et on trouva un slogan pour lancer la grande campagne de redressement du hockey junior à Québec : « L'important, c'est Lafleur. »

Le premier mandat du nouvel instructeur fut en effet d'aller chercher Guy Lafleur. Sans ce très grand joueur, tout le projet de Paul Dumont perdait sa raison d'être et tombait irrémédiablement à l'eau. C'était pour lui et autour de lui qu'il avait monté toute cette opération, Colibec, l'achat des As, la restructuration des ligues juniors, la formation des Remparts, l'engagement de Maurice Filion, etc. En mai, tout était en place, l'écrin achevé. Il ne restait plus qu'à convaincre le Joyau.

Tout le monde connaissait l'attachement de Guy Lafleur pour Québec. Il subissait avec un infini plaisir le charme des habitants de la Vieille Capitale, de Limoilou, des copains du Centre de loisirs Saint-François-d'Assise, de Madame Baribeau. Voilà qui jouait en faveur du groupe Colibec. On se doutait bien aussi que Lafleur admirait un homme comme Maurice Filion ; quoique ne le connaissant pas bien personnellement, il avait eu affaire à ses hommes, l'avait vu diriger une équipe et savait qu'il était le meilleur instructeur au Québec.

Il quitta la Vieille Capitale, au printemps, impressionné par cet énorme projet qui prenait forme autour de lui, pratiquement convaincu qu'il ne pourrait faire autrement que d'accepter l'offre de Colibec. Mais lorsqu'il retrouva Thurso, ses parents, Ti-Paul, la Chouine, le doute s'insinua dans son esprit et le charme québécois cessa peu à peu d'opérer. Cent fois, mille fois, au cours du mois de mai, il changea d'idée.

Les gens autour de lui étaient partagés. Bien sûr, le projet de Dumont était passionnant, mais Québec restait pour à peu près tout le monde l'une des plus moches villes de hockey du Canada. Rien ne prouvait que les éclaireurs de la Ligue nationale, qui depuis dix ans boudaient les As et tous les clubs des ligues provinciale et métropolitaine, commenceraient du jour au lendemain à s'intéresser aux joueurs d'une nouvelle équipe dont on ignorait encore si elle serait en mesure de tenir ses promesses. Guy Lafleur songeait alors, le cœur serré, qu'il devrait, s'il était le moindrement sérieux, faire ses adieux à Québec.

D'autres clubs le courtisaient assidûment. Les Ottawa 67th, les Canadiens juniors et les Black Hawks de St. Catharines de la Ligue junior de l'Ontario avaient déjà fait savoir qu'ils lui feraient des propositions avant l'été. C'était à la fois excitant et complètement affolant. Il se sentait piégé, traqué par tous ces gens qui, à Québec, à Montréal et Ottawa, à St. Catharines, l'attendaient et le relançaient. Au fin fond de son cœur, il souhaitait retourner dans la Vieille Capitale où il aimait vivre. Il y avait là un défi effrayant, terriblement tentant. Québec lui demandait rien de moins que d'aller chercher la coupe Memorial, comme Thurso lui avait demandé six ans plus tôt de décrocher le trophée Chamberland à Rockland, puis le Fernand-Bilodeau à Québec.

Fin avril, il commença à travailler comme manœuvre sur le chantier du pipe-line Ottawa-Montréal. Huit heures par jour, torse nu, beau temps, mauvais temps, creusant le roc, cassant des cailloux, brassant de la terre, au pic et à la pelle. Il adorait ce travail ; c'était très dur et relaxant, reposant. La première heure le matin était toujours difficile. Mais une fois que les muscles étaient bien déliés et réchauffés, il se laissait emporter par le rythme du travail. Il ne pensait à rien pendant de longs moments. Il rentrait à Thurso vers les sept heures du soir, affamé, moulu, content. Il soupait avec la Chouine qui l'informait des derniers développements. Dumont avait encore téléphoné ; il fallait rappeler les 67th, prendre rendez-vous avec l'organisation des Canadiens juniors ; l'instructeur des Black Hawks attendait toujours une réponse ; qu'est-ce qu'on lui dirait ?

« Qu'est-ce que tu vas faire, Guy ? »

La Chouine, voulant qu'il apprenne à décider par lui-même, ne cherchait pas à l'influencer. Il lui reprochait de toujours attendre que d'autres fassent les choix et prennent les risques à sa place. Guy rencontrait Ti-Paul, il se laissait convaincre d'aller jouer en Ontario. Il voyait son oncle Armand, il se disait prêt à partir pour Ottawa. Paul Dumont téléphonait, il lui jurait fidélité.

Ainsi, lorsque Marcel Dionne et son instructeur vinrent à Thurso, le dimanche de la fête des Mères, la Chouine se livra à une petite expérience, histoire de prouver à Guy à quel point il était influençable. En principe, Réjean, Pierrette et lui devaient assister à cette rencontre. Mais ils allèrent à l'hôtel Lafontaine, laissant Guy recevoir seul les assauts de gentillesse de Dionne et de son instructeur.

« Et je te gage que quand on va revenir dans une heure, tu vas nous annoncer que tu signes avec St. Catharines. »

Guy était impressionné et rassuré par Dionne qu'il connaissait depuis le bon vieux temps des tournois pee wees de Québec et qu'il avait maintes fois affronté au cours de ses années de junior A. Dionne venait de faire le grand saut dans la ligue ontarienne. Il avait lui aussi un beau projet, de bons arguments.

« Si tu viens à St. Catharines, à deux, on fera une équipe imbattable. On va écraser tout le monde. Les Ontariens vont arrêter de dire que les Québécois sont des bons à rien. »

Il lui avait parlé des courses de vitesse sur le lac Ontario, des filles extraordinaires et de la belle température de là-bas.

« Et puis l'anglais, c'est facile, tu verras. »

L'instructeur lui expliquait qu'il recevrait une meilleure formation au sein d'une équipe de la ligue junior ontarienne, où on jouait du hockey de haut calibre, rude, intelligent, professionnel.

« Within two years, you'll be in the NHL, for sure. Making big money ! »

Quand la Chouine et les parents Lafleur revinrent, les trois hommes, bien installés dans la balançoire derrière la maison, un verre à la main, semblaient devenus bons amis. Guy se leva et dit :

« Écoute, la Chouine, je sais que tu vas être fâché, mais je pense honnêtement que je ferais une bonne affaire en allant à St. Catharines. »

Il s'était laissé charmer. Et il voulait qu'on le sache charmé. Il avait parlé bien haut de façon à ce que Marcel Dionne et son entraîneur l'entendent clairement. Ainsi, ils sauraient que s'il ne venait pas jouer chez eux, ce ne serait pas à cause de lui. Il s'installait toujours dans le rôle du comparse, du complice, du côté de ceux qui tentaient de le séduire.

« J'ai toujours l'impression que c'est avec toi que je négocie, lui disait la Chouine. Comme si tu devenais toi-même le représentant des Black Hawks de St. Catharines ou des Remparts de Québec. Il faudrait vraiment que tu te branches ! »

Guy rencontra Ti-Paul Meloche qui privilégiait évidemment les clubs de la ligue ontarienne.

« Si Filion n'a pas été capable de retenir Marcel Dionne, qui était son meilleur joueur quand il était l'entraîneur des Rangers de Drummondville, c'est qu'il ne croit pas vraiment à son affaire.

— Mais Dionne avait signé avec les Black Hawks avant la formation des Remparts !

— Les Remparts, c'est les As. Rien de plus. N'oublie jamais ça.

— C'est les As plus Maurice Filion, plus moi peut-être, plus d'autres gars.

— Tu veux que je te dise une chose, moi. Maurice Filion lui-même, s'il était à ta place, choisirait d'aller jouer en Ontario, avec le grand monde. Comme Dionne. C'est écrit dans la Bible : « On ne met pas une lumière sous le boisseau. » Tu as un devoir, toi, celui de développer le talent que le bon Dieu t'a donné. Et à Québec, tu risques de l'enterrer. »

Que Ti-Paul se mette à parler de la Bible et du bon Dieu, voilà qui devenait drôlement perturbant !

Fin mai, la grande offensive de séduction du Canadien junior battait son plein. Et cela, c'était beaucoup plus sérieux. Pour une foule de raisons. D'abord, à cause de l'immense prestige de la sacro-sainte organisation des Canadiens de Montréal. Pour n'importe quel jeune joueur de hockey, évoluer au sein du club junior de cette toute-puissante et vénérable institution, était le plus beau des rêves, un véritable sacerdoce, l'ultime consécration.

Roger Bédard, l'instructeur du Canadien junior, avait donc un gros atout entre les mains. Et en plus, son club se trouvait dans la ligue ontarienne dont la réputation était effectivement beaucoup plus reluisante que celle du Québec.

Mais cette organisation avait les défauts de ses qualités. Elle était tellement puissante et riche, disposait de tellement de joueurs, de très bons joueurs offensifs et défensifs, qu'il devenait difficile de s'y distinguer, même pour un surdoué comme Guy Lafleur.

« Je ne veux pas dire que tu ne seras pas bon, lui expliquait la Chouine. Mais tu auras moins de temps de glace que partout ailleurs. Tu joueras moins souvent, et moins longtemps. Fatalement, tu compteras moins de buts. Il y a énormément de pression dans ce milieu-là. Il faudra que tu obéisses et que tu réchauffes le banc quand on te dira de réchauffer le banc. »

Une première rencontre avait eu lieu, fin mai, avec l'état-major du Canadien junior à l'hôtel Méridien, rue Sainte-Catherine, à Montréal. C'était la première fois que Guy Lafleur avait directement affaire à des hommes de hockey aussi importants. Il retrouvait en effet, non seulement l'instructeur Bédard, mais aussi deux personnages qui à ses yeux représentaient l'autorité suprême en matière de hockey.

D'abord Claude Ruel, qui avait succédé à Toe Blake comme instructeur des grands Canadiens de Montréal et qui venait de remporter avec eux la coupe Stanley 1968-1969 en écrasant les Blues de St. Louis en quatre matchs d'affilée. On disait de Claude « Piton » Ruel qu'il était le plus respectable spécialiste de la formation des joueurs. Longtemps éclaireur dans l'organisation des Canadiens, il connaissait toutes les patinoires d'un océan à l'autre. Et il était doué d'un flair incomparable pour dépister les bons joueurs. C'était un petit homme trapu, avec une tête énorme, d'immenses bajoues, borgne, une voix éteinte, étonnamment douce. Il n'a presque pas ouvert la bouche de toute cette rencontre, sauf pour parler avec Réjean Lafleur de choses qui n'avaient rien à voir avec le hockey.

L'autre personnage était Ronald Caron, responsable du recrutement des joueurs pour l'organisation des Canadiens. Tout le monde l'appelait le prof Caron, parce qu'il avait enseigné l'anglais au Collège de Saint-Laurent. Volubile, hâbleur jovial et flatteur, il était tout le contraire de Piton. Il possédait une mémoire extraordinaire et un sens du récit impressionnant. Il se mit à parler à Pierrette Lafleur des premières fois qu'il avait vu son garçon. C'était à l'École moderne de hockey, en août 1966. Il prétendait évidemment l'avoir tout de suite remarqué parmi tous les autres. Il avait compris au premier regard qu'il s'agissait d'un athlète d'élite qui, en plus de posséder un physique exceptionnel, démontrait une détermination à toute épreuve, ce qui, selon lui, était plus rare et infiniment précieux. Pierrette Lafleur savait tout cela, mais de l'entendre dire si bellement réjouissait son cœur de mère.

Malgré la timide sollicitude de Piton qui semblait s'intéresser à son métier de soudeur, Réjean Lafleur n'était pas vraiment à l'aise dans ces suites luxueuses de grands hôtels. Il était le genre à s'enfarger dans les fleurs du tapis, trop épais et trop moelleux à son goût. Et les fauteuils étaient trop profonds. Et il faisait froid. Chaque fois qu'il voulait faire une observation ou poser une question, il s'adressait timidement à la Chouine, qui transmettait ses paroles et ses questions aux intéressés.

Il se méfiait beaucoup de Roger Bédard. La Chouine aussi. Tous deux le trouvaient à la fois arrogant et ratoureux. L'année précédente, Bédard avait laissé Réjean Houle et Marc Tardif sur le banc des joueurs pendant des matchs entiers, de sorte qu'on ne parlait presque plus ni de l'un ni de l'autre. On disait qu'il était chargé par la toute-puissante organisation des Canadiens de casser les bons joueurs afin qu'ils rentrent dans le moule et obéissent ensuite au doigt et à l'œil.

Ce jour-là, au Méridien, Bédard avait écouté attentivement les revendications de la Chouine qui voulait, entre autres choses, que Guy ait du temps de glace garanti.

« Ne vous inquiétez pas. Les bons joueurs on les fait jouer. Vous avez ma parole.

— On voudrait que ça soit stipulé dans un contrat écrit.

— Désolé, ça ne se fait pas. Ça ne s'est jamais fait, et je ne crois pas que ça se fasse un jour. En tout cas, pas dans notre organisation.

— Si vous avez l'intention de respecter votre parole vous ne devriez pas avoir peur de l'écrire.

— Ce n'est pas du tout pareil. Et ça ne dépend pas que de moi. »

Piton et le prof Caron ne disaient rien. Les négociations furent rompues.

Quelques jours plus tard cependant, le prof Caron téléphona chez les Lafleur. Il avait remarqué que personne chez eux ne semblait porter Bédard dans son cœur. Il suggéra à Pierrette qu'il serait peut-être possible de s'entendre autrement, sans lui. On prit rendez-vous pour le lundi suivant, le 23 juin, au Forum même.

« Passez par l'entrée de la petite rue Lambert-Closse, du côté est du Forum. Je serai là. Avec Claude Ruel, s'il est libre. »

Or ce même jour, la Chouine assistait à Hull à une réunion du Syndicat des enseignants de l'Outaouais. On vint le prévenir qu'il était demandé au téléphone. C'était Paul Dumont qui appelait de Québec.

Dumont et Chouinard s'aimaient bien et se respectaient. Ils se parlèrent pendant une bonne heure au téléphone. La Chouine, debout dans le hall de l'hôtel hullois, écoutait pour la nième fois Paul Dumont lui décrire son cher projet, alignant toute sa batterie d'arguments, tirant toutes les cordes, faisant appel à la raison, au cœur, à l'amitié.

Par respect pour cet homme intelligent et passionné, Chouinard accepta de le rencontrer. On prit rendez-vous pour le dimanche 22 juin. Au motel Universel toujours.

On serait donc absent pendant deux jours. Rendez-vous à Québec le 22, à Montréal le 23. Réjean Lafleur appela son patron à la Singer et obtint congé pour le lundi suivant. Le samedi après-midi, Pierrette prépara une énorme sauce à spaghetti. La Chouine acheta des liqueurs douces, une variété de viandes froides, des fruits, de quoi nourrir les quatre filles pendant au moins une semaine. La maisonnée fut confiée à Suzanne, la plus vieille. Pierrette s'inquiétait quand même.

« Barre les portes, éteins le poêle comme il faut quand tu t'en sers, ne laisse pas la petite toute seule. S'il arrive quelque chose, appelle grand-papa Chartrand ou ton oncle Armand.

— Maman, j'ai presque dix-neuf ans. Puis la petite est presque aussi grande que toi.

— Je ne veux pas de garçons ici pendant qu'on n'est pas là. Compris ? Ni pour toi, ni pour tes sœurs. »

Quelques jours plus tôt, la Chouine avait changé sa Rambler, prématurément vieillie, pour une Javelin, voiture plus nerveuse qui faisait le bonheur de Guy. Le samedi après-midi, il la lava, la cira, l'essuya soigneusement avec un chamois. Le dimanche matin, il fit le plein et vérifia le niveau d'huile. La Chouine avait promis, malgré les réticences de Réjean, qui avait peur de l'auto comme d'autres ont peur de l'avion, de laisser conduire Guy dès qu'on serait sur l'autoroute, à condition qu'il n'excède pas soixante-quinze milles à l'heure et qu'il lui rende le volant avant le pont de Québec.

Au motel Universel, Maurice Filion, Paul Dumont et le doc Massicotte, l'un des actionnaires de Colibec, attendaient le clan Lafleur avec de beaux sourires et d'intéressantes propositions.

Au moment de la formation de leur société, ils s'étaient donné des règlements très rigoureux, mais un peu embêtants. Les salaires des joueurs ne devaient pas excéder 2 500 $ par année. Or ils savaient que les clubs ontariens offraient trois fois plus à leurs meilleurs joueurs. Dumont, alléguant que Guy Lafleur, comme quelques autres joueurs, Jacques Richard par exemple, n'était pas un nouveau venu dans l'organisation, proposa qu'on lui offre un salaire plus élevé. Il avait un droit d'aînesse incontestable. Personne ne serait justifié de crier à l'injustice. On lui offrit 7 500 $, ce qui à l'époque, dans le hockey junior majeur québécois, était vraiment beaucoup. Et il serait bien sûr nourri, logé. Et il avait en plus la possibilité de recevoir des gratifications de fin de saison assez substantielles, s'il battait des records et si — touchons du bois — les Remparts décrochaient la coupe Memorial.

Mais l'argent, ce n'était pas suffisant. Ailleurs aussi, on en avait. Ailleurs aussi, on pouvait offrir divers avantages financiers au jeune Lafleur. Il fallait trouver d'autres arguments.

« Si tous les bons joueurs de ta trempe refusent de venir à Québec, dit Paul Dumont, c'est sûr que ça ne sera jamais tentant pour personne. Tu as la chance d'être au commencement de quelque chose. Tu as un rôle historique à jouer. Ailleurs, tu ne seras qu'un très bon joueur. Ici, à Québec, tu pourras devenir un personnage. »

Guy comprenait qu'il y avait un défi important à relever. À Québec, il serait effectivement un roi. Ailleurs, un pion. Mais il n'était pas fou au point de compromettre sa carrière pour le seul plaisir de relever un défi.

La Chouine, craignant toujours que son protégé s'enlise irrémédiablement à Québec, exigea que soit stipulé au contrat qu'il redeviendrait agent libre si après un an il apparaissait évident que le projet de Colibec ne se réaliserait pas, c'est-à-dire si le Colisée était toujours au trois quarts vide et si les éclaireurs de la Ligue nationale ne s'intéressaient toujours pas aux Remparts.

«On ne peut pas faire ça, répondit Dumont. Tout notre projet est basé sur la présence de Guy Lafleur à long terme parmi nous. On ne peut pas investir autant sur un joueur, si on n'est pas certain de le garder au moins deux ans.»

Les négociations furent de nouveau rompues. Le dimanche soir, 22 juin, le clan Lafleur prenait la route de Montréal. Un peu inquiet évidemment, même si on savait qu'il serait toujours possible, advenant le pire, de faire marche arrière. On coucha dans un petit hôtel de la rue Sherbrooke. Et le lendemain matin, on rencontrait le prof Caron et Claude Ruel dans les bureaux du Forum de Montréal, rue Lambert-Closse.

Le prof Caron avait fait ses devoirs et connaissait parfaitement les exigences des Lafleur. Il promit qu'il serait stipulé au contrat que Guy aurait beaucoup de temps de glace. Quant au salaire, il avait pensé à un intelligent stratagème. Un règlement de la ligue interdisait de payer les joueurs plus de 5 000 $ par année. Mais le père de Guy recevrait un salaire équivalent comme éclaireur, ce qui était après tout fort mérité.

L'affaire était dans le sac. Ou presque. On fit préparer le contrat et on sortit dîner au restaurant Texas, tout près du Forum. Gros steak, vin rouge. Le prof Caron faisait brillamment les frais de la conversation. Tout le monde était bien content, mais quand même vaguement inquiet.

Quand on retourna au Forum, vers trois heures de l'après-midi, quelque chose avait été changé dans le contrat. Sam Pollock, directeur-gérant de l'organisation, avait refusé d'autoriser la clause du temps de glace. Retour à la case de départ. Une fois de plus, les négociations étaient rompues. On se retrouva, Pierrette et Réjean Lafleur, la Chouine et Guy, sur la petite rue Lambert-Closse. La Chouine dit :

«Réjean, c'est ton gars, c'est toi qui décides. Si tu veux mon avis, je ne suis pas d'accord avec les Canadiens. C'est une question de principe. Mais tu fais comme tu veux.»

Guy ne disait plus un mot. Tout ça commençait à lui peser dangereusement, à l'ennuyer, à l'enrager. Ainsi, c'était ca, le hockey ! Des réunions, des discussions, des négociations, des tractations à n'en plus finir !

Réjean Lafleur marchait de long en large sur la petite rue Lambert-Closse qui à cette heure du jour baignait dans l'ombre lourde du Forum. À chaque bout de la rue, du côté de la rue Sainte-Catherine et vers le boulevard de Maisonneuve, on voyait couler le gros soleil d'été. Où aller ? Que faire ?

«Réjean, tu dois décider. C'est ton fils.

— Penses-tu que si on rappelle Paul Dumont, on a des chances de reprendre les négociations?

— Je vais te dire une chose, moi. Paul Dumont, à l'heure actuelle, il est rivé à son téléphone et il attend qu'on le rappelle.

— Alors qu'est-ce que tu attends?

— Que tu me passes un dix cents.»

Dans la boîte téléphonique, juste au coin de la rue, Normand Chouinard appela Paul Dumont à frais virés. Ce dernier répondit au premier coup.

«Paul, c'est Normand.

— Vous avez changé d'idée?

— Oui et non, ça dépend de vous autres.

— Comment ça?

— Si vous voulez que Guy Lafleur joue avec les Remparts, vous allez commencer par nous payer deux billets d'avion pour Québec.

— C'est tout?

— Êtes-vous prêts à faire un pas ou deux dans notre direction?

— Peut-être, ça dépend, mais je pense que oui.

— Bon! je crois qu'on peut s'arranger.

— Pouvez-vous achetez les billets?

— J'ai ce qu'il faut.

— On va vous les rembourser. Il y a un avion qui part vers quatre heures de Dorval. Vous arriverez à l'Ancienne-Lorette un peu avant cinq heures. J'y serai.»

M. et Mme Lafleur ne purent aller à Québec. Le lendemain, mardi, Réjean travaillait. Et Pierrette ne voulait pas laisser plus longtemps les filles seules à la maison. Ils rentreraient à Thurso avec la Javelin. Même s'il avait son permis de conduire, Réjean Lafleur n'avait presque jamais tenu le volant de sa vie. Mais il n'eut pas le choix. Ce fut pour lui une première. Pour son fils aussi, qui subit ce jour-là son baptême de l'air.

Dans l'avion, Guy était fort excité. Il disait à son compagnon:

«Tu vas voir, tu vas finir par faire de l'argent avec moi.

— Tu te trompes, Guy. Moi, je sais que ça achève. Tu sais très bien que je ne te suivrai pas, là où tu t'en vas. Je ne suis pas un homme de hockey, moi. Au prochain échelon, je vais devoir débarquer. Je ne pourrais pas être ton négociateur, ni ton gérant. Quand cette affaire-là sera réglée, nos chemins vont se séparer. Tu feras ta vie; moi, la mienne. Et ça ne sera pas dans le même monde.

— Mais je veux que tu continues de t'occuper de moi!

— On n'aura pas le choix, Guy. Tu vas voir. Il y aura plein de gens autour de toi qui voudront s'occuper de tes affaires... et qui voudront se servir de toi ! Il faudra que tu sois très fort. Jusqu'à maintenant, tu as appris à jouer au hockey. Maintenant, tu dois apprendre à te débrouiller tout seul dans ce monde-là.

— Mais pourquoi on ne ferait pas ça ensemble ?

— Parce qu'il n'y a pas de place pour un gars comme moi là-dedans. Je te l'ai dit : je ne sais pas mentir, je ne suis pas assez baveux, je n'ai rien d'un vrai homme de hockey.

— Qui va m'aider ?

— Tu sais très bien que je ne te laisserai jamais tomber. Je serai toujours là quand tu auras besoin de moi. Mais je veux que tu comprennes bien une chose. Quand tu décideras de me laisser tomber...

— La Chouine ! Il n'est pas question que je te laisse tomber !

— Laisse-moi parler, Guy. Quand tu décideras de prendre un agent professionnel, j'aimerais que tu te rappelles ce que je te dis aujourd'hui : que je ne t'en voudrai pas. Moi, tout ce que je souhaite, c'est que tu sois, dans la vie, un gars correct. Et pour ça, il n'y a personne au monde qui peut être ton agent. »

Paul Dumont et Maurice Filion les attendaient à l'aéroport de l'Ancienne-Lorette. Ils filèrent tout droit au motel Universel où se trouvait déjà réuni le conseil d'administration de Colibec, de gros hommes d'affaires, des professionnels affables et rieurs, moins intimidants, moins brutaux et pressés que ceux de Montréal.

On avait fait venir dans la suite une abondance d'amuse-gueule, fruits, fromages, breuvages. Guy ne parlait pas beaucoup. Il écoutait attentivement en mangeant des fruits, les oranges d'abord, puis les pommes, les bananes, quelques amandes. Il n'intervenait que lorsqu'on lui posait des questions précises. Chose remarquable et prévisible, il s'était spontanément rangé du côté des gens de Colibec, de sorte que Normand Chouinard se retrouvait tout seul d'un côté de la table de négociations.

La Chouine sentait qu'il n'avait nul besoin de revenir sur la clause du temps de glace. À Québec, Guy en aurait tant qu'il en voudrait. Il savait par ailleurs que Colibec n'avait pas les moyens financiers de surenchérir. Il voulut cependant s'assurer encore une fois que, si jamais ce beau projet tournait mal, Guy pourrait s'en sortir.

« J'ai confiance en votre projet. Mais on ne peut pas sacrifier la carrière de Guy dans l'espoir que les Remparts finiront par démarrer un jour ou l'autre. Il faut lui laisser une porte de sortie. »

On décida finalement d'établir un contrat de deux ans, dans lequel on inclurait une clause d'annulation advenant que le Colisée ne se vende pas. Ainsi, on ne négociait plus sur le temps de glace, mais sur la foule.

Vers dix heures du soir, au moment de jeter sur papier les éléments d'une entente, le secrétaire-trésorier de Colibec réalisa avec stupéfaction qu'il n'avait aucune copie du contrat officiel de la Ligue junior A du Québec. On ne trouva personne dans toute la ville en possession de ce document. On finit par dénicher quelqu'un à Montréal qui accepta de descendre à Québec avec un contrat vierge. Il arriva vers trois heures du matin. On rédigea le contrat. À quatre heures, dans la nuit du 24 juin 1969, les deux parties signèrent l'entente. Paul Dumont et le doc Massicotte pour le groupe Colibec; Guy et Normand Chouinard pour le clan Lafleur.

Quelqu'un fit alors remarquer que Guy n'avait pas encore tout à fait dix-huit ans et que sa signature par conséquent n'avait qu'une valeur symbolique. Cette observation irrita le jeune homme qui rétorqua avec une brusquerie qui étonna tout le monde :

« Ma signature, c'est comme ma parole. Vous pouvez vous fier là-dessus. »

Le jour était levé depuis déjà un bon bout de temps lorsqu'il put enfin aller se coucher. Avant de s'endormir, il téléphona à son père.

« Papa, je reste à Québec.

— Es-tu content ?

— Je pense que oui. Je te dirai ça demain. »

Puis il chercha nerveusement le sommeil. Il venait de se mettre énormément de pression sur les épaules. Cette fois, ce n'était pas en toute innocence, comme lorsqu'il était moustique ou pee wee. On l'attendait, on avait misé très gros sur lui. Pour la première fois, il eut peur.

Paul Dumont de son côté commençait déjà à prévenir les médias et à organiser une conférence de presse. Les journaux ne paraîtraient pas ce jour-là. Mais selon Dumont, ça tombait quand même fort bien... Les gens de Québec verraient quelque chose de hautement symbolique dans ce contrat négocié, rédigé, signé et ratifié le jour de la fête nationale des Québécois.

À Thurso cependant, Réjean Lafleur ne put se rendormir. Il descendit se préparer un café qu'il alla boire sur la galerie en regardant grandir le jour et en pensant à son garçon qui venait vraiment de partir pour la gloire, et à lui qui aurait bientôt quarante ans. Et il se disait que c'était bien vieux, quarante ans, dans ce monde rempli d'enfants. Et qu'être jeune en 1969, ça devait être merveilleux, car tout était permis, tout était possible.

Il écouta le bulletin de nouvelles de six heures à la radio ; on mentionnait que Guy Lafleur avait signé avec les Remparts et qu'il y aurait dans le courant de l'après-midi une conférence de presse à la Brasserie Dow, à Québec. Réjean Lafleur avait l'impression que son fils était un homme, déjà. Et lui, un petit garçon, toujours.

Il ramassa sa boîte à lunch dans le réfrigérateur, enfourcha sa bicyclette et se rendit tranquillement à l'usine, comme tous les jours de la semaine depuis près d'un quart de siècle, avec presque toujours une bonne demi-heure d'avance. Il aimait bien avoir le temps de se changer sans se presser, puis s'asseoir à la cafétéria et regarder le journal ou ne rien faire en attendant que la *clock* marque sept heures moins cinq. Il poinçonnait alors sa carte de temps. À sept heures quand la sirène hurlait, il ne l'entendait pas, il était déjà à l'ouvrage. Son casque sur la tête, son masque sur la face, sa torche à acétylène d'une main, son marteau de l'autre, il entrait dans l'énorme machine qui l'enveloppait de son souffle rauque et de ses gaz toxiques. Il savait bien que sa vie à lui, Réjean Lafleur, ne changerait plus. Ce matin-là, malgré la joie, il y avait de la mélancolie dans l'air.

*
**

À Québec, tout le monde dit que c'est Jean Béliveau qui a fait construire le Colisée et que c'est Guy Lafleur qui l'a fait agrandir. Même si le Gros Bill a quitté les lieux il y a près de quarante ans, il reste toujours un gars de Québec, un grand héros, né à Trois-Rivières, élevé à Victoriaville, mais découvert, inventé à Québec par les gens de Québec, leur créature bien-aimée. Comme Guy Lafleur.

Les Québécois sont extrêmement fiers de leur Colisée. Le Forum de Montréal est sans conteste le plus prestigieux amphithéâtre de hockey qui soit, de Los Angeles à Moscou. Vladislav Tretiak, le génial gardien de but de l'équipe soviétique raconte que, lorsqu'il était petit, à Dmitrov, au nord de Moscou, il avait couvert les murs de sa chambre d'affiches du Forum et des Canadiens de Montréal et de son idole Jacques Plante. Le Forum, c'est la Mecque du hockey. Mais le Colisée de Québec est encore plus farouchement aimé. C'est la Ville qui l'a fait construire, puis restaurer de fond en comble au début des années 70. C'est encore elle qui le gère et agit en tant que producteur et promoteur des spectacles et des matchs de hockey qu'on y présente. Il appartient vraiment au peuple. Pas à une brasserie protestante ou à une multinationale anonyme et sans cœur ou à quelque gros riche, comme les autres arénas de la Ligue nationale. Le Colisée est un temple sacré.

Il est situé à l'écart de la ville, près d'un quartier populaire, Limoilou, dans une sorte de vaste cité de sports et de loisirs où ne se trouvent que de très grosses constructions : les Colisées (le grand neuf et le petit vieux), l'Hippodrome, le terrain de l'Exposition et d'immenses parcs de stationnement où il vente toujours à écorner les bœufs. Il y a en outre quelques beaux immeubles de briques rouges remontant aux années Art déco, qui abritent des bureaux du ministère de l'Agriculture. Vers le nord, on voit filer un écheveau d'autoroutes et au loin les Laurentides; de l'autre côté, au sud, le cap Diamant et la haute ville qui cachent le fleuve.

Quand il était petit, le Colisée était un building en voûte apparente. Pour l'agrandir (de dix mille à quinze mille sièges), on a dû briser les arcs latéraux, de sorte qu'on ne voit plus aujourd'hui, de l'extérieur, que le sommet de la voûte qui émerge à peine de la nouvelle structure quadrangulaire d'une parfaite et austère symétrie, d'une banale et fonctionnelle architecture. Mais en dedans, c'est magique.

Il y a cette espèce de lac de lumière qu'est la patinoire; puis, au-delà des clôtures qui le bordent, chargées de logos multicolores et de slogans publicitaires, se trouvent les gradins rouges, bleus et blancs; et en haut, tout là-haut, c'est la pénombre permanente, comme dans tous les amphithéâtres. On voit cependant s'agiter des oriflammes, des banderoles et des drapeaux, des fanions qui illustrent la petite histoire du hockey à Québec, en rappellent les grands moments, les figures les plus prestigieuses : les deux coupes Stanley que remportèrent les Bulldogs dans les années 1910, la coupe Memorial des Citadelles, celle des Remparts en 1971, la coupe Avco des Nordiques, du temps qu'ils faisaient partie de la défunte Association mondiale de hockey. Et dans ce glorieux firmament, quatre noms : Joe Malone, Jean Béliveau, Gilles Tremblay, Guy Lafleur.

Lorsque Béliveau jouait ici, à la toute fin des années 40 avec les As de Québec de la Ligue américaine, le Colisée ne contenait que dix mille places. Mais il était toujours rempli à craquer. Le hockey à Québec faisait alors sensation. On suivait bien sûr à la radio les parties de la Ligue nationale et on adorait comme tout le monde les incontournables Canadiens de Montréal. Mais les As étaient la véritable passion de la population de Québec, sa fierté, ses hérauts. À travers eux, on s'affirmait, on existait, on se différenciait. Pour une fois.

Québec a toujours vivement ressenti la suprématie et l'hégémonie qu'exerce Montréal sur les arts, le sport, la mode, l'industrie, même la politique et la pensée. Le pouvoir, le gros show, la véritable sensation ont toujours été à Montréal. Mais pendant deux ans, ces deux inoubliables saisons de hockey auxquelles Jean Béliveau a participé, la sensation et l'action se trouvaient à Québec, d'autant plus que les Canadiens de Montréal, malgré la présence électrisante de Maurice Richard, traversaient alors un épouvantable creux et ne devaient pas remporter la coupe Stanley une seule fois de 1946 à 1953.

Les As de Québec par ailleurs avaient le vent dans les voiles et faisaient la pluie et le beau temps dans la Ligue américaine. Partout, on disait qu'il n'y avait rien de plus beau dans le monde du hockey que de voir Jean Béliveau lorsqu'il s'emparait de la rondelle et allait la loger dans le filet des Cataractes de Shawinigan, des Sénateurs d'Ottawa ou des Royaux de Montréal, après avoir traversé la patinoire d'un bout à l'autre en déjouant tout le monde avec une déconcertante facilité.

Béliveau parti, le fil s'est cassé, le charme s'est rompu. Le Colisée peu à peu s'est vidé. La télévision, bien sûr, n'a pas aidé. Grâce au petit écran (qui à Québec ne s'est animé qu'en 1954, deux ans après Montréal), les Canadiens auront encore plus de prestige qu'autrefois, non seulement à domicile, mais dans toute la province de Québec et dans toutes les villes de hockey canadiennes ou américaines. Maurice Richard, dans un formidable sprint, atteindra des sommets de gloire insoupçonnés. Et Québec va sombrer dans la mélancolie...

Même *La Famille Plouffe* de Roger Lemelin, le premier grand téléroman populaire de la télévision canadienne-française, privilégiait Montréal au détriment de Québec. L'action se passait à Québec, en bas de la Pente douce, à deux pas du Colisée, mais Guillaume, le plus jeune fils de la famille, rêvait de jouer pour les Canadiens de Montréal; et son père, Théophile, plombier de son état, rêvait de décrocher le très lucratif contrat de plomberie du Forum de Montréal. Les gens de Québec étaient ainsi dépossédés, même dans la fiction. Pendant près de vingt ans, ils vivront bien malgré eux branchés sur Montréal, frustrés, amers. Il y eut bien quelques autres bons moments, avec les As ou les Citadelles, quelques autres bons joueurs (Gilles Tremblay, entre autres), mais la grande passion n'y était plus. De toute façon, dès qu'un joueur commençait à briller un peu, il était happé par quelque club de la Ligue nationale.

Si bien qu'au printemps de 1969 on glissait vers le désastre financier et le vide presque absolu. L'assistance n'était plus, les bons soirs, que de deux ou trois cents personnes.

Le défi qu'avaient à relever Guy Lafleur et les Remparts était immense.

*
**

En donnant à Guy Lafleur le chandail numéro 4, celui du grand Jean Béliveau, on le chargeait officiellement de reprendre le flambeau au vu et au su de tous. Paul Dumont craignait que cette « mission » ne l'écrase. Il suppliait les journalistes de cesser de le comparer à Jean Béliveau et de le laisser devenir Guy Lafleur. Mais l'entraîneur Maurice Filion avait une tout autre vision des choses. Il avait l'intuition que Guy Lafleur aimait ce défi et qu'il travaillerait toujours mieux sous pression. Il disait aux journalistes :

« Vous rêviez d'un Jean Béliveau, en voilà un. Regardez-le aller. »

Cependant, Lafleur était toujours un peu nerveux et inquiet. Il ne pouvait s'empêcher de se demander encore et toujours s'il avait bien fait de signer avec les Remparts plutôt qu'avec les Canadiens juniors ou les Black Hawks de St. Catharines, comme Marcel Dionne ou Gilbert Perreault, dont on ne cessait de lui répéter, même à Québec, qu'ils avaient des carrières intéressantes. C'était enrageant et démobilisant.

« Vous ne pouvez plus retourner en arrière, maintenant, affirmait Madame Baribeau. Vous avez signé avec les Remparts, alors vous devez jouer avec eux à cent vingt pour cent. Et cessez de vous demander si vous avez bien fait ou mal fait. »

Le 2 octobre, quelques jours avant que ne débute la saison régulière, les Remparts disputèrent un match aux Gaulois de Saint-Hyacinthe de la Ligue senior du Québec. Les Gaulois étaient d'épouvantables brutes, dix fois pires que les Éperviers de Sorel, plus lourds, plus vieux, plus vicieux. Il y eut énormément de bagarre. Les Remparts furent défaits 13 à 3, Lafleur ayant lui-même compté deux des trois buts et préparé le troisième. Il s'était affirmé, dès ce premier affrontement, comme un joueur solide et talentueux.

Ce soir-là, sur la Transcanadienne, dans l'autobus qui les ramenait à Québec, les Remparts élisaient leur capitaine pour la saison 1969-1970. Il n'y eut pas de surprise. Guy Lafleur, l'homme de Maurice Filion, fut élu avec une écrasante majorité.

Maurice Filion était un dur, un homme de principes, paternaliste et autoritaire, avec une conception très «pédagogique» du hockey. Selon lui, un instructeur (surtout au niveau junior) devait avoir un esprit formateur, son rôle étant non seulement de diriger les joueurs sur la glace et de leur apprendre les techniques du hockey, mais aussi de leur inculquer une morale d'équipe, de développer chez eux des qualités, des attitudes, une mentalité de gagnants.

Le 30 décembre 1969, les Remparts jouaient au Centre Paul-Sauvé, à Montréal, contre le National de Rosemont, propriété du célèbre lutteur Johnny Rougeaud. Filion avait promis deux jours de congé à ses joueurs en échange d'une victoire contre cette équipe. À Thurso, persuadé que les Remparts ne pouvaient perdre, on avait organisé une grosse fête du Jour de l'An en l'honneur de Guy Lafleur. Le Tout-Thurso serait là, parents et amis, anciens coéquipiers des époques pee wee, bantam, etc. La Chouine et Réjean Lafleur, venus assister au match à Paul-Sauvé, comptaient rentrer à la maison avec Guy. Mais les Remparts, dont le jeu était fort décousu et sans âme, se firent aplatir 8 à 1.

Après le match, Maurice Filion, évidemment de fort mauvaise humeur, décida unilatéralement que l'équipe au grand complet rentrait à Québec, Guy Lafleur comme tout le monde. Réjean Lafleur, que la colère et deux ou trois bières avaient rendu moins timide, décida qu'il ne le prenait pas. Il y eut un échange assez virulent entre Filion et lui.

«Vous aviez dit à mon gars qu'il aurait congé.

— J'ai dit : «Si les Remparts gagnent.»

— Moi, ce si-là, je ne l'ai jamais entendu, je vous le jure. Dans ma tête, Guy avait congé, qu'il gagne ou pas. Alors il s'en vient à Thurso avec nous.

— Dans ce cas-là, il pourra y rester aussi longtemps que vous voudrez, à Thurso. S'il est pas au Colisée pour la pratique de demain après-midi, on s'arrangera sans lui. Et pas seulement demain. On s'arrangera sans lui pour le restant de la saison. Moi, je coache les Remparts de Québec. Pas Guy Lafleur. Bonsoir!»

Guy, son père et la Chouine montèrent dans la Javelin et partirent pour Thurso. Mais en chemin, peu à peu, le remords, l'inquiétude, la culpabilité s'insinuèrent en eux et y établirent leur troublante autorité. Réjean Lafleur pensait qu'il y était peut-être allé un peu fort. Guy, assis sur la banquette arrière, était sombre, songeur, fatigué par la défaite. «J'ai autant envie d'aller à une fête que de manger une volée.»

Pendant ce temps, à bord de l'autobus des Remparts filant dans la nuit vers Québec, Maurice Filion était horriblement déprimé.

Assis tout seul sur le premier siège, tout en avant, à droite du chauffeur, il regardait venir la route. Toute son affaire risquait de s'effondrer lamentablement. Or les Remparts, même s'ils avaient subi ce soir-là une cuisante défaite, étaient en train de devenir un très bon club, peut-être le meilleur de la nouvelle Ligue junior A du Québec. Les gars venaient de jouer un mauvais match, mais ils étaient ordinairement animés d'un formidable esprit d'équipe. Le public de Québec et les médias étaient vraiment emballés.

Pour la première fois depuis dix ans, le Colisée connaissait de grandes soirées, quatre mille personnes en novembre, près de cinq mille à l'approche des fêtes. Sans Guy Lafleur, ce bel auditoire s'effriterait en un rien de temps. Lafleur n'était pas seulement un joueur extraordinaire, électrisant, il savait en plus communiquer sa passion du jeu à tout le monde, à ses coéquipiers comme à la foule.

« Qu'est-ce que tu vas faire si le petit Lafleur ne rentre pas demain ? demanda le chauffeur.

— On va essayer de s'arranger, évidemment. Je ne peux quand même pas briser comme ça la carrière d'un joueur, surtout pas d'un bon joueur comme lui. Mais je dois lui donner une leçon. Je pense qu'il en a besoin.

— Avec tout ce qui lui arrive, peut-être qu'il s'enfle la tête. Il s'est tellement fait dire qu'il était génial.

— Ça se pourrait bien qu'il soit en train de s'enfler la tête. Personnellement je n'ai rien contre. Au contraire, je pense que pour qu'un joueur soit grand, il faut qu'il se visualise grand. Mais il faut aussi qu'il comprenne qu'il y a des choses dans la vie qui se font et des choses qui ne se font pas. Comme s'imaginer, quand tu fais partie d'une équipe de hockey, que tu peux avoir des faveurs personnelles. Tu peux te penser meilleur que les autres, c'est parfait, si tu l'es, mais tu dois quand même faire comme les autres, tu dois penser à l'équipe avant de penser à toi. Surtout quand t'es capitaine. »

Pendant ce temps, à Thurso, Guy, ses parents et la Chouine étaient assis autour de la table de la cuisine et attendaient que Maurice Filion et ses Remparts arrivent à Québec pour lui donner un coup de fil.

« À l'heure qu'il est, ils doivent être rendus dans le bout de Saint-Apollinaire, disait la Chouine. Dans trois quarts d'heure à peu près, l'autobus sera au Colisée, Maurice Filion devrait être chez lui dix minutes plus tard. À deux heures, je l'appelle. »

À deux heures de la nuit, quand le téléphone sonna chez Maurice Filion, il savait que c'étaient les Lafleur qui rappliquaient. Il fut un moment tenté de ne pas répondre et de les laisser s'inquiéter et réfléchir jusqu'au lendemain. Mais sa femme et les enfants dormaient.

« Oui, allô.

— Maurice, c'est Normand Chouinard.

— Salut.

— À quelle heure avez-vous besoin de Guy demain après-midi ?

— Qui vous dit que j'ai besoin de lui ?

— Bon ! Écoutez. Guy regrette de ne pas avoir pris l'autobus avec l'équipe. Il s'excuse. Son père prend toute la responsabilité de cette affaire. Mais il croit que vous n'avez pas raison de punir son garçon.

— S'il arrive à temps pour la pratique de demain, je n'aurai en effet aucune raison de le punir. »

Le lendemain matin, veille du Jour de l'An 1970, la Chouine raccompagna Guy Lafleur à Québec. Comme d'habitude, il fut le premier arrivé au vestiaire.

Maurice Filion le félicita et le tança un peu.

« Tu viens de me prouver que tu peux devenir un grand athlète. Mais n'oublie jamais que tout seul tu n'arriveras jamais à rien. N'oublie jamais que le hockey, ça se joue en gang. »

*
**

Madame Baribeau sortait beaucoup. Elle jouait régulièrement aux quilles, au bingo, au bridge et participait à toutes sortes de bonnes œuvres, elle allait aux vêpres et au cinéma, fréquentait assidûment une foule d'amies « de filles », en plus de visiter ses garçons et de magasiner pour ses petits-enfants et ses brus. Mais elle ne quittait jamais le 238, Benoît-XV sans avoir préparé le repas de son pensionnaire. Il n'avait qu'à réchauffer et se servir. Mais comme il détestait manger seul à la maison et détestait encore plus tous les travaux de cuisine, il sortait lui aussi. Il allait marcher au hasard des rues, poussant parfois jusqu'à la haute ville et sur les plaines d'Abraham. En rentrant à Limoilou, il s'arrêtait au Cendrillon.

C'était à deux minutes de marche de chez lui, à l'angle des 3e et 11e rues, juste en face du vieux cinéma. Il s'arrangeait toujours pour y entrer en dehors des heures d'affluence. Il s'installait dans un coin avec son *Road & Track* ou le *Quarterly Automobile* ou le

Yatching et il regardait des bagnoles, des tracteurs, des motos et des bateaux en mangeant un gros spaghetti avec sauce à la viande, spécialité de la maison.

Or, comme dans tous les restaurants du monde, ces heures tranquilles permettaient au personnel du Cendrillon de prendre ses repas, y compris les patrons, les frères Jean-Yves et Lorenzo Doyon.

Jean-Yves, le plus jeune, avait deux ou trois ans de plus que Guy. Et une Mustang rouge. Il connaissait tout le monde dans ce quartier où il était né. Le hockey ne l'intéressait pas beaucoup. À cette époque, rien n'ennuyait plus Guy Lafleur que d'entendre parler hockey. S'il préférait venir au Cendrillon hors des heures de pointe, ce n'était pas uniquement par timidité, mais surtout pour ne pas devoir faire la conversation avec des inconnus qui seraient venus le féliciter, lui soumettre toutes sortes de théories plus ou moins tordues sur notre beau sport national, lui demander son opinion sur tel ou tel joueur et lui faire dire si, oui ou non, il allait rester à Québec l'année suivante, ce qu'il ignorait totalement. Tout le monde qu'il rencontrait se sentait en effet obligé de lui parler de ses exploits et de sa carrière, de sorte qu'il avait souvent l'impression qu'il n'était rien d'autre qu'un homme de hockey.

Jean-Yves Doyon par contre ne s'intéressait pas vraiment au hockey. Il parlait de ce qui se passait dans le monde, de tout et de rien, des filles beaucoup évidemment, de la musique des Beatles, de Jimi Hendrix et de Janis Joplin qui venaient de mourir d'une overdose en Californie, des voitures, des motos, de la mode, de la pluie et du beau temps. Il aimait rire, il rêvait d'avoir un voilier sur le fleuve, des chevaux de course à l'Hippodrome, des enfants, beaucoup d'enfants. Guy découvrait avec lui qu'il y avait autre chose dans la vie que le hockey. Doyon ne le considérait pas comme une vedette qu'on se sent obligé de flatter, mais comme un ami, comme une vraie personne. C'était rassurant. Guy avait avec lui la sensation d'exister, même en dehors de la patinoire.

Ainsi, ses premiers vrais amis à Québec furent les occupants « ordinaires » et sédentaires des lieux qu'il fréquentait, le personnel du Colisée, celui du Cendrillon, du Centre de loisirs, sans compter Madame Baribeau. C'est de cette manière qu'il prit l'habitude de se familiariser avec ces territoires, en se liant d'amitié avec leurs habitants naturels.

Un beau jour de janvier, Jean-Yves Doyon étant parti à des noces avec l'une de ses blondes, Guy se retrouva seul dans la Vieille Capitale. La perspective de passer deux longues journées seul à ne rien faire le terrifiait. Il décida de déserter. C'était évidemment une faute très grave pouvant lui attirer de gros ennuis si jamais la police des Remparts l'apprenait. Mais il y avait peu de chances que les sbires de Filion, qui connaissaient le sérieux et la sagesse de Guy Lafleur, se donnent la peine de vérifier son emploi du temps auprès de Madame Baribeau. Ils avaient de toute façon beaucoup à faire avec des gars comme Jacques Richard qui couraient les bars et les filles.

Après avoir vainement tenté de dissuader son jeune locataire, Madame Baribeau l'assura de sa complicité. Si jamais ils venaient la voir, elle leur dirait que Guy était couché et qu'il dormait. Et si jamais ils voulaient vérifier?

C'était arrivé avec Jacques Richard justement. La police des Remparts était allée chez ses parents, un soir, vers dix heures. L'un de ses frères, qui était en train de faire ses devoirs sur la table de la cuisine, avait dit qu'il dormait.

«On peut voir?

— Y a rien à voir, il dort, je vous dis!

— On veut voir quand même.

— Vous allez réveiller tout le monde. Ma mère est couchée.»

Les deux indicateurs étaient quand même entrés et avaient jeté un coup d'œil dans chacune des chambres. Ils étaient onze dans la famille Richard : le père, chauffeur de taxi, la mère et leurs neuf enfants. Les gars couchaient deux ou trois par chambre. Dans l'une d'elles, un jeune homme dormait, la face contre l'oreiller, les cheveux un peu longs, bruns.

«C'est qui ça?

— C'est lui, c'est mon frère.

— Es-tu sûr?

— Juré, craché. À côté, c'est mon lit.»

Madame Baribeau, comme tout le monde à Limoilou, connaissait cette plaisante anecdote qui faisait partie de la légende naissante de Jacques Richard, le mauvais garçon de service. Peu douée pour le mensonge, elle rappela à Guy qu'en aucun cas elle jurerait quoi que ce soit.

«Ça sera pas nécessaire.

— Je l'espère pour vous, mon garçon.»

Le lendemain, à six heures du matin, Lafleur prit l'autobus à la Gare centrale, rue Saint-Vallier. La Chouine vint le cueillir à Montréal. À dix heures et demie, ils étaient à Thurso. Le soir même, il se mit à neiger à plein ciel. Et ça continua de tomber, pour ne pas dire que ça empirait, pendant toute la nuit, puis toute la journée du lendemain. À la radio, on recommandait aux gens de rester chez eux. Les routes déjà difficilement praticables seraient probablement fermées à la circulation avant la nuit.

Il n'en fallait pas plus pour exciter la Chouine. Ils partirent donc, Guy, Réjean et la Chouine, en fin d'après-midi. Ils mirent près de trois heures pour atteindre Montréal, plus d'une heure pour traverser la ville. À l'entrée du pont-tunnel Hippolyte-LaFontaine, une patrouille de la Sûreté du Québec les intercepta et leur conseilla fortement de rebrousser chemin. La 20, balayée par la poudrerie, était dans un état épouvantable. Tant que la neige ne serait pas bien fixée, elle se promènerait dans le vent à ras le sol et brouillerait toutes les routes.

Ils avaient une bonne voiture, une pelle à neige dans le coffre, ils étaient tous trois en pleine forme. Et si Réjean avait peur de la vitesse, il ne craignait pas la neige et le vent. Ils entrèrent donc dans la mugissante blancheur, au cœur de « la blanche cérémonie ». C'était féerique. Les seules voitures qu'ils aperçurent en cours de route étaient rangées sur l'accotement, tous feux éteints, vides d'occupants. Ils écoutaient à la radio américaine des *big bands* des années 30, la musique chérie de Réjean Lafleur. Ils arrivèrent à Québec vers cinq heures du matin, fatigués et affamés, mais drôlement exaltés.

« On a traversé en pleine tempête toute la province habitée d'un bout à l'autre », disait fièrement la Chouine.

Guy, le déserteur rentré au bercail, jouait ce soir-là. Après avoir dormi quelques heures, mangé un gros steak avec des œufs, pelleté la galerie, l'entrée de la maison, le trottoir, il se rendit au Colisée vers cinq heures, comme d'habitude, comme si de rien n'était.

Lorsqu'il jouait à Québec, il se pointait toujours à l'aréna au moins deux ou trois heures avant le match. Ce n'était pas uniquement pour se mettre en forme ou en condition, mais surtout pour prendre possession des lieux, pour établir sa présence, comme un loup délimitant son territoire, comme ces comédiens qui font les cent pas en coulisses avant la représentation ou qui tournent en rond sur le plateau avant le tournage.

Il flânait un moment dans la chambre des joueurs, parlait de la pluie et du beau temps avec les préposés à l'entretien, allait faire un tour à la cuisine déserte, prenait un café, fumait un peu, descendait dans les halls, allait s'étendre une petite demi-heure au vestiaire, téléphonait à Doyon pour savoir s'il neigeait toujours et à son amie Roxane Côté pour lui demander si elle voulait aller au cinéma avec lui le lendemain soir et à Madame Baribeau qui attendait des nouvelles de Thurso…

Il avait l'impression de se trouver sur une autre planète, dans une sorte de caverne à l'écart du monde. Et il était ailleurs, effectivement, dans son pays, la glace. Il montait souvent s'asseoir tout là-haut, dans la pénombre, sur les derniers gradins du côté ouest du Colisée, là même où il allait s'installer lorsqu'il était pee wee. Et il regardait la glace. Parfois pendant plus d'une heure, sans bouger, tout seul.

«Ne le dérangez surtout pas», disait Paul Dumont aux préposés à l'entretien.

Lafleur répétait ses jeux mentalement, comme des mantras. Lorsque les autres joueurs arrivaient, ils étaient chez lui, sur son territoire. Et il faisait la pluie et le beau temps.

Le 11 novembre 1969, il avait déjà enfilé vingt-huit buts en quinze matchs des Remparts. Aucun doute qu'à ce rythme il se maintiendrait en tête des compteurs, très loin devant tous les joueurs de la Ligue junior A du Québec. Fin février, il avait déjà battu le record de la ligue (75 buts) détenu par Michel Brière, autrefois des Bruins de Shawinigan, qui jouait maintenant dans la Ligue nationale, avec les Pingouins de Pittsburgh. Tous les observateurs s'accordaient pour dire que s'il n'était pas blessé, ni physiquement ni psychologiquement, Guy Lafleur franchirait aisément la barre des cent buts avant la fin de la saison régulière. Tout allait pour le mieux. Filion et Dumont se félicitaient de voir leur cher protégé si bien supporter la pression.

Et puis soudain le drame survint, l'inexplicable et pratiquement inévitable marasme. Après avoir amassé plus de 90 buts en moins de 50 matchs, Lafleur ne parvenait plus à trouver le fond du filet. La Grâce, la Force, la Magie semblaient l'avoir abandonné. Comme s'il avait été soudainement débranché. Plus d'énergie, plus de vie. Tous les grands joueurs vivent dans la hantise de ces périodes de disette, de ces imprévisibles déserts qu'ils doivent traverser. Maurice Filion en avait parlé quelquefois à Lafleur.

«Quand ça t'arrivera, faudra pas te décourager. Tu dois continuer de jouer. Tu verras, ça finit toujours par passer. Tout le monde a eu des disettes. Même Jean Béliveau. Tu lui en parleras. Il va te dire que le temps finit toujours par tout arranger.»

Mais Filion avait beau lui donner plus de glace, lui répéter de ne pas s'énerver, Lafleur perdait ses moyens chaque fois qu'il sautait sur la patinoire. Il le sentait physiquement, comme si toutes ses énergies étaient soudainement aspirées hors de lui par quelque force maléfique. Il ne comprenait plus les jeux, il lui arrivait même de perdre complètement la rondelle de vue pendant de longs moments, comme dans ce triste rêve qu'il faisait parfois quand il était petit et qu'il se retrouvait seul sur le grand rond à patiner que faisait son père dans la cour. Et il cherchait sa rondelle dans un immense désert de glace, tout bleu, tout froid, son bâton inutile dans les mains...

Il aurait voulu pouvoir se réveiller, comme autrefois. Il aurait tiré les couvertures jusqu'à son cou, se serait réchauffé, rendormi. Mais cette fois, ce n'était pas un rêve. C'était la triste réalité. Il ne voyait plus la rondelle. Et quand par hasard il l'avait en sa possession, il ne savait qu'en faire. Il ne parvenait plus à se dégager et à se placer de manière à recevoir de bonnes passes. Et la saison régulière tirait dangereusement à sa fin. À Québec, c'était devenu un suspense presque intolérable. Tous les jours dans les journaux, à la radio, à la télévision, partout, on ne parlait que de cela.

On avait composé, sur l'air de *Ah! si mon moine voulait danser*, une chansonnette que les bonnes gens de Québec entonnaient quand Lafleur se produisait au Colisée.

Ah! si ti-Guy y voulait compter (bis)
Un beau chapeau je lui donnerais (bis)
Compte, mon Guy, compte
Tu n'entends pas le monde?
Tu n'entends pas tous les supporteurs? (bis)

Ça lui faisait chaud au cœur, mais ne l'aidait pas vraiment. Au contraire, tant de sollicitude ne faisait qu'ajouter à l'intolérable pression qu'il subissait. Il aurait souhaité qu'on l'oublie, qu'on ne parle plus de lui, qu'on cesse de l'observer, qu'on le laisse jouer en paix.

À la mi-février, à deux ou trois matchs de la fin de la saison régulière, tout le monde avait perdu espoir. On savait que ça ne se ferait pas, que Lafleur n'atteindrait pas la barre des cent buts. Il était en panne sèche, irrémédiablement bloqué à quatre-vingt-quatorze buts. Et c'était ressenti par tous comme un terrible échec.

Que Lafleur ne puisse marquer cent buts en une saison n'était pas dramatique. Mais qu'il se révèle à ce point sensible à la pression et se laisse écraser par elle, voilà qui devenait plus inquiétant. Le meilleur hockeyeur au monde ne peut arriver à rien s'il ne sait vaincre le trac et la pression. Et Guy Lafleur, l'espoir du hockey junior québécois, semblait incapable de traverser cette épreuve. Le trac l'avait démobilisé et dérouté. Plus les journaux s'interrogeaient et épiloguaient sur son apathie, plus il s'y enfonçait, plus il se recroquevillait dans le silence et la solitude, dans une sorte de froide indifférence où même Madame Baribeau et Jean-Yves Doyon ne savaient trop comment le rejoindre. Il passait des heures enfermé dans sa chambre, à ne rien faire, à écouter la radio.

Maurice Filion croyait en la méthode dure. Il n'essayait pas d'alléger la pression, en la niant. Au contraire. Tous les jours, il rappelait à son joueur qu'il devait apprendre à composer avec elle s'il voulait devenir un grand joueur.

« Savoir patiner ou compter des buts, c'est une chose. Mais il faut pouvoir le faire dans toutes les circonstances. C'est comme chanter. Tu peux bien chanter comme Caruso dans ta douche, mais si t'es incapable de le faire sur une scène, on ne dira jamais de toi que tu es un grand chanteur. Tu seras toujours un chanteur de douche. »

Filion finit par découvrir que Lafleur était préoccupé, entre autres choses, par la fiche de Luc Simard des Ducs de Trois-Rivières. Simard, dans un formidable sprint, s'était considérablement rapproché du numéro 4 des Remparts sur la liste des marqueurs de la ligue. Il était pratiquement impossible qu'il le rejoigne avant la fin de la saison, mais depuis un mois il avait produit beaucoup plus que lui. Il était devenu la sensation de la ligue, celui dont on parlait le plus dans les médias. Lafleur se sentait relégué dans l'ombre, après avoir été pendant plusieurs mois l'unique centre d'attraction, foyer des regards et des conversations. Et dans l'ombre, Guy Lafleur avait froid, il était paralysé. Il voulait en sortir, et en même temps il souhaitait avoir la paix et la tranquillité. Or la gloire et la paix, allait-il découvrir, ne vont pas ensemble.

Curieusement, les comparaisons maintes fois faites de lui et des plus grands et les plus forts joueurs de hockey de la génération précédente, Jean Béliveau, même Maurice Richard ou encore « Boum Boum » Geoffrion, ne l'avaient jamais ennuyé ni écrasé, contrairement à ce qu'avaient craint Paul Dumont et beaucoup d'autres. Par contre, celles qu'on faisait avec ses pairs et ses coéquipiers, avec les gars de son âge, l'ennuyaient prodigieusement et lui pesaient. Il se sentait alors dans la position du challenger, de celui qui doit à tout prix prouver quelque chose, battre quelqu'un. Ou être battu.

Le mardi 17 février, il ne restait plus que deux matchs avant la fin de la saison. C'était une magnifique journée d'hiver, très blanche avec un ciel d'un bleu vif, un gros soleil, un grand air frais, le genre de journée, de ciel, de lumière, que Guy Lafleur, qui avait toujours profondément aimé l'hiver, adorait. Ce matin-là, il avait marché tout seul dans les rues du quartier, passant au Cendrillon, au Centre de loisirs, chez Roxane. Il se sentait libre, soulagé comme par magie d'un poids énorme. Il avait décidé d'oublier ce record de cent buts. Il jouerait de son mieux, simplement. Pour le plaisir.

Après qu'il eut fait une courte sieste dans l'après-midi, Madame Baribeau lui prépara son repas. Comme toujours, il avait le choix : poulet, pain de viande, steak, pâtes, ragoût...

« Je prendrais des œufs, si vous en avez.

— Combien ?

— Quatre. Tournés, s'il vous plaît. »

Quand il les eut mangés, Madame Baribeau lui demanda comme d'habitude s'il avait encore faim.

« J'en prendrais encore, si ça ne vous dérange pas.

— Encore des œufs ?

— Deux œufs, oui. »

Ce soir-là, contre les Castors de Sherbrooke, Guy Lafleur compta six buts. Il était le premier joueur de l'histoire du hockey junior canadien à réussir cet exploit et le premier à franchir la barre des cent buts en une saison. Ce fut évidemment le délire total, un formidable crescendo émotif qui mena la foule jusqu'aux transes, jusqu'à l'extase. Au troisième but, on n'en pouvait déjà plus. Au quatrième, on frisait l'hystérie collective. Après le cinquième, les clameurs de la foule étaient si denses qu'on n'entendait plus les détonations de la rondelle contre la clôture, ni les coups de sifflet des arbitres. Et quand, à moins de trois minutes de la fin du match, Guy Lafleur enfila son sixième but, on pleurait à chaudes larmes, on frappait ses voisins pris eux aussi de fous rires incontrôlables, on s'embrassait, on lançait ses claques et son chapeau sur la glace ; on venait de vivre, comme près de quinze mille Québécois, des moments inoubliables.

On porta le héros en triomphe. Il était heureux, bien sûr. Sérieux aussi, souriant à peine, ébloui, étourdi. Le match était depuis longtemps terminé que la foule, d'habitude si pressée de quitter les lieux, continuait de remplir les gradins du Colisée et de manifester sa joie en chantant : « Il a gagné ses épaulettes ! »

Madame Baribeau, toute fière, s'était mêlée aux admirateurs et admiratrices qui attendaient Lafleur devant la chambre des joueurs.

« Six œufs, six buts ! Une chance pour les Castors que je ne vous ai pas fait cuire toute la douzaine ! »

À partir de ce jour, Guy Lafleur voua un véritable culte aux œufs (en omelette, brouillés, au miroir ou tournés). Il leur prêta des vertus quasi magiques. Il avait toujours dit qu'il n'était pas superstitieux ; mais, comme tous les joueurs de hockey, il croyait aux rites, aux esprits.

Deux jours plus tard, les Remparts disputaient leur dernière partie de la saison, contre Laval. Lafleur compta trois autres fois, portant ainsi sa marque annuelle à cent trois buts.

Qu'il eût connu quelques ratés au cours de l'hiver n'entachait en rien sa gloire ; au contraire, il s'en était sorti grandi, il avait vaincu la pression, il était plus aimé, plus adulé que jamais. À Québec, on ne parlait plus que de lui.

Ce même jour, en élevant à la magistrature l'avocat Gaston Michaud, ancien conseiller juridique des Remparts, le Bâtonnier de la province de Québec lui avait souhaité : « J'espère que vous serez le Guy Lafleur de la magistrature. » À Québec, Lafleur était devenu un modèle, une métaphore et un symbole d'efficacité, d'intelligence.

Beaucoup lui imputèrent presque exclusivement l'immense succès que connaissaient les Remparts. Des gens d'affaires de tous poils commencèrent alors à s'intéresser à son cas. Des prospecteurs publicitaires lui faisaient une cour assidue. Des manufacturiers de patins, de bâtons, de casques, de jambières et d'épaulières lui proposaient, en échange de gratifications énormes, de porter leurs vignettes ou leurs logos. On lui répétait que son nom constituait une richesse incomparable qu'il devait faire profiter. On lui faisait aussi comprendre plus ou moins subtilement qu'il était sous-payé et qu'il devrait exiger un nouveau contrat de la direction des Remparts.

Parmi ces gens qui lui offraient leurs services d'agent, se trouvaient Gilles Tremblay (ex-étoile des Citadelles de Québec et ailier gauche des Canadiens de Montréal qui avait pris sa retraite l'année précédente), Roland Mercier, alors agent de Jean Béliveau et vice-président de la CAHA (Association du hockey amateur du Canada)... et un certain Ronald Corey de la Brasserie O'Keefe.

Les gens d'affaires de la région avaient compris que Guy Lafleur représentait une petite mine d'or et qu'il fallait bien le traiter si on voulait le garder à Québec. Les grands clubs sociaux l'invitaient à leurs dîners, le congratulaient, le couvraient d'honneurs et de cadeaux. Les Sportifs de Québec, une corporation vouée au développement économique régional, organisa même une campagne de souscription dans le but de financer une grande fête et d'offrir à Lafleur rien de moins qu'une Corvette. Dès qu'il apprit la chose, Paul Dumont fit venir l'intéressé à son bureau et lui signifia que la direction des Remparts et la société Colibec s'opposaient formellement à ce projet.

Lafleur était effondré. Une Corvette ! Le symbole par excellence de la réussite, le plus extraordinaire jouet qu'un jeune homme de dix-huit ans puisse rêver d'avoir à sa disposition.

« Je sais que c'est dur à avaler, dit Paul Dumont, mais tu dois comprendre que je ne peux pas permettre ça. Pas plus que je ne permets que tu fasses la publicité de bâtons ou de patins.

— Je suis prêt à comprendre, mais il faudrait m'expliquer un peu.

— D'abord, ça va à l'encontre des règlements de la ligue et du club et de tout le sport amateur. En plus, tu es notre capitaine. Ton rôle ne se limite pas à fabriquer des jeux et à compter des buts, tu dois aussi contribuer à créer un esprit d'équipe et servir de modèle. Tu n'as pas le droit de faire cavalier seul, tu m'entends. Je veux que tu renonces de toi-même à cette Corvette. Et que tu le dises à tes amis. Sinon, je serai obligé d'intervenir. Et je ne pourrai pas le faire gentiment. »

Dumont tenait évidemment à ce que les règlements de l'équipe soient respectés. Mais il y avait autre chose à l'origine de sa décision. Il savait le danger que pouvait représenter la satisfaction pour un jeune athlète. « Un athlète repu et content est toujours en danger », disait-il. Et selon lui, cette Corvette était une sorte d'hypothèque tirée sur le talent du jeune prodige.

« Je ne te dis pas que tu ne l'as pas méritée. Au contraire. Mais je voudrais que tu la mérites encore, dix fois ou cent fois, s'il le faut. Pour un athlète de ton âge, l'important, ce n'est pas d'avoir des choses, mais de travailler pour les obtenir. »

Lafleur, visiblement dépité, se força tout de même à dire qu'il comprenait. Mais il ne pouvait s'empêcher d'éprouver énormément de ressentiment et de rancœur. Il avait livré la marchandise. Il en avait même donné plus qu'on ne lui en demandait. Et on exigeait, au nom de principes discutables, qu'il refuse toute gratification.

« Je vais faire un marché avec toi, dit Dumont. À la fin de ta dernière année avec les Remparts, c'est nous qui te donnerons une voiture. »

Lafleur renonça donc à la fameuse Corvette. Mais les voix autour de lui continuèrent à le perturber. Il avait rempli le Colisée, les gars de Colibec faisaient une fortune avec lui ; il devrait normalement avoir une part plus importante du gâteau. Finalement, un soir de mars, il appela la Chouine à Thurso pour lui annoncer, terriblement mal à l'aise, qu'il devait prendre un agent professionnel.

Il ne voulait surtout pas blesser la Chouine ; il entreprit de lui expliquer que le jeu était maintenant devenu sérieux et qu'il avait besoin des conseils de quelqu'un du milieu connaissant bien le métier.

La Chouine fut peiné, non pas de se voir écarter de fonctions qui ne l'intéressaient pas vraiment et auxquelles il savait devoir tôt ou tard renoncer, mais de sentir l'embarras de Guy à l'autre bout du fil et surtout d'avoir la nette impression qu'il s'était encore une fois laissé manipuler.

La Chouine fut tenté de lui rappeler leur conversation à bord de l'avion, entre Québec et Montréal, quelques mois plus tôt; lorsqu'il avait fait remarquer que leurs chemins se sépareraient bientôt, Guy avait répliqué que jamais il ne se débarrasserait de lui. Mais il se tut. Connaissant Guy, il savait bien qu'il pensait à cela lui aussi. Il aurait seulement aimé qu'il attende la fin de ses années juniors pour se passer de ses conseils. Il avait compris que Guy prenait un agent professionnel, parce qu'il avait l'intention d'exiger une renégociation de son contrat. Et il craignait pour sa réputation.

Pendant quelque temps, il refusa d'aller le voir jouer. Chaque fois que les Lafleur décidaient d'aller à un match des Remparts, il s'arrangeait pour être occupé ailleurs. Guy, inquiet et peiné, demandait alors à sa mère : «Où est la Chouine? Pourquoi la Chouine est pas venu? Est-ce qu'il est fâché?».

Ce n'est que pendant les séries éliminatoires, en avril, que Pierrette Lafleur réussit à convaincre la Chouine d'aller voir jouer les Remparts à Sorel. Ce fut un match peu excitant, dominé sans difficulté par les hommes de Maurice Filion.

Pendant le deuxième entracte, Roland Mercier, l'agent de Béliveau, se présenta à la Chouine et lui annonça tout bonnement qu'il était le nouveau représentant de Guy Lafleur et qu'ils étaient prêts à faire la grève pour que Dumont ouvre son contrat et lui donne le salaire qu'il méritait. Mais il y avait un hic. En tant que vice-président de l'Association du hockey amateur du Canada, Mercier pouvait difficilement représenter un joueur membre d'une ligue junior. Il venait donc demander à Normand Chouinard de travailler avec lui, autrement dit, d'être son «homme de paille».

La Chouine refusa carrément et fit remarquer à Mercier qu'il se trouvait en flagrant conflit d'intérêts. De plus, il s'insurgeait contre cette idée de grève. Dans les circonstances, il considérait qu'il s'agissait d'une pratique vile et malhonnête. Il fut incapable de suivre attentivement la troisième période.

Le lendemain, à l'insu des parents Lafleur, il prit congé de l'école, se rendit à l'aéroport d'Ottawa et sauta dans l'avion de Québec. À onze heures, il était dans le bureau de Paul Dumont et l'informait des projets de Mercier.

«C'est moi qui ai négocié ce contrat avec vous, l'été dernier. Et je ne veux pas que ça tourne mal pour Guy. Il est libre de faire ce qu'il veut, bien sûr. Mais je tiens à ce que vous sachiez que je suis tout à fait contre cette idée de grève. Je crois cependant qu'on devrait ouvrir le contrat.

— Tout à fait d'accord.»

Il fut entendu qu'on réviserait ce contrat en juin et que le salaire du numéro 4 serait substantiellement augmenté. En outre, on lui donnerait une voiture à la fin de sa deuxième année avec les Remparts. Guy Lafleur serait alors, s'il acceptait ces conditions, le junior le mieux payé au Canada.

Le lendemain matin, la Chouine appela Guy chez Madame Baribeau.

«Je suis au motel Universel. Je t'attends pour déjeuner.»

Il commença par lui rappeler les circonstances de la signature de son contrat avec les Remparts.

«Quelqu'un a dit que tu n'avais pas encore dix-huit ans et que ta signature ne valait rien…

— Je me souviens, oui.

— Et toi, tu as répondu que ta signature, c'était comme ta parole. Aurais-tu oublié ça, par hasard?»

Au grand étonnement de la Chouine, Guy ignorait que son nouveau représentant mijotait la grève.

«Ne va surtout pas t'imaginer que je veux m'imposer. Mais je tiens à finir proprement ce que j'ai commencé. C'est moi qui ai négocié ton contrat. Je connais Paul Dumont, c'est un homme honnête. Jamais il n'aurait accepté d'ouvrir ce contrat avec qui que ce soit d'autre. C'est pour ça que je suis allé le rencontrer. Il te proposera de nouvelles conditions. Si ça te convient, tu pourras signer un contrat révisé à la fin de la saison de hockey, en juin. Mais je ne veux pas t'entendre chialer par la suite. Si tu signes, tu signes. Et tu joues.»

Lafleur lut les propositions. Il était pleinement satisfait. À dix-huit ans, il faisait déjà beaucoup plus d'argent que son père n'en avait jamais fait. Dans un peu plus d'un an, il aurait sa Corvette. Et il jouerait dans la Ligue nationale.

En attendant, il fallait livrer la marchandise. Lafleur allait se rendre compte, au cours des semaines suivantes, que ce ne serait pas toujours facile.

*
**

Par coquetterie, Guy Lafleur faisait semblant d'être insensible aux critiques. Il s'arrangeait toujours cependant pour savoir ce que les gens de Montréal pensaient et disaient de lui, quels types de comparaisons on faisait çà et là entre lui et Marcel Dionne des Black Hawks de St. Catharines ou Gilbert Perreault ou Richard Martin des Canadiens juniors.

Les scores de Dionne surtout l'intéressaient. Celui-ci avait été le meilleur compteur de la ligue de l'Ontario, au cours de cette saison 1969-1970, marquant 132 points (55 buts, 77 passes). Il était suivi par Perreault (51 buts, 70 passes) soit 121 points.

Or Guy Lafleur, lui, avait accumulé 67 passes, en plus de ses 103 buts, un total impressionnant de 170 points en 56 parties. Mathématiquement, il écrasait Dionne et Perreault. Mais pour les statisticiens et les analystes du hockey junior, son record était flanqué d'un astérisque fort dévalorisant qui rappelait la piètre qualité du hockey de la Ligue junior A du Québec. On prétendait que, s'il avait évolué dans la ligue ontarienne, le brillant numéro 4 des Remparts n'aurait certainement pas fait aussi bien et que ses records, en fin de compte, ne voulaient pas dire grand-chose. Pire, certains éclaireurs de la Ligue nationale, qui ne pouvaient ignorer ses performances, ne se donnaient même pas la peine de se déplacer pour le voir à l'œuvre, persuadés qu'il n'y avait pas de vrai bon hockey à Québec.

Voilà qui était très éprouvant pour Lafleur. À quelques jours des séries éliminatoires, on laissait ouvertement entendre qu'il ne jouait pas vraiment du grand hockey, que ses prouesses et ses efforts n'avaient rien d'exceptionnel.

Il se mit à regretter amèrement le choix qu'il avait fait un an plus tôt de se joindre au club de Québec plutôt qu'à celui de St. Catharines ou de Montréal. On le payait bien, certes, mais ses espoirs d'une grande carrière risquaient de tourner court. Et malgré lui, pendant quelques jours, il en voulut à tout le monde, même à Filion et à Dumont, à la Chouine et à son père qui l'avaient laissé se mettre dans ce pétrin. Maurice Filion remarqua sa mauvaise humeur et le confessa longuement sur ses états d'âme. Lafleur finit par avouer sa frustration.

«Il faut que tu règles ça dans ta tête, mon garçon. Dans une semaine, on s'embarque dans les éliminatoires. Si tu es de mauvaise humeur, tu vas mal jouer. Et toute l'équipe en souffrira. Toi le premier.»

Lafleur était assez expérimenté pour savoir que la forme psychologique d'un athlète était pratiquement aussi importante que sa condition physique. Il devait à tout prix retrouver sa bonne humeur. Il se força donc à être heureux, disant partout autour de lui qu'il était content d'être à Québec. Peu à peu, sa mauvaise humeur le quitta. Et c'est finalement l'âme en paix (ou presque) qu'il aborda les très longues et très dures séries éliminatoires.

Il fallut d'abord battre Drummondville, ce qui ne fut pas une sinécure. Malgré le départ de Maurice Filion et de Marcel Dionne, les Rangers étaient restés puissants et solides, bien équilibrés. On défit ensuite, de peine et de misère, les Éperviers de Sorel, puis les Alouettes de Saint-Jérôme. À la fin de mars, les Remparts étaient champions de la Ligue junior A du Québec. Mais le plus dur restait à faire.

L'ultime récompense du hockey junior A canadien était la coupe Memorial que se disputaient les champions des diverses ligues du Québec, des Maritimes, de l'Ontario et de l'Ouest. Après avoir vaincu le National de Port-Alfred, champions de la Ligue du Saguenay, les Remparts affrontèrent les champions de la Ligue des Maritimes, les terribles Islanders de Charlottetown, des bagarreurs sans peur et sans reproche soutenus par une foule avide de sang qui nourrissait une haine passionnée envers les « frogs » et les « stupid frenchmen ».

Le jeu était presque partout excessivement rude dans toutes les ligues juniors d'Amérique du Nord. On se battait régulièrement. Avant, pendant et après les matchs, sur la glace et dans les gradins. Il n'était pas rare que des spectateurs lancent des pièces de monnaie, des œufs, des billes, des pommes, des bottes, voire des chaises, à la tête des joueurs ennemis. Les rivalités étaient souvent primaires. On avait une conception très manichéenne du sport : d'un côté il y avait les bons et de l'autre les méchants, les envahisseurs, les étrangers, les hommes à battre. Quand en plus, comme à Charlottetown, la rivalité ethnique s'en mêlait, on assistait à du grand hockey, vrai, barbare, sans merci. Sur la glace cependant, les joueurs vivaient dangereusement.

Rares étaient les joueurs qui réussissaient à passer à travers leurs années juniors sans se faire casser toutes les dents d'en avant et le nez, en plus de quelques doigts, une jambe, un bras, des côtes. Guy Lafleur n'avait déjà plus toutes ses dents, et il récoltait sa part annuelle de fêlures, de fractures et de contusions. Mais bizarrement, chaque coup reçu renforçait son audace et sa détermination, comme si ses blessures l'avaient armé et blindé. Beaucoup de joueurs réagissaient ainsi, surtout en fin de saison, après s'être chauffés pendant plusieurs mois au feu de l'action. Ils fonçaient sur les lignes adverses, bardés d'ecchymoses et de bleus, pratiquement insensibles à la douleur, inconscients du danger.

Le 12 avril cependant, intimidés par une foule criarde et agressive, les Remparts perdirent le premier match de la série contre les Islanders au Forum de Charlottetown, un amphithéâtre sinistre et désuet, mal éclairé, mal équipé, ne contenant que deux mille sept cents sièges, mais où l'on parquait quand même près de huit mille personnes dans une explosive promiscuité. La deuxième rencontre fut si violente que la police dut intervenir à la demande de l'arbitre Jack Johnson qui abrégea le match de cinq minutes et adjugea arbitrairement, c'est le cas de le dire, la victoire aux Islanders. L'entraîneur des Québécois, Maurice Filion, que la partialité de Johnson avait révolté (il avait imposé cinquante-neuf minutes de punitions à l'équipe québécoise), fut chassé de la partie. Un joueur, l'excellent André Savard (qui fera plus tard carrière dans la Ligue nationale), fut incarcéré pendant quelques heures.

Tout cela avait créé à Québec un très vif émoi et soulevé un immense intérêt. Les trois rencontres suivantes eurent lieu au Colisée. Le 17 avril, plus de quatorze mille cinq cents spectateurs (dans un amphithéâtre qui officiellement, selon le chef de police, ne devait en contenir que dix mille) au bord de l'hystérie attendaient les Islanders. On agitait des banderoles injurieuses et on scandait bien haut : « Stupid spuds ! » On avait même pour l'occasion composé une chansonnette sur un air connu :

Ils sont en or, ils sont en or
T'nez vous bien voilà nos Remparts
Y en a pas dans le hockey
Pour faire peur à nos équipiers
Ils sont en or, ils sont en or.

Marcel Gagnon, l'organiste du Colisée, avait un répertoire de chansons françaises que le public connaissait par cœur et qu'on utilisait comme des sortes de codes. *Y a des loups, Muguette*, pour signaler qu'un joueur ennemi se dirigeait vers la zone des Remparts ; *J'ai pas tué, j'ai pas volé* quand une punition était imposée à un joueur du club québécois.

La lutte s'avéra chaude, violente et serrée. Mais les Islanders furent incontestablement défaits. Et redéfaits deux fois encore à Québec avant d'être définitivement éliminés chez eux. Toutefois Guy Lafleur n'avait pas été à son meilleur dans cette série, même s'il avait très honnêtement contribué à la victoire des siens. Il était fatigué, tendu, excédé par ces rivalités exacerbées et haineuses qui l'inquiétaient toujours un peu.

Champions des ligues juniors du Québec, du Saguenay et des Maritimes, les Remparts allaient maintenant affronter les vainqueurs de la puissante ligue ontarienne, les Canadiens juniors de Verdun. Il y avait dans cette équipe de très beaux joueurs, Richard Martin, Jocelyn Guèvremont, Gilbert Perreault surtout, tous «étiquetés Ligue nationale» et promis à un brillant avenir.

Pour la majorité des aficionados du hockey, cette série revêtait un caractère particulièrement excitant. C'était encore une fois Québec contre Montréal; et surtout Guy Lafleur contre Gilbert Perreault. On saurait une fois pour toutes ce que l'un et l'autre avaient vraiment dans le corps. Pour la première fois, dans une série «3 de 5», les deux héros allaient se retrouver face à face.

Le hasard voulut que les deux premiers matchs aient lieu à Québec. Le jour de la mise en vente des billets, le Colisée fut littéralement pris d'assaut par une foule de plus de trois mille acheteurs qui, en attendant l'ouverture des guichets, jouaient aux échecs, tricotaient, dormaient, lisaient ou répétaient leurs chants de guerre. Jamais, pas même du temps de Jean Béliveau, on n'avait vu un tel engouement pour le hockey. Jamais un match n'avait soulevé tant de passions dans la Vieille Capitale.

Perreault, éblouissant, compta quatre buts et obtint une passe. Lafleur, remarquable, enregistra deux buts et deux passes. La dégringolade commença lors du match suivant. La victoire semblait pourtant acquise aux Remparts. Au début de la troisième période, ils menaient 6 à 3. Ils allaient perdre 7 à 9. En quatorze minutes, les Canadiens enfilèrent six buts. Guy Lafleur, brusquement entré dans une profonde léthargie, ne parvenait plus à se concentrer. Encore une fois, le jeu lui échappait. Encore une fois, il perdait la rondelle de vue. Il se montrait absolument incapable de se concentrer, d'anticiper le moindre mouvement et de saisir dans son ensemble la mouvante géométrie du jeu. En fait, il détestait ce test de comparaison qu'il était en train de subir. Il abhorrait ce challenge, se sentait lourd et engourdi, maladroit. Il voulait bien faire, il ne pensait qu'à bien faire. Or un joueur qui pense n'arrive à rien.

Le troisième match eut lieu à Montréal, le 3 mai 1970, devant le public de hockey le plus subtil et le plus exigeant au monde. Ce soir-là, le Forum archicomble était plus surexcité que jamais; le match promettait d'être fort enlevé, et il faisait beau et chaud, on sentait l'été, on le voyait partout.

Maurice Filion, le cœur brisé, s'aperçut avant le match que Lafleur était complètement envahi par le trac. On ne pouvait rien faire pour lui. Or il devait disputer ce soir-là l'un des plus importants matchs de sa jeune carrière. Toutes les loges du Forum étaient en effet occupées par des éclaireurs et des dépisteurs de la Ligue nationale, des directeurs-gérants, des entraîneurs. Ils étaient venus de partout voir évoluer les meilleurs juniors canadiens, ceux qui en principe feraient dans un an ou deux partie de la Ligue nationale.

Les Remparts de Québec perdirent 7 à 1. Lafleur ne récolta qu'une passe. Il n'avait fait ni grosse mise en échec, ni erreur grave, ni chute spectaculaire; il n'avait même pas écopé d'une punition mineure. Chaque fois qu'il avait reçu la rondelle, il s'était empressé de s'en débarrasser en la refilant mollement à l'un de ses coéquipiers. La foule du Forum était perplexe et déçue. Où étaient les feintes si savantes dont avaient parlé les chroniqueurs québécois, les lancers foudroyants, les montées spectaculaires? Où était le digne successeur de Jean Béliveau?

Seul Jacques Richard des Remparts semblait véritablement animé. Il souleva à plusieurs reprises l'admiration de la foule qui lui servit quelques vibrantes ovations. Mais que pouvait-il faire seul contre l'équipe de Roger Bédard et un Gilbert Perreault déchaîné? L'immense foule du Forum scandait, amusée : « Québec pee wee ! Québec pee wee ! »

Ce fut pour les Remparts l'humiliation totale, douloureuse, inoubliable ! Surtout pour Guy Lafleur qui, comme tous les autres, dut se mettre en ligne au centre de la patinoire pour féliciter les vainqueurs. On vit dans les journaux du lendemain une magnifique photo de Perreault et lui se donnant la main, têtes baissées, comme s'ils se saluaient à la japonaise.

Après ce match, en rentrant tout penaud dans le vestiaire des joueurs, Lafleur se prit à penser, pour la première fois de sa vie, qu'il n'était peut-être pas un grand joueur. Il s'était laissé écraser par la pression. Il avait mal joué. Quand il était sur la glace, il ne parvenait plus à retrouver son naturel. Il avait l'esprit ailleurs, parmi ceux qui l'observaient, là-haut, dans les loges. Et il ne pouvait s'empêcher d'imaginer ce que devaient se dire Roger Bédard et les gens de l'organisation des Canadiens, qui lui avaient proposé l'été précédent de se joindre à eux : « Tant pis pour toi, Guy Lafleur ! Si tu voulais apprendre à jouer au hockey, t'avais qu'à rester avec nous. »

Camille Henry, ex-époux de la star du show-business québécois Dominique Michel, ex-joueur très brillant, hautement spectaculaire et bien-aimé des Rangers de New York et des Blues de St. Louis, était au Forum lui aussi ce soir-là, en qualité de dépisteur à Montréal d'un certain Scotty Bowman, entraîneur des Blues. Dans le rapport qu'il remettra à son patron quelques jours plus tard, Henry parlera presque exclusivement du joueur de centre des Canadiens juniors, l'extraordinaire Gilbert Perreault, originaire de Victoriaville, comme Jean Béliveau, et rapide, intelligent comme lui.

« Nous avons tous à apprendre de ce garçon, même les vieux pros comme nous. Il a développé un jeu de feintes extraordinaires. Mais ne rêve pas trop à lui, Scotty. Il est tellement bon que je serais plus qu'étonné que tu puisses te le payer un jour. De toute façon, je ne suis pas le seul à l'avoir vu. Tout le monde ici est d'accord pour dire que ce sera le joueur le plus recherché et par conséquent le plus dispendieux à l'encan de juin prochain. »

Pas un mot sur Guy Lafleur.

Quelques jours après cette cruelle défaite, dont il était à peine remis, Guy Lafleur rencontrait la direction des Remparts pour parachever la renégociation de son contrat entreprise au printemps par la Chouine. Il était si triste, si dévalorisé, qu'il aurait accepté n'importe quoi, même une diminution de salaire. Mais Paul Dumont, homme intègre et honnête, lui rappela que, s'il avait eu quelques mauvais moments au cours de la saison, il n'en demeurait pas moins le meilleur joueur de la ligue. Grâce à lui, le Colisée se remplissait et les actionnaires de Colibec étaient en train de faire un jolie passe financière.

« Dans le fond, je ne suis pas fâché que tu aies eu des difficultés. Tout avait été beaucoup trop facile pour toi jusqu'à maintenant. Tu dois apprendre à encaisser les défaites. Ça fait partie du jeu. Maurice Filion me disait pas plus tard qu'hier que tu sais maintenant tout faire sur la glace. À partir de maintenant, c'est dans ta tête que tu vas devoir travailler. Il faut que tu sois capable de tout faire dans n'importe quelles circonstances. C'est comme chanter. Tu peux chanter dans ta douche...

— Oui, je sais, Monsieur Dumont. Je peux chanter dans ma douche aussi bien que Caruso, mais si je ne suis pas capable de le faire sur une scène, jamais personne ne dira que je suis un grand chanteur. Je serai toujours un chanteur de douche. Vous m'avez déjà dit ça. Maurice Filion aussi.

— Tu es un grand joueur, Guy. Mais le hockey professionnel se joue devant des milliers, des dizaines ou des centaines de milliers de personnes. Et là où tu t'en vas, dans la Ligue nationale, c'est devant des millions de personnes que tu vas te retrouver. On va te critiquer, on va relever chacune de tes erreurs, tes moindres hésitations. Il faudra que tu t'y habitues. Les spots seront toujours braqués sur toi. Plus que sur n'importe qui d'autre, parce que tu es le meilleur. »

Il lui proposa un fort beau contrat pour l'année suivante, tel qu'entendu avec la Chouine quelques semaines plus tôt, un bon salaire frisant les 8 000 $, des gratifications de fin d'année pouvant atteindre 4 000 $ et, en sus, une voiture de son choix d'une valeur d'au moins 6 500 $ qui lui serait remise dans un an à la fin de son contrat.

Quelques jours plus tard, avait lieu le Gala de la Palestre nationale, au Château Champlain, sous la présidence de Son Excellence Roland Michener, gouverneur général du Canada. Tout le gratin du sport amateur et professionnel canadien-français était là. Gens de hockey, de course, de boxe, de ski, de natation, etc. Eddie Merckx, le grand champion cycliste belge, plusieurs fois vainqueur du Tour de France et du Tour d'Italie, était couronné athlète par excellence de la francophonie pour l'année 1969-1970. Serge Savard, défenseur des Canadiens de Montréal, recevait la médaille décernée au meilleur athlète professionnel canadien-français. Et Guy Lafleur était proclamé l'athlète amateur par excellence. Beaucoup, Guy le premier, furent assez surpris que ce dernier honneur n'ait pas échu à Gilbert Perreault, le bouillant joueur de centre des Canadiens juniors responsable de la déconfiture des Remparts.

Mais Perreault, beau joueur, était venu féliciter son rival. C'était un garçon attachant et curieux qui s'intéressait beaucoup aux autres. Il questionna longuement Lafleur sur ses projets, sur la façon dont il se préparait avant les matchs. Ils parlèrent longuement de leur métier comme de vieux pros. Lafleur se sentait en confiance. Que ce grand joueur, cet adversaire qui l'avait dominé lui manifeste tant d'intérêt et de respect le rassurait. Ils se sont quittés sachant l'un et l'autre qu'ils se reverraient.

À l'encan de juin, Perreault fut repêché par les Sabres de Buffalo. Il était fort heureux d'aller jouer aux États-Unis. Et il le disait ouvertement, ce que d'aucuns considéraient comme une sorte de blasphème contre la sacro-sainte organisation des Canadiens de Montréal au sein de laquelle il avait été élevé.

« Je n'oublierai jamais ce que j'ai appris ici, confia-t-il aux journalistes, mais je préfère aller aux *States*, parce que là-bas j'aurai de la glace en masse, dès la première année. Ici, je risquerais de réchauffer le banc pendant deux ou trois ans. Et ça, vous comprendrez que ça ne m'intéresse pas beaucoup. »

Lafleur, lui, avait la certitude qu'il ne réchaufferait pas souvent le banc des joueurs au cours de sa prochaine saison avec les

Remparts. Tout le monde exigerait beaucoup de lui. Paul Dumont l'avait prévenu. Il devrait payer chèrement la rançon de la gloire.

*
**

Avec les Remparts de Québec, Guy Lafleur avait des obligations de représentation et de figuration : dîners officiels, campagnes de charité, divers lancements, souriantes présences aux côtés de la reine du Carnaval, d'un député ou d'une dame patronnesse, poignées de main à distribuer çà et là, des séances de photos avec le maire, un ministre, une vedette de la chanson, un gros industriel, un prince de l'Église. Presque toujours, à sa demande expresse, son ami Jean-Yves Doyon l'accompagnait dans ces sorties officielles que Lafleur prétendait tenir en abomination, mais pour lesquelles il se préparait toujours avec le plus grand soin, sous l'œil attentif et gentiment critique de Madame Baribeau.

Partout où ils allaient, Jean-Yves Doyon remarquait à quel point son ami Lafleur savait attirer les regards et retenir l'attention. Comme s'il avait fait ça toute sa vie.

«Guy, c'est un aimant», répondait-il lorsqu'on lui demandait quelle sorte d'homme était le fameux numéro 4 des Remparts.

Lafleur et lui étaient devenus d'inséparables amis. Pendant la saison de hockey, ils se voyaient pratiquement tous les jours, écoutant les mêmes disques, voyant les mêmes filles, montant ensemble à Thurso de temps en temps. Et s'il était libre, Doyon accompagnait les Remparts lorsqu'ils jouaient à l'extérieur.

La première fois qu'il constata de visu ce puissant magnétisme qu'exerçait son ami, ce fut lors d'une sorte de pow-wow qu'avait organisé l'équipe de promotion de la Brasserie Molson dans le village huron de l'Ancienne-Lorette. Tout convergeait vers Lafleur. Tous voulaient être photographiés en sa compagnie, le chef, les enfants, les jeunes filles, les grosses mamans, les visiteurs. Et les photographes n'avaient d'yeux que pour lui. Chaque fois qu'il ouvrait la bouche, on se taisait, on écoutait; on riait de bon cœur à ses moindres mots. Il était devenu une remarquable personnalité médiatique. Et il semblait y prendre grand plaisir, tout en faisant semblant évidemment de ne pas trop s'en rendre compte.

Les frères Doyon avaient fait avec lui une espèce d'arrangement tacite. Ils lui offraient ses repas gratuitement, n'importe quand. Il pouvait même à l'occasion avoir quelques invités au Cendrillon.

Que lui demandait-on en échange ? Ce qu'on demande à un aimant : d'attirer. Les joueurs des Remparts, mais aussi les parents des joueurs en visite à Québec, prirent ainsi l'habitude de se rendre au Cendrillon, non pas que Guy Lafleur les eût sollicités ou racolés de quelque manière que ce soit, mais parce qu'il était là, tout simplement. Par sa seule présence, il avait fait du restaurant des frères Doyon le lieu de rendez-vous à Québec de toute la jeunesse sportive et du grand public des Remparts, un endroit à la mode, aux antipodes des cafés hippies de la rue Saint-Jean et du Vieux-Québec. Les journalistes du *Soleil* ou de *L'Action*, de CJRP ou de CKCV, prirent l'habitude d'y faire leurs entrevues avec les joueurs des Remparts ou les membres de l'organisation.

« Tu ne te rends pas vraiment compte de ton pouvoir », lui disait parfois Jean-Yves Doyon.

Lafleur était déjà parfaitement conscient de l'importance de son image. Et de sa fragilité. Il faisait très attention, par exemple, de ne pas être vu avec une bière ou une cigarette. Un journaliste entrait-il au Cendrillon, Lafleur écrasait vite sa duMaurier ou la refilait à Doyon ou à l'une des serveuses.

Il projetait toujours l'image très *low profile* et neutre d'un jeune homme respectueux de la loi et de l'ordre, conscient qu'il devait donner l'exemple, ce qui était d'autant plus difficile que tout à l'époque s'opposait à cela. Dans les collèges et les universités d'Europe et d'Amérique, on se livrait corps et âme à ce qu'on appelait alors la contestation globale. L'ère hippie battait son plein. Le bon sens, la morale populaire, toutes les idées à la mode voulaient qu'on brise l'ordre traditionnel et l'autorité établie, qu'on renverse les valeurs anciennes, qu'on transgresse les tabous et les règles et qu'on remette tout en question, même les changements qu'on venait de provoquer.

Plus ou moins consciemment, Guy Lafleur avait développé dans ce contexte une image et une personnalité très conservatrices et réactionnaires. Il suivait la mode, bien sûr, mais de loin, prudemment, sagement. Ses cheveux étaient juste un peu longs. Les sacro-saints jeans dont ceux de sa génération avaient fait un uniforme presque obligé en toutes circonstances, il les portait avec circonspection, surtout depuis ce jour où, comme il allait sortir, en jeans justement, pour aller à un dîner officiel des Remparts au Château Bonne-Entente, Madame Baribeau l'avait retenu pour lui dire d'aller s'habiller « comme du monde ».

Il avait toujours aimé le beau linge. Depuis qu'il avait de l'argent, il pouvait enfin s'habiller à son goût, en bon gars propre, classique.

Madame Baribeau, qui elle aussi aimait le beau, l'accompagnait dans les magasins de la rue Saint-Joseph ou dans les centres commerciaux de Sainte-Foy, et le conseillait dans ses achats.

Benoît Boilard, propriétaire de la mercerie pour hommes Le Marquis de Brummel, à Limoilou, vint le rencontrer au Cendrillon et lui fit enregistrer son premier commercial pour la télévision. Habillé comme une carte de mode, Lafleur déambulait dans le magasin, un sourire un peu crispé aux lèvres, et proclamait que chez Le Marquis de Brummel l'homme de bon goût trouvait toujours de quoi s'habiller de la tête aux pieds. Boilard le payait en habits, chemises et cravates.

Les joueurs de hockey ne créent pas de modes vestimentaires comme les vedettes du show-business et du cinéma, mais ils veulent toujours suivre le courant de plus près. Et ils en ont les moyens. Mais un héros ne s'oppose-t-il pas toujours aux mœurs et aux habitudes des siens ? Un héros ne doit-il pas d'abord se distinguer, se différencier ? Lafleur, en étant conformiste, tant dans ses tenues que dans ses propos, allait à contre-courant des idéologies iconoclastes de son époque et de sa génération. Évidemment, le milieu dans lequel il évoluait était par tradition infiniment moins progressiste et réformiste que le monde étudiant, par exemple. Il y avait tout de même à cette époque, dans le hockey comme ailleurs, de radicales remises en question. Même les dirigeants des ligues de hockey juniors et professionnelles devaient s'ajuster aux nouvelles idées.

Ainsi, comme le dirigisme était mal vu, les entraîneurs, devenus plus conciliants, se sont mis à l'écoute de leurs joueurs. Ils ont commencé peu à peu à relâcher leur étroite surveillance et à parler d'autodiscipline. Paul Dumont, que ces changements de mœurs agaçaient infiniment, avait un jour sorti cette boutade à Maurice Filion qui était en butte aux contestations de ses joueurs.

« On parle aux gars d'autodiscipline et de toutes sortes d'autos de ce genre-là qu'ils ne sont même pas capables de conduire comme du monde ! »

Ces nouveaux comportements eurent peu à peu de graves répercussions sur les budgets d'opération. Tous les joueurs s'étaient mis à vouloir des bâtons personnalisés, avec telle courbe, de telle ou telle couleur, ou de telle marque. Ils réclamaient des séchoirs à cheveux dans les vestiaires. Le triste lunch qu'on leur servait dans l'autobus après les matchs disputés à l'extérieur ne les satisfaisait plus ; ils voulaient maintenant avoir le choix : sandwich au jambon, au fromage ou au poulet, pomme ou orange, Coke ou Seven Up,

Caramilk ou Oh! Henry. C'était le triomphe de l'individualisme débridé, de l'affirmation du moi souverain. L'esprit d'équipe, si important dans le hockey, était en train d'en prendre un sérieux coup.

Au milieu de cette psychédélique tourmente, Guy Lafleur continuait de respecter presque servilement l'autorité. De même qu'il avait renoncé à la Corvette que voulaient lui offrir les Sportifs de Québec, il sacrifiait les privilèges que pouvait lui apporter son statut de vedette et faisait totalement confiance à des hommes comme Dumont et Filion, dont il défendait les idées auprès de ses coéquipiers. Il s'était fait le champion naturel de l'ordre établi, ce qui lui attirait parfois les sarcasmes de ses confrères.

Ainsi, Jacques Richard ne se gênait pas pour lui dire qu'il ne savait pas profiter de la vie. Richard était le meilleur gars du monde. Mais il fumait, prenait un coup et couchait avec les filles. Cette année-là, il en mit une enceinte. Ses frasques et ses aventures fascinaient ses coéquipiers. Il faisait figure de héros, un héros déluré, jouisseur, séduisant, aux antipodes de Lafleur. Celui-ci fuyait tout ce qui s'apparentait de près ou de loin aux cultures et aux idéologies à la mode, à commencer par la drogue, dont il avait quelquefois, bien malgré lui, respiré l'âcre odeur à l'entrée du Centre de loisirs ou dans les toilettes du cinéma. Jean-Yves Doyon, qui connaissait tout, lui avait dit : « Sens-tu ça ? C'est du pot, cette odeur-là. » Pour Lafleur, tout cela était sale et un peu effrayant, c'était à fuir.

Il fumait une duMaurier de temps en temps, tétait une bière à l'occasion, mais ne touchait pas au pot, ni aux filles. Sa relation avec Roxane Côté avait tourné à l'amitié chaste et pure. Il avait en outre une sorte de timidité ou de méfiance à l'égard du monde des bars et de la nuit. Il aurait parfois aimé afficher cette élégante assurance de Jacques Richard mais, en même temps, ça lui faisait un peu peur.

Richard n'était pas un compteur aussi prolifique que Lafleur, mais il avait autant de talent que lui pour préparer des jeux. Et il faisait vivre à la foule de Québec de sublimes moments. Il avait cependant une chose que Guy Lafleur n'avait presque jamais : de la satisfaction.

« C'est ça qui va te perdre, lui disait parfois Maurice Filion. Tu te contentes trop facilement de ce que tu as. Pas Lafleur. Regarde-le. Il n'est jamais satisfait. »

On avait compté trois buts, il en voulait quatre ! On en avait quatre, il lui en fallait un cinquième ! Il n'arrêtait jamais. Un jour, à cinq minutes de la fin d'un match contre Trois-Rivières, alors que les Remparts menaient 8 à 2, et que tous les gars s'étaient mis au neutre, même Maurice Filion qui attendait tranquillement que le match se termine, Guy Lafleur fonçait toujours comme un fou vers les lignes ennemies, à croire qu'on était en prolongation. Jacques Richard lui avait dit : « Calme-toi, Guy, on a gagné. » Mais Lafleur ne semblait pas comprendre pourquoi il aurait dû se calmer. Il ne jouait pas uniquement pour gagner, il jouait pour compter des buts, le plus de buts possible, de sorte qu'il n'était jamais vraiment satisfait. Jacques Richard, lui, comme beaucoup de joueurs, était totalement démotivé à partir du moment où il connaissait l'issue du match. Pas Lafleur.

Guy Lafleur se présentait toujours aux exercices avant tous les autres. Quelqu'un lui faisait-il remarquer qu'il avait commis une petite erreur ou qu'il avait une faiblesse quelque part dans son jeu ou dans son coup de patin, il travaillait à se corriger, à s'améliorer. Et ça n'avait plus de fin. Lui faisait-on remarquer qu'il virait plus sec et plus vite vers la droite que vers la gauche, un mois plus tard, il virait plus sec et plus vite vers la gauche que vers la droite.

Cette intensité et cette persévérance au travail impressionnaient l'entraîneur qui n'avait jamais vu ça nulle part ailleurs, chez aucun autre joueur. Et il découvrait que Lafleur était aussi un gars d'équipe. C'était bien. Mais parfois trop. Combien de fois l'avait-on vu arriver devant les buts avec Brière, le petit Michel Brière, et lui faire une passe plutôt que de lancer. Filion avait fini par se demander si Lafleur ne cherchait pas à se donner, auprès de ses coéquipiers, l'image d'un joueur généreux. Comme s'il avait eu peur de se retrouver seul en tête, loin devant tous les autres. Être le meilleur n'est jamais facile ; c'est se démarquer, s'isoler.

Certains jours, lorsque Lafleur faisait des passes plutôt que de tirer au but, Filion, en colère, lui criait :

« Guy, lance, pour l'amour du ciel, arrête de niaiser avec la rondelle, laisse faire les passes. Lance, pour l'amour du bon Dieu ! »

On parlait beaucoup de la vitesse de Guy Lafleur. Il était en effet très vite et drôlement élégant sur ses patins. Mais il y avait dans l'équipe d'aussi bons patineurs que lui. Personne cependant ne possédait sa force d'accélération et son incroyable capacité de changer de vitesse.

On croyait qu'il patinait de toutes ses forces. Puis tout d'un coup, dans une formidable poussée, il se projetait encore plus rapidement en avant. Il pouvait ainsi déjouer tous les défenseurs de la ligue et échapper presque immanquablement aux mises en échec. Les gars fonçaient sur lui, c'est-à-dire un peu en avant de lui dans la direction où il se déplaçait, en évaluant sa vitesse, comme un chasseur tirant un peu au-dessus d'un canard qui prend son envol ou en avant d'un lapin en pleine course. Mais Lafleur, les voyant venir, accélérait ou freinait brusquement... et les gars passaient dans le vide ou rentraient dans la bande, devant ou derrière lui.

Les Remparts étaient beaucoup mieux équilibrés que l'année précédente. Maurice Filion avait considérablement renforcé ses lignes de défense en engageant quelques gros joueurs. Il avait créé autour de son équipe un véritable système comme en ont les grands clubs de la Ligue nationale. Colibec espérait ainsi se doter d'une organisation durable, pouvant survivre au départ éventuel de Guy Lafleur, sur qui les éclaireurs de la Ligue nationale avaient enfin commencé à jeter des regards de convoitise.

Mais Lafleur n'aimait pas être observé par des spécialistes. La grosse foule des amateurs, oui, n'importe quand. Il savait la séduire et la soulever jusqu'à l'hystérie. En sa présence, il était toujours heureux et brillant. Mais devant les pontifes, les stratèges et les bonzes du hockey, devant les dépisteurs et les acheteurs de la grande ligue, il se sentait effroyablement maladroit. Or il n'avait vraiment plus le choix. En septembre 1971, il aurait vingt ans, l'âge requis à l'époque pour entrer dans la Ligue nationale. Il était donc évident qu'au cours de cette deuxième et dernière saison avec les Remparts de Québec, on viendrait de partout le voir travailler, on le jugerait, on le jaugerait, on établirait toutes sortes de comparaisons avec différents joueurs d'hier et d'aujourd'hui, et on rédigerait des rapports sur lui, donnant ses mensurations, analysant ses qualités, ses défauts, son style. L'idée même de cet examen lui faisait horreur : il n'aimait pas être ainsi observé.

« Il faudra pourtant que tu t'adaptes, lui répétait Filion. Ces choses-là font partie de ton métier. Tu dois pouvoir jouer naturellement, même quand tu te sens observé. Tu peux y arriver. C'est une question de concentration. »

Facile à dire ! Lafleur se laissait toujours facilement impressionner et déstabiliser par le grand monde. Mais Filion, fidèle à ses principes spartiates, avait décidé de ne jamais lui cacher la visite d'importants personnages de la Ligue nationale. Il savait que les dépisteurs et les rabatteurs des clubs rappliqueraient tôt ou tard. Ainsi, le 22 mars, Punch Imlach, l'instructeur des Sabres de Buffalo, qui avait dirigé les As de Québec du temps de Jean Béliveau, était de passage au Colisée. Les Sabres faisaient alors partie du tiers monde de la Ligue nationale. Imlach avait un urgent besoin de bons joueurs, s'il voulait rivaliser avec les vieux clubs qui, malgré les nouveaux règlements concernant le recrutement, étaient toujours les mieux nantis. Gilbert Perreault lui avait chaudement recommandé d'aller voir jouer Lafleur à Québec.

« C'est pour te voir qu'il est ici, dit Filion avant le match. Tâche de bien jouer. »

Mais Lafleur joua comme un pied, ne réussissant qu'une seule passe contre les Rangers de Drummondville. Au moins cinq joueurs se montrèrent plus brillants que lui, plus rapides, plus énergiques.

Quelques jours plus tard, le réseau américain CBS vint à Québec pour tourner un reportage sur le phénomène Guy Lafleur. Devant les caméras, il fut paralysé. Jacques Richard lui vola littéralement la vedette. L'équipe de CBS rentra à New York sans images convaincantes du numéro 4, mais avec un percutant reportage sur son coéquipier qui, lui, performait d'autant mieux qu'il était le point de mire.

Comme Guillaume Tell qui transperça d'une flèche la pomme placée sur la tête de son propre fils au moment précis où le méchant bailli, qui lui imposait cette terrible épreuve, regardait ailleurs, Guy Lafleur marquait presque toujours ses meilleurs coups à l'insu des maîtres du hockey.

« Le secret, avait dit Claude Ruel à Sam Pollock, c'est que tu dois le voir sans être vu. Comme à la chasse. Si l'orignal te voit, il disparaît. Même chose avec Lafleur. Ce gars-là est une bête sauvage. S'il apprend que tu es là, il n'est plus que l'ombre de lui-même. »

On savait que le brave Piton, qui venait de céder sa place à Al MacNeil comme instructeur-chef des Canadiens de Montréal et avait réintégré avec soulagement ses fonctions d'éclaireur, considérait Guy Lafleur comme le meilleur *prospect* du hockey junior et qu'il venait régulièrement à Québec exprès pour le voir jouer. Timide et mal à l'aise devant la presse, maladroit avec les joueurs qui se faisaient un malin plaisir de le tourner en ridicule, Piton n'avait pas su s'imposer comme entraîneur. Il n'avait pas son pareil cependant pour trouver et former de jeunes joueurs. Sur Lafleur, son idée était faite. Il lui fallait maintenant le vendre à son organisation.

Évidemment, lorsqu'on annonçait à Lafleur la visite de Piton, il ralentissait, commettait des erreurs, patinait mal, ne comptait pas ou peu. Heureusement pour lui, Piton venait parfois à l'improviste, sans même avertir son ami Paul Dumont. Il avait donc vu à plusieurs reprises du très grand Lafleur et il s'était fait son ardent défenseur auprès de Sam Pollock, directeur-gérant des Canadiens, c'est-à-dire le vrai grand patron de l'organisation, responsable de l'acquisition des joueurs.

Mais Sam Pollock tardait à se brancher. Il avait soigneusement colligé tous les écrits, rumeurs, observations et opinions diverses alors en circulation sur les deux grands espoirs du hockey junior, Marcel Dionne et Guy Lafleur. Les membres de son organisation étaient toujours partagés. Le prof Caron, ayant échoué l'année précédente dans sa tentative d'amadouer Guy Lafleur, s'était rangé du côté de Marcel Dionne.

Ce brillant joueur de centre, intelligent, robuste, mais un peu petit de taille, savait fabriquer des jeux du tonnerre et il possédait un impressionnant répertoire de feintes. Très solide psychologiquement, jamais tourmenté, il jouissait d'une bonne nature simple et saine.

Lafleur avait, entre autres grandes qualités, une force d'accélération et une faculté de récupération peu communes, une rapidité incroyable, un lancer foudroyant, un remarquable sens de l'anticipation. Plus grand, plus costaud que Dionne, il savait aussi bien que lui provoquer des événements spectaculaires et féconds, ramasser ou faire une passe en plein mouvement. Mais il connaissait des périodes difficiles ; il avait glissé à quelques reprises dans de profondes et inexplicables léthargies ; il lui arrivait également de se laisser ralentir ou écraser par le trac. Psychologiquement, il était donc plus compliqué, plus fragile peut-être, plus introverti que Dionne.

Chaque fois que Piton réussissait à convaincre Ronald « le prof » Caron ou Pollock de venir voir jouer Lafleur, celui-ci trouvait le tour de se barrer les pieds dans la ligne bleue ou de trébucher sur son ombre.

Un soir, au Forum, les meilleurs juniors du Québec rencontraient une équipe d'étoiles des États-Unis. Sam Pollock, le prof Caron, tout l'état-major des Canadiens de Montréal était là. Lafleur, que Filion avait dûment informé de la présence de ces fins observateurs, était figé sur la glace. Comme toujours dans ces occasions. Comme si, plus ou moins inconsciemment, il avait souhaité ne jamais être repêché.

Il était si bien à Québec ! Il aurait presque souhaité que le monde ne fût pas plus grand. Le hockey de la Ligue nationale était branché sur l'Amérique du Nord. C'était gros, dur, brutal. On parlait anglais. On n'avait pas beaucoup de cœur, lui semblait-il.

Un jour, en avril 1971, une petite demi-heure avant le début d'un match important contre les Ducs de Trois-Rivières, Paul Dumont aperçut Sam Pollock dans le hall du Colisée, coincé dans la foule dense, son éternel chapeau mou sur la tête et son éternel mouchoir blanc à la main. À ses côtés, le grand Brian Travers, qui lui servait alors de chauffeur.

Sam Pollock, un Écossais fervent catholique, avait une peur bleue de l'avion. Il passait donc son temps avec Brian qui le conduisait jusqu'à Chicago, New York, Buffalo, Minneapolis, dans toutes les villes de hockey du continent. Pollock était le vrai grand manitou des Canadiens, sans doute le plus puissant homme de hockey, non seulement au Québec, mais dans toute la Ligue nationale, c'est-à-dire au monde. Il était épouvantablement intelligent, fin stratège, timide cependant, très réservé, grand connaisseur et collectionneur de tableaux de maîtres paysagistes canadiens, homme de confiance de la richissime famille Bronfman, alors propriétaire des Canadiens de Montréal. On disait dans le milieu qu'il n'y avait pas de plus fin négociateur que Sam «the Trader» Pollock qu'on surnommait aussi «le Renard», Foxy Sam.

Brian, c'était tout le contraire, un lion, un grand Irlandais exubérant et fort en gueule, qui pouvait s'entendre aussi bien avec les *scalpers* de la rue Sainte-Catherine qu'avec les policiers du quartier, obtenir des faveurs ou des renseignements tant des uns que des autres. Homme à tout faire de Maislin, une grosse entreprise de transport routier très liée au Forum, Brian connaissait tous les dessous de l'organisation des Canadiens. Sam, tous les dessus. À eux deux, ils voyaient tout, savaient tout, pouvaient tirer toutes les ficelles. Rien ne leur échappait.

Paul Dumont les salua de loin et se dirigea vers eux, fendant la foule, pour leur offrir des billets. Sans mot dire, Sam sortit de sa poche un billet et le lui montra, en faisant de gros yeux à Dumont, dont l'intervention avait créé un remous dans la foule. On chuchotait à gauche et à droite le nom de Pollock et les gens s'étiraient le cou pour le voir. À son air contrarié, Paul Dumont comprit alors qu'il venait de commettre un impair et que le directeur-gérant des Canadiens souhaitait rester incognito. Pour ne pas effaroucher la bête sauvage nommée Guy Lafleur.

Ce soir-là, ignorant la présence de Pollock, Lafleur joua un match tout à fait éblouissant, réussissant trois buts et trois passes. Paul Dumont cependant n'avait pas vu grand-chose. Il s'était placé de facon à pouvoir observer Pollock sans être vu afin de connaître ses réactions. Mais Pollock, comme d'habitude, restait absolument imperturbable. Dès la fin de la deuxième période, il se leva et se dirigea droit vers lui : «Paul, my decision is taken.»

Et il partit. Avec le grand Brian sur les talons. Sans voir la troisième période. Sam Pollock s'intéressait aux joueurs juniors, mais il ne voulait strictement rien savoir du hockey junior. Paul Dumont cependant resta perplexe et inquiet. Le Renard avait pris une décision, mais laquelle ?

On pouvait être sûr à 99 pour 100 qu'il miserait sur Lafleur. Mais dans ce genre de choses-là, sait-on jamais ce qui peut se passer ? Et rien ne prouvait que les Canadiens pourraient lors du prochain encan se servir en premier et repêcher Lafleur.

En fait, ce soir-là, Sam Pollock avait été absolument ébloui. Lafleur avait joué comme un dieu. Allongé sur la banquette arrière de la limousine qui filait vers Montréal sous la conduite de Brian, le bon Renard réfléchissait. Et se félicitait.

Sam Pollock, grand artiste, n'avait pas son pareil pour choisir, acheter ou échanger des joueurs, nobles matériaux de cette vivante sculpture qu'est une équipe de hockey. Aux commandes des Canadiens depuis 1964, il avait remporté avec eux quatre coupes Stanley et, du train où allaient les choses, il en ramasserait probablement une cinquième dans quelques semaines.

Son équipe cependant était en pleine transition, moment palpitant, mais extrêmement dangereux. Cette année-là, il y avait décidément trop de changements. Selon le fin Renard, seule la stabilité assurait le succès. Une équipe qui changeait constamment d'entraîneur ou de propriétaire ou qui perdait trop rapidement ses hommes d'expérience, ne pouvait gagner. Or un nouvel entraîneur, Al MacNeil, venait de succéder à Claude Ruel, au beau milieu de la saison. Les joueurs, qui sont tous aussi fragiles et sensibles que des prima donna, étaient sans doute plus bouleversés qu'il n'y paraissait. Jean Béliveau, capitaine et pilier des Canadiens, aurait quarante ans en août et on ne saurait le retenir plus longtemps. Depuis deux ans déjà, il songeait à sa retraite. Henri Richard venait d'avoir trente-cinq ans ; ses belles années étaient derrière lui. John Ferguson parlait également de partir. Il fallait donc assurer la relève.

Bien sûr, Sam avait prévu ce crucial virage et acquis, au cours des dernières années, quelques jeunes recrues de grande et sûre valeur. Mais il lui manquait un très grand joueur, quelqu'un qui pourrait être le dauphin de Jean Béliveau en quelque sorte, un pilier, un athlète qui brillerait non seulement sur la glace, mais aussi en dehors, devant le public et les médias, un personnage mythique comme Maurice Richard.

Les années 60, par ailleurs si colorées, avaient été dans le hockey assez ternes. Les Canadiens avaient dominé la Ligue nationale, autant sinon plus qu'au cours des super-excitantes années 50. Mais ils n'avaient plus ce panache, cette irrésistible passion qu'avait réussi à leur communiquer un homme comme Maurice Richard. Or au Colisée ce soir de mars 1971, Sam Pollock avait senti de la passion, le grand frisson, l'ivresse, tout cela déclenché par un joueur de dix-neuf ans qui, instinctivement, n'aimait pas l'autorité. C'était ainsi en tout cas que Pollock s'expliquait son attitude. Lafleur jouait comme un dieu devant et pour la foule. Mais plus ou moins consciemment, il refusait de le faire devant les *big boss* qui venaient l'observer. Le rusé Renard aimait cette rébellion profonde et innée qu'il avait perçue chez Lafleur. Ça le lui rendait éminemment sympathique.

« C'est un gars comme lui qu'il nous faut. Un gars qui joue pour le monde. »

Il avait vu comment la foule de Québec était envoûtée et subjuguée par Lafleur. Maurice Filion lui avait dit un jour, la première fois qu'il lui avait parlé de lui : « Ce gars-là, tu verras, Sam, il ne fait jamais rien comme les autres. » C'était vrai. Quand il sautait sur la glace, il y avait de l'électricité dans l'air, de la magie.

« Ces choses-là n'ont pas de prix. C'est un don de Dieu. Qu'est-ce que tu en penses, toi, Brian ? »

Brian, comme toujours, prit beaucoup de temps à répondre.

« Moi, je pense que tu ne peux pas te passer de ce gars-là. Tu devrais le montrer à Toe Blake.

— Toe Blake l'a vu, figure-toi. Peux-tu imaginer un bon joueur de hockey que Toe Blake n'aurait pas vu jouer ?

— Qu'est-ce qu'il en dit ?

— La même chose que Piton. Que c'est un joueur complet possédant un sens génial du hockey et de la foule.

— Il est mauditement intelligent aussi. Tu l'as vu faire tout à l'heure ? Il a marqué des buts, mais en plus, il a fait des passes incroyables, même quand il pouvait tirer lui-même au but. C'est ce que j'appelle un gars généreux.

— Mieux que généreux. Moi, je pense qu'il choisissait de passer plutôt que de lancer, parce qu'il considérait que c'était la meilleure chose à faire. En une fraction de seconde, il avait évalué toutes les possibilités qui s'offraient à lui, comme s'il voyait le jeu dans sa totalité. Et il a opté pour la meilleure solution. On aurait dit qu'il avait toute la patinoire dans sa tête, avec la position et la vitesse et même les intentions de chaque joueur. Moi, j'appelle pas ça de la générosité ; c'est de l'opportunisme, c'est du génie.

— Si tu veux Lafleur, Sam, y a rien au monde qui pourra empêcher ça. C'est comme si c'était déjà fait.

— Il va quand même falloir jouer serré.»

Les Canadiens de Montréal étaient peut-être en transition, mais ils restaient tout de même le club le plus puissant et le plus riche en joueurs de toute la Ligue nationale. En principe, il ne devait pas avoir accès, lors de la séance de repêchage annuelle, aux meilleurs joueurs en lice. Les chances de Pollock d'acquérir Guy Lafleur ou n'importe quel autre grand joueur très convoité, étaient tout compte fait infimes. Mais il avait prévu le coup. Depuis plus d'un an, il avait échangé certains privilèges avec les clubs les moins bien nantis de la ligue. Et si tout allait selon ses plans, il pourrait, lui, le plus fort, le plus riche, le mieux nanti de tous, se servir le premier, à la place des plus faibles, des plus pauvres.

Deux ou trois petites choses cependant continuaient de le chicoter. À Québec, où il était une immense vedette, Guy Lafleur avait pris l'habitude de s'exprimer par le truchement des médias, il parlait de ses états d'âme, de ses attentes, de ses projets. Il était très souvent cité, interrogé, sondé par les journalistes. Il avait pris l'habitude de réfléchir tout haut et très librement. Trop peut-être!

Interrogé sur ses projets d'avenir, il avait déclaré qu'il n'avait rien contre le fait d'aller jouer au Forum de Montréal, mais qu'il n'accepterait pas aussi facilement que Réjean Houle, Marc Tardif ou Pierre Bouchard, de deux ou trois ans ses aînés, de passer ses premières années à réchauffer le banc des joueurs.

La tradition voulait en effet que chez les Canadiens les recrues soient cassées. On les soumettait sans ménagement à un dressage infernal pour qu'ils entrent dans le moule.

«Moi, disait Lafleur, ça fait dix ans que je m'entraîne pour jouer au hockey. Pas pour réchauffer un banc.»

Bref, il s'était livré à une sorte de critique publique de la toute-puissante organisation des Canadiens. Il avait dit qu'il comprenait très bien le choix qu'avait fait Gilbert Perreault l'été précédent d'aller jouer à Buffalo. Il avait par ailleurs la certitude sans faille qu'il aurait beaucoup plus de glace s'il allait jouer pour un club quelconque de la Ligue nationale, les Sabres de Buffalo par exemple ou les Seals d'Oakland ou les Kings de Los Angeles. Il ne boirait peut-être pas souvent dans la coupe Stanley, mais il aurait certainement de meilleurs scores et probablement un plus gros salaire.

Que Lafleur exprime ainsi ses craintes et laisse déjà savoir qu'il n'accepterait pas d'avoir peu de temps de glace, voilà qui refroidissait certains membres de l'état-major des Canadiens. Comme le prof Caron par exemple. Mais Sam «le Renard» Pollock aimait cette impatience, cette soif, ce besoin de glace que manifestait Lafleur.

En avril, l'état-major des Canadiens était toujours divisé. Si Marcel Dionne avait eu deux pouces de plus, il aurait peut-être eu l'avantage incontesté ; il avait été formé dans le hockey junior de l'Ontario réputé beaucoup plus fort que le hockey québécois. Lafleur, élevé dans le misérable circuit du Québec, avait fourni les preuves qu'il pouvait être grand parmi les faibles. Mais comment se comporterait-il avec de vrais bons joueurs ? C'est ce qu'on saurait pendant les séries éliminatoires.

En attendant, le dimanche 18 avril, suite au dernier match de la saison régulière, on remit à Guy Lafleur la fameuse voiture que Colibec lui avait promise lors de la renégociation de son contrat. Quelques jours plus tôt, Paul Dumont avait eu des sueurs froides en relisant ce contrat. Il y était stipulé que cette voiture devait avoir une valeur d'au moins 6 500 $; mais on avait oublié de fixer une limite à ce prix, de sorte que Lafleur aurait pu en principe exiger une Rolls Royce ou une Lamborghini, ce qui eût été fort embêtant pour les gens de Colibec.

Mais il choisit la Corvette, voiture de rêve, nerveuse, hautement symbolique, voiture de star et de play-boy. Mais l'affaire se compliqua quand son père s'y opposa fermement.

« J'ai pas envie que mon garçon se casse la gueule. Arrangez-vous pour lui donner autre chose. »

À contrecœur, Guy opta pour la Buick Riviera, plus conventionnelle, plus sage. On la lui présenta le soir du 18 avril au centre de la patinoire du Colisée. Elle était d'un beau rouge ardent, comme il avait demandé. Et immatriculée 4G4 444, son chiffre et son initiale.

Or il était écrit que cette voiture lui causerait d'innombrables frustrations. Comme les règlements de l'équipe interdisaient aux joueurs de conduire, Lafleur dut garer son carrosse devant la maison de la rue Benoît-XV pendant près d'un mois, jusqu'à la fin des séries éliminatoires qui allaient bientôt commencer.

Mais Paul Dumont se laissa fléchir et lui permit d'utiliser sa Riviera pour se rendre au Colisée, une balade d'environ trois minutes. Lafleur faisait évidemment d'immenses détours. De temps en temps, Dumont entendait dire à travers les branches que la célèbre Riviera rouge avait été aperçue près du pont de Québec ou sur le boulevard Talbot ou sur la Grande-Allée. Mais il fermait les yeux. Les séries étaient commencées. Et les Remparts avaient le vent dans les voiles.

Ils remportèrent facilement le championnat de la Ligue junior A du Québec, puis ceux des ligues du Saguenay et des Maritimes, balayant tout sur leur passage avec une épouvantable facilité. En grande finale de la coupe Memorial, ils affrontèrent les champions de la Ligue junior de l'Ontario, les Black Hawks de St. Catharines, qui comptaient dans leurs rangs le célèbre et bien-aimé Marcel Dionne, grand rival de Guy Lafleur auprès de la direction des Canadiens. Les deux protagonistes se retrouvaient enfin face à face.

Au cours de la saison régulière, Guy Lafleur avait pulvérisé ses propres records : 130 buts et 79 passes en 62 parties. Du jamais vu, nulle part, dans le hockey organisé. Avec les séries, il allait ajouter 22 buts et 21 passes, pour un total de 252 points en 72 parties, soit une moyenne de 3,5 points (deux buts, 1,5 passe) exactement par partie. En deux saisons avec les Remparts, il aurait donc amassé 233 buts et obtenu 146 passes, en plus des points qu'il allait marquer au cours des séries éliminatoires. C'était nettement supérieur aux résultats de Dionne. On continuait cependant à dire qu'il ne fallait pas mesurer ces records à la même aune, parce qu'ils avaient été établis dans des ligues de calibres différents. Pour une fois, dans ces séries éliminatoires, on allait pouvoir comparer les performances des deux joueurs.

Le 8 mai, chacun des clubs ayant déjà deux victoires à son actif dans une série 4 de 7, les Black Hawks de St. Catharines s'amenèrent au Colisée où ils furent écrasés par les Remparts 6 à 1. Une bataille générale d'une extrême violence s'ensuivit. L'un des Ontariens blessa un policier en service. La foule se rua sur l'autobus où s'étaient réfugiés les mauvais perdants que la police, bien à contrecœur, dut protéger. Les jours suivants dans les journaux ontariens, on parlait d'hécatombe. Les gens de Québec étaient traités de brutes immondes, racistes et sanguinaires.

Les Black Hawks, pris de peur, ne voulurent jamais revenir dans la Vieille Capitale pour terminer la série. Les Oil Kings d'Edmonton acceptèrent de se substituer à eux. On les reçut fort aimablement et civilement et on les ovationna à leur première apparition sur la glace. Ils se firent néanmoins démolir eux aussi : 5 à 1 et 5 à 2.

La coupe Memorial revenait à Québec pour la première fois en neuf ans. Ce fut l'un des plus grands soirs dans la carrière de Guy Lafleur. Il avait accompli sa mission. Tout comme il était allé chercher autrefois les trophées Chamberland et Bilodeau pour sa ville natale, il venait de donner à sa ville d'adoption la coupe Memorial.

Il s'était imposé sans équivoque face à Marcel Dionne. Il semblait désormais évident pour tout le monde qu'il serait le joueur le plus convoité lors de l'encan de juin. Tous le voudraient. Mais qui l'aurait ?

*
**

Le 10 juin 1971, un jeudi ensoleillé et frais, fut inoubliable pour Réjean Lafleur. Ce jour-là, il prit congé de la McLarens, de sa torche de soudeur et de ses bottes à bouts d'acier, pour descendre à Montréal avec son garçon, tout endimanché et dûment cravaté comme lui, et sa femme Pierrette. Cette fois cependant, la Chouine ne fut pas du voyage, ne pouvant s'absenter à cause des examens de fin d'année de l'école. De toute façon, il n'y avait rien à faire ou à dire, rien à négocier pour le moment.

Ils n'avaient pas beaucoup dormi, Pierrette, Guy, Réjean et la Chouine. Ils avaient jasé pendant des heures, assis autour de la table de la cuisine, en buvant de la bière et du café, jusqu'à ce que les filles, cherchant vainement le sommeil dans les chambres du dessus, finissent par crier qu'elles aimeraient bien pouvoir dormir un peu. Le ciel déjà pâlissait lorsqu'ils sont montés. Quatre heures plus tard, tout le monde était levé, sauf Guy. Réjean Lafleur et la Chouine avaient repris la conversation exactement là où ils l'avaient laissée avant d'aller dormir, répétant pour la centième fois les mêmes choses, ce qu'il faudrait dire à Claude Ruel, ce qu'ils auraient dû répondre à Ti-Paul qui était contre les Canadiens, comment ils négocieraient avec Sam Pollock, quelle sorte d'homme était Scotty Bowman, rien qui ne concernât pas le hockey, et plus particulièrement la carrière de Guy.

De temps en temps, le père allait au pied de l'escalier et criait : « Guy, t'en viens-tu ? » Et on entendait là-haut un grognement, un grincement de ressorts. « Guy, veux-tu que ta mère te fasse des œufs ? » « Guy, bout de bonyeu, y s'en va sur sept heures, vas-tu finir par descendre ? »

Finalement, Guy est apparu, en jeans, torse nu. Sans dire un mot, il a poussé la porte moustiquaire et est allé s'étirer dans la cour, pieds nus dans l'herbe mouillée.

« Guy, où tu t'en vas habillé comme ça ?

— Déjeuner.

— Pierrette, fais-y quatre œufs. Veux-tu du jambon, Guy ? Pierrette, mets-y trois tranches de jambon avec ses œufs. Veux-tu des patates ? Suzanne, fais un jus d'orange à ton frère. Lucie, prépare des toasts.

— Je veux pas de toasts, papa. Je prends jamais de toasts avec mes œufs, tu devrais le savoir. J'aime pas le pain.

— C'est pas grave. Lucie, fais-y des toasts quand même. Je vas les manger à sa place. »

Ce matin-là du 10 juin 1971, Réjean Lafleur était dangereusement de bonne humeur, heureux, même s'il avait peu dormi et avait un peu mal aux cheveux. Il faisait beau, il était en forme, il avait congé, il s'en allait à Montréal donner son fils à la Ligue nationale. Quoi de plus beau pour un père ? Il y avait quelques années encore, les familles étaient toutes fières de donner leurs garçons au bon Dieu. C'était presque la même chose que les Lafleur allaient faire aujourd'hui. Leur fils unique ne prendrait pas la robe, comme auraient souhaité le frère Léo et le curé de la paroisse. Il endosserait l'uniforme des Canadiens de Montréal, la plus grande communauté de toute l'histoire du hockey. C'était un très grand jour !

« Guy, c'est le plus grand jour de ta vie, le sais-tu ? »

Mais Guy, qui n'avait jamais été bien jasant le matin, était encore plus silencieux que d'habitude. Quand son père ou la Chouine lui demandait ce qu'il pensait de leurs commentaires sur Pollock, Ruel, Jean Béliveau ou Scotty Bowman, il les approuvait toujours distraitement.

À la radio, tout le monde parlait de Jean Béliveau qui, la veille, avait annoncé sa retraite après presque vingt ans chez les Canadiens. Et du nouvel entraîneur de l'équipe, Scotty Bowman. Al MacNeil, le remplaçant de Claude Ruel, n'avait pas tenu longtemps. À peine deux mois. Henri Richard l'avait pratiquement forcé à démissionner, en disant devant tous les joueurs qu'il n'avait pas la compétence pour diriger le Tricolore, parce qu'il ne parlait pas français. C'était quelques jours avant que ne débutent les séries éliminatoires. La diatribe de Richard avait été suivie d'un insupportable silence. Même Jean Béliveau, qui d'habitude pouvait calmer les esprits et faire appel à la modération, n'avait pas su tout de suite quoi dire. Les gars, tête baissée, évitaient de regarder le pauvre MacNeil qui ne pouvait rien répondre. Il ne parlait effectivement pas français. Mais il avait quand même très bien compris ce que lui avait lancé Henri Richard qui s'était exprimé très clairement dans les deux langues.

Les Canadiens avaient malgré tout remporté la coupe Stanley, grâce à Richard qui avait compté en prolongation. Le lendemain, Al MacNeil remettait sa démission. Et le jour même Sam Pollock approchait Scotty Bowman qui acceptait de prendre la barre des Canadiens.

Il s'en passait des choses chez les Canadiens de Montréal en ce printemps de 1971 ! Un putsch, une démission, des retraites… Et ce n'était qu'un début. Il y aurait encore de gros chambardements. À commencer par ceux que ne manquerait pas de provoquer le nouveau pilote Scotty Bowman. Un nouvel entraîneur doit s'imposer.

«Ti-Paul Meloche a bien connu ce gars-là, disait Réjean Lafleur. Il est dans l'organisation des Canadiens depuis pas mal de temps.

— Qu'est-ce qu'il en dit, Ti-Paul?

— Pas tellement de bien.

— Oui, mais Ti-Paul, il a toujours eu une dent contre les Canadiens.

— De toute façon, les Canadiens sont tellement forts que ça prendrait un entraîneur vraiment mauvais pour leur faire perdre la coupe Stanley l'année prochaine.»

À la radio, il était question de l'expansion de la Ligue nationale, deux nouveaux clubs, à Long Island et à Atlanta.

«C'est où ça, Atlanta, le prof?

— En Géorgie. C'est de là que venait Martin Luther King, le pasteur noir qui s'est fait descendre, il y a deux ou trois ans. As-tu vu *Autant en emporte le vent*?

— Non.

— C'est là que ça se passe.

— Quel rapport avec le hockey?

— Aucun. Mais il est question que Geoffrion soit l'instructeur du nouveau club.

— Boum Boum?

— Oui monsieur. Boum Boum Geoffrion.

— C'est une bonne idée, ça. Mais je pensais qu'il vivait à New York.

— Oui, peut-être. Mais un homme, c'est pas un arbre, ça peut déménager. T'as jamais pensé à ça?»

Ils voulaient partir tôt, mais contrairement à son habitude, Guy lambinait. Il s'était changé trois fois. Puis il avait remis ses jeans pour essuyer avec sa peau de chamois la rosée qui couvrait sa Buick Riviera. Il disait qu'il y aurait des cernes si on laissait sécher l'eau. Et il s'était changé encore. Il avait repris du café. Puis il était monté dans sa chambre en se demandant s'il avait choisi la bonne cravate. Il en avait essayé trois ou quatre autres pour finalement reprendre la première. Sa mère et ses sœurs à qui il demandait conseil ne savaient plus quoi lui suggérer. Réjean commençait à bouillir sérieusement.

«Emmène-les toutes, Guy, tu décideras en chemin, bout de bonyeu! Guy, fais-tu exprès pour être en retard?»

Ils ont finalement réussi à prendre la route vers huit heures et demie. Guy au volant, son père assis à côté de lui. Madame Lafleur, derrière.

Ils approchaient de Plaisance, quand Guy a dit : « J'ai oublié mes lunettes fumées. » Le soleil encore bas était aveuglant. Ils retournèrent à Thurso chercher les lunettes de Monsieur qui voulut encore se changer d'habit. Mais sa mère lui dit : « Guy, ça va faire, on est déjà en retard. T'es parfait comme ça. » Il passait neuf heures quand ils s'embarquèrent pour de bon sur la 148 en direction de Montréal. Le soleil était déjà haut. Guy releva ses lunettes sur son front. À Plaisance, il les enleva et les glissa derrière le pare-soleil. Ce que voyant, son père murmura, avec un petit ricanement sardonique :

« Ça valait la peine qu'on retourne chez nous, hein ! mon Guy. »

D'habitude, quand Réjean Lafleur voyageait en auto avec son fils, il passait son temps à lui répéter : « Pas si vite, Guy, voyons, modère un peu. Y a rien qui presse. » Mais ce matin-là, ce ne fut pas nécessaire. Guy roulait lentement et se laissait dépasser par n'importe quoi, des camions, des Volks, des motos. On aurait vraiment dit qu'il voulait être en retard.

À Montebello, son père demanda d'arrêter pour acheter les journaux. Il revint avec *La Presse*, *Le Droit*, *Le Journal de Montréal*, *The Gazette*, *The Montreal Star*, le *Montréal-Matin*, et trois cafés qu'ils burent pendant qu'il lisait à haute voix les pages sportives. On parlait partout évidemment de l'événement du jour, la séance de repêchage de la Ligue nationale à l'hôtel Reine-Élizabeth. On commentait longuement la démission de Jean Béliveau. On disait qu'il avait été l'un des plus grands joueurs de l'histoire du hockey, qu'il resterait vraisemblablement dans l'organisation des Canadiens, que c'était une perte énorme pour l'équipe, mais qu'on pourrait peut-être le remplacer par le jeune Guy Lafleur qui serait probablement repêché ce jour même par Sam Pollock. On mentionnait également Marcel Dionne. On rappelait leurs hauts faits à tous les deux. Pendant que son père lisait, Guy se calait dans son siège, derrière le volant, tout à sa rêverie.

Ainsi, dans quelques heures, il serait dans la Ligue nationale. Le rêve enfin devenu réalité. Autrement dit, il n'y aurait plus de rêve. Mais seulement la réalité pure et simple. Avec plus ou moins de glace. Et les amis seraient loin, si loin !

Réjean Lafleur et sa femme voyaient bien que leur garçon était nerveux et angoissé. Il allait dans quelques heures prendre le plus important virage de sa vie. Réjean Lafleur, grand timide, comprenait d'instinct la nervosité de son fils. Là où on s'en allait, au Reine-Élizabeth, il y aurait plein de monde, des caméras, des micros, des spots, des journalistes énervés qui se jetteraient sur lui. Et en plus, on ne savait jamais tout à fait ce qui pouvait arriver. Même si tout semblait baigner dans l'huile, il n'y avait rien d'absolument officiel. Guy avait de fortes chances d'être repêché par les Canadiens. Mais tout cela reposait sur des hypothèses, des extrapolations, des déductions de journalistes. On ne pouvait pas être absolument sûr. Évidemment, Ruel et Pollock et tous les éclaireurs des Canadiens avaient vu jouer Guy des dizaines de fois au cours des dernières années, mais ils avaient sans doute observé Dionne avec autant d'attention. Il était toujours possible que le prof Caron ait gagné son point et que les Canadiens aient décidé de repêcher ce dernier plutôt que Lafleur. Ça, c'était une chose. Mais en plus, dans l'hypothèse qu'ils aient jeté leur dévolu sur lui, rien ne prouvait hors de tout doute qu'ils puissent le repêcher. Il y avait toutes sortes de nouvelles règles maintenant dans le repêchage. Et en principe, lors de l'encan annuel, les clubs les plus forts de la ligue ne devaient pas choisir en premier, afin de laisser aux plus démunis la chance de repêcher les meilleurs joueurs.

Mais autre chose trottait dans la tête de Guy. C'était vague, confus. En fait, personne à cet âge n'aime se retrouver devant l'inéluctable, le définitif. Il paniquait donc un peu. Bien sûr, si jamais il n'était pas repêché par les Canadiens, un autre club le prendrait. Conscient de sa valeur, il se demandait justement si ce ne serait pas mieux pour lui. L'organisation des Canadiens, il le savait, tout le monde le savait, était un véritable broyeur. L'armée. On hachait menu les recrues, et après les avoir réduites en pâtes molles, on les remodelait, on les moulait, on en faisait de véritables esclaves qui devaient obéir au doigt et à l'œil.

Ils roulaient maintenant sur l'autoroute 640 est. La circulation était anormalement dense pour un jeudi matin, à dix heures. Pendant un gros quart d'heure, on roula pare-chocs contre pare-chocs. Même chose sur le boulevard Métropolitain. Pire encore sur l'autoroute Décarie. Il y avait des travaux, un détour. Guy décida d'emprunter la rue Sherbrooke. Comme des centaines d'automobilistes. Plus personne dans l'auto ne parlait. Au Reine-Élizabeth, l'encan allait bientôt commencer. Le président Clarence Campbell devait faire son discours annuel sur l'état de la Ligue nationale.

« Guy, faudrait que tu te grouilles un peu. On va être en retard.

— Pis après ?

— Comment, pis après ? Qu'est-ce que tu penses que les journalistes vont dire quand ils verront que t'es pas là ?

— Ils écriront ce qu'ils voudront, n'importe quoi. Comme d'habitude.

— Guy, ça me fâche quand tu parles de même.

— Bah ! c'était une farce.

— T'es mieux de te faire une idée là-dessus, mon garcon ; les journalistes, tu vas les avoir sur le dos toute ta vie. Et si t'es pas fin avec eux autres, ils te manqueront pas. Ces gars-là, ils sont capables de te maltraiter. Ils ont du pouvoir eux autres aussi. »

Réjean Lafleur, qui depuis dix ans déjà collectionnait et colligeait soigneusement dans ses grands albums tous les papiers que pondaient les journalistes québécois et ontariens sur son fils, connaissait leur importance grandissante dans le sport professionnel. Il respectait beaucoup les médias, la presse écrite surtout. Il n'était pas très instruit, il lisait lentement, péniblement, il écrivait bien maladroitement, mais il pressentait le grand pouvoir des médias. Il ne pouvait jamais se résoudre à jeter les journaux, même après avoir découpé tout ce qui avait plus ou moins rapport à Guy ou au hockey. C'était sa femme qui de temps en temps les ramassait et les faisait disparaître.

Pendant que Guy cherchait un stationnement (celui du Reine-Élizabeth était évidemment rempli), son père achevait de trier et de plier soigneusement les journaux du matin. Il en avait déjà extrait les pages sportives et en avait fait un paquet à part.

« Guy, tu m'ouvriras le coffre. Je vas mettre mes papiers dedans.

— As-tu peur de te les faire voler ?

— Ah ! Guy, fais pas le niaiseux. Je veux pas qu'ils jaunissent au soleil. »

Le hall du Reine-Élizabeth était archibondé de photographes. Guy et ses parents étaient encore sur le trottoir, boulevard Dorchester, qu'on se mit à crier : « Le v'là, le v'là, c'est Guy Lafleur. » Et ils se sont jetés sur lui, sur eux, les photographiant de tous bords, tous côtés. Guy, s'avançant vers eux, avait l'impression qu'il se trouvait sur la glace devant les défenseurs d'un club adverse et qu'il était en pleine montée. Ils reculaient vers l'intérieur de l'hôtel tout en continuant de le photographier. Ils montaient, toujours à reculons, l'escalier monumental qui conduit vers les salons et les salles de conférences. La tension qui depuis le matin, depuis la veille, étreignait Guy, se dissipait comme par enchantement au fur et à mesure qu'il s'approchait de la grande salle dont il percevait les rumeurs. Il s'avançait vers les photographes, souriant, de plus en plus à l'aise, son père et sa mère derrière lui. Et soudain il se sentit merveilleusement bien, fort, sûr de lui, de son étoile, de son avenir.

Ils étaient aux trois quarts de l'escalier, lorsqu'ils entendirent son nom prononcé d'une voix forte, « Guy Lafleur », avec un léger accent anglais. Et il y eut un brouhaha dans la salle, des applaudissements.

« Le premier choix des Canadiens de Montréal : Guy Lafleur. »

C'était la voix de Sam Pollock qu'on ne pouvait encore apercevoir. Il répéta, en anglais, puis en français encore. Et Clarence Campbell ajouta dans les deux langues : « Les Canadiens de Montréal ont choisi Guy Lafleur. » Et les gens en haut de l'escalier se mirent à crier : « Il est là, Guy Lafleur est là, regardez, il vient d'arriver. » Il avançait toujours, la foule s'ouvrait devant lui, la chaleureuse foule dans laquelle il pénétrait lentement avec une sorte de volupté, d'intense soulagement. Dès qu'il put du regard embrasser la salle dans son ensemble et qu'il sentit que de partout, on pouvait le voir, il s'arrêta et salua. Pendant un moment, toute l'attention se tourna vers lui. Il remarqua alors qu'il était seul. Le vide s'était fait autour de lui. Son père et sa mère étaient restés loin derrière, debout, dans la foule obscure. Il comprit alors que ce serait désormais ainsi, qu'il venait vraiment d'entrer dans un autre monde.

Peu à peu cependant, l'attention se détourna de lui. Rendu à lui-même, il put observer les lieux et comprendre ce qui se passait autour de lui.

Il y avait quatorze tables numérotées au centre de la salle, une table pour chacun des clubs actifs que comptait alors la Ligue nationale. Les Islanders de New York et les Flames d'Atlanta dont on venait d'annoncer la formation n'étaient pas encore dans les rangs. Au-dessus de chacune des tables, on avait affiché l'emblème du club, la feuille d'érable des Leafs de Toronto, l'Amérindien des Black Hawks de Chicago, la roue ailée des Red Wings de Detroit, les armes croisées et le bison des Sabres de Buffalo, le sigle tricolore des Canadiens, etc. Les membres de l'état-major des équipes et quelques éclaireurs prenaient place à ces tables, des hommes mûrs, durs, la plupart sombrement, sobrement vêtus.

Il aperçut un grand rouquin contre lequel il avait déjà joué quelque part en Ontario, du temps qu'il était pee wee, puis bantam et midget. Il le salua d'un petit mouvement de tête. Larry Robinson était lui aussi sur la liste de repêchage. Comme Guy et la plupart des gars, il était accompagné de ses parents, de sympathiques habitants qui s'était perdus eux aussi en entrant dans la grande ville. Larry se tourna vers son père et lui dit : « On se croirait dans un vrai encan de bétail, tu trouves pas ? » Et tout le monde autour s'esclaffa. Sa remarque était d'une étonnante justesse.

Les acheteurs se trouvaient au milieu de la salle, des hommes d'affaires sérieux et énervés qui entouraient le commissaire-priseur, Clarence Campbell. Celui-ci faisait parader le troupeau devant un groupe de « fermiers » attentifs, les porte-parole des équipes. Et ce que Larry avait avec humour appelé le « bétail » était parqué à l'extérieur de cet enclos. Il s'agissait des quelque deux cents joueurs amateurs éligibles au repêchage, jeunes hommes robustes, boutonneux, tout engoncés dans leurs muscles et dans leurs habits trop neufs, suant, angoissés, absorbés dans leurs invocations et leurs prières.

« Mon Dieu, faites qu'ils me prennent. Je ferai tout ce qu'ils voudront. Je me coucherai à neuf heures semaine et dimanche. Je ne boirai pas, je ne fumerai pas. Sur la glace, je me battrai comme un lion. »

Jamais on n'avait vu autant de chemises à fleurs et de cravates bariolées, violemment chamarrées. Les cheveux longs, longtemps interdits par la plupart des clubs, commençaient cette année-là à gagner du terrain. La moustache et les favoris aussi. Le *flower power* battait son plein.

Mais dans la grande salle du Reine-Élizabeth, d'autres gérants généraux (des Leafs, des Red Wings, des Sabres, etc.) annonçaient à tour de rôle leurs choix. Dès qu'un joueur était repêché, un greffier inscrivait son nom sur un carton qu'il glissait dans une fente ménagée sous le grand tableau, vis-à-vis du logo du club. Quelques inconnus furent choisis par les Flyers de Philadelphie : Larry Wright des Pats de Regina, Pierre Plante de Drummondville; puis Steve Vickers par les Rangers de New York. Et ce fut encore le tour de Sam Pollock qui annonça son deuxième choix : Chuck Arnason des Bombers de Flin Flon (ailier droit, lance de la droite, comme Guy, né à l'été de 1951, comme lui).

Six clubs de la ligue n'avaient pas encore eu droit de parole et Trader Sam, le génial Renard, en était déjà à son troisième choix du premier tour : Murray Wilson des 67th d'Ottawa (ailier gauche, ailier droit, même âge). Et il lui restait encore trois choix au deuxième tour, ce qui signifiait que six des vingt-huit premiers choix lui appartenaient. Il cueillit au passage Larry Robinson. Et ramassa en sus huit petits joueurs, menu fretin qu'il n'avait certainement pas l'intention de faire jouer dans sa formation, mais qui lui serviraient au cours des prochaines années de monnaie d'échange. Ainsi, non seulement il avait réussi à repêcher les joueurs les plus convoités, mais il ramenait également dans ses filets le plus grand nombre de joueurs, douze en tout. Les autres clubs en avaient tous moins de dix chacun. C'était d'une criante injustice, totalement immorale. Le club le plus riche en joueurs de toute la Ligue, gagnant de la coupe Stanley en 1971, de dix coupes Stanley dans les quinze dernières années, venait de s'enrichir et de se renforcer davantage. Mais tout cela s'était fait selon les règles.

Le repêchage de Guy Lafleur par Sam Pollock est l'un des épisodes les plus extraordinaires de l'histoire du commerce des joueurs au sein de la Ligue nationale. Ce n'était pas la première fois que les Canadiens de Montréal déployaient de très grands moyens pour s'approprier un joueur. En 1950, pour obtenir les services de Jean Béliveau, ils avaient acheté toute la Ligue de hockey majeur du Québec et l'avait intégrée à leur réseau professionnel. Mais pour se payer Lafleur, Pollock avait dû travailler dans l'ombre et ourdir sa toile à l'insu de tous. Ce n'est que le 10 juin que les hommes d'affaires et les joueurs de la Ligue nationale comprirent, stupéfaits, ce qui s'était passé.

L'année précédente, le Tricolore avait perdu ses droits ancestraux sur les deux meilleures recrues canadiennes-françaises qui lui étaient depuis toujours acquises. Mais il fallait bien équilibrer les forces des clubs, donner à tous un peu de profondeur, quelques défenseurs solides et de bons joueurs offensifs et surtout améliorer le hockey à l'échelle du continent.

Parmi les grands sports d'équipe nord-américains, le hockey faisait alors figure de parent pauvre. Les ligues de baseball, de football ou de basketball étaient beaucoup mieux équilibrées, infiniment mieux organisées. Elles affichaient une dynamique et un théâtre beaucoup plus intéressants, des rivalités exaltantes et stimulantes, de sorte qu'elles avaient pu conclure avec les grandes chaînes de télévision des ententes très lucratives. Les grands stratèges de la Ligue nationale de hockey décidèrent donc, histoire de ne pas être en reste et de continentaliser le hockey, que désormais au repêchage, les premiers choix iraient aux clubs les moins bien nantis. On assista donc à une loufoque course aux dernières places, le grand perdant étant en effet assuré d'avoir le premier choix lors de l'encan de l'été suivant.

En principe donc, Sam Pollock, détenteur de la coupe Stanley, aurait dû lors de cette séance de repêchage du 10 juin 1971 parler le dernier, après les treize autres clubs. Mais il avait prévu le coup. Deux ans plus tôt, en 1969, il avait fait une entente avec les Seals d'Oakland, un club jeune et pauvre en urgent besoin de joueurs. Il leur avait donné son premier choix à l'encan de 70 en échange du leur à l'encan de 71.

Malgré cette transaction (ou à cause d'elle) les Seals étaient restés faibles. Le Renard s'assurait ainsi de parler parmi les premiers lors de l'encan de 1971. Mais pour qu'il puisse piger le tout premier, il fallait que les Seals, qui lui avaient cédé leur privilège, terminent la saison tout à fait à la queue. Et cela, le Renard ne pouvait l'arranger. Même que les Seals n'avaient plus vraiment intérêt à finir derniers, puisqu'ils avaient justement cédé leur privilège de perdants.

Jusqu'à Noël, ils performèrent d'ailleurs assez bien, au grand désespoir de Pollock. On crut alors que ce seraient les Kings de Los Angeles qui finiraient derniers de la Ligue. C'est alors que le Renard était intervenu. Il avait prêté trois joueurs aux Kings afin de les renforcer. Et trois mois plus tard, à la fin de la saison, les Kings ayant repris du poil de la bête, les Seals se retrouvaient bons derniers de toute la Ligue nationale.

C'est ainsi que le 10 juin 1971 Sam Pollock fut le premier à parler et qu'il put choisir Guy Lafleur. Quand, beaucoup plus tard, arriva son tour, Garry Young, directeur général des Seals d'Oakland, s'adressa à Clarence Campbell en ces termes :

« Mon cher monsieur, j'aimerais vous faire remarquer que les Seals d'Oakland ont dû abandonner l'an dernier leur premier choix de cette année aux gagnants de la coupe Stanley, les Canadiens de Montréal. Tant que persistera cet usage, les nouveaux clubs seront dans l'impossibilité de concurrencer l'establishment de la ligue. »

L'astucieux Pollock avait réussi à déjouer les nouveaux règlements voulant que les premiers soient les derniers au repêchage. Il fut le plus fort, réussissant à jouir des privilèges réservés en principe aux derniers.

Tous, même ses victimes, reconnurent ce jour-là l'immense talent du fin Renard. Beaucoup d'amateurs de hockey furent déçus cependant. La puissance que venaient d'acquérir les Canadiens risquait de briser pour longtemps le précaire équilibre qu'on avait réussi à conserver depuis l'expansion de la ligue. Sans rivaux véritables, les Canadiens allaient peut-être s'enliser dans la facilité, dans la platitude. Plus de suspense, plus de lutte.

Mais ce jour-là, l'état-major des Glorieux ne pensait certainement pas à ça. Claude Ruel, debout près de la table des Canadiens, fit à Guy de grands signes de la main et souleva au-dessus des têtes une chaise vide. Guy Lafleur se glissa entre les tables et vint s'asseoir parmi ses nouveaux patrons.

Il venait d'entrer dans une grande institution. Dans une fantastique histoire dont il était déjà le héros.

Deuxième entracte

Depuis plus de trois quarts de siècle, une armée de statisticiens entretiennent avec un soin maniaque l'immense édifice de chiffres dans lequel repose, indéniable et immuable, la glorieuse vérité des Canadiens de Montréal. Tout est là : nombre, taille, poids et âge des joueurs, leurs records, fréquence et durée de chacune des présences sur la glace, nombre de lancers, de points, de buts, d'erreurs, nombre et durée des punitions imposées, des blessures subies. Tous les exploits individuels ou collectifs, victoires et défaites sont dûment enregistrés, datés, chronométrés et homologués, comparés à ceux des autres équipes, des autres joueurs.

Il y a donc cette histoire parfaitement objective des Canadiens, celle des chiffres, dans laquelle tout est rigoureusement précis, pesé, mesuré. Puis il y a la légende, unique, incomparable, véritable chef-d'œuvre médiatique, impressionnante création collective.

Les Canadiens sont nés en 1910, année de la comète de Halley, dont le passage avait été annoncé à grand fracas, comme en 1986. C'était l'époque des dernières conquêtes géographiques et des grands exploits sportifs pour lesquels se passionnaient les masses. L'explorateur américain Robert Edwin Peary plantait la bannière étoilée sur le pôle Nord qu'il atteignit après quatre essais qui lui avaient coûté sept orteils. L'Anglais Robert Scott et le Norvégien Roald Amundsen partaient pour le pôle Sud qu'ils atteindraient un an plus tard. L'aviateur français Louis Blériot traversait la Manche, de Calais à Douvres, en trente-sept minutes. En Angleterre, le *Titanic* était mis en chantier. Dans les rues des grandes villes nord-américaines apparaissaient les premières Ford modèle « T ». Au Canada, principalement au Québec et en Ontario, de grosses fortunes naissaient dans les secteurs d'activité primaires, mines et forêts surtout. L'avenir était radieux ; le présent, passionnant et amusant.

Il y avait alors une Ligue de hockey professionnelle en Ontario (la LHPO) qui regroupait des équipes de Toronto, Guelph, Brantford et Berlin (rebaptisée Kitchener après la Deuxième Guerre mondiale), et l'Association canadienne de hockey de l'Est (l'ACHE) qui comptait un nombre très variable de clubs professionnels. On trouvait aussi, dans le nord de l'Ontario et dans l'Ouest canadien un bon nombre de clubs, très actifs à l'époque, commandités par les grandes entreprises minières, forestières ou ferroviaires. Certaines années, on pouvait compter jusqu'à vingt équipes professionnelles de différentes ligues qui se disputaient la coupe Stanley : les Thisles (Chardons) de Kenora, les Millionnaires de Renfrew, les Dawson City Klondikers, etc. Des villes qui aujourd'hui pourraient difficilement aligner un bon club bantam, à qui la forêt, l'argent ou l'or avait donné une puissante flambée de prospérité, se retrouvaient en lice pour la fameuse coupe.

Montréal comptait déjà quatre clubs professionnels : les Shamrocks, les Nationals, les Victorias et les Wanderers. Ces derniers dominaient l'Association de l'Est depuis plusieurs années et écrasaient impitoyablement les clubs des autres ligues qui avaient le malheur de les affronter. En 1909, pour la troisième année consécutive, ils avaient remporté la déjà fameuse coupe Stanley. C'est alors que tout se mit à mal aller pour eux, non qu'ils fussent devenus moins bons, mais parce que les industriels du hockey ne parvenaient plus à s'entendre.

Il y avait alors deux amphithéâtres à Montréal, le Jubilee (trois mille cinq cents places), situé dans l'est de la ville, à l'angle des rues Moreau et Sainte-Catherine, et le Westmount Arena (six mille places), Wood et Sainte-Catherine, tout près du Forum actuel.

Le petit aréna Jubilee appartenait à un certain P.J. Doran, également propriétaire des puissants Wanderers. Doran exigeait évidemment que son équipe joue dans son aréna. On comprend pourquoi. Le propriétaire de l'aréna percevait soixante pour cent des recettes d'entrée et les équipes se partageaient le reste. Lorsque son club se produisait au Jubilee, Doran touchait donc cent pour cent des recettes. On saisit également pourquoi les propriétaires des autres équipes de l'Association de l'Est, les Silver Seven d'Ottawa, les Bulldogs de Québec ou les Shamrocks de Montréal, ne voulaient rien savoir de ce petit amphithéâtre. Celui de Westmount, plus grand, était plus payant pour eux. Et en plus, il y avait des vestiaires chauffés, un bon restaurant et une glace de meilleure qualité.

Lorsque la saison 1909-1910 commença, c'était déjà l'impasse. Le 25 novembre, devant le refus des Wanderers et de Doran de jouer à l'aréna Westmount, les propriétaires des trois autres clubs, réunis à l'hôtel Windsor, décidèrent unilatéralement de dissoudre l'Association canadienne de hockey de l'Est et de fonder une nouvelle ligue, l'Association canadienne de hockey. L'ACH acceptait deux nouvelles formations, le All-Montreal et le National de Montréal, mais refusait d'accueillir les Wanderers, pourtant détenteurs de la coupe Stanley, qui se retrouvaient par conséquent tout seuls, hors ligue.

Ce même soir, Ambrose O'Brien, fils du richissime M.J. O'Brien, propriétaire de chemins de fer, de gros chantiers forestiers et de deux clubs de hockey de la ligue ontarienne, s'était pointé à l'hôtel Windsor dans l'espoir d'obtenir une concession de l'ACH pour Renfrew, une ville minière dont il avait le contrôle. Les patrons de l'ACH lui rirent au nez. Furieux, O'Brien allait quitter l'hôtel, lorsqu'il rencontra Jimmy Gardner, l'un des dirigeants des Wanderers qui, amer, déçu, humilié, venait d'apprendre que son club était viré de l'ACH. Gardner et O'Brien décidèrent sur-le-champ de fonder ensemble une nouvelle ligue. Ils avaient déjà trois clubs, deux en Ontario, un au Québec.

« Et en plus, dit Gardner, nous pourrions en avoir un quatrième formé exclusivement de Canadiens français. Ça créerait une belle rivalité. Et nous aurions alors une ligue vraiment nationale. »

Cette idée de la rivalité raciale dans le sport était dans l'air du temps. Cette même année 1910, le 4 juillet, à Reno, au Nevada, Jack Johnson battait par knock-out Jim Jeffries, devenant le premier Noir champion mondial de boxe. En soulevant l'enthousiasme des populations noires, sa victoire déclencha des affrontements raciaux d'une terrible violence. Il y eut des morts. La boxe devint populaire. Plus que de la boxe, plus qu'un sport.

O'Brien et Gardner rencontrèrent un certain Jean-Baptiste « Jack » Laviolette. Originaire de Belleville en Ontario, celui-ci possédait une taverne sur la rue Notre-Dame, le Jack's Cage, où se rencontraient les joueurs de hockey francophones de Montréal. Exclus des ligues professionnelles, ceux-ci avaient formé une bonne équipe d'amateurs qui disputaient des joutes hors concours dans la région de Montréal.

Quelques jours plus tard, le jeudi 2 décembre 1909, réunis à l'hôtel St. Lawrence, rue Saint-Jacques, les trois hommes fondèrent l'Association nationale de hockey (ANH) qui allait devenir l'actuelle Ligue nationale. Et le surlendemain, 4 décembre, lors d'une conférence de presse à l'hôtel Windsor, ils annoncèrent qu'une concession avait été octroyée à une nouvelle équipe de Montréal, «les Canadiens». On confia à Jack Laviolette, figure bien connue dans les milieux francophones du hockey, la tâche de recruter les joueurs et d'organiser l'équipe. Les Canadiens de Montréal étaient nés. On leur donna le bleu et le blanc pour couleurs. Le 5 janvier suivant, à l'aréna Jubilee, ils disputaient le premier match de leur histoire contre les Silver Kings de Cobalt qui les battirent à plate couture.

O'Brien et Gardner avaient laissé entendre que la direction du nouveau club serait remise à des Canadiens français dès que des arrangements appropriés seraient possibles ! Ça ne se fit pas de sitôt, il va sans dire, les Canadiens étant rapidement devenus une bonne grosse business bien rentable.

Dans les premières années, quatre-vingt pour cent des joueurs portaient des noms francophones. Sur les photos souvenirs cependant, tout était en anglais. Ainsi, cette mosaïque de photos représentant le club de 1915-1916 qu'on peut voir au musée du Forum de Montréal : « The Canadian Hockey Club Incorporated. The Stanley Cup Holders. Champion of the World. Montreal Canada. » Seize joueurs, douze francophones. Quatre patrons, tous anglophones.

Très rapidement, l'équipe elle-même s'anglicisa. Mais l'idée de son caractère distinctif persista. Les stratèges du club, qui semblaient avoir une science innée du marketing, insisteront toujours sur la particularité ethnique des Canadiens, sur le fait que les joueurs de cette équipe n'étaient pas des hommes comme les autres. Au cours des années 20 et 30, quand la grande star de l'équipe sera un anglophone, Howie Morenz, né de parents suisses à Mitchell en Ontario, ses patrons lui demanderont de prendre l'accent français devant les journalistes américains et de laisser entendre que Morenz était un nom typiquement canadien-français, de façon à accréditer la légende des Canadiens, le seul club de la Ligue nationale de hockey encore aujourd'hui à porter un nom désignant une nation, une race, une ethnie.

La recette semble magique et a fait ses preuves dans d'autres domaines. Le plus grand club de l'histoire du baseball porte également un nom d'ethnie, les Yankees de New York. Et le plus prestigieux club de basketball au monde s'appelle les Celtics de Boston. Le mot «canadien» désignait, au moment de la formation de l'équipe, et jusqu'au début des années 60, où il fut remplacé par l'appellation «Québécois», l'ensemble de la race française du Canada, les «Canayens». Et le H dans le C rappelait qu'il s'agissait des Habitants du pays, même si ceux-ci allaient peu à peu être pratiquement exclus de l'équipe.

L'autre club montréalais de la Ligue nationale, les Maroons, venait d'être démantelé et le Canadien avait récupéré ses meilleurs joueurs. De plus, la direction presque exclusivement anglophone (Gorman, Hart, Irvin) n'entretenait pas de contacts établis et soutenus au sein de la communauté francophone de Montréal. Il n'y avait pas, comme aujourd'hui, des éclaireurs et des dépisteurs qui dressaient des fiches sur tous les joueurs du hockey mineur et junior.

Au début des années 40, un certain Paul Stuart, Montréalais francophone, dirigeait les ligues juniors de la région métropolitaine qui se produisaient sur les patinoires du parc LaFontaine. On lui offrit le poste d'entraîneur du Canadien junior, club ferme des Canadiens de Montréal. Il était prêt à accepter, mais à condition que le club encourage le développement des jeunes athlètes canadiens-français. On refusa. Stuart resta donc au parc LaFontaine, dans le hockey mineur. Il réussit cependant à attirer l'attention sur un jeune hockeyeur au talent exceptionnel, un gars du nord de la ville, le dur, farouche et fier Maurice Richard.

Dès que les gros bonnets l'aperçurent à l'aréna de Verdun, ils virent en lui la possibilité de se refaire financièrement en redorant le blason des pauvres Canadiens de Montréal qui, malgré les joueurs acquis des Maroons, n'avaient pas gagné une seule coupe Stanley depuis douze ans. Ils jouaient mal. Ils n'avaient pas de vedettes canadiennes-françaises auxquelles le public pouvait s'identifier. Quand Richard commença à jouer de façon régulière, en 1943, il y avait beaucoup plus d'Anglais que de Français dans l'équipe.

En 1944-1945, au moment où le Reich d'Hitler était en train de s'effondrer, Richard, vingt-trois ans, entrait avec fracas dans la légende des Canadiens où il allait camper l'un des plus grands rôles de la mythologie canadienne-française. Pendant toute cette saison, il partagea la une des journaux avec les Alliés, dont on suivait l'avancée libératrice sur le continent européen. Et lui, pendant ce temps, établissait d'incroyables records : cinquante buts en cinquante matchs, pendant la saison régulière; six buts en six matchs, dans les séries éliminatoires, enfonçant l'une après l'autre toutes les lignes ennemies, à New York, Boston, Toronto, Detroit et Chicago, les contournant, les déjouant avec un égal bonheur.

Maurice Richard a toujours rêvé de jouer dans un club de hockey constitué exclusivement de Canadiens français. Toute sa vie, il a eu au fond de lui cette vision imposante et troublante, une sorte de rêve qu'il savait insensé et sans doute irréalisable, mais dont il n'a jamais pu, voulu ou su se défaire : une armée de vingt joueurs (six défenseurs lourds, costauds, douze joueurs d'avant rapides et rusés, deux inébranlables gardiens de but), encadrés et conduits par des stratèges «canayens», déferlant depuis Montréal, tel un ost féodal, sur l'Amérique et écrasant tout le monde sur son passage, de l'Atlantique au Pacifique, du Saint-Laurent au Rio Grande!

Quelle magnifique et barbare idée! Ce rêve d'un hockey tribal et primitif est toujours quelque part dans le cœur des vieux fans québécois. Un rêve en réserve. Un rêve sur la glace. On sait bien que c'est insensé, irréalisable, à la limite du racisme et sur le sentier de la guerre... mais le hockey, n'est-ce pas la guerre justement? Où n'est-ce pas à la place de la guerre, plutôt que la guerre?

Richard avait, comme son époque, une vision manichéenne du monde, une conception ethnique du hockey. Jamais par exemple il ne serait allé jouer pour les Rangers ou les Black Hawks ou les Maple Leafs. Il était entré dans la Ligue nationale au plus fort de la guerre de 39-45, quand on ne riait pas avec les notions d'appartenance et de fidélité à la patrie. Il ne faisait pas vraiment de distinction entre la vie et le hockey, entre l'asphalte et la glace. Il fut le premier joueur de hockey dont l'art déborda des amphithéâtres et dont les faits et gestes devinrent, surtout au sein de la société canadienne-française, symboliques et allégoriques.

En 1953, dans la chronique qu'il signait au *Samedi-Dimanche*, Richard accusa ouvertement le président de la Ligue nationale, Clarence Campbell, de partialité et de racisme à l'égard des Canadiens français. Jamais personne, pas même les journalistes professionnels, n'avait eu le cran de proférer d'aussi brutales vérités.

Mais Campbell avait tous les pouvoirs. Richard dut s'excuser et renoncer à sa chronique dominicale. Le champion du peuple canadien-français fut ainsi maté par le Wasp au vu et au su de tous. Une caricature du *Toronto Telegram* le représenta en écolier recopiant au tableau noir, sous l'œil furieux d'un gros professeur à monocle : «Je n'appellerai plus M. Campbell un dictateur.»

Deux ans plus tard, à la veille des séries éliminatoires de 1955, Campbell paracheva sa vengeance. Suite à une rixe au cours de laquelle Richard avait frappé un arbitre, il le suspendit pour le reste de la saison (on s'y attendait, on s'y était même résigné) et pour toutes les séries éliminatoires (on ne s'y attendait pas, on ne l'a jamais avalé). Le geste présidentiel fut perçu par le peuple comme un inadmissible affront.

Les Canadiens étaient en effet devenus, grâce à Richard, dépositaires de la fierté, de l'âme même du Canada français. En prenant partie contre eux, en leur enlevant toute chance de remporter la coupe Stanley, Campbell se rangeait du côté de l'ennemi. Il fut de facto identifié comme le héraut du monde anglo-saxon et protestant, arrogant, méprisant. La réaction fut partout au Canada français d'une très grande violence. Le 17 mars, alors que les Canadiens de Montréal, sans Richard, affrontaient les Red Wings de Detroit au Forum, la foule en colère entreprit de tout casser, tout briser, voitures, autobus, vitrines.

On dit que c'est ce soir-là que commença la Révolution tranquille qui, au cours des années 60, allait de fond en comble bouleverser toutes les institutions (sociales, religieuses, économiques, politiques, culturelles) du Québec.

Lorsque Richard quitta le club, cinq ans plus tard, soixante pour cent des joueurs, douze sur vingt, étaient francophones. Et c'étaient les meilleurs, les «Flying Frenchmen» : Jean Béliveau, Bernard Geoffrion, Jacques Plante, Claude Provost, Maurice et Henri Richard, Jean-Claude Tremblay, Jean-Guy Talbot, Marcel Bonin, Armand Pronovost, Phil Goyette, Albert Langlois. Le peuple canadien-français se reconnaissait dans ces hommes. Il avait foi en eux. Il était conscient qu'avec eux, grâce à eux, il lui arrivait enfin quelque chose. Une histoire, sa propre histoire, s'écrivait, une conquête commençait. Et on parlait de lui dans toute l'Amérique du Nord; il devenait visible, vainqueur, vengé. Jamais le rêve de Richard n'avait été aussi près d'être réalisé qu'en 1960. Plus jamais il ne le sera.

La révolte de Richard avait été brisée. Par Campbell d'abord. Puis par l'organisation même du Canadien qui, plus tard, l'exclut tout à fait de ses activités et de ses décisions. Le peuple québécois découvrit que son plus grand héros n'avait aucun pouvoir, aucun respect. Et que les Canadiens, au fond, ne lui appartenaient pas.

Jean Béliveau sut mieux que Richard composer avec le pouvoir et l'Organisation. Il n'avait rien en lui du héros révolté et déchiré. Il se contenta d'être un très grand joueur de hockey, élégant, purement sportif. Jamais ses faits et gestes ne créèrent de bouleversements sociologiques comparables à ce qu'avait su déclencher Richard. Au contraire, il était et est toujours l'homme de la loi et de l'ordre, joueur de centre et homme de centre, agréable et raisonnable responsable des affaires sociales et des relations publiques de la sacro-sainte organisation du Canadien de Montréal. Son règne, les années 60, reste dans l'histoire du hockey une période assez terne, sans beaucoup de relief.

Pourtant, les Canadiens ont dominé la Ligue nationale tout au long de cette décennie, remportant la coupe Stanley une année sur deux, soit autant que pendant les surexcitantes années 50. Mais ils n'étaient alors qu'une équipe de hockey, la meilleure de la Ligue nationale certes, mais sans cette charge émotive ou mythique que lui avait donnée Maurice Richard. Tout baignait dans l'huile; pas de conflit, pas de drame, peu de passion.

C'est alors que Guy Lafleur arriva le 10 juin 1971.

Troisième période

Il s'était réveillé à l'aube et n'avait pu se rendormir. Trop de choses lui trottaient dans la tête, de sombres pressentiments, des regrets, de sourdes inquiétudes. Le camp d'entraînement des Canadiens allait commencer dans deux jours. Il devrait être en forme, non seulement physiquement, mais aussi psychologiquement. Il fallait qu'il se débarrasse de cette espèce de tristesse ou de nostalgie qui lui pesait sur l'âme depuis qu'il avait quitté Québec deux semaines plus tôt.

On lui avait fait une fête extraordinaire au Cendrillon, un beau soir d'été, chaud et doux. Il avait pris un coup, une vraie bonne brosse, pour la première fois de sa vie. Et lui, d'ordinaire si réservé, si timide et gauche avec les femmes, il avait ce soir-là chanté la pomme à toutes celles qu'il avait rencontrées, parlé à tous ouvertement, et dit et répété à ses amis de Québec qu'il ne les oublierait jamais, qu'il n'y avait rien au monde de plus beau, de plus fin, de meilleur que les gens de Québec et que l'idée de les quitter lui brisait le cœur. Et il s'était longuement délecté dans une morose tristesse éthylique.

Il avait même failli commettre un impair monumental ; il voulait téléphoner à la belle Ève, à deux ou trois heures du matin. Jean-Yves Doyon l'en avait dissuadé. Ève était mariée. Depuis plusieurs mois, elle vivait avec Guy des amours compliquées, déchirantes, pratiquement impossibles. Elle lui avait enseigné plein de belles choses, comme faire l'amour, comme se parler d'amour. Certains jours, elle disait qu'elle quitterait son mari pour lui, s'il le voulait : « Tu n'as qu'un mot à dire. » Mais il ne disait rien. Il avait peur. Il l'aimait bien — « oui, peut-être que je t'aime » — mais il y avait autre chose dans sa vie, le hockey, plus grand, plus exigeant que l'amour, une carrière immense à remplir d'exploits, plus vaste que l'aventure. Il ne pouvait pas et ne voulait pas s'empêtrer dans une histoire d'amour. C'est ce qu'il lui répétait. Elle avait de la peine, évidemment. Et lui, la peine d'une femme, ça le terrorisait. Alors il s'éloignait encore plus.

Mais le soir de la fête du Cendrillon, il se sentait prêt à tout. Il voulait l'appeler, lui dire qu'il l'aimait, qu'il avait besoin d'elle. Ils seraient allés quelque part dans un petit hôtel du Vieux-Québec, ils auraient fait l'amour toute la nuit.

Jamais ils n'avaient réussi à passer une nuit ensemble. D'abord, parce qu'Ève ne voulait pas. « Si je découche, c'est pour la vie », disait-elle. Guy de son côté ne pouvait pas non plus. Madame Baribeau l'avait souventes fois averti : « Ne me forcez jamais à mentir. » Il avait lui-même une telle horreur du mensonge et un si grand respect pour cette dame, sa « deuxième mère », comme il disait, qu'il n'avait jamais voulu l'embarrasser de quelque façon que ce soit. Mais ce soir-là, il ne pensait pas à ça. Il ne voulait pas être seul. Il avait besoin d'une femme avec lui, besoin d'Ève auprès de lui.

« Fais attention, Guy. Pense à ce que tu vas faire. Cette fille-là t'aime pour vrai. Tu peux briser sa vie. »

Ça l'avait finalement refroidi, parce qu'il savait bien en son for intérieur qu'il ne ferait pas sa vie avec elle. D'ailleurs, il ne s'appartenait même plus. Ayant signé avec les Canadiens de Montréal, il devait être sérieux et en forme, avoir toute sa tête et tout son cœur à lui.

Quelques jours plus tard, il était parti pour Thurso. Il savait alors qu'il ne la reverrait probablement jamais. Et il s'était persuadé que c'était beaucoup mieux ainsi. Cette histoire-là ne pouvait durer. L'idée qu'il pouvait briser la vie de cette femme et celle de son mari lui était insupportable. Mais il enviait les gars qui couchaient sans problème avec des filles. Ses histoires à lui étaient toujours tellement compliquées, tellement torturées. D'une part parce qu'il ne voulait pas vraiment les vivre, de peur d'être dérangé et dérouté, empêché de réaliser son irrépressible rêve d'être un jour un très grand joueur. D'autre part parce qu'il ne savait pas faire les premiers pas.

Ève était venue vers lui, elle lui avait enseigné les gestes et les mots de l'amour. Il s'était laissé prendre tout simplement. Il n'avait pas fait de promesses, mais il n'avait jamais dit non; il avait laissé Ève s'imaginer plein de choses, faire des rêves de voyages et de vie avec lui. Et peu à peu, il s'était senti emprisonné dans son propre silence qu'elle envahissait et meublait à sa guise.

Il se demandait si toutes les filles débarquaient ainsi dans la vie des hommes qu'elles aimaient et en prenaient possession au nom de l'amour, y faisant toutes sortes de plans, un jardin de rêve, y bâtissant une maison, y imposant un nouvel ordre.

Ainsi, il avait laissé Ève entrer dans sa vie, faire des plans et des projets, alors qu'il savait bien au fond de lui que ça ne mènerait nulle part. Et le remords, qui est bien la plus terrible chose qui soit au monde, l'avait envahi. En quittant Québec, il mettait fin à cette invivable liaison. Il n'oublierait jamais la belle Ève, mais c'était fini.

Il avait cependant voulu la voir une dernière fois pour lui faire ses adieux correctement. Et, bien qu'elle fût armée de son triste sourire et de ses yeux en larmes, il lui avait dit que ce qu'il avait vécu avec elle avait été beau et bon, mais que c'était fini, qu'il n'était pas un gars pour elle, qu'il ne la reverrait plus. Et il était parti, triste, mais l'âme en paix.

Il passa deux semaines à Thurso. Deux semaines à ne rien faire. Un peu de jogging le matin, un petit tennis l'après-midi lorsqu'il se trouvait un partenaire ou un tour d'auto en solitaire dans l'éclatant été laurentien. Tout le monde dans la région lui faisait la fête. Il ne pouvait faire un pas dans les rues de Thurso sans entendre son nom crié de partout. Il aurait presque pu entrer chez le dépanneur du coin ou à la quincaillerie ou à la pharmacie, se servir et sortir sans payer, qu'on lui aurait dit : « Merci, Ti-Guy, tu reviendras. » Il ne pouvait entrer au bar de l'hôtel Lafontaine sans se faire offrir un verre tant par la maison que par chacun des clients qui se trouvaient là.

De temps en temps, il revoyait les gars qu'il avait connus du temps qu'il était pee wee ou bantam. Plusieurs d'entre eux travaillaient maintement à la McLarens ou à la Singer, petits ouvriers pour la vie, déjà. Ils l'entouraient, le regardaient avec envie et sympathie, ils l'écoutaient, le félicitaient. Ils savaient tous qu'il était riche. On avait écrit dans les journaux que les Canadiens lui avaient versé un cadeau de signature de 55 000 $. C'était près de cinq fois le salaire d'un ouvrier spécialisé, presque dix fois celui d'un manœuvre. Et il recevrait son salaire en plus : 25 000 $ par année. Et il voyagerait, on le verrait à la télévision, il aurait plein de femmes et la gloire.

Et pourtant, c'étaient eux, ces petits ouvriers, qui voulaient à tout prix lui offrir un verre et lui marquer leur affection. Lafleur refusait. Mais n'osait rien offrir. Il ne voulait pas faire étalage de son argent. Tout le monde savait et répétait qu'il était riche ; lui seul faisait comme s'il l'ignorait toujours. Il songeait même, disait-il à la Chouine, à changer sa Riviera pour une plus petite voiture parce qu'elle «buvait trop de gaz». La Chouine comprit que Guy voulait lui signifier qu'il n'avait pas changé, qu'il avait le même genre de préoccupation que n'importe qui et qu'il devait faire attention à son argent, lui aussi. La Chouine avait souri. Il s'était fait une blonde, une institutrice, qu'il allait bientôt épouser. Il quitterait bientôt Thurso. Lui et Guy ne se reverraient plus beaucoup, très rarement, de loin en loin. Guy avait changé, comme tout le monde, plus que tout le monde. Il avait l'esprit ailleurs. Il était ailleurs, parti, déjà.

Tout ce qui lui arrivait était cependant fort agréable, mais comme il manquait d'assurance, et qu'il avait une peur bleue de passer pour un gars snob, il allait au-devant des gens, même s'il n'en avait pas toujours envie. Par timidité en quelque sorte. Quelqu'un criait son nom dans la rue, il s'arrêtait, allait au-devant de l'interpellateur, lui serrait la main avec effusion, lui demandait des nouvelles de sa santé, de sa famille, de son travail. Encore là, il se sentait piégé. Mais c'était doux, c'était gentil.

Il était allé rencontrer Scotty Bowman à Montréal. Il l'avait trouvé froid et distant, mais à son père qui lui demandait à son retour comment il l'avait trouvé, il répondit :

«C'est un gars correct. Il connaît son affaire.

— Je savais que tu me dirais ça.

— Dans ce cas-là, pourquoi tu me l'as demandé ?

— Pour savoir si t'avais changé.»

Réjean Lafleur savait que son fils ne parlait à peu près jamais en mal de qui que ce soit. Quand il avait à redire, il s'adressait à qui de droit, en pleine face, sans mettre de gants blancs, brusquement et bêtement, comme font souvent les timides lorsqu'ils se sont résolus à parler. Mais à moins qu'une crise n'éclate, il était toujours bien difficile de savoir ce qu'il pensait des autres. Pour lui, tout le monde était correct, a priori.

C'est à Élise Béliveau, l'épouse élégante et rieuse du bien-aimé Gros Bill, que l'organisation des Canadiens avait confié la tâche d'aider les nouveaux venus à se trouver un appartement et à le meubler. Guy, lui faisant pleinement confiance, allait prendre l'appartement qu'elle lui proposerait, à condition qu'il y ait une vue et que ce soit sur la Rive-Sud.

Elle lui proposa un appartement à Longueuil, au 14e étage des toutes neuves tours Iberville, juste à la tête du pont Jacques-Cartier. La vue sur le fleuve était fort jolie : l'île Sainte-Hélène avec les apocalyptiques vestiges d'Expo 67, la Ronde avec ses lumières, sa grande roue, ses feux d'artifice, et la ville en arrière-plan, ses buildings de fer et de verre, sa montagne et ses couchers de soleil. Il n'avait pas choisi d'habiter là pour le paysage, mais bien parce qu'il se trouvait près de la 138 qui menait en moins de cinq minutes à l'autoroute de Québec.

Chaque fois qu'il aurait le temps, il sauterait dans sa Buick Riviera et filerait vers Limoilou retrouver ses amis. C'était là pour lui la vraie vie, la seule vie, Limoilou, le Cendrillon, Doyon, Brière, Richard, Ève l'interdite...

Comme l'appartement des tours Iberville ne serait pas prêt avant la mi-septembre, Élise et Jean Béliveau avaient gentiment invité le jeune Lafleur à venir habiter chez eux, à Boucherville. C'est ainsi qu'il se retrouva ce matin-là dans la maison de celui qui avait été la grande idole de son enfance et qui l'intimidait toujours autant. Il était réveillé comme en plein jour à cinq heures du matin, malgré le grand silence, le lit confortable et propre, le bel air humide et frais qui montait du fleuve. Il pensait au camp d'entraînement et à cette nouvelle équipe de joueurs aguerris dans laquelle il allait devoir se fondre. Il pensait aussi à l'examen médical qu'il lui faudrait subir la semaine suivante. Voilà une chose qui l'affolait peut-être encore plus que le camp d'entraînement.

Depuis quelques jours, il avait cru remarquer que son cœur battait souvent de façon tout à fait irrégulière. Et fort. Beaucoup trop fort ! Lorsqu'il était couché ou seul dans une pièce silencieuse, il l'entendait tout le temps. Toujours plus fort ! Boum ! Boum ! Boum ! Il en était venu à croire qu'il avait peut-être quelque chose, une maladie ou une anomalie que les médecins des Canadiens ne tarderaient pas à découvrir. Et ils le déclareraient inapte à jouer au hockey dans une formation professionnelle.

Il se leva sans faire de bruit, pour ne pas déranger Élise et Jean qui devaient encore dormir là-haut. Il s'habilla et monta sur la pointe des pieds dans l'immense living. Par les grandes fenêtres, il voyait le fleuve sous les nuages rouges du levant. Il regarda les bibelots, les tableaux et les trophées, un Art Ross, un Hart, un Connie Smythe, des photos toutes bien montées de Béliveau en pleine action dans l'uniforme des As seniors ou des Canadiens de Montréal, ou avec Élise et les enfants devant la tour Eiffel ou à Londres et à New York... Sur une table basse, il y avait un paquet de photos-souvenirs prises la semaine précédente, le jour des quarante ans de Jean. Élise lui avait organisé une fête réunissant des amis et des parents, quelques joueurs des Canadiens et des gens que Guy ne connaissait pas, du grand monde solide, visiblement à l'aise, des gens sûrs d'eux-mêmes.

Il considérait cet ordre opulent et serein qui régnait dans la maison de son idole, cette carrière bien remplie, bien menée, avec classe, sans bavure, sans erreur. Et il pensait à la sienne, encore vierge, un grand vide à combler. Comment serait-elle ? Quelle sorte de joueur serait-il devenu dans vingt ans ? Il avait l'impression qu'on avait souvent décidé à sa place, on lui avait confié d'autorité toutes sortes de responsabilités et de missions. Depuis deux ans, les journalistes ne cessaient de le décrire comme un second Jean Béliveau. Mais aurait-il un jour la belle assurance et la force tranquille de celui qui dormait là-haut ? Et son cœur battait encore. Trop fort. Boum ! Boum ! Boum !

On lui mettait énormément de pression sur le dos. Quelques jours plus tôt, il était encore question de lui donner le chandail numéro 4, celui de Béliveau, qu'avaient porté également deux des plus grands joueurs de toute l'histoire du hockey, Newsy Lalonde (qui venait de mourir à l'âge de quatre-vingt-trois ans) et Aurèle Joliat qui à soixante-dix ans patinait encore tous les jours d'hiver sur le canal Rideau à Ottawa. Trois hommes légendaires dont on voulait qu'il prenne la relève.

Les journalistes présentaient Lafleur comme le dauphin de cette prestigieuse dynastie, le légitime dépositaire de la gloire et de l'âme des Canadiens de Montréal, celui qui seul pouvait assurer la continuité, perpétuer la tradition, sortir le club de l'ombre où il risquait de s'enliser s'il n'avait pas de très grandes vedettes. Presque toujours en effet, les Canadiens de Montréal avaient compté dans leurs rangs une électrisante superstar, Howie Morenz, Maurice Richard, Jean Béliveau, des hommes qui dominaient l'équipe par leur prestige et leur talent. Le prochain serait Guy Lafleur. On écrivait à pleines pages des choses énormes sur lui, qu'il serait un sauveur, qu'il remplirait le Forum, qu'il marquerait les années 70, comme Morenz avait marqué les années 30, comme Richard avait marqué les années 40 et 50 et Béliveau, les années 60. Pour un gars de dix-neuf ans, c'était terriblement lourd à porter. Par moments, ça lui donnait des ailes. Mais souvent aussi c'était étouffant.

Jean Béliveau, réputé homme de bon conseil, pondéré, réfléchi, qui vingt ans plus tôt était lui aussi arrivé de Québec précédé d'une écrasante renommée, lui avait conseillé de prendre un autre numéro que le sien.

« N'essaie pas d'être un deuxième Jean Béliveau. Sois le premier Guy Lafleur. Prends-toi un numéro et fais ta propre marque. »

Ce n'était pas nécessairement moins lourd à porter. Mais au moins, si jamais ça tournait mal, il ne risquait pas de décevoir.

Il alla marcher une petite heure le long du fleuve. Quand il rentra, ça sentait si bon dans la maison que le cœur lui chavira. Il s'assit dans la grande cuisine, timide, heureux, et déjeuna avec l'homme qu'il admirait le plus au monde. Quatre œufs, du bacon, beaucoup de café.

Comme chaque fois qu'il l'avait rencontré, Jean Béliveau lui parla tout de suite de choses très sérieuses, non pas de hockey directement, mais de la façon dont il entendait conduire sa carrière, de ce que seraient vraisemblablement ses premières années, « les plus difficiles », de la patience qu'il devrait pratiquer, du respect à porter en tout temps à l'équipe.

Ainsi était Jean Béliveau avec Guy Lafleur, très paternel.

« Si jamais tu as besoin de parler, viens me voir. Je t'aiderai. »

Après lui avoir raconté quelques grands moments de sa carrière, il ajouta :

« Tu vas voir comme tout ça passe vite ! »

*
**

Le 11 septembre, Guy Lafleur se présenta à l'examen médical. Les médecins furent effectivement étonnés par son cœur. Mais contrairement à ce qu'il craignait, ils ne manifestèrent aucune inquiétude. Ils étaient absolument ébahis. Guy Lafleur avait un cœur d'athlète idéal, un rêve. Au repos, il battait à moins de quarante pulsations à la minute. Comme le célèbre cœur d'Eddie Merckx, le champion cycliste belge, dont toute la médecine sportive internationale parlait alors comme d'une pure merveille. Et Lafleur possédait comme Merckx une formidable faculté de récupération, c'est-à-dire qu'après un effort violent et prolongé, son rythme cardiaque revenait très rapidement à la normale. Il était musclé, souple, étonnamment fort, tous ses réflexes étaient vifs et sûrs. On avait rarement vu, dans la clinique des Canadiens, une aussi belle, une aussi parfaite machine de hockey. À partir de ce moment-là, Lafleur cessa comme par enchantement d'entendre battre son cœur de façon intempestive.

Ce jour-là, il alla s'asseoir tout seul dans la chambre des joueurs, lieu sacré et fermé, auquel jamais le commun des mortels n'avait accès. C'était une sorte de grotte creusée à même l'énorme masse du Forum, du côté ouest, près de la rue Atwater. Il regardait, sur les murs, les photos des héros qui l'avaient précédé ; les Dickie Moore, Bernard Geoffrion, Jacques Plante, Aurèle Joliat, Newsy Lalonde, Maurice Richard... Ils étaient tous là, ces demi-dieux, qui l'observaient et semblaient proférer à son intention ces vers tirés du grand poème de guerre de John McCrae, *Flanders Fields*, que Dick Irvin, instructeur-chef des Canadiens de 1940 à 1955, avait fait inscrire dans les deux langues au-dessus de cette galerie de photos : « To you with failing hands we throw the torch. / Nos bras meurtris vous tendent le flambeau. À vous de le porter toujours bien haut. »

Il voulait bien porter le flambeau. Il le voulait de toutes ses forces. Mais tout le battage publicitaire qu'on faisait alors autour de lui commençait à lui peser beaucoup. On le présentait comme le sauveur d'une équipe déjà championne, la meilleure équipe de hockey au monde ; elle venait même de remporter la coupe Stanley. Jean Béliveau était parti, mais il y avait encore de brillants joueurs tant défensifs qu'offensifs. Quel besoin les Canadiens avaient-ils d'un sauveur ? Que lui voulait cette grande ville brutale et froide ?

Une semaine plus tard, le 18 septembre 1971, il joua sa première partie dans l'uniforme des Canadiens de Montréal, un match de pré-saison contre les Bruins de Boston. On ne lui donna pas beaucoup de temps de glace, mais il récolta quand même deux assistances. Et les journalistes, qui l'avaient suivi de très près depuis le début du camp d'entraînement, écrivirent sur lui de fort belles choses : il patinait extraordinairement bien, il savait être agressif, il anticipait le jeu comme pas un, son lancer était puissant et précis, bref il tiendrait fidèlement ses promesses.

Il fut flatté, mais inquiet. Il n'avait strictement rien promis, lui. C'était tout le monde, les journalistes surtout, qui avait fait des promesses à sa place et pris des engagements en son nom. Il était heureux de les voir s'occuper de lui, mais il aurait apprécié, au moins au début, qu'ils le laissent un peu dans l'ombre, qu'ils cessent un moment de l'observer à la loupe.

En fait, en lisant les journaux et en écoutant la radio sportive, il commençait à comprendre qu'on lui demandait non seulement de compter des buts, mais de le faire avec éclat. C'était la foule, le grand public de Montréal qui voulait un show, de la magie... Voilà ce qu'on attendait de lui.

Il n'avait encore rien fait, seulement le camp d'entraînement, et déjà tous parlaient de lui. Même les intellectuels et les artistes. Le très austère magazine *Maclean* le mit en page couverture et titra en grosses lettres rouges : « Il fallait une vedette. » « Pourquoi une vedette ? se demandait-il. Je suis un joueur de hockey, moi. » Il se rendait bien compte qu'il avait l'attention et le respect inconditionnel des gens des médias, insatiables chasseurs de sensations, mais les hommes de hockey, ceux qui connaissaient vraiment le sport, n'étaient pas encore convaincus. Et à leurs yeux, aux yeux de ses pairs, seules gens qu'il respectait vraiment, Guy Lafleur n'avait pas encore fait ses preuves. Or c'était leur opinion à eux qui comptait le plus pour lui. Les artistes de variétés avaient beau prétendre qu'il était une vedette et possédait un charisme à tout casser, ça n'en faisait pas pour autant un plus grand joueur de hockey.

Mais il se laissait faire, se laissait photographier, confesser et citer, même si ça le mettait un peu mal à l'aise, surtout avec ses coéquipiers à qui des gens plus ou moins compétents en la matière l'imposaient comme le meilleur, le plus brillant d'entre eux.

Un jeune écrivain, Victor-Lévy Beaulieu, un fumeur de pipe, grosse barbe, cheveux longs, blue-jeans et chemise à carreaux, était venu l'interviewer. Il lui avait parlé de hockey, mais aussi de bien d'autres choses sur lesquelles il n'avait absolument rien à dire, la politique, le rock and roll, les syndicats, le féminisme, le procès des terroristes qui avaient enlevé Pierre Laporte, le rôle des vedettes dans la société, ce qu'il pensait de ci et de ça. Comment aurait-il pu répondre à tout cela ? Est-ce qu'on demandait à Robert Bourassa, à René Lévesque ou à Robert Charlebois de jouer au hockey ou de courir le mille en moins de quatre minutes ? Pourquoi aurait-il dû, lui, tout savoir, tout connaître, pouvoir tout faire ?

Deux jours après le match contre Boston, le 20 septembre 1971, Guy Lafleur eut vingt ans. « Vingt ans le 20, c'est ton année chanceuse », disaient ses amis venus de Québec pour le fêter. Ils avaient apporté un gros gâteau avec vingt chandelles qu'ils lui remirent dans un restaurant de la rue Sainte-Catherine. Il n'y eut pas de cuite cette fois. Lafleur fut même l'un des premiers à partir. Il était sérieux, heureux aussi et excité. Mais il sentait qu'il ne serait pas guéri de Québec avant très longtemps. Surtout que cette première saison avec les Canadiens ne fut pas extraordinaire. Ou pas assez extraordinaire.

En réalité, il eut une honnête saison. Mais les attentes étaient si fortes que tout le monde fut plus ou moins déçu. N'importe quelle autre recrue aurait compté vingt-neuf buts et obtenu trente-cinq passes à sa première saison dans la Ligue nationale, qu'on aurait crié au génie. Il était en effet au cinquième rang des compteurs de son équipe et le vingt-huitième de la ligue. Mais de Guy Lafleur, on attendait beaucoup plus, de l'inouï, du jamais vu.

Ses rivaux de toujours, repêchés par des clubs moins prestigieux (mais infiniment plus généreux en glace et en argent) de la Ligue nationale, avaient inscrit de meilleurs scores. Marcel Dionne, qui jouait avec les Red Wings de Detroit récoltait soixante-dix-sept points, Richard Martin des Sabres de Buffalo, soixante-quatorze. On commençait même dans certains milieux à chuchoter que le brillant Sam Pollock s'était peut-être trompé, qu'il aurait mieux fait de jeter son dévolu sur des gars comme Perreault, Martin ou Dionne.

Claude Ruel était outré. « Quand Lafleur comptait cent trois buts avec les Remparts, tout le monde disait que c'était parce qu'il jouait avec des pas bons. Aujourd'hui que c'est au tour de Dionne ou de Perreault de jouer avec des pas bons, vous les encensez à tour de bras chaque fois qu'ils comptent un but. Vous oubliez que Lafleur joue avec les meilleurs au monde. Je vous le dis, moi, que c'est un très grand joueur. Vous allez voir. C'est une question de temps. »

En fait, ce que Ruel n'osait pas dire trop ouvertement, parce qu'il était mal placé pour le faire, c'était que Lafleur ne disposait pas d'autant de glace que Dionne et compagnie pour se faire valoir. Les Canadiens disposaient de joueurs de centre et d'ailiers droits très efficaces, des vétérans comme Cournoyer, Henri Richard, Lemaire, Mahovlich, et même Larose et Houle. Il ne pouvait être question de laisser ces hommes sur le banc. Ils avaient fait leurs preuves et mérité leur glace à la sueur de leur front. Pas Guy Lafleur.

Les gens de Québec détestèrent alors profondément Bowman et Pollock et même tout Montréal. Quoi ! ils avaient donné à cette ville sans cœur le meilleur d'eux-mêmes et elle ne savait même pas le reconnaître à sa juste valeur ! On le laissait sécher sur le banc des joueurs, comme n'importe quelle petite recrue sortie d'un collège américain !

Les Québécois avaient l'impression d'avoir été floués. Les gens de Thurso aussi étaient fort mécontents. Beaucoup d'entre eux continuaient cependant de venir voir jouer Lafleur au Forum, le samedi soir, et ils allaient le saluer après le match.

Un beau soir qu'ils l'attendaient devant la chambre des joueurs, ils aperçurent Scotty Bowman. Quelqu'un, un avocat bien connu dans l'Outaouais, dit alors très fort : « Celui-là, il aurait pu rester à St. Louis, personne n'aurait pleuré ! » Scotty Bowman se retourna vers les Thursois. Il avait évidemment compris. Né et élevé à Montréal, étoile des Canadiens juniors jusqu'à ce qu'il soit grièvement blessé pendant un match, Bowman parlait assez bien français. Mais il ne répliqua pas. Il les couvrit seulement de son regard glacial, en faisant son si caractéristique mouvement circulaire des mâchoires, avançant le menton à plusieurs reprises, comme s'il était en train de se limer les dents. Puis il haussa les épaules et s'en alla. Au cours des semaines suivantes, comme pour narguer ses détracteurs, il donna encore moins de glace à Lafleur. Celui-ci ne pouvait lui parler. Ça ne se faisait pas. En signant avec les Canadiens, il avait fait vœu d'obéissance aveugle et absolue.

Bowman avait décrété que Guy Lafleur était un joueur de centre naturel. Il l'aligna avec Pete Mahovlich et Yvan Cournoyer. Et pendant les exercices, il fit effectivement sensation. Bowman triomphait. Mais Lafleur trouvait ces responsabilités de joueur de centre difficiles à porter. C'était lui qui en principe devait préparer les jeux et passer la rondelle à Mahovlich et à Cournoyer.

Le samedi 10 octobre, lors de son premier vrai match dans l'uniforme des Canadiens, il semblait littéralement gelé. Deux semaines plus tard cependant, le 23 octobre, à Los Angeles, alors qu'il montait derrière le grand Pete Mahovlich, celui-ci lui abandonna la rondelle, et Lafleur, d'un formidable lancer frappé, la logea derrière le gardien des Kings, Gary Edwards. Tout s'était passé si vite qu'il fut encore plus surpris que le gardien qu'il venait de déjouer. Il n'eut aucune réaction, ni sourire, ni salut, ni révérence à la foule, comme font d'habitude les joueurs lorsqu'ils viennent de marquer un but et veulent manifester leur joie. Le grand Pete revint vers lui et le bourra d'affectueux coups de poing. Puis il le prit à bras le corps et le tourna en riant vers la foule.

Il y eut d'autres buts, quelques belles passes, des jeux intelligents et originaux. Mais Lafleur découvrait qu'il n'était pas vraiment à l'aise comme joueur de centre. Or plutôt que de le changer de position, Bowman le relégua aux côtés de Réjean Houle et de Marc Tardif, dans un trio moins prestigieux, moins bien nanti de glace.

En décembre, suprême humiliation, Lafleur fut copieusement hué par le public du Forum de Montréal, le plus intelligent public de hockey au monde. Il avait laissé filer quelques bonnes passes et malencontreusement brisé des jeux qu'il avait mal compris. Ainsi, même le grand public était déçu et commençait à dire qu'il n'était peut-être pas un vrai grand joueur de la trempe de Béliveau.

Quelques méchantes langues parlèrent même de favoritisme. On chuchotait en effet que l'organisation des Canadiens voulait tellement avoir une vedette francophone, pour satisfaire son public, qu'elle était prête à imposer Lafleur à n'importe quel prix. Un journaliste américain écrivit que si Lafleur s'était appelé John Smith il aurait probablement déjà été renvoyé à Halifax, chez les Voyageurs de la Ligue américaine, club vassal des Canadiens. Il était vrai que depuis les années 40, la grande équipe avait toujours eu des vedettes francophones et que, depuis le départ de Béliveau, on n'y trouvait pas de nouveau grand joueur autochtone.

Lafleur, évidemment sensible à ces rumeurs, se renfrogna. Il ne parlait à personne. Pas même à ses coéquipiers. Il arrivait toujours aux exercices le premier, travaillait avec cœur, de toutes ses forces. Mais il restait tout seul dans son coin. Deux joueurs s'approchèrent alors de lui, le plus gentil et le plus baveux de l'équipe.

Pierre Bouchard, d'abord. Il savait, lui, ce que c'était de sécher sur le banc des joueurs et de n'avoir que quelques minutes de glace par match. Il avait été repêché par l'organisation des Canadiens en 1965, à l'âge de dix-sept ans, et on l'avait laissé poireauter pendant cinq ans chez les Canadiens juniors avant de l'inviter à joindre la grande équipe professionnelle. Et depuis, on lui mesurait sa glace avec parcimonie.

Pierre était un vrai bon gars, chaleureux, doux, généreux, spirituel, qui aimait beaucoup rire et faire rire et affichait un magnifique sens de l'humour. Même au plus fort de la déprime, il trouvait le tour de s'amuser à ses propres dépens. Il apprit à Lafleur à exprimer ses sentiments, à manifester son mécontentement, à rire de lui, à voir le beau côté des choses. Mais surtout, il l'aida à redécouvrir qu'il y avait autre chose dans la vie que le hockey. Il l'initia aux cartes. Lafleur n'aimait pas vraiment le jeu, mais se plaisait en compagnie de joueurs. Cette amitié que lui portait le gros Pierre le réconfortait. Ce dernier lui fit rencontrer ses amis, sa famille. Son père avait un restaurant, boulevard de Maisonneuve, où ils prirent l'habitude de se retrouver après les matchs. Pierre Bouchard avait beaucoup de respect pour Lafleur.

« Tu as du talent, toi. Beaucoup plus que moi. Tu vas t'en sortir, c'est évident. Piton a raison. C'est une question de temps. »

L'autre joueur qui vint vers Lafleur, ce fut l'inévitable Pete Mahovlich, l'un des bons compteurs du club, vingt-cinq ans, ailier gauche, six pieds et cinq pouces, deux cent quinze livres, un gars imposant et envahissant, gueulard, parfois raseur, excessif en toutes choses, mais d'une énorme générosité. Il avait décidé de prendre le jeune Lafleur sous son aile. Il répondait souvent aux journalistes à sa place, se présentant comme son mentor et son « père spirituel ». Lafleur, qui ne parlait pas encore bien anglais et qui, même en français, n'avait pas la parole facile, se laissait facilement impressionner et embobiner par lui. Il se sentait parfois coincé dans cette inconfortable amitié. Il subissait les claques dans le dos et les sarcasmes du grand Pete qui après chaque match et chaque séance d'entraînement faisait devant tous, dans la chambre des joueurs, une critique de la performance de son protégé. Celui-ci ne savait jamais quoi dire, ni comment réagir. Pete Mahovlich parlait toujours plus fort que tout le monde. Et il finissait souvent ses exposés en exigeant que Guy l'approuve.

« C'est vrai ou c'est pas vrai, ce que je viens de te dire, *young man* ?

— Mais oui, Pete, c'est vrai. Tu as raison.

— Tes passes sont trop molles !

— Oui, Pete.

— Faudra que tu y mettes un peu plus de nerf, d'accord ?

— Oui, Pete, d'accord. »

Au-dedans de lui, Guy avait l'absolue certitude qu'un jour il mettrait le grand Pete à sa place et qu'il lui fermerait la gueule. Ça aussi, c'était une question de temps. Peu à peu, il s'était pris d'affection pour lui. Le grand Pete ne disait après tout que la vérité. Il était même le seul à ne pas s'être laissé obnubiler par tout ce qu'avaient écrit les journalistes sur le messie Lafleur. Il ne se sentait pas obligé de le flatter bassement, ni de fermer les yeux sur ses erreurs comme faisaient tous les autres. Lafleur se mit à respecter le grand Pete pour cette franchise qu'il avait.

Guy ne pouvait cependant rien tirer de Scotty Bowman. L'homme était absolument imperturbable et impénétrable. Bowman « the Iceman », l'homme de glace ! Il donnait ses ordres, entendait qu'on les exécute sans mot dire et n'expliquait rien à personne, pas de félicitations, rarement un reproche, jamais la moindre consultation. Guy Lafleur, habitué à travailler en étroite collaboration avec des hommes comme Madden et Filion qui lui faisaient confiance, le consultaient et l'écoutaient, était perplexe et totalement désemparé devant Bowman et ne savait quelle attitude adopter.

Sam Pollock et Ruel cependant ne perdaient pas confiance. Ils avaient remarqué que chaque fois que Lafleur subissait un coup dur, il finissait tôt ou tard par réagir de façon spectaculaire. Ainsi, le 17 décembre, quelques jours après qu'on l'eut hué de si cruelle façon au Forum, il compta trois buts, son premier truc du chapeau, contre les Canucks de Vancouver.

Il savait dès lors avec qui il aimait jouer. Plus qu'avec Houle ou Tardif, Mahovlich ou Cournoyer, c'était avec Jacques Lemaire. Il ne pouvait expliquer ce qui se passait entre eux. Quelque chose comme de la musique, une harmonie parfaite, totale. Il lui semblait par moments qu'ils étaient tous les deux seuls sur la glace parmi les ennemis nombreux qu'ils déjouaient l'un après l'autre, se passant et se repassant la rondelle avec une précision incroyable. Non seulement il savait toujours où se trouvait Lemaire, mais il savait en outre où il se trouverait, où il lancerait. Il pouvait toujours deviner et anticiper son jeu. Il découvrait un plaisir de jouer qu'il n'avait jamais connu avec qui que ce soit, tellement excitant que lorsque Bowman les envoyait ensemble sur la glace (en compagnie de Houle ou de Cournoyer ou de Tardif, peu importe), Lafleur ressentait un trac tout nouveau; il craignait que la magie ne soit pas là. Mais chaque fois, ils la retrouvaient. Comme s'ils n'avaient été qu'un. Lemaire le devinait aussi, l'anticipait toujours parfaitement.

En dehors de la glace, jamais ils ne parlaient de ce puissant *feeling* qu'il y avait entre eux. Par superstition, sans doute, de peur qu'il ne se dissipe.

Mais Bowman les changeait constamment de trio. Comment pouvait-il ne pas avoir remarqué qu'ils travaillaient infiniment mieux lorsqu'ils étaient ensemble? Aux fêtes, Lafleur avait réalisé qu'il n'avait pas beaucoup de plaisir à jouer chez les Canadiens, à part cette espèce d'idylle avec Lemaire et son amitié avec Pierre Bouchard. Il s'ennuyait mortellement, passait des heures seul dans son appartement à regarder couler le fleuve et le soleil se coucher derrière le mont Royal.

En février, un samedi soir de relâche (les Canadiens avaient joué en matinée contre les Black Hawks de Chicago), il assista au Tournoi international pee wee de Québec où il s'était jadis distingué. Dès qu'on eut annoncé qu'il se trouvait dans la foule, le Colisée se souleva comme une masse et lui fit une ovation monstre. Ainsi, les gens de Québec ne l'avaient pas oublié. Ils l'aimaient toujours. Ils lui faisaient encore confiance.

En regardant les petits pee wees exécuter sur la glace leurs touchantes maladresses, il repensait avec nostalgie au bon temps qu'il avait connu, un siècle plus tôt, dans le hockey mineur, quand il n'avait pas de soucis d'aucune sorte et de la glace à perte de vue, donnée sans compter. Il comprit ce soir-là, assis avec Paul Dumont dans les gradins du Colisée, qu'il était désormais irrémédiablement coupé de son enfance. Ça restait bien sûr en lui, comme un soleil froid, de plus en plus lointain, pâlissant. Il n'était définitivement plus un enfant. Il était devenu un adulte. Et il réalisait que les choses ne s'arrangeraient plus jamais d'elles-mêmes, comme autrefois. Il devrait se prendre en main, décider, s'affirmer, lutter. Et ne compter désormais que sur lui. Jusque-là, tout lui avait été donné. Maintenant, il devait prendre. Apprendre à prendre.

Après le match, il alla dîner avec Paul Dumont, Maurice Filion et quelques autres, à l'Aquarium, un restaurant célèbre du Vieux-Québec. Ils jasèrent jusque tard dans la nuit de ce qui à l'époque était le grand sujet de conversation dans le monde du hockey, l'encan géant qui venait d'avoir lieu (le 12 février 1972 plus précisément) au Royal Coach Inn d'Anaheim, près de Los Angeles. L'Association mondiale de hockey, fondée par un visionnaire excentrique, Gary Davidson, avait repêché plus d'un millier de joueurs dont le vétéran Gordie Howe (le plus grand compteur de tous les temps) qui décidait de faire un retour au jeu. L'Association mondiale allait rivaliser avec la Ligue nationale. Toutes la géographie et l'économie du hockey nord-américain étaient en train d'être remaniées.

Dumont enrageait. Selon lui, ces «foleries» allaient tuer le hockey. D'abord le hockey junior : l'Association mondiale repêchait en effet les joueurs dès l'âge de dix-huit ans, de sorte que toutes les ligues juniors allaient bientôt perdre leurs meilleurs éléments. Mais en plus, le hockey professionnel s'en ressentirait rapidement. La Ligue nationale devrait elle aussi, si elle voulait rester dans la course, repêcher des joueurs de cet âge. Par conséquent, la qualité de son hockey s'en ressentirait.

«Maurice Richard a raison, disait Dumont. Il a tout de suite compris ce qui se passerait. Dans son temps, c'étaient les cent cinquante meilleurs joueurs au monde que tu voyais sur la glace, la crème de la crème. Aujourd'hui, avec l'expansion et avec en plus cette maudite Association mondiale, tu auras affaire aux deux mille ou aux trois mille meilleurs joueurs. On n'aura plus jamais le hockey qu'on avait.»

Mais autre chose ce soir-là alimentait la conversation autour de la table de l'Aquarium, un troublant incident qui s'était produit lors de ce fameux encan du Royal Coach Inn d'Anaheim. Un avocat torontois, Alan Eagleson, avait suggéré aux directeurs généraux des clubs de l'Association mondiale qu'ils pourraient peut-être repêcher Guy Lafleur, s'ils voulaient constituer un bon club à Québec. Il rappela que celui-ci n'avait pas vingt ans au moment de son engagement chez les Canadiens et que, par conséquent, son contrat n'était probablement pas valide. Paroles en l'air, évidemment, mais qui eurent, dans le milieu, l'effet d'une bombe incendiaire. Les patrons de la Ligue nationale, déjà peu sympathiques à l'AMH, furent indignés. Non seulement les frénétiques de l'AMH étaient-ils en train de vider le hockey junior de ses forces vives, mais ils venaient en plus repêcher des joueurs dans leurs propres eaux.

Lafleur aussi fut choqué. À la première occasion, il déclara aux journalistes qu'il ne comptait pas revenir sur sa décision, et qu'il trouvait les allégations d'Alan Eagleson blessantes et enrageantes.

« Je ne vois pas comment cet animal-là que je n'ai jamais rencontré de ma vie peut penser que je suis le genre de gars à revenir sur sa parole. »

Il avait cependant ajouté qu'à la fin de son contrat de deux ans avec les Canadiens, lorsqu'il aurait dûment rempli ses engagements à Montréal, il irait avec plaisir jouer à Québec, si on lui faisait d'intéressantes propositions. Cela ne tomba pas dans l'oreille d'un sourd. Des hommes d'affaires de la Vieille Capitale avaient formé une corporation en vue d'obtenir une franchise de l'AMH. On avait déjà trouvé un nom pour le nouveau club, les Nordiques, et on avait commencé à aligner quelques joueurs, tous québécois. Maurice Richard lui-même allait faire partie de l'organisation, de même que l'ex-Premier ministre Jean Lesage. On allait enfin tenter de réaliser le bon vieux rêve d'un club véritablement national. Mais il fallait une tête d'affiche. Et on s'était mis dans la tête d'aller chercher Guy Lafleur.

En attendant, celui-ci devait finir son contrat à Montréal. Ce n'était toujours pas le bonheur, mais au moins, il voyait le bout du tunnel. Dans un an et demi, il serait de retour à Québec. Dans son cœur, il avait déjà dit oui au nouveau club québécois. Ce n'était un secret pour personne.

La lecture des journaux du 17 mai 1972 allait mettre Sam Pollock d'assez mauvaise humeur. On y rendait compte de la conférence de presse tenue la veille à Québec au Château Frontenac pour annoncer officiellement la formation des Nordiques de l'Association mondiale. On notait la présence d'un grand nombre de journalistes et de nombreuses personnalités du monde du sport, parmi lesquelles, au premier plan de la plupart des photos accompagnant les textes, on reconnaissait Guy Lafleur, le numéro 10 des Canadiens de Montréal. Il arborait partout un large sourire détendu et frais que Sam le Renard ne lui avait jamais vu. Pour la première fois, celui-ci fut vraiment inquiet et se mit à douter de son choix. Il se demandait s'il ne s'était pas trompé en sortant Lafleur de son environnement naturel. Visiblement, ce gars-là était parfaitement heureux, efficace et performant lorsqu'il se trouvait à Québec, et maladroit et malheureux à Montréal.

Les Canadiens venaient d'être défaits, en finale de la coupe Stanley, par les Bruins de Boston. Montréal était déçu. Et de Guy Lafleur. Et de Scotty Bowman. Deux hommes que Sam Pollock avait imposés à l'Organisation. À côté des vrais grands joueurs qu'alignaient les Bruins, Bobby Orr et Phil Esposito en tête, le pauvre petit Lafleur ne faisait vraiment pas le poids. Pourtant, pensait le Renard, il a tout ce qu'ils ont et même plus.

Sauf la foi. À Montréal, il n'éprouvait pas vraiment le désir de gagner, d'être le meilleur. Toute l'année, il avait arboré une tête d'exilé en peine. Or partout sur ces photos de presse du 17 mai, il rayonnait, il avait le regard et le sourire d'un conquérant, d'un champion. Sam Pollock crut que c'était l'air de Québec. Et que l'organisation des Nordiques avait fait à Lafleur des propositions qui le rendaient heureux.

Ça n'avait rien à voir. Guy Lafleur souriait tout simplement parce qu'il était amoureux pour la première fois de sa vie. Sam Pollock ne pouvait pas savoir. Lafleur lui-même l'ignorait encore.

*
**

Dans les premiers temps, à Montréal, Guy Lafleur téléphonait à Limoilou presque chaque jour, chez Madame Baribeau ou au Cendrillon où il parlait aux serveuses, aux clients, au chef, au plongeur, à Lorenzo ou à Jean-Yves Doyon à qui il demandait : « Quand est-ce que tu montes ? », « T'en viens-tu ? », « Qu'est-ce que vous faites ? ».

Chaque fois que Doyon avait le temps, il montait faire un tour à Montréal. Et quand Lafleur avait congé, il sautait dans sa Riviera et s'en allait rejoindre la gang à Limoilou. Madame Baribeau lui avait dit qu'il aurait toujours une chambre chez elle. Il lui apportait des fleurs, parfois une bouteille de parfum ou du vin.

Cependant, l'organisation des Canadiens ne voyait pas ces excursions d'un très bon œil. Jean Béliveau crut même devoir intervenir : « Tu ne peux pas jouer à Montréal quand ton cœur est à Québec. » Daignant pour une fois sortir de son mutisme, Scotty Bowman fit venir Lafleur à son bureau, le regarda dans les yeux et lui dit quatre mots exactement : « Get yourself together, Guy. »

Sam Pollock s'inquiétait. Il n'ignorait pas que Lafleur conduisait toujours très vite. Il savait aussi qu'il avait eu un accident sur l'autoroute 20, à la hauteur de Saint-Apollinaire. C'était arrivé un lundi matin, alors qu'il ramenait Madame Baribeau à Québec où il comptait passer la journée. S'étant rendu compte à la toute dernière seconde que la voie de gauche dans laquelle il se trouvait avait été barrée, pour quelques travaux de réfection, il avait freiné brusquement et exécuté un dérapage parfaitement contrôlé. Mais la voiture qui suivait avait embouti la Riviera. Rien de grave.

« Tu as été chanceux, lui dit Béliveau. On ne peut pas se payer le luxe de te perdre, Guy. Sam Pollock veut que tu cesses d'aller à Québec ou que tu y ailles moins souvent. »

Lafleur détestait Montréal. Il étouffait dans cette ville. Il ne se sentait pas chez lui, ni dans les rues de la ville, ni sur la glace du Forum. Il passait des soirées complètes seul chez lui à écouter Barbra Streisand et Mireille Mathieu, à écrire des poèmes et à s'ennuyer. Il allumait des chandelles qu'il regardait fondre dans l'obscurité.

De même qu'il s'était d'abord lié à Québec avec le personnel du Colisée et du Cendrillon, puis avec les préposés à l'entretien du Forum, il s'était fait un ami du concierge des tours Iberville, Monsieur Riverin, un gros bonhomme jovial qui l'invitait souvent à prendre un café ou à dîner avec lui et sa femme. Les Riverin voyaient bien qu'il s'ennuyait à périr. Ils lui disaient : « Sors ! Qu'est-ce que tu attends ? C'est plein de belles filles qui n'attendent que toi. » Mais il ne savait où aller. Riverin lui avait prêté une clé passe-partout qui donnait libre accès à la piscine et au gymnase. Quand il avait le choix, Lafleur préférait s'entraîner dans ce petit coin tranquille plutôt qu'au Forum.

Un jour, Riverin vint lui dire qu'une fille de Québec venait d'emménager dans le building, au onzième étage, une belle fille, seule, à peu près vingt ans, très distinguée, apparemment libre.

« Si j'étais toi, disait-il à Lafleur, j'irais voir ça de plus près. J'ai son nom ici, Lise Barré.

— Lise Barré ? Qu'est-ce qu'elle fait dans la vie ?

— Elle est hôtesse de l'air.

— Alors je la connais. C'est la fille de Roger Barré !

— Raison de plus pour y aller. Si tu la connais, les premiers pas sont déjà faits. »

Mais ce n'était pas si simple. Lise Barré était une fille de riche. Tout le monde à Québec connaissait son père, un gros brasseur d'affaires, actionnaire des nouveaux Nordiques et concessionnaire General Motors. Un jour, du temps qu'il jouait pour les Remparts, Lafleur était allé voir les voitures en montre chez Barré Automobiles. Le patron en personne était venu lui serrer la main et avait engagé la conversation avec lui. Roger Barré était un homme affable et rieur avec qui on se sentait tout de suite à l'aise. Pendant qu'ils examinaient les Corvette, une fille était apparue sur la mezzanine, juste au-dessus d'eux. Et Roger Barré avait fait les présentations : « Guy, je te présente ma fille, Lise. »

Lafleur avait levé la tête. Dans la position où il se trouvait, en contre-plongée, il avait une vue imprenable sur ses admirables jambes. Un peu troublé, il lui avait adressé un grand sourire. Mais elle avait été très froide. En tout cas, c'était le souvenir qu'il gardait de cette rencontre. Alors que tous les vendeurs et les secrétaires étaient énervés par la présence de Guy Lafleur, déjà grande vedette à Québec, elle l'avait à peine regardé. Lafleur l'avait trouvée snob et hautaine. Et n'avait pas tellement envie d'aller la voir. Rien ne lui disait qu'elle avait changé. Et il n'avait pas envie qu'on le traite de haut.

« Tu sais, lui disait Riverin, les trois quarts du temps, les gens sont snobs parce qu'ils sont gênés.

— Pas nécessairement ! Mon père est gêné ; mais personne au monde pourrait dire qu'il est snob. Même chose pour moi.

— Tu devrais au moins aller voir, Guy. Tu n'as rien à perdre à la saluer ; dis-lui que si jamais elle a besoin de quelque chose, elle peut compter sur toi. Que si, des fois, par exemple, elle veut descendre à Québec, tu peux lui servir de chauffeur. »

Au bout de quelques jours, Lafleur se résolut à lui rendre visite. Elle le reçut très gentiment, lui servit un verre ; ils parlèrent de Québec, d'automobiles, de hockey, de Roger Barré. Ils devinrent rapidement bons amis et prirent l'habitude d'aller nager ensemble. Mais contrairement à ce que croyait Riverin, Lise avait quelqu'un dans sa vie, un gars qu'elle voyait de temps en temps et dont Lafleur ne put savoir grand-chose. Lise était très volubile et curieuse, mais elle n'aimait pas beaucoup parler d'elle. Contrairement à Guy, elle était fort heureuse d'avoir quitté Québec. Elle voulait vivre à Montréal, à Paris, à New York, voyager, voir tous les pays du monde. C'était pour ça qu'elle était devenue hôtesse de l'air. Elle aimait les grandes villes, la vie d'hôtel. Et elle était effectivement souvent absente.

Un samedi soir de printemps, après un match au Forum au cours duquel il avait fort bien joué, Lafleur sonna chez elle. Pas de réponse. Son vol avait sans doute du retard. Il prit le passe-partout que Riverin lui avait donné et entra. Il s'ouvrit une de ces petites bouteilles de cognac qu'on distribue à bord des avions, s'installa dans un fauteuil et feuilleta des magazines en écoutant de la musique.

En entrant chez elle, quelques heures plus tard, Lise Barré le trouva assoupi. Elle pénétrait en fait sur un territoire que Guy Lafleur venait de s'approprier, comme il prenait possession, plusieurs heures avant les matchs, des patinoires où il allait se produire. À son insu, il était entré dans sa vie.

Ils parlèrent de tout et de rien. À trois heures du matin, Lafleur lui dit bonsoir et monta se coucher, sans même un baiser sur la joue. Au cours des mois qui suivirent, ils seront presque toujours ensemble, à la piscine, au cinéma, au restaurant, à Québec de temps en temps. Il pensait constamment à elle, et elle à lui, mais jamais ils ne s'embrassaient, jamais ils ne se parlaient d'amour. Ils étaient fous l'un de l'autre, même s'ils faisaient semblant de ne pas s'aimer. Leur vie était transformée. Lafleur n'avait plus sa tête d'exilé, mais ce rayonnant sourire et ces airs de conquérant et de champion qui avaient tant inquiété Sam Pollock dans les journaux du 17 mai.

Un jour, peu de temps après qu'elle eut finalement rompu avec son ami, ils se disputèrent. Lafleur était chez elle. Elle était à quatre pattes en train de nettoyer le plancher sur lequel elle avait échappé un œuf. Il lui fit remarquer qu'elle était un peu grassette, et que si elle voulait sortir avec lui, elle ferait mieux de perdre du poids. Elle, fâchée, non pas qu'il l'ait traitée de grassette, mais parce qu'il prétendait qu'elle avait envie de sortir avec lui, lui montra la porte.

Le lendemain, elle se mettait à la diète.

Lafleur cependant s'était fait une vraie blonde, une autre hôtesse de l'air. Lise en avait le cœur brisé, mais elle faisait comme si de rien n'était. Ils étaient presque toujours ensemble, mais n'osaient s'avouer qu'ils étaient au bord de quelque chose de grand, d'effrayant. L'autre hôtesse, Colette, une de ces femmes que les athlètes fascinent, était déterminée à épouser un homme de hockey et ne s'en cachait pas. Lafleur faisait l'amour avec elle de temps en temps. En pensant à Lise. En lui parlant de Lise.

« Je ne te comprends pas, lui disait Colette. Comment ça se fait que tu ne couches pas avec elle ?

— Je ne sais pas. Je la respecte trop, peut-être.

— Charmant ! Et moi, tu ne me respectes pas ?

— Toi, ce n'est pas pareil, tu le sais bien. On couche ensemble. Tu aimes ça, moi aussi. Mais ça finit là, autant pour toi que pour moi. Avec Lise, il y a autre chose.

— Quoi ?

— Je ne sais pas.

— Tu devrais peut-être te brancher.

— J'y pense. »

Au cours de l'été, Lise Barré invita Guy Lafleur à quelques reprises chez ses parents. Ils habitaient une luxueuse maison, à Sillery, un véritable château avec en façade une immense fenêtre panoramique par laquelle on voyait de la rue le monumental escalier en colimaçon qui occupait le centre du grand salon. Il y avait de magnifiques pelouses tout autour, des haies, des massifs de fleurs, une piscine derrière. C'était ce que Guy avait vu de plus beau, de plus riche.

Il était au tout début fort intimidé. Madame Barré, petite femme douce et gentille, ne parlait jamais beaucoup. Roger Barré, un homme fort, brillant, possédant une autorité naturelle et un charisme hors du commun, impressionnait Lafleur. C'était un bourreau de travail, un meneur, capable de brasser de grosses affaires, de tenter la chance, de convaincre. Il aimait parler aussi, il aimait rire et prendre un verre. Il avait réussi et il en était fier, visiblement. Toujours plein d'idées et de projets, il avait l'âme et le charme d'un aventurier. Lafleur admirait la force et la réussite exubérante de cet homme, et aussi cette formidable énergie, cette assurance incassable qu'il manifestait en toutes choses, non seulement dans ses affaires, mais également dans la conversation. Quand Roger Barré parlait, tout le monde l'écoutait et l'approuvait. C'était un être rayonnant. Entre sa fille Lise et lui, on sentait une extraordinaire complicité, une très grande affection, une mutuelle admiration.

Aux yeux de Roger Barré, le jeune Lafleur était doublement intéressant. D'abord, il représentait un fort bon parti pour sa fille. Deuxièmement, il avait été pressenti par l'organisation des Nordiques, dont Barré était l'un des actionnaires.

Lorsqu'il quitta Québec, à la mi-août, Lafleur avait une nouvelle voiture, une Cadillac Eldorado, un produit GM de Barré Automobiles évidemment. Il s'était beaucoup rapproché de Roger Barré. Ils avaient pris quelques bonnes cuites ensemble et beaucoup parlé de tout et de rien, des femmes, des voitures, du hockey. Mais sa relation avec Lise n'avait pas progressé ; ils étaient toujours comme frère et sœur. Leur amitié, vieille de six mois, était restée absolument chaste.

À l'automne, Lise fit redécorer son appartement. Lafleur l'invita alors à venir habiter chez lui, pendant la durée des travaux. Il avait une petite chambre d'amis qu'elle pouvait occuper en attendant, un lit simple, une commode, l'épatante vue sur le fleuve et la ville. Lorsque son appartement fut prêt, deux semaines plus tard, elle continua d'habiter chez Guy. En frère et sœur, toujours. Elle tenait maison, préparait les repas, aidait Lafleur à répondre à son courrier déjà abondant. Beaucoup de jeunes filles lui écrivaient pour lui parler d'amour, beaucoup de jeunes garçons pour lui demander des conseils.

Lise possédait, comme son père, un sens inné de l'organisation et de la planification. En quelques jours, elle mit de l'ordre, non seulement dans le courrier, mais aussi dans les armoires, les penderies, dans la vie de Guy Lafleur.

Celui-ci cependant menait librement sa vie. Tel un bigame, il avait une femme à la maison, qu'il respectait, une complice, une amie, une sœur. Et une maîtresse qui jamais ne venait chez lui.

Mais Lise s'aperçut qu'elle était jalouse de Colette. Elle ne l'avait croisée que deux ou trois fois, même si elles étaient toutes deux hôtesses de l'air à Air Canada. Elle voulait la revoir. Non pas pour lui parler. Mais simplement pour voir le genre de tête et de corps qu'elle avait. Lise comprit alors qu'elle était amoureuse.

Un peu avant Noël, le Club de hockey Canadien organisa une grande fête pour les joueurs, un dîner dansant très chic, dans un grand hôtel du centre-ville. Lafleur invita Colette à l'accompagner. Lise, profondément blessée, n'eut pas un mot de reproche. Elle le laissa se pomponner, se préparer. Dès qu'il fut parti, elle descendit chez les concierges, leurs amis.

« Vous remettrez cette clé-là à Guy Lafleur.

— Qu'est-ce qui se passe ?

— Rien. Il ne se passe rien, justement. »

Régulièrement, Riverin s'informait auprès de Lafleur des progrès de sa relation avec Lise. Il s'étonnait que rien n'ait encore abouti. Lafleur lui parlait souvent de Lise, lui disait à quel point il la désirait, mais qu'il avait terriblement peur de briser cette espèce de mystère très doux qu'il y avait entre eux.

« Comment ça, briser ce qu'il y a entre vous deux ? disait Riverin. Si vous faites l'amour, ça ne va rien briser, au contraire. L'amour, c'est fait pour rapprocher un homme et une femme ! »

Même Madame Riverin s'en était mêlée :

« Tu devrais faire attention. Il y a des limites à respecter une femme. »

Ce soir-là, en voyant Lise leur tendre les clés de l'appartement de Lafleur, ils comprirent que ce dernier avait dépassé les bornes, et que ça ne serait pas facile à arranger. Lise n'était pas effondrée. Elle ne pleurait pas. Elle était en colère, tout simplement, froidement.

« Je vis avec lui depuis des mois, je lui prépare ses repas, je m'occupe de son linge, je réponds à son courrier, mais quand monsieur a une sortie importante à faire, il demande à une autre fille de l'accompagner.

— Tu devrais peut-être lui parler.

— Je n'ai rien à lui dire, moi. Il a vingt et un ans. Il est assez vieux, il me semble, pour savoir ce qu'il fait.

— Mais il t'aime, lui aussi.

— Comment ça, « lui aussi » ? Qui vous dit que je l'aime ?

— Si tu as de la peine, c'est que tu l'aimes.

— Je n'ai pas de peine, je suis frustrée.

— Lui, en tout cas, il t'aime, c'est évident, Lise. Il vit avec toi.

— Parce que ça l'arrange, tout simplement. Il vit avec moi, mais il couche avec une autre. C'est son droit. Mais moi, je n'ai pas envie de vivre ça. Vous lui remettrez sa clé. J'ai redéménagé toutes mes affaires au onzième. Quand il va rentrer, il ne trouvera rien de moi dans son appartement. Même pas mon parfum, j'ai fait aérer. Je ne veux plus rien savoir de lui. »

Elle restait étonnamment calme malgré tout. Elle éprouvait une peine énorme, même si elle affirmait le contraire. Mais elle avait réfléchi et, en femme rationnelle qu'elle était, elle avait pris la décision de fermer le dossier Guy Lafleur, sachant qu'elle finirait bien par oublier et guérir. Elle partit le soir même pour Québec.

Pendant ce temps, au banquet des Canadiens, Guy Lafleur faisait une tête d'enterrement. Il avait bien senti le désarroi ou la rage ou la peine de Lise au moment où il était sorti. Et il était inquiet. Après la soirée, il dit à Colette :

« Je n'irai pas chez toi. Il faut que je rentre à Longueuil. »

Puis, après avoir hésité quelques secondes, il prit une grande respiration et ajouta :

« Je pense même que c'est fini entre nous deux. Je suis en amour avec une autre fille.

— Je le savais.

— Comment ça ?

— Tu m'as parlé d'elle au moins cent mille fois, Guy. Je connais ses deux marques de parfum, je sais quels livres elle lit, qu'elle aime le ski, qu'elle est championne d'équitation. Je sais aussi qu'elle a un an et quatre mois de plus que toi et qu'elle est parfaitement bilingue... »

Colette fut très correcte. Lorsque Lafleur stationna la voiture devant chez elle, elle lui posa un chaste baiser sur la joue et lui souhaita bonne chance pour la vie. « Du fond du cœur. »

À minuit et demi, il constatait que ce qu'il avait vaguement pressenti s'était produit : Lise n'était plus là.

Il téléphona chez elle. Pas de réponse. Il descendit, sonna, frappa à sa porte, entra. Personne.

Il réveilla les concierges, entrant chez eux en coup de vent.

« Qu'est-ce qui se passe ?

— Il se passe qu'elle est partie. Ton affaire avec elle, ça n'avait aucun sens, mon garçon.

— Où ?

— Elle nous l'a pas dit. »

Il téléphona chez les parents de Lise. Roger Barré répondit.

« Écoute un peu, le jeune, as-tu une idée de l'heure qu'il est ?

— Je veux parler à Lise.

— Lise est couchée. Tout le monde est couché. À une heure du matin, chez nous, on dort.

— Pas Lise. Je veux lui parler. »

Roger Barré savait que sa fille ne dormait pas, qu'elle était triste et désemparée. Elle s'était confiée à lui. Elle avait toujours été beaucoup plus proche de son père que de sa mère.

« Bouge pas, je vas aller voir. Mais je t'avertis, Guy Lafleur, tu fais mieux d'être correct avec ma fille, parce que tu vas avoir affaire à moi. Compris ? »

Lise vint parler à Guy. Elle était très froide.

« Pourquoi t'es partie, Lise ?

— Devine.

— Je ne pouvais pas savoir que t'aurais aimé venir à cette fête-là.

— Ah bon ! Mais t'as réussi à deviner que ta Colette en avait envie, elle !

— C'est elle qui me l'a demandé. Ce n'est pas pareil.

— Je ne savais pas qu'il fallait te faire un dessin et une demande spéciale chaque fois qu'on voulait obtenir quelque chose de toi.

— J'aurais aimé mieux y aller avec toi, Lise, je te le jure.

— Dans ce cas-là, pourquoi tu ne me l'as pas demandé ?

— Je ne le sais pas. Je n'ai pas osé.

— Pauvre toi ! »

Il était humilié. Elle, toujours froide et ferme, le prenait de haut, avec une amère ironie. Il bafouillait, s'excusait.

« Je n'ai pas à t'excuser, Guy. Tu es un homme libre. Tu fais ce que tu veux.

— Mais non, je ne suis pas un homme libre.

— Colette t'a demandé en mariage ?

— Je veux te voir.
— Est-ce qu'elle est d'accord ? »

Moins d'une heure et demie plus tard, on sonnait chez les Barré à Sillery. Au volant de sa nouvelle Cadillac Eldorado, Guy Lafleur avait couvert les quelque cent cinquante milles de chez lui à Sillery à une vitesse moyenne de cent milles à l'heure, avec des pointes à cent quarante.

Lise ne dormait pas. En le voyant, elle fondit en larmes.

« Qu'est-ce que tu veux ?
— As-tu du cognac ? »

Ils ont parlé toute la nuit, ri, pleuré.

« Je ne pourrais pas vivre sans toi.
— Je ne veux pas être ta servante.
— Alors sois ma femme.
— Ça peut être la même chose. »

Ils rentrèrent à Longueuil le lendemain après-midi. À soixante-quinze milles à l'heure.

« Ce n'est pas le temps de se casser la gueule, disait Lise. On a autre chose à faire. »

Lise Barré venait de rentrer dans la vie de Guy. Elle savait parfaitement où ils s'en allaient. C'était elle désormais qui conduisait.

***

Les historiens considèrent le 2 septembre 1972 comme la plus importante date de toute l'histoire du hockey. Ce jour-là, après des années de tractations, de négociations et d'hésitations de part et d'autre, l'équipe de l'URSS rencontrait enfin l'élite de la Ligue nationale.

Depuis une quinzaine d'années, les Soviétiques venaient régulièrement battre des équipes de hockey juniors et amateurs du Canada et des États-Unis. Et les professionnels nord-américains disaient : « Facile ! Ils envoient leurs meilleurs joueurs contre nos jeunes. Ça ne se passerait pas comme ça s'ils devaient affronter les champions de la Ligue nationale. »

Le 2 septembre au matin, en regardant l'exercice des Russes sur la glace du Forum de Montréal, personne ne pouvait imaginer ce qui allait se passer. Ils semblaient complètement perdus, lents et incohérents, exactement comme les avaient décrits les journalistes canadiens qui étaient allés les voir jouer à Moscou un mois plus tôt. Quant aux joueurs canadiens, ils venaient de donner, sur la même glace, une éblouissante démonstration de leur savoir-faire : vitesse, lancers précis et foudroyants, feintes et jeux de passes hautement sophistiqués.

Les journalistes, massés le long de la clôture, près du portillon, rigolaient doucement. Ils avaient tous écrit, à leur retour de Moscou, que l'équipe d'élite du Canada ne ferait qu'une bouchée des Soviétiques. L'un d'eux avait même promis de manger son propre journal si jamais les Russes remportaient un seul match de cette série de quatre. Leur pire faiblesse, précisait-on, était leur gardien de but, un certain Vladislav Tretiak, pataud et gauche, lamentable. Ce soir-là, l'exubérante foule qui remplissait le Forum ne doutait pas qu'elle assisterait à un massacre en règle des Soviétiques.

Quelques minutes avant le match, Jacques Plante, le célèbre ex-gardien de but des Canadiens, qui savait l'admiration que lui portait Tretiak, était allé le voir dans la chambre des joueurs soviétiques. Pris de pitié, il lui avait parlé des joueurs qu'il devrait surveiller avec plus d'attention : Mahovlich, Henderson, Phil Esposito surtout, dont le lancer était toujours dangereux, même de loin, et Yvan Cournoyer, le plus rapide de tous, qui pouvait lancer tant de la gauche que de la droite.

La foule réserva un accueil poli et froid aux joueurs soviétiques. Mais lorsque l'équipe canadienne sauta sur la glace, ce fut un tonnerre d'applaudissements. Trente secondes après le début du match, Phil Esposito déjouait Tretiak. Six minutes plus tard, Paul Henderson comptait à son tour. Canada 2, URSS 0. La foule croulait de rire et de sarcasme. L'organiste du Forum joua une marche funèbre à l'intention des Soviétiques. Mais ceux-ci s'étaient ressaisis, mettant en marche une formidable machine qui allait peu à peu prendre le contrôle presque exclusif de la rondelle et donner une inoubliable raclée (7 à 3) à l'équipe d'élite du Canada.

Ce fut une véritable commotion dans tout le monde du hockey, une déconcertante révélation. Les Russes savaient jouer au hockey ! Aussi bien, sinon mieux, que les Canadiens et les Américains. Ils avaient surtout un formidable esprit d'équipe, un jeu d'une précision extraordinaire et une incroyable faculté d'adaptation. En moins de dix minutes, ils avaient compris le jeu des Nord-Américains et trouvé des parades et des esquives, des réponses à leurs attaques. Tout le monde fut bouleversé. On comprit, tant sur la glace que dans les estrades, que le hockey ne serait plus jamais le même.

Ce fut également un humiliant échec pour la presse canadienne qui avait quasi unanimement prédit une cuisante défaite des Soviétiques. En fait, personne en Amérique du Nord ne les avait pris au sérieux ; on ne pouvait imaginer qu'on puisse, nulle part au monde, jouer au hockey mieux qu'ici.

On découvrait que les Soviétiques pouvaient contrôler la rondelle avec une remarquable autorité. Les Canadiens lançaient effectivement beaucoup plus fort qu'eux, mais les Russes avaient un système défensif à toute épreuve. Et surtout, comment ne l'avait-on pas compris plus tôt, leur filet était défendu par un pur génie, Vladislav Tretiak. Les journalistes qui l'avaient vu à l'œuvre le mois précédent ne le reconnaissaient pas.

La foule elle aussi était défaite, brisée dans ses certitudes les plus profondes. À Vancouver, où fut disputé le dernier match de ce qu'on appelait déjà la série du siècle, elle conspua copieusement son équipe qui pourtant avait donné le meilleur d'elle-même.

« Ce n'est pas que nous avons mal joué, soutint Phil Esposito à la télévision. C'est que les Russes sont meilleurs que nous. *Let's face it.* »

La série du siècle avait soulevé un tel intérêt partout au Canada que beaucoup d'écoles donnèrent congé à leurs élèves pour qu'ils puissent suivre les quatre derniers matchs disputés deux semaines plus tard à Moscou et retransmis en direct à la télévision canadienne.

Heureusement pour l'équipe de la Ligue nationale, les Russes souffrirent eux aussi d'un excès de confiance à la suite de leurs victoires en terre canadienne. Grâce à un jeu excessivement rude, à la limite de la légalité, et beaucoup de chance (Paul Henderson donna la victoire aux siens à trente-quatre secondes de la fin du dernier match), l'équipe canadienne fut cette fois victorieuse.

Mais le mythe de l'invincibilité nord-américaine était brisé à jamais. On avait découvert de très grands joueurs et une conception du hockey d'une pureté et d'une efficacité inouïes.

Guy Lafleur n'était pas membre de l'équipe d'élite canadienne. Il avait cependant dévoré les images de cette série avec une énorme gourmandise, fasciné surtout par la fameuse troïka soviétique, un trio au fonctionnement impeccable. Trois hommes (Kharlamov, Petrov, Mikhailov) se fondaient dans une harmonieuse trinité qui possédait littéralement la glace.

Il se mit à rêver de faire un jour partie d'un aussi solide trio. Mais avec qui ? Mais quand ? Il ne savait même pas s'il avait envie de poursuivre sa carrière à Montréal. Ni même si les Canadiens voulaient encore de lui.

*
**

En 1971, Sam Pollock avait déployé des trésors de diplomatie, de charme et d'ingéniosité pour s'approprier Guy Lafleur, la recrue la plus convoitée de la Ligue nationale. Or, deux ans plus tard, celui-ci risquait de lui échapper. Certains dans son entourage l'encourageaient d'ailleurs à le laisser aller, prétendant qu'il trouverait facilement mieux. Le rusé Renard savait cependant qu'il tenait une belle prise. Au printemps de 1973, quelques semaines avant que n'échoie le contrat qu'il avait signé avec Lafleur, il se résolut à tendre à nouveau le filet de ses influences afin de le garder encore longtemps, très longtemps, dans son Organisation.

Comme d'habitude, pendant les séries éliminatoires, les joueurs du Canadien étaient logés à La Sapinière, dans les Laurentides. Du rustique chic et confortable lové dans un décor magnifique, à l'écart des tentations du centre-ville de Montréal, loin des douceurs indolentes et lénifiantes du foyer. Retraite fermée !

Le programme était simple. Le matin, après un copieux petit déjeuner, tout le monde montait dans un luxueux car et on descendait au Forum pour la séance quotidienne d'entraînement. Après une heure et demie d'effort et de sueur, on retournait à La Sapinière. L'après-midi : détente obligatoire, marches au grand air, un peu de télé... Le ski était évidemment interdit. Pollock n'avait pas envie que ses hommes se cassent les os. S'il y avait match le soir, on devait faire la sieste, on soupait très tôt en fin d'après-midi (steak recommandé) et on redescendait au Forum.

Lafleur adorait les Laurentides, l'odeur du sapinage, l'air vif et cru, l'austère paysage. Tout cela lui rappelait son enfance. En cette époque de l'année, début avril, tout fondait, c'était spectaculaire et doux. Il se sentait chez lui, beaucoup plus qu'à Montréal. L'après-midi, plutôt que de faire la sieste, il allait marcher pendant des heures, seul, toujours. Il pensait à Lise... Et un peu au hockey.

Sa deuxième saison avec les Canadiens venait de se terminer. Elle avait été un peu moins riche que la première : 28 buts, un de moins qu'en 1971-1972 ; et 27 assistances, 8 de moins. Un score fort honorable. Mais pas de quoi soutenir l'immense réputation de vedette dont il jouissait deux ans plus tôt lorsqu'il était arrivé à Montréal. D'ailleurs, plus personne (ou presque) ne parlait de lui en ces termes. Pour beaucoup, Guy Lafleur serait un bon joueur, sans plus. Il ferait une honnête carrière, avec quelques bons moments, mais n'aurait jamais la trempe d'un Béliveau ou d'un Howe, encore moins d'un Maurice Richard. Marcel Dionne, Gilbert Perreault et Richard Martin, des gars de son âge, entrés en même temps que lui dans la Ligue nationale, faisaient déjà meilleure figure.

D'autres stars s'étaient levées dans le hockey nord-américain, faisant sensation beaucoup plus que lui, tels Bobby Clarke et Darryl Sittler ou Bobby Orr dont la réputation ne cessait de grandir.

Sam Pollock voyait les choses tout autrement. Il s'était mis dans la tête que Lafleur serait un jour un très grand joueur et qu'on devait tout faire pour le garder à Montréal. Mais il fallait d'abord le guérir de son passé, c'est-à-dire lui permettre de s'acclimater, de se sentir chez lui avec les Canadiens. Il fallait qu'il oublie à jamais ses Remparts !

«Il n'y a rien que le temps ne puisse arranger», pensait le fin Renard.

Il décida d'offrir à Lafleur un contrat de dix ans, le forçant pratiquement à aimer Montréal. Avec sa tête d'abord. Le cœur suivrait, sans aucun doute. Voilà le beau risque que Sam Pollock se proposait de prendre. Il savait que les Nordiques étaient eux aussi à l'affût et qu'ils avaient fait des propositions à Lafleur. Il s'agissait donc de jouer au plus fin.

Le 4 avril 1973, les Canadiens rencontraient au Forum les Sabres de Buffalo, en quart de finale. Pendant l'exercice de patinage du matin, Lafleur aperçut Gerry Patterson, son agent, qui lui faisait de grands signes.

«Je veux te voir tout de suite après la pratique. C'est très important.

— Je ne peux pas. On doit remonter à La Sapinière.

— C'est tout arrangé avec Sam Pollock. Tu as congé de Sapinière pour aujourd'hui. Je t'ai réservé une chambre à l'hôtel, tu pourras te reposer avant la partie de ce soir.»

Tout est arrangé avec Pollock ! Lafleur se dit qu'il devrait peut-être se méfier. En tout cas, ne rien signer, ne rien approuver trop rapidement.

Après l'exercice, Patterson vint le chercher au vestiaire et l'entraîna rapidement à l'écart, avec des airs de conspirateur, des chuchotements nerveux et pressés.

«Je te félicite, mon homme. Te voilà millionnaire. Sam Pollock nous a fait une proposition : un million sur dix ans. Avec garantie.»

Il était surexcité. Pas Lafleur. Un million sur dix ans, ce n'était pas beaucoup mieux que ce que les Nordiques lui avaient offert en février : 90 000 $ par année pendant trois ans, plus un cadeau de signature de 50 000 $.

«Mais le contrat de Pollock est renégociable après trois ans et six ans. Guy, penses-y sérieusement. Un million garanti, c'est beaucoup d'argent.

— Le contrat des Nordiques aussi aurait été renégociable après trois ans. Et tu étais d'accord avec moi pour qu'on le refuse. »

Patterson avait sèchement repoussé, quelques semaines plus tôt, la première offre de Marius Fortier, le directeur-gérant des Nordiques, lui laissant entendre que Guy Lafleur trouvait ces propositions « insultantes ». Des joueurs moins prometteurs que lui s'étaient vu offrir plus du double par des clubs obscurs de la nouvelle Association mondiale. À Marc Tardif, dont la production avait été nettement inférieure à celle de Lafleur, les Sharks de Los Angeles avaient tendu un véritable pont d'or. Même chose pour Réjean Houle qui n'avait compté que treize buts au cours de la saison régulière et à qui les Nordiques avaient offert beaucoup plus qu'il n'aurait obtenu où que ce soit dans la Ligue nationale.

Lafleur avait l'impression que les gens de Québec s'étaient mis dans la tête qu'ils pouvaient l'avoir pour pas grand-chose, simplement parce qu'il aimait vivre chez eux et qu'il n'était pas heureux avec Bowman et les Canadiens.

« Je ne les trouve pas très habiles, disait-il. Ils sont en train de me faire haïr Québec. »

Quelques jours plus tard, les Nordiques étaient revenus à la charge avec un contrat de près d'un demi-million sur trois ans : 60 000 $ à la signature, 125 000 $ la première année, puis 135 000 $ et 145 000 $. Ils n'offraient cependant aucune garantie, de sorte que si Lafleur était blessé ou s'il jouait mal au cours des prochaines années, il pouvait toucher moins de 100 000 $ par année. Encore une fois, Patterson avait refusé, en avertissant Fortier que Lafleur ne riait plus et que s'ils ne voulaient pas le perdre définitivement, ils devraient lui présenter des propositions plus sérieuses. Fortier semblait avoir compris le message ; il s'engagea à faire rapidement de nouvelles propositions.

C'est alors que Sam le Renard Pollock était arrivé, ce 4 avril, avec son contrat d'un million, contrat rédigé en bonne et due forme que Patterson avait sorti de son porte-documents et mis sous les yeux de Guy Lafleur.

« Tu signes. Et tu es millionnaire.

— Tu veux que je signe ça aujourd'hui ?

— Sam Pollock nous a laissé vingt-quatre heures. C'est à prendre ou à laisser. Demain matin, il sera trop tard.

— Écoute, Gerry. Je me marie dans trois mois. Avant de signer, je veux en parler à ma femme. »

Le matin même, à La Sapinière, il avait reçu un appel de son futur beau-père, Roger Barré : l'organisation des Nordiques était en train de préparer une nouvelle proposition qu'on viendrait lui soumettre le soir même ou au plus tard le lendemain matin.

« Tu ne peux pas courir deux lièvres à la fois, disait Patterson. Décide-toi, Guy. Si tu ne signes pas, Pollock va considérer que tu n'as pas confiance en lui. »

Lafleur ne pouvait rejoindre Lise qui devait se trouver quelque part dans le ciel américain, entre Boston et Montréal. Il appela à Québec, au bureau de Roger Barré, chez lui, chez Maurice Filion, chez Marius Fortier. Roger Barré était introuvable. Lafleur conclut qu'il était déjà en route avec la nouvelle offre des Nordiques. Il laissa un message au Reine-Élizabeth où Roger Barré descendait lorsqu'il venait à Montréal. Mais à six heures et demie, une heure avant le match, il n'avait toujours pas de nouvelles. Gerry Patterson et Sam Pollock se faisaient de plus en plus pressants. À court d'arguments, persuadé que les propositions des Nordiques ne devaient pas être plus intéressantes que celles qu'on lui avait déjà présentées à deux reprises, Guy Lafleur signa.

Il joua distraitement, avec l'impression d'avoir commis une irréparable bêtise. Encore une fois, il avait été trop timide. Cette signature aurait fort bien pu attendre au lendemain. Il trouvait louche qu'on l'ait pressé à ce point. Il se mit à soupçonner Patterson et Pollock d'être de connivence.

Après le match, il rencontra Roger Barré. Celui-ci lui transmit la proposition des Nordiques : un million de dollars en cinq ans. Exactement deux fois plus que ce que lui offraient les Canadiens.

Il fondit en larmes. Non seulement parce qu'il venait de laisser filer une véritable fortune, mais parce qu'il était humilié. Il avait été possédé. Il s'était comporté comme un imbécile. Il en voulait évidemment à Patterson ; il s'en voulait à lui surtout de n'avoir pas su dire non et de s'être laissé manipuler encore une fois.

« J'aurais dû te dire de te méfier de ce gars-là, lui disait Roger Barré. Mais il me semblait que tu y penserais par toi-même, Guy. Gerry Patterson est le conseiller de Jean Béliveau. Tu devais le savoir, non ? Et Béliveau est vice-président des Canadiens. Marius Fortier m'a dit que chaque fois que les Nordiques vous faisaient des propositions, Patterson s'exclamait comme un bon en disant qu'il n'avait jamais espéré obtenir autant.

— Il a joué double jeu ?

— On dirait bien qu'il s'est arrangé dès le début pour que les Nordiques te fassent des propositions que tu ne pouvais pas accepter. Il me semble évident en tout cas qu'il n'était pas de notre bord.

— Ni du mien, si je comprends bien. »

Ils ont appelé des avocats, en espérant que le contrat, signé sous pression, pourrait être annulé. Mais on se serait embarqué dans des histoires interminables et compliquées. Et ce n'était jamais bien vu pour un joueur de la Ligue nationale que d'entrer en guerre contre sa propre organisation.

« Il te reste une chose à faire, Guy. Tu vas aimer Montréal. Peut-être même qu'un jour tu remercieras Patterson. Ici, au moins, tu es avec des gagnants. Tu peux toujours grandir. Il a pensé à long terme. Et je dirais qu'il a bien fait. À Québec, tu aurais fait un retour en arrière. Reste ici et bats-toi. »

Deux mois et demi plus tard, le 17 juin 1973, Guy Lafleur et Lise Barré s'épousèrent, un jour de grand vent et de grosse pluie battante. Les noces, célébrées à l'Auberge du Lac-Beauport, furent fastueuses. Avec champagne et caviar. Et tout le gratin du hockey canadien. Et une énorme coupe Stanley en glace remplie de homards. La plupart des joueurs des Canadiens de Montréal, qui venaient de remporter la vraie coupe Stanley, en battant les Sabres, les Flyers et les Black Hawks, étaient venus. Et Bowman et Pollock. Et les grands patrons de l'organisation des Nordiques, Filion, Dumont, Madden... Jean-Yves Doyon, la Chouine, Ti-Paul Meloche... Gerry Patterson aussi était là. Roger Barré, qui l'avait rencontré à quelques reprises, alla vers lui et lui dit :

« J'espère, Gerry, que tu as pris une bonne décision pour Guy, parce qu'il vient de s'embarquer pour longtemps. »

Et Patterson répondit avec humour :

« Moi ? Mais je vous assure, Monsieur Barré, que je n'ai absolument rien à voir là-dedans. C'est Guy tout seul qui a pris la décision d'épouser votre fille. »

Roger Barré rit. Son gendre et sa fille aussi.

Pendant l'été, le jeune couple s'installa à l'île des Sœurs. En attendant. Lafleur se cherchait un coin, un peu à l'écart de la grande ville, où se bâtir un petit domaine. Son beau-père lui avait mis cette idée dans la tête. Il avait une résidence à Saint-Antoine-de-Tilly, à une demi-heure de route de Québec. C'était une véritable petite principauté, un endroit où il était roi et maître, qu'il pouvait aménager à sa guise, où il pouvait se réfugier loin de ses soucis d'affaires. Un gadget sublime.

Lafleur rêvait d'une maison canadienne, un boisé, un verger, le tout un peu à l'abandon si possible, afin qu'il puisse s'occuper un moment. Lise, une fervente d'équitation, voulait une petite écurie.

Ils dénichèrent à Verchères, juste à côté de chez Pierre Bouchard, une fermette d'une dizaine d'acres avec une maison ancienne qui avait sérieusement besoin d'être retapée. Ce sera leur principale activité au cours de l'année suivante. Leur plus fécond sujet de dispute également. Il aimait les grands espaces et voulait jeter presque tous les murs à terre pour faire d'immenses pièces. Elle préférait conserver le plan original. Elle affectionnait les petites pièces fermées, intimes. Il ne voulait pas de rideaux aux fenêtres ; elle, si. Il voulait entourer la maison d'arbres ; elle, non.

Avant même que ne commence le camp d'entraînement, Sam Pollock et Scotty Bowman comprirent que Guy Lafleur avait plus que jamais l'esprit ailleurs. Sa troisième saison avec les Canadiens sera effectivement la pire de toutes, la moins productive : 21 buts, 35 assistances. Pourtant, Pollock s'était donné du mal. Au tout début de la saison, il avait demandé à Claude Ruel de s'occuper de Lafleur.

« Utilise la méthode que tu veux. Brasse-le ou dorlote-le, mais arrange-toi pour me le sortir de sa léthargie. »

Piton avait vraiment tout essayé, l'engueulade, les sermons, l'amicale confession, les séances particulières d'entraînement, le mépris, les menaces. Rien à faire. Lafleur n'était même pas triste. Il semblait éteint, tout simplement. Piton, triste à pleurer, ne comprenait pas. Lui qui se targuait non sans raison d'être le plus grand spécialiste en joueurs de hockey, il était dépassé. Qu'est-ce qui avait bien pu arriver à ce grand joueur qu'avait été Guy Lafleur ?

Le départ de Tardif et de Houle n'expliquait rien. Il les aimait bien, certes ; il avait semblé par moments avoir beaucoup de plaisir à jouer avec eux, et à les voir de temps en temps en dehors du Forum. Mais ils n'étaient pas des amis indispensables. Par ailleurs, entre Lemaire et Guy, le contact semblait s'être brisé. Plus de magie. Quoi d'autre ? Son contrat raté avec les Nordiques ? Peut-être un peu. Certainement très frustrant. Mais ça ne pouvait pas être que cela. Piton avait déjà vu Guy Lafleur au meilleur de sa forme. Il jouait alors avec une telle intensité, une telle passion, qu'il était évident que ça n'avait rien à voir avec l'argent. Les vrais grands joueurs ne jouent pas pour l'argent ; au contraire, ils paieraient pour jouer. Or Guy Lafleur, Piton en était persuadé, était et restait un grand joueur. Alors ?

Piton recommanda à Bowman de ne plus lui donner Frank Mahovlich comme compagnon de chambre lorsque le club était sur la route. Le vieux Frank (il avait treize ans de plus que Lafleur) avait enfilé pas moins de trente-huit buts au cours de la précédente saison, mais il restait le roi des défaitistes. Lafleur eut pour compagnon de chambre le sympathique Steve Shutt, le dynamique Henri Richard, puis le très déterminé et opiniâtre Jacques Lemaire. Aucun d'entre eux cependant ne semblait produire sur lui quelque effet positif.

Il faut dire que le club n'allait pas très bien, cette année-là. Non seulement Houle et Tardif étaient partis en claquant la porte, mais Ken Dryden, l'indispensable gardien de but, avec qui Sam Pollock avait voulu jouer au trop fin renard en refusant de renégocier son contrat, était retourné à ses études de droit à Toronto.

Vers la fin de la saison, Lafleur s'était enfoncé dans un marasme sans fond : 2 buts en 22 matchs. Le public et les médias n'en avaient cure, comme si on était en train de se désintéresser de lui. Pire encore, lui-même semblait s'en balancer totalement. Il était toujours à temps aux exercices, obéissant, poli. Il faisait ses devoirs. Bowman le laissait sur le banc, c'était parfait. Il l'envoyait dans la mêlée, il sautait sur la glace. Quand c'était terminé, il accrochait ses patins, prenait sa douche et rentrait chez lui. Autant il avait l'air absent et indifférent sur la glace, autant il était détendu et gai en dehors du Forum. Heureux dans la vie, malheureux au hockey.

Sam Pollock dit un jour aux journalistes : « Nous considérerons désormais Guy Lafleur comme un joueur ordinaire et banal. Si jamais il réussit quelques actions d'éclat, ce sera tant mieux. Mais nous n'attendons plus rien de lui. »

Le lendemain, ce commentaire était dans tous les journaux. On s'attendait à voir arriver Lafleur à la séance d'entraînement complètement démoli. Pas du tout. Il se présenta tout pimpant et joyeux, comme si de rien n'était. Il joua avec ni plus ni moins d'intensité que d'habitude.

Ce que ni Ruel, ni Bowman, ni les journalistes et encore moins le grand public ne pouvaient savoir, mais que le fin Renard avait vaguement pressenti, c'était que Guy Lafleur, plus ou moins consciemment, désirait qu'on l'oublie un moment. Une transformation en profondeur s'opérait en lui. D'abord, pour la première fois depuis qu'il avait quitté Québec, il commençait à se sentir chez lui. Il aimait Lise, il adorait son petit domaine de Verchères où il passait le plus clair de son temps. De plus, le lent et progressif glissement qu'il avait plus ou moins malgré lui exécuté du côté de l'ombre l'avait soulagé de l'insoutenable pression qu'il ressentait depuis qu'il était lié aux Canadiens de Montréal. Enfin, les journalistes avaient cessé de commenter ses moindres faits et gestes, de le prendre pour un messie et de le comparer à Béliveau, à Orr, à Geoffrion, à Harper, aux Richard, à Hull et compagnie ! Enfin, il avait la paix. Et l'amour. Que demander de plus ?

Alors, d'abord imperceptiblement, et puis de façon de plus en plus pressante, il eut, au cours du bel été de 1974, le goût violent de jouer au hockey et il retrouva, sans l'avoir vraiment cherché, le plaisir physique et animal, le pur et sportif plaisir de l'effort physique.

C'est un homme transformé qui se pointa au camp d'entraînement cet automne-là. Un survenant. Le vrai Guy Lafleur. Le véritable Démon blond.

⁂

Les athlètes sont des joueurs compulsifs et invétérés, naturellement fétichistes et superstitieux. Lorsqu'ils ont réussi quelque bon coup, ils essaient par tous les moyens d'en recréer dans les moindres détails les circonstances et les particularités. Ils cherchent tous la formule gagnante, le modèle idéal, les mots magiques qui leur permettraient d'abolir le hasard et de gagner à tout coup et de retrouver chaque fois l'ineffable paradis des applaudissements.

Ainsi, espérant pouvoir reproduire leurs prouesses d'un soir, ils emprunteront exactement le même chemin pour se rendre au match suivant, s'arrangeront pour croiser en route (comme le soir du bon coup) une femme en noir ou en rouge ou un gars soûl, porteront le même chandail tant et aussi longtemps qu'ils ne connaîtront pas de défaite, réciteront au même moment les mêmes invocations, mangeront les mêmes choses avant la rencontre, se livreront à toute une série de gestes rituels parfois complètement tordus, porteront des médailles ou des scapulaires, laceront toujours leur patin droit avant le gauche, rentreront toujours le bas de leur chandail du côté droit de leur culotte, s'habilleront toujours debout et en silence ou iront avant le match lancer une rondelle dans le filet adverse vide... Et plus ils prendront de l'expérience et réussiront des bons coups, plus leur cérémonial incantatoire sera rigide et chargé. Comme ces chevaliers du Moyen Âge qui, dans les tournois, portaient les couleurs de leurs dames, persuadés qu'elles leur donnaient des forces et de la chance.

Lafleur n'était pas un joueur superstitieux, même s'il croyait comme tous ceux de son monde aux signes favorables ou néfastes.

Le deuxième jour du camp d'entraînement de 1974, il joua avec un si vif plaisir et une telle intensité qu'il provoqua les applaudissements de ses coéquipiers et des journalistes venus assister à l'exercice des Canadiens. Or ce jour-là, il avait oublié son casque protecteur au vestiaire. Depuis près de quinze ans, il n'avait jamais joué tête nue. Sauf une fois, contre les Pingouins de Pittsburgh, en mars 1972, à la fin de sa première saison avec les Canadiens. Ça ne lui avait cependant pas vraiment porté chance à l'époque. Des journalistes avaient écrit que, si le jeune Lafleur voulait se faire remarquer, il ferait mieux de sortir de sa coquille, de patiner, de ramasser les passes que lui faisaient généreusement ses coéquipiers et de compter des buts.

Mais ce jour du camp d'entraînement de 1974 où il oublia son casque au vestiaire, il fut absolument éblouissant. Il prit sur-le-champ la décision irrévocable de ne plus jamais porter ni casque ni masque. Il avait retrouvé comme par magie le bonheur de jouer. Ça n'avait probablement rien à voir avec le casque. Il en était bien conscient et le disait. Mais le casque restera pour lui un fétiche négatif, peut-être un porte-malheur. À proscrire.

Ce fut donc un homme nouveau que le grand public retrouva au tout début de la saison régulière 1974-1975. Lui si effacé, si terne, quelques mois plus tôt, il était maintenant partout sur la glace. Tellement visible et mobile qu'on se demandait parfois si Scotty Bowman ne lui avait pas confié toute la glace en même temps à lui tout seul, le centre, l'aile droite et même la zone défensive. Il préparait les jeux et les exécutait avec un panache, un éclat, un style éblouissant qui arrachait des cris de joie à la foule. Il imposait avec force l'image d'un athlète hors pair et faisait une entrée fracassante dans la Légende aux côtés des très grands.

Les spécialistes du marketing et les faiseurs d'images les plus habiles et les plus réfléchis n'auraient sans doute pas imaginé mieux. L'abandon du casque protecteur était symbolique et drôlement efficace. En se découvrant, au sens propre comme au figuré, Guy Lafleur se donnait un nouveau look, blonde crinière au vent, très remarquable, en même temps qu'il faisait montre de ses talents et déployait aux yeux de tous des trésors insoupçonnés d'imagination et d'énergie. Comme s'il avait eu un sens inné de la mise en marché de son image !

En quelques heures, il conquit totalement le très exigeant public du Forum de Montréal, puis le Québec tout entier. Dès la mi-novembre, un mois à peine après le début de cette saison, on parlait de lui dans toutes les villes de hockey de l'Amérique du Nord. On savait, on disait partout qu'il serait le prochain numéro un sur la liste des best-sellers du hockey.

Et alors qu'autrefois tous ces regards et ces caméras braqués sur lui l'intimidaient, le traumatisaient et l'écrasaient, ils allaient désormais le stimuler et le porter. Non seulement il jouait ses matchs avec une efficacité et une énergie à tout casser, mais il continuait de donner son show lors des séances d'entraînement, si bien que les journalistes des quotidiens montréalais, qui en avaient pourtant vu bien d'autres, prirent l'habitude d'arriver de bonne heure au Forum pour voir Guy Lafleur s'entraîner. C'était devenu un événement couru.

Tous les jours en effet, lorsque les Canadiens jouaient à domicile, le numéro 10 se pointait au Forum une couple d'heures avant l'exercice collectif et sautait tout seul sur la patinoire où il donnait une époustouflante démonstration de son savoir-faire. Et quand les autres joueurs arrivaient, on continuait de le suivre, sans jamais le perdre de vue, même s'il portait l'un de ces chandails banalisés qu'endossent les joueurs pour les exercices. N'importe qui le moindrement connaisseur savait en effet, même dans les plus denses mêlées, où se trouvait Guy Lafleur. Et pas seulement parce qu'il était nu-tête, mais à cause de son coup de patin et de cette façon tout à fait particulière qu'il avait d'évoluer sur une patinoire, comme s'il ne touchait pas à la glace, ou si peu, comme s'il faisait du surf, avec grâce, légèreté, facilité, à la surface de cette lumière glacée, comme si la lumière même le portait.

De temps en temps, les journalistes posaient leur café, sortaient leur calepin et leur stylo et ajoutaient quelques mots à leurs dithyrambes. Certains le comparaient à Mercure, le dieu romain représenté avec des ailes aux chevilles. Mercure, le Hermès des Grecs, était le messager des dieux, absolument imbattable à la course, agile et rapide comme pas un.

Cette année-là, Guy Lafleur découvrit une chose fondamentale : qu'un talent, si extraordinaire soit-il, ne suffit pas. La discipline la plus impitoyable non plus. Ni même les deux à la fois. Selon lui, il y avait autre chose de tout aussi important, qui ne dépendait pas de lui (ou pas seulement de lui) et qui tenait du mystère et de la grâce, de la bonté divine ou de la chance pure et simple.

Il avait toujours été vaguement religieux. Bien sûr, il avait tranquillement cessé d'aller à la messe, lorsqu'il jouait avec les Remparts de Québec, se permettant même quelques petits mensonges à la très pieuse Madame Baribeau à qui il laissait croire qu'il se rendait à l'église Saint-François-d'Assise, alors qu'il allait retrouver ses amis au Centre de loisirs ou au Cendrillon. Il ne pratiquait donc plus sa religion, mais il avait conservé un sentiment religieux très fort, profond, primitif. Il priait toujours, surtout quand il était triste ou désemparé.

Or au cours de cette saison 1974-1975, pourtant au meilleur de sa forme et presque au sommet de la gloire déjà, et bien qu'il n'en eût nul besoin, il prit l'habitude de faire quelques prières avant chaque match : un «Notre Père», un «Je vous salue Marie», un «Gloire soit au Père», quelques invocations, quelques bonnes pensées pour le frère Léo et son grand-père Damien qui venaient de mourir. Il avait l'intime conviction qu'il dépendait d'une Puissance supérieure qui pouvait à tout moment le quitter, comme elle pouvait l'investir de sa force. Et il priait pour qu'elle demeure en lui.

Il lui semblait que tout ce qu'il avait appris depuis quinze ans, les conseils et les leçons ou les admonestations de Ti-Paul Meloche, du frère Léo Jacques, de Jean-Marc Lalonde, de Martin Madden, de Maurice Filion, de Jean Béliveau, de Roger Barré, de Madame Baribeau, prenait maintenant un sens et devenait enfin cohérent, tout cela se tenait parfaitement bien.

Il se soumettait avec une étonnante facilité à une sévère discipline à laquelle il ne dérogeait jamais. Il se couchait tôt, mangeait bien, ne buvait pas trop d'alcool, fumait de moins en moins. Autant il semblait l'année précédente absent et hésitant, autant il apparaissait désormais comme un passionné, une sorte de mystique ne vivant que par et pour le hockey.

En novembre, lorsque les Canadiens étaient allés jouer contre les Kings (gros soleil, pas de smog, 90° Fahrenheit à l'ombre), alors que tous ses coéquipiers se payaient du bon temps autour de la piscine de l'hôtel ou sur les plages de Venice, Lafleur s'enfermait du matin au soir dans sa chambre climatisée ou il allait s'exercer tout seul au Forum de Los Angeles. Il prétendait que le soleil et la chaleur lui ramollissaient les muscles.

«*So what*? disait Steve Shutt. On pourrait battre les Kings les mains attachées dans le dos.»

Mais Lafleur était incorruptible. De même, le 7 janvier 1975, à Detroit, il refusa d'assister au match des Nordiques de Québec contre les Stags du Michigan (deux clubs de l'Association mondiale) et resta seul dans sa chambre de l'hôtel Pontchartrain, à deux pas du Cobo Hall où il aurait revu ses bons amis Réjean Houle et Maurice Filion, Martin Madden... Il savait qu'il serait perturbé de revoir les gens de Québec et qu'il aurait ensuite énormément de difficulté à se concentrer pour le match du lendemain soir contre les Red Wings.

Lorsqu'on lui demandait pourquoi il ne s'était pas astreint à cette efficace discipline lorsque tout allait mal pour lui au cours des années précédentes, il répondait qu'il en aurait été incapable. Il était alors trop de mauvaise humeur, en voulait au monde entier et croyait qu'il ne serait heureux qu'à partir du moment où il commencerait à bien jouer. Or ce fut exactement le contraire qui se produisit. Il se mit à bien jouer parce qu'il était heureux. Il se fit donc un devoir d'être désormais de bonne humeur, chaque fois qu'il avait un match à disputer. Tel Voltaire décidant d'être heureux parce que c'est bon pour la santé !

C'était beaucoup Madame Baribeau qui avait inculqué à Lafleur cette attitude positive. Elle avait toujours eu un parti pris de bonne humeur. Elle disait souvent : « Il ne faut pas laisser la vieillesse s'emparer de notre jeunesse. » Lorsque Lafleur avait été en difficulté lors de sa première saison avec les Remparts, elle lui avait répété : « Ne faites pas cette tête d'enterrement, ça ne peut qu'empirer les choses. Secouez-vous, amusez-vous. Vous verrez, ça ira mieux. »

De même, au cours de l'été, Roger Barré lui avait maintes fois répété qu'il devait « s'arranger dans sa tête » pour aimer Montréal.

« Tu ne peux pas passer les dix prochaines années de ta vie dans une ville que tu détestes.

— Mais je n'y peux rien. Ça ne se commande pas, ces affaires-là !

— Mais oui, ça se commande, disait Roger Barré. Tu dois faire un effort, Guy. Sinon, tu n'y arriveras jamais, c'est évident. »

Il s'était donc acharné à vouloir aimer Montréal et y était finalement parvenu. Les soirs de relâche, il allait au cinéma et au restaurant avec Lise. En rentrant à Verchères, ils faisaient parfois un détour par la montagne, ils s'arrêtaient un moment au belvédère de Westmount ou de la voie Camillien-Houde. Ils regardaient la ville étendue à leurs pieds dans son lit de lumières frémissantes. Ils rentraient chez eux et parlaient pendant des heures, jusqu'au cœur de la nuit. Souvent, lorsqu'elle se réveillait, il était déjà sorti. Il lui avait laissé un billet sur la porte du réfrigérateur ou dans le sucrier ou le savonnier, un poème, quelques mots tendres.

Un soir d'octobre, elle lui annonça qu'elle était enceinte. Quelques mois plus tôt, quand il était en plein marasme, cette nouvelle l'aurait terrorisé. Mais ce jour-là, il songea tout de suite que rien de plus extraordinaire ne pouvait lui arriver. Lise était devenue enceinte au moment où tout dans sa vie semblait s'harmoniser à merveille.

Les Canadiens cependant n'allaient pas vraiment bien. Tout le monde était évidemment ébloui par les performances du nouveau Guy Lafleur et enchanté du retour de Ken Dryden et du départ de Frank Mahovlich. Mais ça manquait furieusement d'esprit. Jacques Lemaire connaissait une bonne année (36 buts, 56 assistances), mais il ne se sentait pas tout à fait dans son assiette. Henri Richard, le capitaine, à la veille de prendre sa retraite, était à couteaux tirés avec l'instructeur Bowman.

Lafleur, lui, comme s'il s'était appliqué à toujours faire le contraire des autres, semblait avoir le vent dans les voiles. Bowman avait finalement compris qu'il jouait mieux à l'aile droite et il l'avait aligné avec Pete Mahovlich au centre et Steve Shutt à l'aile gauche.

Au cours de cette quatrième saison avec les Canadiens de Montréal, Lafleur marquera deux fois et demie plus de buts (53) qu'au cours de la saison précédente (21) et obtiendra presque deux fois plus d'assistances. Dans les onze matchs des séries éliminatoires, il comptera 12 buts et réussira 7 assistances. Seul le grand Jean Béliveau avait fait mieux aux éliminatoires de 1956, lui aussi lors de sa quatrième saison avec les Canadiens. Il avait récolté 12 buts et 7 assistances, même chose que Lafleur exactement, mais en un match de moins. Et Maurice Richard, à sa deuxième saison avec les Glorieux, avait réussi un exploit comparable : 12 buts, 5 assistances en 9 matchs seulement.

En avril, les Canadiens de Montréal étaient cependant éliminés par les Sabres de Buffalo que les épouvantables Flyers de Philadelphie se firent ensuite un malin plaisir d'écraser à plate couture, s'arrogeant ainsi la très convoitée coupe Stanley pour la deuxième année consécutive.

Les Flyers de Philadelphie avaient instauré dans la Ligue nationale un véritable régime de terreur. Ils étaient dirigés par une sorte d'esthète de la violence, Fred Shero dit le Ténébreux, pour qui le hockey n'était pas la guerre, mais pas un jeu non plus. Il prétendait que la vie n'était en fin de compte que ces espèces de limbes insignifiantes et ennuyeuses où l'on passait le temps entre deux matchs de hockey, en compagnie du commun des mortels. Ses joueurs et le public de Philadelphie étaient fanatisés. Au Spectrum, le home des Flyers, qu'on avait affectueusement surnommés les Broad Street Bullies, la foule arborait des casques de S.S. et brandissait des bannières nazies et des croix gammées. Pour les partisans des Flyers, l'ennemi numéro un était évidemment le Canadien, comme toujours, depuis que le hockey existe.

Parmi les hommes de Shero se trouvaient Dave Schultz, dit le Marteau (*the Hammer*) et Bob Kelly, deux brutes sanguinaires qui, avec quelques autres taupins, ouvraient le chemin aux bons compteurs de l'équipe, Bobby Clarke, Bill Barber, Reggie Leach surtout. Ils furent tous cruellement déçus lorsque les Sabres éliminèrent les Canadiens en demi-finale, car ils auraient aimé leur casser eux-mêmes la figure. Tant et aussi longtemps que les Broad Street Bullies n'auraient pas totalement eux-mêmes battu les Canadiens, quelque chose manquerait à leur gloire.

Le génial Shero avait préparé toute une mise en scène dans le but d'impressionner l'ennemi. Avant les matchs, on ne chantait pas, comme dans toutes les autres villes de hockey des États-Unis, l'hymne national américain, mais le *God Bless America* qu'entonnait Kate Smith. Pendant qu'elle chantait, on éteignait toutes les lumières du Spectrum et on braquait des spots aveuglants sur l'équipe ennemie qui, entourée d'ombres menaçantes et de tous côtés aux regards exposée, finissait immanquablement par prendre peur.

Devant cette montée de violence, tout le monde chez les Canadiens recommanda à Lafleur de remettre son casque. Il ne voulut rien entendre, disant que c'était embarrassant et que ça le ralentirait. À cette époque pourtant, de nouveaux matériaux permettaient de fabriquer des armures légères et efficaces. Mais Lafleur, par orgueil ou superstition, continuait de porter ses vieilles épaulières, ses patins de cuir souple qui ne lui offraient guère plus de protection que des mocassins, des jambières trop courtes qui lui laissaient les chevilles exposées. Or il était devenu dans la Ligue nationale l'homme à abattre. Chaque entraîneur lui avait affecté un couvreur qui le suivait comme son ombre. Gerry Korab des Sabres de Buffalo, Dave Schultz des Broad Street Bullies de Philadelphie, John Wensink des Big Bad Bruins de Boston, tout ce que la Ligue nationale avait de plus lourd et de plus brutal lui rentrait dedans chaque fois que l'occasion se présentait. Il avait beau être rapide et savoir esquiver les coups mieux que personne, il se trouvait souvent freiné dans son élan.

Bowman n'avait pas le choix; il devait s'adapter. Fred Shero ayant complètement changé les règles du jeu, on faisait un retour au hockey pur et dur, primitif. Stimulées par le succès des Flyers, plusieurs autres équipes s'étaient déjà dotées de gars costauds et agressifs. Les nouveaux clubs étaient formés de quelques très bons joueurs escortés de gardes du corps, de gorilles, qui faisaient le vide autour d'eux, leur ouvraient le chemin jusqu'au filet adverse, renversant, écrabouillant impitoyablement au passage tous leurs adversaires. Les Canadiens, qui n'étaient pas équipés pour mener ce genre de guerre, se targuaient de jouer du hockey civilisé, hautement sophistiqué, esthétique, le hockey un peu terne des années 60, les sages années Béliveau. Il fallait changer de style, de stratégie, de nature.

Bowman avait compris qu'il tenait, en la personne de Guy Lafleur, un véritable champion, un gros compteur, mais surtout une grande star capable d'exciter les passions. Il décida avec Pollock et les fins stratèges de l'Organisation de construire son club autour de lui. Il lui adjoignit en quelque sorte des gorilles capables de le protéger et de lui ouvrir le chemin, comme on faisait ailleurs. Lafleur était bien sûr capable de se défendre, mais son plus grand talent consistait à compter des buts et à le faire avec éclat, de manière à soulever les foules. Outre son lancer puissant et précis, il possédait quelque chose d'indéfinissable, un charisme, une aura, son bien le plus précieux, ce que le très religieux Sam Pollock appelait son « don de Dieu ».

Les Canadiens se donnèrent donc un style très offensif, très « années 70 » et se firent plus pesants, plus agressifs que jamais. Autour de Lafleur se trouvaient en effet de gros gars solides qui n'avaient pas froid aux yeux. Et avec lui, formant un trio prolifique, qui pendant quelque temps fera la joie des Montréalais, Steve Shutt et Pete Mahovlich.

Lafleur lui-même tentait des choses absolument hérétiques que jamais personne n'avait osé faire, allant dans les endroits les plus difficiles, dans les coins que tous les joueurs avaient toujours évités, parce qu'ils savaient qu'ils y seraient coincés. Mais lui, il semblait prendre plaisir à y aller, à se jeter directement dans la gueule du loup. Shutt et Mahovlich lui passaient la rondelle quand même, sachant qu'il s'en sortirait. Lafleur n'était jamais aussi brillant et inventif que lorsqu'il se trouvait dans le feu de l'action, au cœur de la zone ennemie. Il n'essayait jamais de faire les choses le plus simplement possible. Après quelques semaines ensemble, les trois hommes avaient développé un style de jeu tellement neuf qu'ils médusaient et déroutaient complètement les troupes adverses, tout en s'amusant follement tous les trois.

Lafleur était désormais fermement établi dans sa position d'ailier droit. Établi aussi, définitivement, dans sa gloire. Mais c'était encore une gloire sage, trop sage peut-être. Bien sûr, les difficultés qu'il avait connues en cours de route, ses hésitations, sa timidité, avaient profondément humanisé le héros et l'avaient rendu encore plus aimable, plus attachant. Mais c'était trop parfait. Il n'avait pas encore une envergure mythique, pas encore commis d'erreur, pas de bêtise, pas connu de chute.

*
**

Il y avait alors une autre immense star populaire au Québec, une chanteuse française très froide, très fabriquée, Mireille Mathieu. Elle avait à peu près le même âge que Guy Lafleur et elle était issue d'un milieu socio-économique comparable au sien. Elle venait en effet d'une petite ville de la province française, d'une grosse famille ouvrière pas très riche, où l'on croyait aux valeurs traditionnelles. Mireille était une bonne fille du petit peuple, comme Guy était un bon gars du petit peuple.

Au milieu des années 70, elle traversait l'Atlantique deux ou trois fois par année. Elle seule pouvait alors tenir trois semaines à la salle Wilfrid-Pelletier, la plus grande de Place des Arts (trois mille trois cents places). Elle écumait ensuite la province, de Chicoutimi à Rouyn, Rimouski, Sherbrooke. On l'entendait presque continuellement sur les ondes de la radio MF. Johnny Stark, son gérant, véritable don Juan des masses, génie de la mise en marché de vedettes, créateur de Johnny Halliday, avait eu l'idée d'associer Mireille Mathieu aux autres stars européennes. Il avait ainsi créé, dans un esprit très *Paris Match*, une sorte d'Olympe où se retrouvaient tous ceux et celles que le peuple aimait, tous genres confondus, rugby, course automobile, chanson, cinéma, voire politique.

Avec le concours des stratèges et des industriels du show-business québécois, il associa sa Mireille à Guy Lafleur, cherchant à flatter et séduire encore plus les fans québécois, et surtout à se faire remarquer sur le marché anglophone. Lafleur était en effet une vedette continentale et pouvait servir de locomotive à Mireille Mathieu auprès des masses canadiennes-anglaises et américaines.

Entre elle et lui, ça cliquait. Et Lise Barré aimait bien elle aussi la timide et polie chanteuse qui n'avait rien de la Française écrasante et ennuyeuse. Elle était au contraire attentive et curieuse, chaleureuse. Les Lafleur se mirent donc à fréquenter l'étrange couple Mathieu-Stark. Le grand public a toujours été friand de ces amitiés. Le monde s'émouvait et applaudissait de voir le joueur de hockey numéro un en compagnie de la chanteuse française numéro un.

Mireille fit cadeau à Lafleur d'une montre magnifique dont le boîtier était marqué à son effigie. Elle avait su qu'il faisait une collection de montres. Elle n'aurait pas su dire cependant, ni lui d'ailleurs, ce qui pouvait bien le fasciner dans ces petites machines animées : leur régularité ? leur automatisme ? la précision synchrone de leur mouvement ?

«Non, ce n'est pas ça. Ce que j'aime, c'est qu'on peut voir et entendre le temps passer. Je garde mes montres dans un tiroir que j'ouvre de temps en temps. Et alors je sens filer les secondes et les heures. Et je me dis que tout passe, les choses et les gens, même la nature : et on ne peut jamais revenir en arrière, ni s'arrêter, ni empêcher le temps de nous emporter. J'aime penser à ça, même si c'est toujours un peu effrayant.»

Il disait : «Mon épouse est enceinte. Si c'est une fille, nous l'appellerons Mireille; si c'est un garçon, ce sera Mathieu.» Il jouait le jeu comme un pro. L'amitié qui le liait à Mireille était au-dessus de tout soupçon. Il s'affirmait comme un joueur génial, comme un (très bientôt) père, un mari fidèle et aimant, un gars du peuple qui par son ardeur et son intelligence s'était élevé au rang des plus grands, tout en restant simple et gentil comme tout. Même le frère Léo Jacques, qui avait signé quelques années plus tôt un petit livre dithyrambique sur Guy Lafleur, eût été fier de son héros.

L'intelligentsia québécoise par ailleurs était quelque peu choquée. Les artistes se plaignaient amèrement de l'hégémonie qu'exerçaient alors les Français sur le show-business québécois. Et la critique considérait Mireille Mathieu comme un produit culturel d'assez piètre qualité. On parlait d'aliénation intellectuelle, de *dumping* culturel. Mais le bon peuple, lui, était parfaitement satisfait. Il voyait là une confirmation visible et officielle de la grandeur de ses héros. Dans les deux cas, il avait vu juste. Tout ça était bon pour Guy, bon pour Mireille, bon pour le hockey, bon pour le show-business.

Sam Pollock était soulagé. Depuis cinq ans au moins, il travaillait dans le but de doter les Canadiens de Montréal d'une star francophone, un véritable «Canayen», fils du peuple, comme Jean Béliveau ou, mieux encore, parce que plus passionnel, comme Maurice Richard. Il avait choisi Guy Lafleur, non seulement parce qu'il était un excellent joueur de hockey, mais aussi et surtout parce qu'il avait la trempe d'une superstar. Et que le Canadien sans superstar francophone, ce n'était qu'une superbe machine, une Rolls Royce sans moteur.

« Une équipe de hockey, ça se dirige comme n'importe quelle autre entreprise », disait le fin Renard Pollock, lorsqu'il était en air de philosopher. « Mais il y a évidemment beaucoup plus d'émotions et de passions que partout ailleurs. Et puis il y a les superstars. Ce sont elles que les gens viennent voir. Comme elles vont au cinéma pour voir des grandes vedettes. Le club Canadien de Montréal est en lui-même une vedette depuis un bon demi-siècle. Mais il nous faut quand même des vedettes individuelles, des superstars. Pour attirer les foules, pour gagner, pour rendre meilleurs les autres joueurs, pour que continue de vivre la Légende. Et cette superstar, il faut qu'elle soit francophone. Jamais on ne pourra imposer à Montréal une très grande vedette anglophone. Il y a eu et il y aura toujours de très bons joueurs canadiens-anglais ou américains. Mais une vraie grande vedette qui marque la différence des Canadiens avec tout autre club de la Ligue nationale, il faut que ce soit un gars du Québec. L'âme des Canadiens est québécoise et francophone. »

Pollock administrait donc une légende et savait mieux que quiconque comment étaient constitués les monstres sacrés qui peuplaient cette légende, et comment il fallait agir avec eux. Il savait les dompter, les faire manger dans sa main, tout en ayant pour eux un très grand respect.

« Les grands joueurs ont un irrépressible désir d'être des stars, d'être les meilleurs dans chacun des matchs qu'ils jouent, même lorsque leur club perd. Et ils ont cette belle faculté, lorsqu'ils sautent sur la glace, de laisser derrière eux tous leurs problèmes. Lorsqu'ils jouent, ils n'ont jamais l'esprit ailleurs que sur la glace. Ils sont tout entiers à ce qu'ils font. Ça peut paraître simple, mais ça requiert une force morale et un pouvoir de concentration hors du commun. Les vraies stars ne pensent qu'à briller, elles veulent toute la glace, toute l'attention. »

Pour le commun des mortels, les superstars deviennent des sauveurs, des sortes de démiurges omniscients et tout-puissants. Chroniqueurs, journalistes et potineurs prirent l'habitude de consulter Lafleur sur à peu près tout : la mode, la température, la politique, etc. Tout ce qu'il disait était oracle ; ce qu'il faisait, exemplaire ; ce qu'il touchait, consacré. On l'admirait, on l'encensait, on buvait ses paroles. Il adorait ça, évidemment. Lorsqu'il entrait dans un restaurant ou une discothèque du centre-ville, on venait l'accueillir, on lui faisait de la place, on lui offrait à boire. De temps en temps, il sortait quelques déclarations naïves, parfois choquantes, mais toujours enrobées d'une telle franchise qu'on ne pouvait vraiment pas lui en vouloir.

«Le hockey, c'est la chose la plus importante dans ma vie. Ça vient même avant ma famille, avant ma femme, avant mon fils.»

C'était choquant, mais franc. Les féministes n'appréciaient pas tellement ce genre de choses et regrettaient bien haut que Guy Lafleur n'eût pas su profiter de son immense réputation pour changer un peu l'image macho du joueur de hockey. Mais Lafleur répondait avec son gros bon sens qu'il n'avait pas travaillé comme un fou pendant quinze ans dans le but d'être un mari modèle ou un père de famille exemplaire, mais bien pour être un grand joueur de hockey.

D'ailleurs, sa femme ne se formalisait pas du tout de ces déclarations. Elle pensait elle aussi que la carrière de son mari devait passer avant tout. Elle avait fait avec lui une sorte d'entente tacite. Il jouait au hockey; elle s'occupait du reste. C'était donc elle qui menait à sa guise la barque familiale.

En juin 1975, elle avait accouché d'un garçon qu'ils nommèrent Martin, son choix à elle, plutôt que Mathieu, comme avait dit Lafleur devant les caméras de Radio-Canada. Martin était un nom qui se prononçait aussi bien en anglais qu'en français.

Guy Lafleur vivait maintenant dans un monde tout à fait différent de celui dont il était issu. Il menait la grande vie et en était fort heureux. Mais il avait parfois la nostalgie de la petite vie simple et sans histoire que connaissaient ses parents. Lise venait d'un milieu tellement différent de tout ce qu'avait connu Guy, pas du tout ouvrier, pas du tout prolétaire, sans doute beaucoup moins aveuglément catholique et beaucoup plus tourné vers la culture et les valeurs américaines que ne l'était le monde dont Lafleur était originaire.

La famille de Roger Barré avait depuis longtemps l'habitude de passer une bonne partie de l'été aux États-Unis, en Floride ou sur la côte de la Nouvelle-Angleterre. On y allait à Noël aussi. Roger Barré adorait l'*american way of life*, le jazz, Sinatra, les *big bands*; il aimait la façon de penser des Américains, leur talent pour les affaires, leur manière de vivre la vie de famille. Il jouait souvent au Monopoly avec ses enfants. C'est à travers ce jeu qu'il initia Lise et Pierre, son garçon, au monde des affaires. Il aimait parler anglais. Lise aussi. Contrairement à Guy qui se sentait un peu mal à l'aise et un peu perdu dans le luxe et la richesse, elle savait apprécier l'argent, sans fausse honte, sainement, américainement. Entre elle et le petit monde de Thurso auquel Guy était toujours

Guy Lafleur

1975

Guy Lafleur

Suzanne Lafleur

1952

Guy Lafleur

Jean Béliveau, Maurice Richard

1974

Guy Lafleur

Lise Barré

1973

Guy Lafleur

Suzanne, Réjean Lafleur, Gisèle

Lise, Pierrette Lafleur, Lucie

1984

Guy Lafleur

1966

Guy Lafleur

Pierrette Lafleur, Réjean Lafleur

Lise Lafleur, Martin Lafleur, Eva Baribeau

1985

Guy Lafleur

Martin Lafleur

1981

Guy Lafleur

Gilles Villeneuve

1979

Serge Savard, Claude Larose, Jacques Laperrière
Jean Béliveau, Guy Lafleur, Lise Lafleur
Pierre Bouchard, Guy Lapointe, Jacques Lemaire
Marc Tardif, Yvan Cournoyer, Henri Richard
Réjean Houle
1973

Guy Lafleur

1977

10
Ferland

“The Best”
Ferland

Guy Lafleur

Wayne Gretzky, Yves Tremblay

1989

Guy Lafleur

Ronald Corey

1985

Guy Lafleur

1989

resté profondément attaché, se dressait un mur d'incompréhension. Malgré la chaleureuse amabilité de Roger Barré, la distance n'avait cessé de croître entre les deux familles. On s'aimait, on se respectait, mais de loin. On ne voyait pas du tout le monde et la vie de la même façon.

Guy était entré dans un monde d'argent, de contacts et de privilèges, un véritable Pays des Merveilles. C'était exaltant. Mais de temps en temps, il lui venait cette déchirante nostalgie, lorsqu'il pensait à ses parents, à Thurso... Il avait l'impression de s'être dépouillé de beaucoup de choses pour entrer dans ce nouveau monde. Il se sentait alors comme en exil. Il était chez Lise, chez les riches. Seul.

*
**

L'ascension d'une superstar ne se fait jamais sans heurts. La glace et la gloire que l'un prend, un autre les a perdues. Déjà, Lafleur portait ombrage aux plus grands joueurs de l'équipe, à certains vétérans vénérés qui devaient se préparer, à cause de lui, au grand plongeon dans la pénombre. Après chaque match, les journalistes se précipitaient dans la chambre des joueurs, braquaient sur lui leurs caméras, le pressaient de questions. C'était devenu par moments terriblement embarrassant pour ses voisins. Pendant qu'ils se changeaient, dans le silence et dans l'ombre, Lafleur était oint soigneusement de lumière sacrée, félicité, cité.

Dans le vestiaire, on lui avait assigné l'emplacement naguère occupé par le grand Jean Béliveau. Près de lui se trouvaient les deux gardiens de but ; d'un côté, le grand Pete Mahovlich, et Yvan Cournoyer, de l'autre. Ailier droit comme Lafleur, Cournoyer, surnommé le « Roadrunner », parce qu'il était rapide et agile sur ses patins comme pas un, avait été élu capitaine du club, en septembre 1975, après le départ du « Pocket Rocket », Henri Richard. Le Roadrunner avait été certainement l'un des plus beaux, des plus grands, des plus spectaculaires et des plus sympathiques joueurs de toute cette époque. Il avait réussi des coups faramineux que les amateurs de hockey n'oublieraient pas de si tôt, comme cette fois où il s'était échappé avec la rondelle et, se retrouvant seul devant le gardien de but ennemi, il avait fait une chose qu'on n'avait jamais vue nulle part. Lui, un gaucher, il avait tout d'un coup changé son bâton de côté et avait lancé de la droite avec une force et une précision extraordinaires. C'était un lancer imparable, incomparable. Un coup de génie.

Yvan Cournoyer était alors, au début de 1976, le troisième buteur (derrière Maurice Richard et Jean Béliveau) et le troisième passeur (derrière Béliveau et Henri Richard) de toute l'histoire des Canadiens de Montréal. Il était assuré de rester *ad vitam aeternam* dans le peloton de tête des pointeurs, d'occuper une place dans la Légende aux côtés de Béliveau, des frères Richard, de Geoffrion, de Howie Morenz, d'Aurèle Joliat. Mais du train où allaient les choses, il allait être tôt ou tard dépassé par ces jeunes loups qui avaient maintenant les faveurs de Bowman et du public : Guy Lafleur, Steve Shutt, et même Jacques Lemaire et Larry Robinson. Les belles années du Roadrunner étaient derrière lui, déjà. Il avait trente-deux ans, l'âge où un athlète ralentit et commence tranquillement à décliner, qu'il le veuille ou non. Les réflexes sont moins vifs, les muscles moins puissants, le souffle plus court. Or Guy Lafleur, le voisin de vestiaire du Roadrunner, était en pleine ascension. Bowman l'utilisait de plus en plus souvent en lieu et place de Cournoyer, à l'aile droite. Dans le vestiaire, la meute des journalistes s'adressait presque toujours à lui plutôt qu'au vénérable capitaine.

Cournoyer, beau joueur, déménagea ses pénates à l'autre bout du vestiaire, en disant qu'il se sentait à l'étroit, coincé qu'il était entre Ken Dryden, Michel Larocque et leurs lourds équipements de gardiens de but, Guy Lafleur et sa cour de journalistes et de fans et Pete Mahovlich qui parlait sans arrêt et sentait souvent le fond de tonneau et le liniment et les pieds. On conclut évidemment que le Roadrunner s'était éloigné par dépit, qu'il était amer et frustré. Il y avait sans doute chez lui un certain désarroi, mais ces allégations de la presse l'avaient profondément blessé. Et Guy Lafleur lui-même, pour la première fois, se permit de faire la leçon aux journalistes.

« Comment pouvez-vous savoir ce qui se passe dans la tête et dans le cœur d'un gars ? Yvan Cournoyer a toujours été très correct avec moi. Quand je suis arrivé ici, il m'a aidé. Il a encore quatre ou cinq bonnes années devant lui. C'est à peu près certain qu'il ne sera plus jamais le meilleur compteur de l'équipe. Mais ça, figurez-vous qu'il n'avait pas besoin de vous autres pour le savoir. »

Lafleur voyait comme tout le monde le grand Cournoyer rentrer peu à peu dans l'ombre froide et en ressentait un petit pincement au cœur. Mais c'était dans l'ordre des choses. Il n'y avait pas de quoi faire du sentiment.

« Un jour, ce sera mon tour, pensait-il. Il va en arriver un plus vite, un plus fort que moi. Et je devrai lui céder ma place. J'aurai moins de glace. C'est normal. Tous les records sont faits pour être battus. J'espère seulement, quand ça m'arrivera, que je serai aussi correct que Cournoyer l'a été avec moi. »

Mais il était alors bien loin le jour où il devrait songer à céder sa place. Le sommet et le meilleur restaient à venir. C'est ce que tout le monde lui disait.

Le 16 mai 1976, les Canadiens remportaient la coupe Stanley au Spectrum de Philadelphie. Leur victoire fut signalée comme la fin d'une ère. Fred Shero, Dave « the Hammer » Schultz, Bob Kelly et les Broad Street Bullies avaient été mis en échec par les « Cannibales de la rue Sainte-Catherine », Rick Chartraw, Pierre Bouchard, Larry Robinson et compagnie. Scotty Bowman avait fait la preuve que les Canadiens étaient vraiment les plus forts, les plus intelligents. Contrairement à Shero, Bowman ne s'en tenait pas à un système rigide. Il utilisait tous les systèmes, s'adaptant rapidement à ceux que ses ennemis mettaient en place. Son équipe était talentueuse, agile et intelligente, polyvalente, beaucoup plus rapide sur ses patins que toutes les autres. Elle n'avait pas froid aux yeux et pouvait jouer dans n'importe quel système. Elle avait battu les Flyers à leur propre jeu.

C'était une victoire personnelle de Bowman sur Shero. Il avait ordonné à ses hommes de ne pas se laisser impressionner par la macabre mise en scène de Shero et de commencer à patiner pendant que Kate Smith chantait son *God Bless America*. D'habitude, tous les joueurs écoutent les hymnes nationaux avec recueillement, leurs bâtons posés sur la glace, leurs casques à la main, tête baissée. Mais ce soir-là, les Canadiens remirent leurs casques puis, se soustrayant à l'aveuglante lumière des spots, se mirent à patiner en rond dans la pénombre sous les formidables huées du Spectrum. Ce faisant, ils avaient pratiquement gagné, déjà. Shero et ses hommes étaient déstabilisés. Les joueurs de Bowman avaient repris l'initiative du jeu.

Pierre Bouchard fut magnifique pendant cette finale. Il compta à deux reprises, soit deux fois plus souvent qu'au cours de toute la saison régulière où il n'avait enregistré qu'un seul but. Guy Lafleur marqua le but vainqueur, son septième des éliminatoires. Pendant toutes ces séries, il avait bien joué, avec beaucoup de cœur. Cependant les observateurs éclairés avaient remarqué chez lui des moments de relâchement. Il était toujours le meilleur, toujours imprévisible, incroyablement rapide dans ses feintes, son lancer était encore d'une formidable précision, mais on sentait que quelque chose clochait.

Il avait eu déjà quelques mauvaises passes au cours de la saison. À l'automne par exemple, il avait passé dix matchs sans compter un seul but. Personne ne comprenait ce qui lui arrivait. Surtout que Lafleur dans ces moments de disette devenait encore plus timide et secret, plus évasif. Alors les journalistes imaginaient toutes sortes d'hypothèses et tiraient leurs propres conclusions. Ainsi, pendant ces séries contre les Flyers, certains chroniqueurs sportifs insinuèrent que Lafleur avait peur des grosses brutes de Fred Shero ; d'autres prétendirent que la pression qu'on lui avait mise sur les épaules au cours de la saison précédente commençait à lui peser dangereusement ou qu'il était frustré de voir que beaucoup de joueurs moins bons que lui avaient un meilleur salaire.

En fait, ça n'avait strictement rien à voir. Personne ne pouvait imaginer ce qui inquiétait Guy Lafleur. C'était un secret. Seuls quelques membres de l'organisation étaient au courant. Et la police, qui lui avait demandé la plus grande discrétion.

Quelques jours avant les séries, la Sûreté du Québec avait arrêté un jeune homme bien connu d'elle. Ce dernier avait trempé dans le célèbre vol de la Brinks qui avait rapporté à ses astucieux et audacieux auteurs la coquette somme de 2,8 millions de dollars. Désireux de s'attirer quelque indulgence, le bandit avait vendu quelques mèches, entre autres celle d'une rumeur très sérieuse qui circulait dans le milieu à l'effet que certains confrères avaient l'intention d'enlever Guy Lafleur et d'exiger une rançon de l'organisation des Canadiens. Pas rien. Un million au moins, en petites coupures !

La police informa le vice-président aux affaires sociales du club, Jean Béliveau, qui prit la chose très au sérieux. Deux policiers payés par les Canadiens se rendirent chez Lafleur à Verchères où on établit rapidement un plan de défense. Lise et Martin furent placés à l'hôtel Bonaventure. Lafleur resta à la maison avec les deux policiers. L'un d'eux était armé, l'autre pas. Lafleur avait une carabine 308 et un 375 Magnum. Mais la perspective de devoir s'en servir pour tirer sur des hommes, fussent-ils de dangereux bandits, ne lui souriait pas du tout. D'une certaine façon, il trouvait à l'affaire un certain amusement. C'était flatteur et valorisant. Des bandits, pas des petites frappes de rien, mais des bandits d'envergure, intelligents et ingénieux, qui avaient réussi ce que d'aucuns qualifiaient de vol du siècle, se proposaient de l'enlever. Et ils considéraient, eux, qu'il valait très cher.

« Je peux pas faire autrement que d'avoir quelque part une certaine sympathie pour ces gars-là, disait Lafleur en riant aux policiers qui le gardaient. Ils m'évaluent à dix fois plus que ce que me donnent les Canadiens. »

Il n'avait jamais digéré la manière dont on lui avait imposé son dernier contrat. Il était l'un des meilleurs joueurs de la Ligue nationale, mais une bonne vingtaine étaient beaucoup mieux payés que lui. Il venait de compter cinquante-six buts au cours de la saison 1975-1976, un record d'équipe, et il avait en plus réussi soixante assistances, pour un impressionnant total de cent vingt-cinq points. Mais même chez les Canadiens, dont il était la vedette incontestée, plusieurs joueurs avaient des salaires beaucoup plus élevés que le sien. Marcel Dionne, qui avait eu la bonne idée d'aller jouer aux États-Unis, faisait 300 000 $ par année, trois fois plus que Lafleur. Celui-ci avait parfois l'impression qu'on avait ri de lui quelque part. Ça le dérangeait et ça l'humiliait.

Ces bandits qui voulaient l'enlever connaissaient la valeur des choses et des gens ; il le traitaient avec plus de respect que ne le faisait la famille Bronfman, propriétaire des Canadiens, via la Carena-Bancorp.

On avait cependant décidé de ne pas ébruiter l'affaire. Pas un mot à la presse, ni même aux joueurs du club. On espérait que les bandits, ne se doutant pas qu'ils avaient été vendus par l'un des leurs, finiraient par agir. La police espérait réussir ainsi un beau coup de filet.

Mais au bout de quelques jours, Lafleur ne se sentait plus très à l'aise dans le rôle de la chèvre. Il s'inquiétait pour son fils et sa femme, violemment perturbée par toute cette affaire. Il ne pouvait s'empêcher de penser à ce qui s'était produit quelques années plus tôt, après que le FLQ eut enlevé le ministre Pierre Laporte. Les circonstances n'étaient évidemment pas les mêmes. Mais on ne sait jamais. Ce genre d'affaire pouvait toujours mal tourner. Et ça lui mettait évidemment encore plus de pression sur les épaules. En pleines séries éliminatoires. Il dormait mal, il perdait l'appétit, il ne parvenait plus à se concentrer.

On savait qu'entre chez lui et le Forum, il y avait trois endroits où les bandits étaient susceptibles d'intervenir : deux feux rouges, un à Varennes, l'autre à Boucherville, et la bretelle d'accès au pont Jacques-Cartier. Lorsque Lafleur entrait en ville ou qu'il en sortait, les policiers le suivaient dans une voiture banalisée. Ils ne devaient cependant pas intervenir. Si les bandits réussissaient leur coup, ils seraient pistés. Lafleur portait continuellement un émetteur sur lui.

Le matin du 16 mai, trois bandits furent arrêtés à Ottawa pour un vol de banque. Le délateur informa immédiatement la police qu'il s'agissait des gars qui avaient fomenté le projet d'enlever Guy Lafleur. Celui-ci, rejoint à son hôtel de Philadelphie, apprit que l'affaire était terminée. Il était soulagé, mais fatigué. Ce soir-là, après avoir permis aux Canadiens de Montréal de remporter la dix-neuvième coupe Stanley de leur histoire, il fut incapable de fêter.

Dans le vestiaire en liesse, où on s'arrosait copieusement de champagne autour de la coupe Stanley, on remarqua soudain l'absence de Lafleur, héros du jour et de l'année. Pete Mahovlich, Jim Roberts, le soigneur Eddy Palchak et quelques journalistes, dont Claude Larochelle du *Soleil* de Québec, partirent à sa recherche et finirent par le trouver à l'autre bout du sinistre Spectrum, dans une sorte de réduit faiblement éclairé où il s'était enfermé. Il était assis sur un tabouret, un Coke à la main, tout seul, visiblement mécontent de les voir arriver. Surtout le trop exubérant Pete Mahovlich qui le secouait comme un prunier pour qu'il exulte, alors qu'il n'avait qu'une envie : être seul, ne pas avoir à parler, ni même à écouter quoi que ce soit de qui que ce soit, avoir la paix, la sainte paix, pour une fois.

Depuis des années, ça n'arrêtait jamais, jamais, jamais. Tout le monde lui courait après. Il fallait toujours qu'il s'explique et s'exprime sur tout et sur rien, que ça aille bien ou mal. Il se sentait vidé. Et en même temps plein de larmes. Il aurait voulu pleurer tranquillement, tout seul dans un coin. Il n'avait pas la force de répondre et de les envoyer promener tous. Heureusement que Larochelle et Palchak, plus subtils que le grand Pete, comprirent son désarroi et tentèrent de lui parler doucement, comme à un malade, avec tellement de douceur et de gentillesse qu'il faillit vraiment fondre en larmes.

Lorsqu'ils retournèrent au vestiaire, la plupart des joueurs étaient déjà partis fêter ailleurs. Larochelle et Guy sortirent ensemble à la recherche d'un restaurant. Lafleur aimait bien Larochelle, le journaliste du *Soleil*, qui le suivait depuis l'heureux temps des Remparts. C'était un gars sérieux, jamais bassement flatteur, jamais flagorneur, un vrai professionnel connaissant et aimant le hockey et qui disait les vraies affaires autant aux joueurs qu'à ses lecteurs. Il savait aussi parler d'autre chose que de hockey, de chars et de cul. Et, suprême richesse, il venait de Québec.

Québec ! Ça lui semblait tout à coup à des années-lumière. Il réalisait, en bavardant avec Larochelle dans ce petit restaurant de Philadelphie où ils s'étaient réfugiés, qu'il n'appartenait plus à Limoilou. Il questionnait avidement son ami journaliste sur le Colisée, sur Dumont, Filion, Doyon, sur les mille et une petites choses à travers lesquelles on se reconnaît lorsqu'on vient de la même ville. Mais il sentait pour la première fois qu'il avait vraiment émigré. Il était vraiment parti de Québec. Pour toujours.

Et il se disait, tout fier, en savourant tranquillement la bouteille de bon vin qu'avait choisie Larochelle, qu'il avait encore une fois réussi l'impossible exploit, sur une plus grande échelle, de séduire et de marquer une foule, une ville, un pays; cette fois, il ne s'agissait plus de la petite foule presque familiale du Colisée, mais du meilleur public de hockey qui soit au monde, celui de Montréal, de tout le Québec, et même du public de hockey de tout le continent nord-américain. Cette fois, c'était gros, c'était vraiment très gros. Il était le champion. Il était au sommet, au plus haut sommet. Il se mit alors à penser que Gerry Patterson avait finalement été de bon conseil lorsqu'il l'avait poussé à signer avec les Canadiens plutôt qu'avec les Nordiques.

La fatigue et la tension enfin dissoutes à la chaleur du vin, tout apparaissait de nouveau simple et douillet. Demain, il retrouverait Lise et Martin. Et ce serait l'été, le bel été.

Ils avaient décidé, Lise et lui, de quitter Verchères. Pour diverses raisons. D'abord, les projets d'aménagement qu'ils avaient faits autour de la maison canadienne restaurée étaient totalement irréalistes. Piste pour chevaux, écurie, piscine intérieure, etc. : un million de dollars au moins. De plus, c'était loin de l'aéroport. Lorsque les Canadiens jouaient à l'extérieur et qu'on rentrait après le match, Lafleur devait conduire pendant près d'une heure pour rentrer chez lui. La plupart des joueurs du club habitaient dans le West End et c'est de ce côté-là, à Baie-d'Urfé, que les Lafleur poussèrent leurs recherches.

Baie-d'Urfé est une banlieue fort jolie et très cossue, toute neuve. Les maisons y sont la plupart du temps énormes, les terrains très vastes et la population relativement jeune et majoritairement anglophone. Lafleur trouva une maison à son goût, mélange de styles suisse et canadien, en pierre et bois, cinq chambres, trois étages, deux foyers, une immense pelouse avec de beaux arbres et des rocailles, une piscine. Une maison plus que neuve. En fait, on venait à peine d'en commencer la construction. Ce sont les plans qui ont séduit Lafleur. De même qu'il avait une passion pour les cartes routières, il s'en découvrait une pour les plans de maisons. Cartes et plans (projets de voyages et projets de maisons) allaient devenir avec les magazines d'autos et de bateaux ses principales lectures, ses grands espaces à rêveries.

Dans sa maison de Verchères, il passait des heures à regarder les plans de sa maison de Baie-d'Urfé. Plusieurs fois par semaine, il allait voir l'état des travaux et discutait longuement avec les ouvriers. Et lui que les travaux manuels n'avaient jamais intéressé, il prenait plaisir à charroyer du ciment, des briques, des planches. Il a vu naître cette maison, comme il avait vu, un an plus tôt, naître son fils Martin. Et il avait l'impression qu'elle lui appartiendrait vraiment, non seulement parce qu'il allait la payer (140 000$), mais parce qu'il participait de ses mains et de son temps à sa construction. Selon lui, l'argent tout seul ne conférait à personne un réel droit de propriété. Pour s'approprier vraiment les choses, on devait payer de sa personne, comme avait fait son père pour la petite maison de la rue Bourget, à Thurso, où il avait élevé ses cinq enfants. Pour être vraiment chez soi quelque part, il fallait y mettre non seulement de l'argent, mais aussi du travail, de l'attention, de la passion.

Hélas, une superstar n'a pas que ça à faire. D'autres devoirs appelaient Lafleur. Jerry Petrie, son nouvel agent, avait renégocié le contrat de l'athlète avec les Canadiens et fondé Les Entreprises Guy Lafleur Ltée qui se chargeraient de planifier la carrière de la vedette. Au cours de la saison précédente, Lafleur avait décroché des contrats de publicité générant des revenus de plus de 60 000 $, ce qui lui permettait de vivre en ne touchant pratiquement pas à son salaire de joueur de hockey, lequel était sagement réinvesti dans un trust administré par le Club de hockey Canadien.

Le nom et le visage de Guy Lafleur étaient partout, tout le temps. Le journaliste Bernard Brisset des Nos nota que, dans les journaux montréalais seulement, pas moins de six cents articles étaient parus sur lui au cours de la saison de hockey 1975-1976. Et ça n'allait pas ralentir. Au contraire. Innombrables furent les « présences » que dut payer l'athlète cet été-là à divers clubs sociaux ou sportifs, brasseries en mal de publicité, stations-service, grands hôtels, tournois de golf, hôpitaux, etc. Innombrables les interviews qu'il accorda à la radio, aux journaux, à la télévision. Innombrables les titres qui lui furent conférés lors de galas, les trophées qu'on lui remit.

Et il devait chaque fois adresser quelques mots de remerciement ou d'encouragement à un public toujours plus avide, ce qui parfois l'ennuyait prodigieusement. Parler en public le stressait, le vidait. Mais il se sentait pris irrémédiablement dans l'engrenage de la renommée. Il ne savait trop comment il pourrait un jour s'en sortir, ni même s'il fallait ou s'il voulait s'en sortir. Il était en train de découvrir qu'il y avait là, au-delà du stress, quelque chose de formidablement excitant.

*
**

Un avocat torontois, Alan Eagleson, celui-là même qui en 1973, au moment de la formation de l'Association mondiale, avait laissé entendre que le contrat de Guy Lafleur avec les Canadiens pouvait ne pas être valide et que l'organisation des futurs Nordiques pourrait peut-être le repêcher, venait d'avoir la brillante et lucrative idée d'organiser un supertournoi international dont l'enjeu serait la Coupe Canada. Tous les grands pays de hockey, Canada, États-Unis, Finlande, Tchécoslovaquie, URSS, Suède et autres, avaient rendez-vous en septembre 1976 sur les glaces canadiennes. L'Équipe Canada était formée des meilleurs joueurs canadiens de la Ligue nationale et de l'Association mondiale, parmi lesquels figurait évidemment, sur la première ligne d'attaque, le sieur Guy Lafleur, ailier droit.

Au camp d'entraînement, ce dernier retrouva avec un immense plaisir son cher vieil ennemi du temps des Remparts, Gilbert Perreault, devenu le joueur numéro un des Sabres de Buffalo et l'un des meilleurs compteurs de la ligue. Un bon gars, simple et rieur, qui ne se prenait pas au sérieux.

Mais en général, Lafleur fut plutôt écœuré par l'atmosphère extrêmement tendue qui régnait dans cette équipe formée de superstars possédant d'obèses egos, qui s'offusquaient de ne pas recevoir assez de passes et en faisaient le moins possible, parce qu'ils ne songeaient qu'à marquer des buts et à se constituer de brillants scores personnels. Il y avait, entre autres, ce grand gueulard de Phil Esposito qui prétendait avoir droit à plus de glace que n'importe qui d'autre parce qu'il détenait tel ou tel record, et qui s'imposait comme un leader indispensable sous prétexte qu'il avait sauvé l'honneur de son pays en 1972, lors de la fameuse série du siècle opposant le Canada et l'URSS.

Il y avait cependant dans cette équipe un personnage qui fascina Lafleur au plus haut point, Bobby Orr, un gars très effacé, qui parlait tout bas en bafouillant parfois un peu, en mâchant ses mots, comme Lafleur. Et sur la glace, un pur génie, comme Lafleur. Certains voyaient en lui le plus grand joueur de tous les temps. Il avait été si souvent blessé aux genoux qu'on s'étonnait qu'il tienne encore debout sur ses patins.

Lorsque l'Équipe Canada était sur la route, Lafleur et Orr partageaient la même chambre. D'habitude, Lafleur n'aimait pas parler de hockey ; avec Bobby Orr, ce fut tout le contraire. Des heures durant, ils se racontaient dans le menu détail des montées qu'ils avaient réussies. Comment ils s'y prenaient pour déjouer ou déconcentrer tel défenseur, tel gardien de but. Quelle sensation merveilleuse ils ressentaient lorsqu'ils acquéraient soudainement la certitude, comme avertis par un sixième sens, qu'ils allaient immanquablement marquer un but dans les quelques secondes qui venaient, et que tout, à partir de ce moment-là, dans la mouvante et sidérante géométrie du jeu, s'organisait comme par magie autour d'eux… et ils avaient alors l'impression grisante de commander aux forces du hasard.

Ils parlaient vraiment le même langage. Lafleur découvrait en Bobby Orr un homme passionné de hockey comme lui et pour les mêmes raisons. Il n'avait jamais pu s'exprimer ainsi avec ses coéquipiers. Lemaire, un théoricien du hockey, beaucoup trop cérébral, faisait toujours des plans de jeu sur papier, comme les joueurs de football, et cherchait à tout codifier, à tout ériger en système organisé. Steve Shutt, lui, ne prenait jamais rien au sérieux, laissant volontiers entendre qu'il était devenu un grand joueur presque par accident, parce qu'il évoluait dans le sillage de Lafleur.

Mais lui, Guy Lafleur, quand il sautait sur la glace, il ne savait jamais ce qu'il allait faire, ne l'avait jamais su. Même Ti-Paul Meloche, dans le temps, avait remarqué cela. Bien sûr, certains modèles revenaient plus souvent que d'autres. Ainsi, mille fois au moins, il était entré dans la zone ennemie par la droite, en longeant la clôture d'abord, puis s'en éloignant le plus possible après avoir franchi la ligne bleue, de manière à élargir son angle de tir, et il lançait de loin, un boulet qui atteignait parfois les quatre-vingts milles à l'heure. Il allait souvent dans les coins aussi, dans les deux coins, le sien et celui de l'aile gauche. Il aimait les mêlées. Parfois même, lorsque les joueurs formaient une sorte d'essaim bourdonnant autour de la rondelle, il lui arrivait, dans le feu de l'action, dans le volcan en éruption de l'action, de pouffer de rire, tant il était excité.

Il n'avait jamais de plan défini. Il essayait simplement de tout faire, sans stratégie, sans même penser à tenir sa position. Et quand il se rendait compte qu'il prenait des habitudes ou des manies, il les cassait. Contrairement à Lemaire par exemple, il s'efforçait de ne jamais refaire la même chose. Orr et Lafleur s'entendaient là-dessus à merveille. Il fallait être imprévisible, « unforeseeable, man, unpredictable », toujours improviser.

« À la limite, disait Guy, il faut quasiment que tu arrives à te surprendre toi-même. »

Comme Lafleur, Orr se présentait toujours à l'aréna longtemps avant l'équipe. Ensemble, ils arrivaient plus que longtemps d'avance. Pendant ce tournoi, Québec, Montréal ou Toronto, ils se rendaient au Colisée, au Forum ou au Garden trois ou quatre heures avant le match, poursuivant leur conversation, préparant tranquillement leurs bâtons. Bobby oignait et bandait ses genoux couverts de cicatrices. Ils patinaient un peu en parlant de femmes et de voitures, ils déjouaient l'homme invisible, lançaient dans les filets déserts.

Lafleur n'avait jamais été bien fort dans ce genre de rencontres internationales. En 1972, lorsque pour la première fois, les professionnels canadiens avaient affronté les Soviétiques, il n'avait pas encore fait ses preuves dans la Ligue nationale et n'était pas membre de l'équipe d'étoiles. Le 31 décembre 1975, il avait fait assez piètre figure contre l'équipe de l'Armée rouge. Il ne parvenait pas à se concentrer et errait sur la patinoire comme une petite âme en peine, incapable de comprendre les jeux, se débarrassant de la rondelle dès qu'il l'avait en sa possession.

Les journalistes écrivirent qu'il semblait avoir peur des étrangers qu'il n'osait mettre en échec, mais en réalité c'était la rondelle qui le terrorisait, parce qu'elle symbolisait de lourdes responsabilités. Il voulait tellement bien faire, qu'il avait une peur bleue de mal agir. Ses coéquipiers avaient vite compris et cessèrent de lui envoyer des passes. En troisième période, Bowman ne lui donna pratiquement pas de glace.

Neuf mois plus tard, dans ce tournoi de la Coupe Canada de septembre 1976, les champions canadiens affrontaient des équipes de divers pays, mais la rencontre la plus attendue était celle de l'URSS. Tous les autres, Suédois, Tchécoslovaques et compagnie, présentaient infiniment moins d'intérêt, même s'ils étaient parfois aussi puissants que les Soviétiques. Le seul véritable adversaire du Canada, le seul capable d'éveiller des passions profondes et de poser de sérieux défis, était et serait vraisemblablement toujours l'équipe russe.

Les 24 et 25 août 1976, le Canada jouait au Colisée contre les États-Unis. Guy Lafleur n'avait pas mis les pieds sur cette glace tant aimée depuis 1971, le soir où les Remparts avaient remporté la coupe Memorial. La foule lui fit un vibrant accueil, lorsqu'il parut sur la patinoire en compagnie de Bobby Orr et de Gilbert Perreault. Ces deux derniers avaient d'ailleurs bien compris à qui s'adressait cette ovation monstre et s'étaient retirés un peu à l'écart pendant un moment, laissant Lafleur seul au centre de la glace. Il tournait sur lui-même, souriant, terriblement ému, les bras levés vers la foule délirante. Ses plus chers amis et ses vrais fans étaient là, Madame Baribeau, Jean-Yves Doyon, Paul Dumont, Roger

Barré, Maurice Filion... Ils l'applaudissaient, ils l'aimaient. C'était doux et bon. Lourd à porter aussi. Car ils voulaient encore une fois qu'il soit le meilleur. Avec les Remparts, c'était toujours possible. Mais ce soir, il se trouvait déjà parmi les meilleurs joueurs du monde. Ce serait plus difficile.

Le Canada défit facilement les Américains. Mais Lafleur ne contribua pas beaucoup à cette victoire. Il jouait du bon hockey honnête, mais il ne produisait rien. Rien non plus au Forum, quelques jours plus tard, dans la victoire du Canada contre la Tchécoslovaquie. Rien contre les Russes au Garden de Toronto.

Bobby Orr, le héros incontesté de cette série, fit la joie du public, de ses coéquipiers, de ses adversaires. Cette série de la Coupe Canada aura d'ailleurs été son chant du cygne. En effet, tout de suite après le dernier match, il annonça officiellement qu'il prenait sa retraite. Lafleur, devenu son confident, était au courant depuis plusieurs jours déjà. Il savait que Bobby Orr était profondément attristé de quitter le hockey, mais qu'il s'était juré de le faire en beauté, investissant dans ses derniers moments tout son talent et toutes ses forces. Quand il se trouvait sur la glace avec lui, Lafleur ne pensait pas au hockey, mais à Orr et au drame qu'il vivait. Pour rien au monde, il n'aurait voulu briller plus que lui.

Un champion ressent toujours un pincement au cœur lorsqu'il en voit un autre réussir un brillant exploit. Mais en septembre 1976, lorsque Bobby Orr traversait tout seul la patinoire d'un bout à l'autre et qu'il logeait la rondelle dans le filet des Suédois, des Russes ou des Américains, Guy Lafleur exultait, applaudissait.

La sortie de Bobby Orr fut l'une des plus émouvantes et des plus spectaculaires de toute l'histoire de la Ligue nationale. Pour Guy Lafleur, alors très proche de lui, ce fut une inoubliable leçon de choses. Il apprit qu'il devrait lui aussi, tôt ou tard, songer à partir. Il comprit surtout que chacun avait la responsabilité de modeler sa carrière, comme un artiste sculpte son œuvre. Il avait vu tant de joueurs partir, amers et désespérés, sans projet, sans but. Bobby Orr, lui, avait réussi un pur chef-d'œuvre. Sa carrière culminait dans cet éblouissant finale; il partait heureux et satisfait. Guy Lafleur jura de faire de même.

Il semblait bien que le grand Pete Mahovlich ne saurait pas, comme Bobby Orr, se ménager une belle sortie. Il était sur la mauvaise pente. Il buvait beaucoup. Il patinait moins bien, laissait filer de belles passes, ratait des occasions en or, son lancer devenu mou et de moins en moins précis. Sa production allait cette année-là baisser de moitié. Scotty Bowman cependant le laissait toujours occuper le centre de sa première ligne, flanqué de Guy Lafleur à l'aile droite et de Steve Shutt sur la gauche. Ce trio demeurait le plus productif du club et même de la ligue, mais ce n'était vraiment plus à cause de lui. Pierre Bouchard avait surnommé cette ligne Shutt-Mahovlich-Lafleur, la «Donut Line», parce qu'il y avait un trou au milieu.

En janvier 1977, Bowman comprit. Il aligna Lemaire avec Lafleur et Shutt. La superligne la plus spectaculaire et la plus puissante des temps modernes venait enfin d'être mise en place. Elle allait pendant trois ans dominer totalement la Ligue nationale et donner trois autres coupes Stanley aux Canadiens de Montréal.

*
**

Le 24 mars 1977, le Forum vécut un suspense presque intolérable. Tous les yeux étaient rivés sur Guy Lafleur qui, ce soir-là, s'apprêtait à battre un record vieux de dix-sept ans, celui de Bronco Horvath des Bruins de Boston qui, en 1960, s'était trouvé sur la liste de pointage de son club vingt-deux matchs d'affilée.

Les Canadiens dominaient totalement ce match contre les Blues de St. Louis. Lafleur avait raté de belles occasions de compter au cours des deux premières périodes. Il était nerveux et grippé. Bowman lui avait donné de la glace en masse, et tous ses coéquipiers semblaient s'être donné le mot pour lui préparer de beaux jeux, mais ça ne fonctionnait jamais. Finalement Réjean Houle et Doug Risebrough, au milieu de la troisième période, réussirent à percer la défensive des Blues et à refiler la rondelle à Lafleur qui déjoua le gardien d'un lancer du revers. Le délire de la foule fut si violent que le jeu ne put reprendre avant un long moment.

Rentré au banc des joueurs, Lafleur dut retourner sur la glace, la serviette au cou, pour saluer. Puis Sam Pollock vint le féliciter. Il avait même préparé un petit laïus qu'il lui débita d'un ton ému, devant tous les joueurs. Il lui dit que ce record était le fait d'un très grand athlète qui avait du cœur au ventre et que son exploit valorisait toute son équipe. Lafleur avait marqué lors de chacun des vingt-trois matchs précédents. Et ce n'était pas fini. Il contribua au pointage des siens pendant encore 14 matchs, totalisant 26 buts et 52 passes, soit 78 points, en 37 rencontres d'affilée. Bronco Horvath lui fit parvenir un télégramme de félicitations. Et il rentra gentiment dans l'ombre. Lorsque les grandes étoiles atteignent leur zénith, elles brillent d'un si vif éclat qu'elles font disparaître les autres une à une.

Il ne restait plus au firmament de la légende des Canadiens que Maurice Richard et Guy Lafleur. Cette année-là, tous les journalistes sportifs canadiens et américains pondirent de savantes analyses et de vibrants éditoriaux à savoir lequel des deux était le plus grand, le plus beau, le plus fort. La plupart les considéraient à la fois incomparables et égaux.

Mais ailleurs, dans d'autres clubs de la Ligue nationale, quelques grands joueurs de la génération de Lafleur faisaient eux aussi leurs marques et établissaient d'enviables records. Par pudeur, mais aussi parce qu'il savait bien que Lemaire avait raison lorsqu'il disait que seuls l'équipe et les records de l'équipe comptaient, Lafleur feignait de ne pas s'intéresser à ses propres scores, ni à ceux des joueurs qui le talonnaient.

Mais de temps en temps, il appelait son père à Thurso. Celui-ci continuait de collectionner tout ce qui s'écrivait sur son fils et constituait sur lui de gigantesques archives. Guy lui demandait :

« Papa, c'est vrai que Dionne est proche de moi ? »

Réjean Lafleur, un peu inquiet, consultait ses statistiques et rassurait son fils.

« Jamais de la vie. Il a perdu beaucoup de terrain depuis deux semaines. À moins d'un miracle, il pourra pas te rejoindre avant la fin de la saison.

— Et Leach ? Et Clarke ? »

Personne par la popularité n'approchait Guy Lafleur. Même aux États-Unis, où on avait été plus lent à l'aimer, parce qu'il ne parlait pas beaucoup aux journalistes américains, il était devenu une star énorme. Et il assumait ses responsabilités de star et profitait abondamment des privilèges afférents. Il n'hésitait pas à dire bien haut le fond de sa pensée.

Scotty Bowman avait un jour puni Rick Chartraw qui s'était abstenu de participer à une « pratique » facultative. Aux journalistes qui interrogaient les joueurs afin de savoir pourquoi Chartraw n'avait pas eu de glace, Lafleur dit la vérité et donna son avis. Il considérait que Bowman n'avait pas été correct.

« C'était une pratique facultative. Je ne dis pas que Rick a eu raison de ne pas y participer. Au contraire, vous le savez, vous m'avez vu aller, je pense qu'on devrait toujours être aux pratiques, facultatives ou pas. Mais Bowman n'avait pas à punir Rick, alors qu'en principe il nous laissait libres. »

Désavouer publiquement un entraîneur, voilà une chose qui ne se faisait pas souvent. Seul Henri Richard avait osé contester ouvertement des décisions de Toe Blake ou remettre en question la compétence d'Al MacNeil. Dans le huis clos bien protégé du vestiaire, les joueurs pouvaient toujours maudire Bowman, le traiter entre eux de tous les noms, mais dire aux journalistes quoi que ce soit contre lui, ça ne se faisait pas. L'entraîneur, c'était l'autorité absolue, incontestable.

Cette affaire Chartraw fit grand bruit dans la presse. Ce fut en fait l'un des premiers affrontements entre Bowman et Lafleur, l'un des premiers coups que porta celui-ci à l'ordre établi et à cette vénérable institution des Canadiens de Montréal. Il y en aurait d'autres. Beaucoup d'autres. Il n'allait pas se priver. Il se mit à dire ce qu'il pensait avec une formidable franchise.

À un journaliste de Los Angeles qui lui demandait qui était selon lui le meilleur gardien de but de la Ligue nationale, il répondit : «Rogatien Vachon.» Or ce dernier avait alors trente-deux ans, ce qui n'était plus très jeune pour un gardien de but, et il avait eu l'année précédente une fiche assez médiocre. D'autre part, ce qu'avait dit Lafleur était blessant pour les deux cerbères des Canadiens, Ken Dryden et Michel «Bunny» Larocque, qui avaient tous deux connu une fort bonne saison et allaient presque certainement remporter le trophée Georges-Vézina. Bowman fit sèchement remarquer à Lafleur qu'il avait manqué de délicatesse et de discernement.

«Je parlais pour moi, répondit Lafleur. Le gardien de but qui me donne le plus de fil à retordre, c'est Rogatien Vachon. Bunny et Dryden ont peut-être de meilleurs scores, mais oubliez pas qu'ils ont pas affaire à moi. Ils ont jamais eu à jouer contre le meilleur club de la Ligue nationale.»

Rogatien Vachon, à qui le même journaliste avait demandé qui était selon lui le meilleur joueur de la ligue, avait répondu : «Guy Lafleur.» Comme tout le monde. Comme Dryden et Larocque. Comme Robert Charlebois qui, lors d'un supershow au Stade olympique, avait demandé à la foule :

«L'aimez-vous, Guy Lafleur?»

La foule s'était mise à hurler. Charlebois avait ajouté :

«Moi aussi, je l'aime. L'hiver, il remplace le soleil.»

Les séries 1977 faillirent être ternes et ennuyeuses. Heureusement, la politique, le nationalisme, le racisme, tout un maelström de passions et d'émotions, s'en sont mêlés. Mais surtout, Guy Lafleur était là !

***

Les Canadiens étaient plus forts qu'ils ne l'avaient jamais été de toute leur histoire. Trop forts. Au cours de la saison régulière 1976-1977, ils n'avaient perdu que 8 matchs sur 80, en avaient gagné 60 (dont 14 par blanchissage) et fait 12 fois match nul. Ils allaient d'ailleurs être couverts d'honneurs. À peu près tout ce qui se donnait alors comme prix dans la Ligue nationale échoirait à des joueurs montréalais : Dryden, Larocque, Robinson, Shutt, Lafleur surtout. En tout et partout, pour ses exploits de la saison, ce dernier recevra plus de 25 000 $ en bourses, prix et gratifications diverses. En outre, suite à un grand concours à l'échelle du continent, à l'issue duquel Lafleur fut élu par les lecteurs « athlète par excellence de l'année 1977 », le magazine *Sports* lui remettra une Thunderbird... Il aura en plus le trophée Hart (joueur le plus utile à son club), le Connie Smythe (meilleur marqueur de la ligue avec 56 buts, 80 assistances, 135 points) et le Art Ross (plus brillant joueur des séries éliminatoires).

On commençait cependant, dans les chaumières et dans les médias, à s'inquiéter de la trop grande puissance des Canadiens. L'équilibre qu'on tentait d'établir depuis une dizaine d'années au sein de la Ligue nationale se voyait dangereusement menacé. Et n'eût été les électrisantes performances de Guy Lafleur, l'intérêt pour les matchs auxquels participaient les Canadiens se serait peut-être émoussé, parce que l'issue en était presque toujours prévisible.

Quand il jouait, Lafleur soulevait et galvanisait les foules. Comme Babe Ruth, Howie Morenz ou Maurice Richard, il réussissait à émerveiller, même avec un jeu raté. D'autres joueurs de la Ligue nationale avaient eu ou allaient avoir d'aussi gros scores que lui — Phil Esposito, Richard Martin, Marcel Dionne, Steve Shutt —, mais seul Lafleur éblouissait. Lorsqu'il comptait, il le faisait en artiste, il arrachait des cris à la foule.

Malgré sa trop grande force, le club Canadien était à cette époque extrêmement attachant. La moitié des joueurs étaient québécois. Ils vivaient ensemble des choses formidables. Et tout le Québec était derrière eux. On les aimait d'amour. Ils faisaient vraiment partie de la famille. Ils parlaient anglais sur la glace, même Lemaire et Lafleur, mais ils défendaient l'honneur de la nation contre les brutes américaines, les protestants, les Anglo-Saxons !

En septembre 1976, à Toronto, avant le premier match de la Coupe Canada contre l'équipe soviétique, l'annonceur Claude Mouton s'était fait huer en présentant les joueurs en français (après l'avoir fait en anglais). Tout comme les joueurs francophones lorsqu'ils sautèrent sur la glace. Lafleur avait été secoué et franchement peiné. « Qu'est-ce qui se passe ? Qu'est-ce qu'on leur a fait ? » Il ne comprenait pas que le hockey, le sport, les Olympiques fussent parfois politiques, comme toutes choses. La montée du nationalisme québécois, qui allait culminer deux mois plus tard par l'élection du Parti québécois, avait exacerbé les Torontois. Pour eux, l'ennemi à battre, même ce soir-là, ce n'était pas les Soviétiques, c'était toujours les Québécois. Et les Québécois, c'étaient les Canadiens de Montréal. Les fins stratèges de la Ligue nationale avaient bien aimé ces huées. Ça signifiait qu'il y avait dans la ligue des passions et des rivalités très profondes, primaires, barbares. Et qu'il y aurait de l'action, de grosses foules dans les arénas, de larges auditoires à la télé. *Big money* !

Le 12 mars 1977, Mario Tremblay, dit le Bleuet bionique, affichait ostensiblement ses couleurs souverainistes. Et lorsqu'il écrasa son poing dans la figure de Pete Mahovlich, tout le monde conclut, même si en réalité ça n'avait strictement rien à voir, que le Bleuet avait réglé ses comptes nationalistes. Sam Pollock avait réussi au-delà de ses espérances à positionner avantageusement les Canadiens dans cette dynamique de nationalisme exacerbé ; ils faisaient du surf avec une rare élégance sur le nationalisme québécois.

Mais en cette époque de remises en question globales et totales, jamais personne n'a songé sérieusement à toucher de quelque façon que ce soit à la sacro-sainte institution des Canadiens, même si tout ce qui était « canadian » semblait alors honni et banni. Les Canadiens sont restés les Canadiens. Jamais on n'a osé penser qu'ils pourraient désormais s'appeler les Québécois, même s'ils étaient ce que les Québécois avaient de plus fort, de plus précieux et prestigieux, de plus profondément québécois.

Le petit H blanc dans le grand C rouge du logo des Canadiens est là pour rappeler que les Canadiens (français) sont les vrais Habitants de ce pays. Or en 1976, le mot « habitant » était devenu depuis belle lurette très péjoratif au Canada français, pratiquement synonyme d'« arriéré », de « rustaud ». Bref, les Canadiens (Habitants) de Montréal projetaient à travers toute l'Amérique du Nord et même en Europe et en URSS une image et des valeurs que les Québécois par ailleurs récusaient et dont ils se dissociaient avec humeur et violence. Ils n'aimaient pas ce qui était « canadien » et ne voulaient plus passer pour « habitants ». Pourtant, ils approuvaient, soutenaient, adoraient les Canadiens habitants de Montréal.

Au programme du Parti québécois, qui avait pris le pouvoir quelques mois plus tôt : séparer le Québec du reste du Canada. Le Québec se voyait avec un œil neuf. Il s'affirmait avec naïveté et fierté face au géant nord-américain.

Lafleur n'avait jamais caché le peu de sympathie qu'il éprouvait pour les politiques et les idéologies du PQ. Il s'était établi dans le West Island, à Baie-d'Urfé, un quartier très anglophone. Et il disait ouvertement qu'il allait envoyer son fils à l'école anglaise.

« J'ai dû parler anglais pour jouer au hockey à Montréal. Pour réussir, dans n'importe quel domaine, il faut parler anglais. Je suis québécois, mais je vis en Amérique du Nord. »

Il était continentaliste et opportuniste. Quand on lui posait la question, il se disait contre le séparatisme avec une franchise sans faille. Or à cette époque, à peu près tout ce que le Québec comptait de vedettes était en faveur du projet d'indépendance. L'intelligentsia, les syndicats, les étudiants, tout le monde appuyait le PQ. Pas Lafleur. Lui, le plus aimé, le plus admiré sans doute des Québécois, leur héraut, leur prophète, se dissociait tout à fait de leur projet collectif. Et sa renommée n'en souffrait pas une miette. Il avait tous les droits, toutes les faveurs. Personne d'autre, au cours de ces années de grandes passions, n'a eu à ce point l'approbation sans condition de la nation québécoise, tant des élus que du peuple. Il flottait au-dessus de tout et de tous, plus ou moins conscient de l'immense liberté dont il jouissait. Eût-il souhaité l'indépendance du Québec qu'on se serait peut-être donné la peine de la faire. Les partis politiques le courtisaient, le PQ surtout, mais chaque fois, il leur rappelait son credo antisouverainiste et répétait que la politique ne l'intéressait pas. Ce qu'il aimait, c'était le hockey. C'était sa vie.

« C'est plus important pour moi que ma femme et mon fils. »

N'importe qui d'autre aurait proféré de telles énormités qu'une large part de la population se serait détournée de lui. Pas Lafleur. Il remplissait le Forum et le Spectrum et le Garden et le Coliseum. On suivit donc les séries de 1977, même si on en connaissait pratiquement l'issue. Certains incidents spectaculaires, auxquels Guy Lafleur fut étroitement mêlé, allaient y mettre du piquant.

Les Flyers, qui ne s'étaient pas vraiment remis de leur cuisante défaite de l'année précédente, furent rapidement écrasés par les Canadiens, qui aplatirent ensuite les Blues de St. Louis en quatre matchs consécutifs. Bowman n'avait pas fait beaucoup jouer Lafleur contre ces derniers, ce qui avait soulevé l'ire de la foule venue au Forum exprès pour le voir. Mais Bowman avait décidé de ménager son homme. Il savait que certains joueurs des Blues se seraient fait un plaisir de le blesser et il voulait le garder intact pour la rencontre avec les Big Bad Bruins de Boston qu'il jugeait plus importante, plus aléatoire.

Ces derniers, conduits par le flamboyant Don Cherry, formaient alors une bonne équipe, pas aussi sophistiquée que celle de Montréal, mais dure, intense, très motivée. La lutte allait être belle entre Scotty « the Iceman » Bowman, l'homme de marbre, froid et impassible, et Don Cherry, le volcan en perpétuelle éruption, frondeur et provocant. Cherry disposait de quelques bons joueurs, mais surtout d'effrayantes brutes, des chars d'assaut qui tout au long de l'année avaient terrorisé la Ligue nationale. Il y avait aussi chez les Bruins un joueur particulièrement détestable, Don Marcotte, qui avait pour mission de couvrir Guy Lafleur. Il le faisait mieux que personne. Même taille, même poids, même coup de patin que Guy, il le suivait vraiment comme son ombre. Il l'avait longuement observé, visionnant et revisionnant toutes les images de lui qu'il avait pu trouver. Et il avait pratiquement fini par lui ressembler, devinant, anticipant ses feintes les plus subtiles. C'était une véritable entreprise de possession.

Au cours des deux premiers matchs disputés au Forum contre les Bruins, Lafleur fut pratiquement réduit à l'impuissance par Marcotte. Impatienté, il finit par lancer un boulet en direction de Mike Milbury qui lui barrait la route. Une violente altercation s'ensuivit. Gerry Cheevers, le gardien de but des Bruins, accusa Lafleur d'avoir voulu dévisager Milbury. Lafleur répondit à Cheevers qu'il devrait apprendre à mieux garder son but plutôt que de faire la morale aux autres.

La Presse et *Le Soleil* de Québec publièrent le lendemain matin une extraordinaire photo de la Presse canadienne tirée de cet incident, une composition magnifique digne des grands maîtres flamands. Gerry Cheevers, son masque relevé sur la tête, pointe violemment Lafleur du doigt ; celui-ci le regarde d'un air hautain. Un autre joueur (le 19 du Boston) s'est glissé entre Lafleur et Cheevers derrière lequel, prêt à intervenir, se trouve Larry Robinson qui domine le tableau de sa haute stature. La force suggestive et l'intensité expressive des regards que s'échangent ces quatre hommes confèrent à cette scène une dynamique d'une puissante beauté. Dans le flou de l'arrière-plan, au-delà de la baie vitrée, on aperçoit quelques spectateurs sidérés.

Les Bruins enrageaient. La partie était pratiquement perdue. Ils considéraient qu'ils avaient été brutalisés et lésés. Mais ils n'étaient pas chez eux. En outre, ils étaient bien mal placés pour se plaindre de la brutalité des autres. Ils quittèrent Montréal en proférant des menaces. Ils savaient que les Canadiens seraient bientôt dans leur territoire, sur la petite patinoire du Garden, entourés de leurs fans. Ils leur feraient payer alors chèrement leur arrogance.

Deux jours plus tard, le 11 mai au soir, à la veille de la troisième rencontre de la série, les Canadiens descendaient au Sheraton de Boston. Guy Lafleur et le Canadien au grand complet étaient inquiets. Même les gros taupins comme Bouchard, Robinson et Chartraw. Ils savaient qu'ils devraient défendre Lafleur contre les armoires à glace de Boston, et que tout ça pouvait facilement tourner à la bataille générale, qu'il y aurait probablement du sang, des dents cassées, des os brisés.

Jacques Lemaire était à cette époque le compagnon de chambre de Lafleur. Le 12 au matin, à son réveil, il était seul dans sa chambre du Sheraton. Il s'habilla en vitesse pour aller rejoindre Lafleur dans le restaurant de l'hôtel. Il trouva ce dernier fort distrait. C'était à peine s'il répondait à ce que lui disait Lemaire. Il était ailleurs, complètement ailleurs et ahuri.

Jacques Lemaire ne lisait presque jamais la presse sportive. Elle ne servait jamais selon lui qu'à créer des situations intenables pour les joueurs et à briser leur concentration. Contrairement à Lafleur, il refusait presque toujours de parler aux journalistes et il détestait se faire photographier. Il n'ignorait pas bien sûr que les gros méchants Bruins avaient juré de se venger, mais il s'était dit, au départ de Montréal, que c'était une autre exagération des journalistes sportifs qui donnaient toujours dans le sensationnalisme le plus primaire. Mais lorsque Pierre Bouchard vint les rejoindre à leur table et qu'il leur montra les journaux bostoniens du matin, il comprit que l'affaire était sérieuse.

Tous citaient, à la une, en grosses lettres sinistres, le « badman » de service des Bruins, John Wensink, annonçant que lorsque Guy Lafleur mettrait le pied sur la glace du Garden, il lui décollerait la tête des épaules.

Lafleur avoua à Bouchard et à Lemaire qu'il avait lu les journaux et que ça ne le dérangeait pas. Il prétendait qu'il n'avait pas peur. Mais on voyait bien qu'il n'était pas dans son assiette. Ou plutôt qu'il était complètement et uniquement dans son assiette, occupé à brasser ses pommes de terre et ses œufs refroidis qu'il n'avait pas eu le cœur d'avaler.

Mais s'il disait qu'il n'avait pas peur, ce n'était pas nécessairement un mensonge. Lemaire et Bouchard le savaient bien. Ils connaissaient assez Lafleur pour savoir qu'il ne mentait jamais, sauf à lui-même, parfois. Il lui arrivait en effet de se cacher des choses ou de s'en laisser accroire. Ainsi, il refusait toujours d'avouer qu'il avait peur. Car il savait que ça aurait été pire. Mais ce matin-là, il avait beau la nier de toutes ses forces, la peur paraissait malgré tout dans sa voix, dans ses gestes, dans son regard.

« Écoute, Guy, lui dit Lemaire, tu sais bien qu'on est avec toi. Ce n'est pas parce que c'est écrit dans ces maudits journaux-là que ça devient plus dangereux. Tous les jours, dans la Ligue nationale, il y a des gars qui veulent t'arracher la tête des épaules...

— Je le sais, Coco. Inquiète-toi pas pour moi. »

Il n'avait pas envie de parler. Il sortit marcher dans Boston. Vers le milieu de l'après-midi, après une courte sieste, il descendit dans le hall de l'hôtel. Quand il aperçut Pierre Meilleur et Eddy Palchak, les soigneurs de l'équipe, il se jeta sur eux et réussit à les convaincre de partir avec lui pour le Garden. Trois heures avant le match ! Il voulait foncer sur sa peur, pour la mettre en échec, la détruire. Il avait furieusement hâte que commence la partie.

Ce soir-là, les Canadiens se présentèrent au Garden dans un état de tension extrême. L'amphithéâtre était survolté. La menace de Wensink avait excité la foule. On voulait du sang. Il y eut un vacarme d'enfer lorsque Lafleur sauta sur la glace. Mais Don Cherry, l'entraîneur des Bruins, fit longuement patienter la foule. Il n'envoya pas tout de suite Wensink dans la mêlée. Le hockey, c'est aussi du show-business. Un bon instructeur, du moins dans l'esprit de Don Cherry, c'est aussi un metteur en scène. Il croyait en plus que l'attente serait pénible et que Lafleur et ses gorilles, fous d'angoisse, seraient incapables de bien jouer. C'était mal connaître Guy Lafleur. Dès qu'il eut ses patins aux pieds, sa peur se dissipa. Et la boule qu'il avait dans le ventre disparut. Il ressentait une énergie du tonnerre. Jamais il n'avait patiné avec autant de facilité, évitant toutes les mises en échec, semant Marcotte, son couvreur, attrapant facilement toutes les passes qui lui étaient faites.

Il joua ce soir-là l'une des plus grandes parties de sa carrière. Après quatre minutes de jeu, il déjoua Cheevers une première fois. Il aura deux buts, deux passes. Les Canadiens gagneront 4 à 2, Lafleur participant à chacun des buts des siens. La foule voulait du sang, on lui procura d'extraordinaires sensations, sans effusion de sang. Lafleur n'eut pas droit à une ovation, mais on sentit qu'il avait conquis Boston pour avoir eu le courage d'affronter les gros durs du Garden et pour avoir donné par-dessus le marché une performance éblouissante.

Don Cherry, l'entraîneur des Bruins, s'inclina et reconnut que Guy Lafleur était un joueur immense. Celui-ci cependant, que la modestie n'étouffait pas, dira avec morgue : « Je viens de leur fermer la gueule pour longtemps. » Il s'était vengé.

Si Wensink n'avait parlé à personne de son sinistre projet, il aurait pu beaucoup plus facilement le mettre à exécution. S'il était toujours désarmé par la gentillesse qu'on lui manifestait, Guy Lafleur se sentait armé et mobilisé par la provocation. En lui lançant ouvertement un défi, Wensink lui avait donné la force et le courage de l'affronter, de se préparer à la guerre. *Si vis pacem, para bellum* (Si tu veux la paix, prépare la guerre). C'est ce que Lafleur avait fait.

Il est un autre adage que les joueurs de hockey affectionnent et citent d'abondance : *You live by the sword, you die by the sword* (Qui a vécu par l'épée périra par l'épée). Autrement dit, tu joues le jeu de l'adversaire ; c'est ainsi que tu le vaincras. C'est sur son propre terrain que tu peux vraiment battre ton ennemi. Lafleur avait humilié les Bruins sur leur propre glace. Sa victoire sur Wensink était incontestable.

« La pression, pour moi, c'est un défi, confiait-il. C'est comme la barre pour un sauteur. Ça fait partie de mon boulot. »

L'environnement des stars, c'est cette pression et ce trac, cette espèce de lourdeur, de douleur presque intolérable qui en se dissipant décuple l'énergie.

Mais ce n'était pas uniquement du courage qu'avait manifesté Guy Lafleur dans ces circonstances. Il était alors persuadé qu'il était le meilleur. Il se sentait d'une certaine façon pratiquement invulnérable. Et il l'était. Ça paraissait. Il n'avait jamais eu peur de foncer, sauf au début de sa carrière dans la Ligue nationale, quand il ne savait pas trop comment agir. Mais en 1977, sur quelque glace que ce soit, Guy Lafleur ne connaissait plus de peur qu'il se sentait incapable d'affronter.

Parfois il se disait qu'il rencontrerait bien son Waterloo un jour ou l'autre. Il pensait à une blessure grave qui briserait sa carrière. Les choses allaient se passer autrement que prévu. Mais ça reviendrait au même.

***

Les Lafleur aimaient bien la Riviera française, Saint-Tropez surtout, la mer, les grands restaurants aux terrasses chargées de fleurs, les discothèques ultra-chics où l'on voit des scheiks arabes et des stars rock, les boutiques outrageusement chères, les yachts, les voitures et les hôtels d'un luxe inouï, tout ce monde élégant et raffiné, riche, ce *beautiful people* dont ils faisaient désormais partie. Il n'avait pas encore vingt-six ans. Elle en avait eu vingt-sept au printemps. Le monde et l'avenir leur appartenaient.

Ils aimaient bien les Shutt aussi, Steve et Ninon, qui étaient venus les rejoindre, après quelques jours passés en Scandinavie. Ninon, comme Lise, était une organisatrice compulsive. Ensemble, elles décidaient de tout, ce qui faisait bien l'affaire des deux hommes.

En sablant le champagne, le soir de leurs retrouvailles, Lafleur avait fait part à ses compagnons de ses projets de vacances. C'était en apparence fort simple. Il s'agissait de ne rien faire, absolument rien pendant tout le mois de juillet. Lise lui disait :

« Voyons, Flower, tu sais très bien que tu ne pourras pas. Tu n'es pas capable de ne rien faire. Tu vas craquer au bout de deux jours.

— Ton chum, il est déjà craqué, disait en riant Steve Shutt. *Already cracked down.* »

Quelques semaines plus tôt, le soir où ils avaient remporté la coupe Stanley, Guy Lafleur avait effectivement craqué. Au moment où il s'y attendait le moins. Il était sorti de sa douche, une serviette jaune autour de la taille, avait traversé la chambre des joueurs, s'était assis dans son coin et tout d'un coup, en regardant son équipement, ses vieux patins au cuir tout ratatiné, son chandail et ses bas trempés de sueur, il avait fondu en larmes. Sans savoir pourquoi. Larry Robinson, Réjean Houle et Steve Shutt s'étaient approchés, l'avaient entouré. Il tremblait comme une feuille. Il disait qu'il ne sentait plus ses jambes.

« Tu veux qu'on aille chercher le masseur ? proposa Houle.

— Ça fait neuf mois que t'arrêtes pas, disait Robinson. Tu es fatigué, c'est tout.

— *Man, you need a break*, disait Shutt. *Please, Guy, give you a break, for your own sake.* »

Et ils étaient là autour de lui tous les trois, si gentils, si fraternels, qu'ils le faisaient pleurer encore plus. Il était à la fois heureux et désespéré.

« Arrête, lui répétait Houle. Les journalistes t'attendent de l'autre côté de la porte. T'as pas le choix. Ils partiront pas tant que tu leur auras pas parlé.

— Bois un peu de champagne, ça va te faire du bien. »

Il s'était habillé, avait avalé, cul sec, une demi-bouteille de Dom Pérignon et il était sorti à la rencontre des journalistes qui, pour la millième fois, lui posaient les mêmes questions. Mais lui, il avait ce soir-là de nouvelles réponses à leur donner.

« Vous voulez savoir ce que je ferai de mon été ? Rien. Absolument rien. Je ne patinerai pas une seule fois, je vous le promets. Pas de jogging. Pas de balle-molle, pas de bicyclette, pas une fraction de seconde d'entraînement. J'ai besoin de me ressourcer mentalement. Je ne répéterai jamais la folie de mes premières années avec les Canadiens quand je passais mes étés à me morfondre à l'entraînement. Et quand la saison commençait, j'étais tendu et fatigué. Vous pouvez l'écrire, c'est officiel : cet été, Guy Lafleur ne fera rien. »

Il fallait en effet qu'il décroche. Depuis plusieurs semaines, bien avant les séries éliminatoires, il avait commencé à subir des sautes d'humeur imprévisibles et irrépressibles. Pendant les séries, il avait fait de terribles colères contre ses couvreurs, contre Paul Woods des Red Wings surtout qui lui collait après comme une teigne. À deux reprises, il l'avait frappé avec l'intention de lui faire mal, ce qui n'était pas son genre. À l'entraînement, si quelque chose n'allait pas, il cassait son bâton sur la bande. Même, une fois, parce que Pierre Bouchard, le bon gros Pierre, son ami, qu'il aimait tant, l'avait plaqué un peu durement pendant un exercice, il avait réagi de façon très violente.

« Pour qui tu travailles ? Cherches-tu à me blesser toi aussi ? T'as pas encore compris que t'es là pour me défendre ? »

Il avait quitté la glace, puis claqué la porte de la chambre des joueurs si fort que ça avait résonné d'un bout à l'autre du Forum. Il avait cassé son bâton sur la table du vestiaire.

Il savait donc depuis longtemps qu'il devait décrocher un moment, pas seulement du hockey, ce qui était relativement facile et pour tout dire inévitable, mais aussi et surtout de tout ce qu'il y avait autour du hockey, de son job de vedette qui lui pesait de plus en plus. Les premières semaines de son farniente estival avaient d'ailleurs été excessivement chargées.

Ainsi, le jeudi 26 mai, il tournait un commercial à Duvernay, une jeune et belle banlieue très col blanc. Le lendemain, il déjeunait avec les éditeurs du *Reader's Digest* qui lui firent visiter leurs bureaux, rencontrer leurs secrétaires, leurs journalistes, leurs imprimeurs, leurs annonceurs, etc. Le surlendemain, le samedi 28, il assistait à un grand banquet à Thurso, sa ville natale, où on le congratula copieusement. Le 29 au matin, il sautait dans l'avion pour New York où il allait recevoir la Thunderbird du magazine *Sports*. Deux jours plus tard, il était à Las Vegas où on lui remit le Hockey Award 1977. Il aimait bien Vegas, toutes ces lumières, les filles partout, magnifiques, sexées, les limousines, la grande vie. Lise et ses parents l'accompagnaient. Ce fut la fête, champagne et tout. Le surlendemain, il était à San Francisco où l'attendaient les patrons de Shasta, la liqueur douce dont il était le porte-parole au Québec.

Entre-temps, son agent, Gerry Petrie, avait été approché par les recherchistes de Johnny Carson et de Merv Griffin qui voulaient tous les deux avoir Guy Lafleur sur leurs *talk shows*. Petrie dut refuser. Pas le temps. Lafleur devait rentrer dare-dare à Montréal pour le dîner annuel de la Ligue nationale où il reçut encore des prix, prononça encore des discours gentils et reconnaissants, signa des dizaines, des centaines d'autographes, toujours suivi d'une meute de journalistes et de photographes.

Puis il y eut deux tournois de golf auxquels il dut participer, celui de la Ligue junior majeure du Québec et celui des Scouts du Canada, lui qui avait toujours détesté le golf. Ensuite, deux cinéastes marseillais, Mario Bévali et Louis Aznarian, qui préparaient un film sur son amie Mireille Mathieu, voulurent le rencontrer afin qu'il leur parle d'elle et accepte de jouer dans leur film. Puis il visita des écoles, un centre d'accueil pour délinquants, des brasseries, un foyer pour personnes âgées, huit stations de radio, trois studios de télévision. Et ainsi passèrent les trois premières semaines des grandes « vacances » d'été. Il avait vu sa femme et son fils moins souvent qu'au cours de la saison régulière.

De temps en temps, Lise lui rappelait la promesse qu'il avait faite aux journalistes de ne rien faire de l'été. Et il répondait avec humeur :

« Je le sais bien. Mais je suis pris. Qu'est-ce que tu veux que je fasse ?

— Que tu apprennes à dire non de temps en temps. Ça ne coûte pas cher, Guy. Tu dis que tu es pris ailleurs.

— Mais ces gens-là m'aiment. C'est grâce à eux si je suis rendu là où je suis. Je leur dois bien ça, une petite visite, trois ou quatre heures de mon temps.

— Tu ne dois rien à personne. Ce sont eux qui devraient te remercier.

— Tu ne peux pas comprendre !

— Ce que je comprends, c'est que la seule personne au monde à qui tu dis non, c'est à moi. On ne se voit jamais. Tu vois tout le monde, sauf ta femme et ton fils. »

C'était vrai ! Martin était tellement excité les rares fois qu'il voyait son père qu'il en tremblait. « Daddy ! » Son père le prenait dans ses bras, lui parlait, le cajolait un peu, il lui remettait le nounours ou le camion qu'il lui avait acheté en voyage, puis il le posait par terre. Il était fatigué. Ça n'arrêtait jamais, jamais.

Lise aimait Guy profondément. C'était l'homme de sa vie. Elle en avait l'absolue certitude. Même quand elle était en colère après lui, parce qu'il avait encore accepté une réunion ou un dîner et qu'il appelait pour dire qu'il rentrerait tard, au son de sa voix, elle fondait. Et quand il rentrait, plus tard encore qu'il n'avait prévu, sa colère se dissipait dès qu'elle l'apercevait. Elle aimait sa façon de bouger, sa carrure, la force tranquille de ses gestes, de sa démarche. Elle aimait moins sa vie de femme de joueur de hockey.

Elle savait bien que le hockey était un monde d'hommes, terriblement exclusif et fermé, dans lequel les femmes n'avaient absolument aucun rôle à jouer, aucune voix, aucune espèce d'autorité. Les tendres et légitimes épouses en avaient souvent moins que les excitantes et faciles groupies. Elle découvrait qu'en mariant un gars de hockey, elle avait dû embrasser une religion excessive et totalitaire. Lorsqu'on offrait aux femmes des joueurs d'accompagner l'équipe sur la route, elles étaient presque toujours tenues à l'écart, parfois même logées dans un autre hôtel que celui où leurs maris descendaient. Il ne fallait pas les énerver, ne pas les exciter. Si une femme perturbait son mari de quelque manière que ce soit, le club était capable de la rappeler à l'ordre. L'Organisation avait des droits partout, même dans le lit des joueurs.

Au Forum, comme dans plusieurs amphithéâtres de hockey de la Ligue nationale, il y avait une chambre pour les femmes des joueurs, avec bar, téléviseur, fauteuils, quelques magazines de femmes et de sports, des plantes vertes, des tableaux édifiants et lénifiants sur les murs. Elles s'y retrouvaient avant les matchs, pour papoter, comparer leurs toilettes, parler de leurs enfants, de leurs maris. C'était un lieu de grande rivalité, de jalousie. Des clans se formaient. Lise Lafleur n'appartenait à aucun. Elle trouvait tout cela un peu absurde, dévalorisant et souvent très déprimant.

« Il n'y a pas un homme au monde qui accepterait une situation semblable, disait-elle à son époux. Essaie un peu d'imaginer l'inverse. Imagine un club de femmes en tournée avec leurs maris qui graviteraient autour et qui seraient toujours en train d'attendre après elles, que leurs matchs ou leurs réunions ou leurs beuveries finissent. Vous vous retrouveriez avant les matchs dans la chambre des maris des joueuses, à comparer vos cravates et à parler de vos chars, des notes de vos enfants à l'école et de vos handicaps au golf. Avec rien d'autre à faire que de vous tourner les pouces en attendant le match. Et en plus il y aurait toujours des groupies autour de vos femmes, des dizaines de beaux garçons élégants, libres, qui leur feraient de l'œil et des propositions. Et vos femmes les trouveraient charmants, évidemment, elles leur signeraient des autographes... Imagines-tu un peu ce que ça donnerait ? Imagines-tu comment les maris réagiraient ?

— Qu'est-ce que tu veux que je te dise, Lise ? C'est comme ça. C'est ça, le hockey. »

Certains soirs, plutôt que d'assister au match, Lise quittait le Forum et allait au cinéma. Elle n'était vraiment pas une femme de joueur de hockey comme les autres. D'abord, elle n'avait jamais eu l'âme d'une groupie. Et en plus, elle n'était pas très sûre d'aimer le hockey. Elle aimait Guy. Pour ses beaux yeux, pour son talent, pour sa réussite. Mais le monde du hockey, c'était autre chose. Lorsqu'ils s'étaient mariés, il avait voulu qu'elle laisse son job d'hôtesse de l'air. Elle pensait maintenant retourner au travail. Dès que Martin serait assez âgé pour aller à la maternelle, elle se trouverait quelque chose à faire. En attendant, elle prenait son mal en patience. Au fond, ce n'était pas si terrible. Et en plus, pour une fois, en ce mois de juillet 1977, ils étaient vraiment en vacances. Pas d'instructeurs, pas d'exercices, pas de téléphone. Guy avait même fait jurer à Jerry Petrie qu'il n'essaierait pas de le rejoindre même si la NASA l'appelait pour lui proposer la Lune.

Pendant un mois donc, ils firent la grande vie, découvrant les joies du farniente. Ils se levaient tard, chaque couple errait de son côté tout le jour sur les plages et dans les petites rues animées de Saint-Tropez. Ils se retrouvaient à la villa à l'heure exquise du cocktail, s'habillaient pour la soirée, toujours très chic. Lafleur aimait les beaux vêtements. Ils fréquentaient les meilleurs restaurants, les discothèques les plus sophistiquées. Ils rentraient tard, les hommes un peu soûls. Tous bien contents de leur sort.

Après deux semaines de ce régime, Lise découvrit avec stupeur que son mari s'ennuyait. Il était reposé, détendu, il était gentil et prévenant avec elle, il riait toujours de bon cœur des farces et des pitreries de Steve, mais quelque chose lui manquait : la chaleureuse présence de ses fans. Les premiers jours, cette espèce de vide autour de lui l'avait soulagé. Mais après deux semaines, il se sentait comme un roi en exil.

Un jour, sur la Croisette, à Cannes, un couple de Québécois vinrent les saluer, des gens du Lac-Saint-Jean, polis et chaleureux. Lafleur fut ravi. Il engagea tout de suite la conversation : « D'où venez-vous ? Que faites-vous ? Où allez-vous ? » Et, n'eût été l'éloquente indifférence de Lise, il les auraient invités à dîner. Il devait bien s'avouer qu'il aimait à la folie l'attention passionnée qu'on lui portait. Il se culpabilisait un peu, à cause de Lise et de Martin. Mais la vie de star n'était pas pour lui déplaire. Il rencontrait des gens intéressants, passionnants, d'autres stars, mais surtout, on l'entourait, on l'écoutait. Il avait toujours une cour autour de lui. Comme un roi.

« Comment peux-tu demander à un gars d'haïr ça ? »

D'ailleurs, en rentrant au Québec, la ronde des banquets, des tournois de golf, des bonnes œuvres et des entrevues reprit de plus belle. Lafleur s'était acheté une Ferrari. En plus de la Thurderbird qu'il avait reçue en mai du magazine *Sports* et de la Toronado qu'il avait depuis un an. Cette Ferrari noire (il n'y en avait qu'une trentaine dans la région de Montréal) représentait à ses yeux le symbole le plus évident de la réussite. Il était allé à Thurso la montrer à ses parents. Il les avait emmenés faire un tour. L'un après l'autre, parce que la Ferrari ne peut loger qu'un seul passager. Son père n'avait pas du tout apprécié l'expérience :

« Laisse-moi te dire un chose, mon garçon. Un homme qui s'achète une machine semblable cherche à se tuer. Demande-moi pas d'être content pour toi. Ta machine, je l'aime pas. »

Guy avait ri. Mais il fut incapable d'oublier les paroles de son père. De temps en temps, il se disait que Lise avait raison, qu'il devrait s'arrêter un peu pour faire le point. Mais tout allait trop vite.

En août, il vécut une expérience qui le fit beaucoup réfléchir et reconsidérer son statut de grande vedette privilégiée. Il était allé avec Jean Béliveau à Saint-Alphonse-de-Rodriguez, dans un camp pour enfants infirmes. Un peu inquiet d'abord, mal à l'aise et maladroit, il s'était mis à parler avec deux petits garçons, de dix ou douze ans environ. Ils connaissaient les noms des plantes, des insectes, des nuages, des pierres, des oiseaux, et ceux des joueurs de hockey et bien d'autres choses. Leur grande culture, leur curiosité, leur bonne humeur l'avaient secoué. Il était vraiment touché, presque brisé. Ces enfants qui jamais ne patineraient, qui ne voyageraient probablement jamais, en tout cas pas autant que lui, qui passeraient leur vie assis dans leurs fauteuils roulants, avaient un courage et une force extraordinaires.

Lafleur avait participé à d'autres œuvres du genre : OXFAM-Québec d'Yvon Deschamps, la Campagne de l'ataxie de Friedrich menée par Claude Saint-Jean. Mais jamais rien ne l'avait autant touché que cette misère vaincue dont il fut témoin au camp de Saint-Alphonse-de-Rodriguez. Il trouvait chez ces enfants une joie vraie, profonde, quelque chose que même lui, l'un des plus choyés de tous les Québécois, fort, riche, entouré, adulé, en parfaite santé, surdoué, n'avait pas vraiment. Comment était-ce possible ?

Il s'aperçut alors qu'il y avait tout au fond de lui une espèce de tristesse lancinante dont il ne savait comment se débarrasser. Il était insatisfait. Et le pire, c'était qu'il ne savait absolument pas ce qu'il pouvait bien vouloir de plus que ce qu'il avait déjà.

Il avait lu quelque part dans un magazine que l'insatisfaction était le mal de sa génération. Les Rolling Stones, ces enfants gâtés de la bourgeoisie londonienne, n'avaient-ils pas chanté ce qui était devenu une sorte d'hymne des *baby-boomers, I Can't Get No Satisfaction* ? Ils avaient pourtant tout eu, des écoles, des arénas, des instructeurs, des tribunes, des jobs. Et en plus, à lui, Guy Lafleur, on avait donné de la glace, toute la glace qu'il voulait, de la gloire, toute la gloire dont il avait envie, et de l'argent et de l'amour à ne plus savoir qu'en faire. Et ce n'était pas encore assez ! Il avait toujours faim et soif. Mais de quoi ?

Jean Béliveau était ému lui aussi. Mais il n'avait pas, Lafleur en était sûr, cette petite désespérance au fond de lui. C'était un homme de bonne volonté mûr et sûr de sa valeur, qui croyait en des choses, en certains principes, en un ordre établi, solide. Il était vraiment resté l'idole de Lafleur, non plus comme joueur de hockey, mais comme exemple de réussite dans la vie. Béliveau avait étudié. Il lisait beaucoup. Il avait des idées sur tout, sur la société, sur la politique. Il avait surtout des certitudes. Pas Lafleur. Pas assez. Lafleur était un jeune homme comblé, insatisfait et incertain, bien de sa génération.

À part l'accalmie de juillet en Provence, il avait couru tout l'été à gauche et à droite. Il avait cent fois failli à la promesse faite aux journalistes en mai, sauf sur une chose, l'entraînement physique. Et il ne se gênait pas pour le dire. Il considérait que sa formation d'athlète était terminée. Il ne se privait de rien, mangeait beaucoup, n'hésitait jamais à prendre un verre lorsqu'une agréable occasion se présentait, fumait parfois un paquet de cigarettes par jour.

Au point où il en était, l'entraînement devait se passer essentiellement dans la tête. Voilà ce qu'il croyait. L'entraînement consistait surtout à apprivoiser la peur et le trac, à éliminer les inhibitions.

Il y avait à l'époque un livre que les théoriciens du sport aimaient beaucoup, *The Handbook of Inner Sports*, qui reprenait la théorie américaine du *flow*, le flux de conscience. On y disait que le corps d'un athlète de talent « savait » comment agir, comment se comporter dans l'espace, comment porter la rondelle, comment frapper ou esquiver. L'athlète devait pouvoir lui faire totalement confiance, s'abandonner, se laisser porter par le *flow*, par l'énergie qui passait en lui. C'était ça qui était délicat et difficile et qui exigeait énormément de sang-froid et de concentration. Les écrivains les plus éclatés de l'époque avaient beaucoup utilisé cette technique du flux de conscience. Ils écrivaient sans plan, libérés du contrôle de la raison, dans une sorte d'automatisme débridé, laissant les idées s'imposer et s'organiser au hasard. C'était très zen au fond. Il fallait être à l'écoute des forces actives en soi.

Lafleur ignorait à peu près tout de ces théories, fruits des grandes idéologies beatniks et hippies, mais il baignait comme tout le monde dans les idées à la mode de son époque. En outre, il savait que son corps « savait ». Il n'avait pas de certitude morale, mais il possédait une science intuitive et très sûre de certaines choses : comment s'entraîner, comment s'alimenter, comment se fier à l'intelligence de son corps.

Jean Bonneau, le conseiller en efficience physique qui avait testé les gars avant la Coupe Canada, un an plus tôt, fut ébahi par le physique et la forme de cet athlète. « C'est un don de Dieu, disait-il. Guy Lafleur a choisi les bons parents ; il est favorisé par l'hérédité. »

En janvier 1978, le Spartak de Moscou était venu au Forum se faire battre par les Canadiens 5 à 2. Lafleur avait compté à deux reprises. Cette fois, les Russes avaient enfin été impressionnés par sa tenue. Victor Tikhonov, pilote de l'équipe nationale soviétique, confiera au magazine *Sports en URSS* que Guy Lafleur avait selon lui toutes les qualités de l'attaquant idéal. Tout le monde était d'accord là-dessus, mais que Tikhonov, le grand théoricien de l'autre hockey, le reconnaisse, c'était tout un événement.

Lafleur faisait également la joie des théoriciens du groupe de recherche en hockey de l'université Laval parmi lesquels on trouvait Gaston Marcotte et Charles Thiffault qui l'avaient connu au cours des années 60 à l'École moderne de hockey. Depuis ce temps, il n'avait cessé de les impressionner.

Il était capable, lorsque tout était en mouvement autour de lui, la rondelle, ses adversaires, ses coéquipiers, lui-même, tous se déplaçant à des vitesses variables et selon des trajectoires infiniment complexes, de percevoir instantanément toutes les données géométriques de l'espace dans lequel il évoluait. Il se livrait constamment à une sorte d'opération de géométrie analytique, comme un scanner balayant sans cesse la patinoire d'un bout à l'autre ; il faisait un tri parmi les diverses possibilités qui s'offraient à lui, choisissait la meilleure et posait le bon geste au bon moment. Il pouvait « lire » le jeu à une vitesse phénoménale, il en avait une compréhension globale, sans cesse remise à jour. Il avait, comme le précisait Tikhonov, une intelligence stratégique du jeu. Et surtout, cette faculté magique, ce sixième sens, que les athlètes appellent l'anticipation, qui permet de prévoir les réactions des adversaires ou des coéquipiers et, par le fait même, de devancer tout le monde.

Jacques Lemaire admirait la science et l'art de son ailier droit. Il déplorait cependant de ne pouvoir préparer avec lui ses jeux. Lafleur faisait ce que Steve Shutt appelait de la « confusion organisée », de l'improvisation, chose que Lemaire, un rationnel maniaque de l'ordre, avait en sainte horreur. Parce que c'était incontrôlable, imprévisible.

Lemaire vouait une grande admiration à la célèbre troïka des Russes, l'invincible trio que formaient Petrov, Kharlamov et Mikhailov. Victor Tikhonov, lorsqu'il avait dit au magazine *Sports en URSS* que Guy Lafleur était le plus grand joueur offensif au monde, avait tenu à préciser que rien en Amérique du Nord ne pouvait selon lui battre en efficacité cette très chère troïka. C'était une mécanique parfaite, précise, unique, un chef-d'œuvre de haute technologie sportive, une véritable création. Or, à cause de Lafleur, de sa façon très personnelle de jouer, de son caractère réfractaire à toute méthode, on ne pouvait mettre au point un semblable trio chez les Canadiens.

Pour le moment, ce n'était pas grave. Lemaire, Shutt et Lafleur comptaient chacun une cinquantaine de buts par année. Mais si Lafleur tombait, tout tombait. Selon Lemaire, une vraie bonne équipe de hockey ne pouvait être construite autour d'un seul joueur, si brillant fût-il. Idéalement, ça devait être une machine équilibrée, une organisation précise dans laquelle chacun avait un rôle à jouer. Comme chez les Russes. Le club devait être la vedette. Pas le joueur.

N'empêche qu'en 1978, à Montréal et dans toute la Ligue nationale, la grande star s'appelait Lafleur. Malgré les abus commis au cours de l'été précédent et son abstention de tout entraînement physique, il n'avait pas pris de poids et il était aussi rapide et solide. Mais de nouveaux défis se posaient à lui. Il s'agissait désormais de durer.

Certains joueurs, dans l'histoire de la Ligue nationale, avaient établi de grands records. Reggie Leach, par exemple, avait compté soixante et un buts avec les Flyers lors de la saison 1975-1976, mais il était ensuite retombé en bas de la barre des 50 buts. Un vrai champion devait pouvoir durer, sans jamais faillir.

À Noël, Bryan Trottier des Islanders de New York était le meilleur compteur de la ligue, avec 51 points, dont 21 buts. Lafleur et Darryl Sittler des Maple Leafs avaient eux aussi 21 buts, mais n'avaient réussi que 22 passes chacun, alors que Trottier en avait 30. En février cependant, dans un sprint éblouissant, Lafleur prit les devants. Il finit la saison avec 60 buts, 14 de plus que Trottier, 7 de plus que Mike Bossy, et 72 passes. Cette saison-là, le trio Shutt-Lemaire-Lafleur amassa 145 buts, 315 points, un de moins que l'année précédente. C'était devenu mécanique, presque fastidieux. Et les Canadiens de Montréal remportèrent la coupe Stanley pour la troisième année consécutive.

C'était Lafleur encore une fois qui avait cassé les reins des Bruins en comptant le but vainqueur lors de la deuxième rencontre. C'était 2 à 2, en prolongation. Il décocha un boulet depuis la ligne bleue. Gerry Cheevers ne vit rien. Mais il comprit, aux cris de la foule, qu'il avait été déjoué. Il ne s'est même pas retourné pour voir la rondelle au fond du filet. Il est rentré au vestiaire, tête basse. Les Bruins ne se sont pas remis de cette défaite.

Le soir de la grande victoire, Lafleur fut blessé. Il porta quand même la coupe à bout de bras avec Bob Gainey tout autour de la patinoire. Son chandail était maculé de sang. Malgré ses vingt-six points de suture au visage, il était radieux. Cette fois, pas de pleurs, ni de tremblements. Le guerrier s'était aguerri. La pression, maintenant, il l'aimait bien au point qu'il ne pourrait sans doute plus s'en passer.

Quelques jours plus tard, avait lieu la parade de la coupe Stanley dans les rues de Montréal. Comme d'habitude, les joueurs sont allés finir leur cuite à la taverne Henri-Richard. Avec la complicité de Pierre Plouffe, Lafleur réussit à mettre la main sur les clés de la voiture de Claude Mouton. Il en fit faire des doubles dans une petite quincaillerie de la rue de Bleury et, le soir même, avec quelques complices, il entra dans le garage du Forum et subtilisa la coupe Stanley qui se trouvait dans le coffre de l'auto de Mouton.

Une heure et demie plus tard, l'objet tant vénéré se trouvait dans la cuisine des parents de Guy Lafleur, rue Bourget, à Thurso. Guy y versa un magnum de champagne et fit boire son père, sa mère, ses sœurs. En un rien de temps, la nouvelle s'était répandue dans Thurso que Guy Lafleur était venu chez son père avec le plus prestigieux trophée au monde. Et les gens accouraient de partout pour voir, toucher, photographier la fameuse coupe, et se faire voir à côté d'elle. On parla même d'organiser une parade à travers les rues de la ville, mais on n'avait pas le temps. Guy avait voulu faire plaisir à son père d'abord et avant tout. C'était réussi.

Ensemble, ils ont traversé la rue Jacques-Cartier pour aller chez les Chevaliers de Colomb, Guy brandissant la coupe à bout de bras. Il portait le chandail aux armoiries de Ferrari que lui avait donné son ami Gilles Villeneuve. Avec, écrit dessus en belles lettres noires : *World Champion*.

***

Au cours de cet hiver 1978, Lafleur avait signé de gros contrats de publicité avec les yogourts Yoplait et la General Motors, puis avec Koho, le fabricant finlandais de bâtons de hockey. Les Entreprises Guy Lafleur Ltée, dont le siège social avoisinait celui de la Ligue nationale dans l'édifice de la Sun Life, avaient fait cette année-là un chiffre d'affaires de plus de 100 000 $. Lafleur était devenu ce que les sociologues appellent un « homme conglomérat ». Chaque fois qu'il était question d'utiliser un athlète dans un commercial, c'était évidemment toujours à lui et uniquement à lui que pensaient les publicitaires. Steve Shutt avait beau marquer autant de buts, jamais on ne lui demandait de représenter une marque ou une cause. Lafleur exerçait dans ce domaine un véritable monopole, au Québec. Comme Darryl Sittler des Maple Leafs de Toronto, au Canada anglais.

Au printemps, immédiatement après les séries, Lafleur commença à faire de la radio, afin d'amasser les trente permis de l'Union des artistes l'autorisant à se produire dans des commerciaux télévisés. Pendant six semaines, il coanima *Le Monde des champions*, à CKVL, une station montréalaise dont la programmation était alors basée presque essentiellement sur les lignes ouvertes. Au début, il n'était pas très à l'aise devant le micro. Sa voix était sans éclat, très peu modulée, son débit lent et hésitant. Mais les lignes téléphoniques ne dérougissaient pas. Enfin, on pouvait parler en direct avec l'idole et connaître son opinion. Il la donnait d'ailleurs sans retenue. Sur Bowman, sur les Canadiens, sur les femmes, la mode, Dieu, la politique, ses projets, ses regrets, ses parents. Et ça lui créait parfois de jolis enbêtements.

Ainsi, en mars 1978, le *Globe & Mail* de Toronto avait révélé les salaires des joueurs les mieux payés de la Ligue nationale. Avec ses 180 000 $ en 1977-1978, Lafleur se trouvait au quinzième rang. Gilbert Perreault, qui évoluait avec les Sabres de Buffalo, avait pratiquement le double : 325 000 $. Marcel Dionne et Richard Martin aussi. C'était humiliant et enrageant pour Lafleur qui pouvait se considérer à juste titre comme le joueur numéro un de la ligue. Interrogé à ce sujet par un auditeur, il fit une très étonnante déclaration sur les ondes de CKVL. Était-ce par dépit, comme le renard de la fable qui, incapable d'atteindre les raisins au haut d'un mur couvert de vignes, décrétait qu'ils étaient verts ? Toujours est-il qu'il prétendit que jouer à Montréal n'avait pas de prix. Et qu'il faudrait lui mettre un fusil dans le dos pour qu'il accepte d'aller ailleurs.

C'était une manière de dire à Perreault, Martin, Dionne, Guèvremont et compagnie, qu'il n'enviait pas leur sort et même qu'il les plaignait un peu d'appartenir à des organisations sans prestige et de jouer pour des publics médiocres et peu raffinés. C'était aussi donner à l'organisation des Canadiens, avec qui il devrait bientôt renégocier son contrat, de puissants arguments.

« Pas très habile », s'était esclaffé son beau-père Roger Barré.

Mais Lafleur avait dit ce qu'il pensait. « Je veux que les Canadiens me payent à ma juste valeur, peu importe ce que je pense et ce que je dis. On me paye pour jouer au hockey, pas pour mes idées. Mes idées et mes opinions, je ne les vends pas, je les donne. »

De même, lors des assises de la Ligue nationale, en juin, il s'exprima abondamment contre l'escalade de la violence dans le hockey, tant amateur que professionnel. Mais lorsqu'on proposa, suite à sa diatribe, de rendre le port du casque obligatoire, il s'y opposa véhémentement, affirmant que plus les joueurs seraient armés, bardés et protégés, plus la violence serait grande. Mais en fait, le fin fond de l'affaire, c'était qu'il associait le casque à l'insuccès. De même que Samson portait intacte sa chevelure, siège de sa force et terreur de ses ennemis, Lafleur arborait sa blonde crinière, son oriflamme, son fétiche.

Au printemps, il signa aussi un contrat avec les patins Bauer qu'il avait adoptés plusieurs années auparavant. À la mi-avril, Bauer mit à l'essai un nouveau patin dont la lame blanche avait un très vif éclat. La première fois qu'il les chaussa pour un exercice matinal au Forum, tout le monde fut émerveillé. Sauf Bowman.

« T'as quand même pas l'intention de porter ces patins-là pour le match de ce soir !

— Bien sûr.

— J'aime pas ça. J'ai un mauvais pressentiment. Au début de l'année, je n'aurais rien dit. Mais maintenant qu'on est rendu aux éliminatoires, Guy, j'aimerais mieux que ne tu portes pas ces patins-là.

— Ça, c'est ton problème, Scotty. Moi, j'ai un contrat avec Bauer. »

Dix minutes plus tard, Lafleur était blessé au visage. Rien de bien grave, mais il dut aller à l'hôpital faire suturer la plaie. Lorsqu'il quitta la patinoire, Scotty lui demanda, avec son petit sourire sarcastique :

« As-tu toujours l'intention de porter ces patins-là pour le match de ce soir ? »

Scotty, comme tous les hommes de hockey, était foncièrement superstitieux. Il tenait le neuf en horreur. Jamais il n'aurait dirigé un match important avec sur le dos une pièce de vêtement neuf. Lafleur pouvait comprendre ça. Il avait lui-même ses tics et ses manies. Il aimait par exemple que son ami Pierre Meilleur, le soigneur de l'équipe, lui donne une tape dans le dos au moment où il sortait du vestiaire pour aller jouer. Et il sautait toujours sur la patinoire immédiatement devant Larry Robinson. Même chose lorsqu'il quittait la glace, il voulait avoir ce bon vieux Larry derrière lui. Pendant plusieurs années, pas une seule fois, ils ne manquèrent à ce rituel.

Lafleur se rendit à l'hôpital Royal Victoria en compagnie de son ami journaliste Claude Larochelle qui, à l'époque, préparait un livre sur lui. Il lui parla à l'aller et au retour de Scotty Bowman comme d'un homme à la fois excécrable et attachant. Excécrable, parce qu'il ne perdait jamais une occasion d'exercer son autorité et qu'il n'acceptait jamais d'être remis en question.

« Je croirais même qu'il est content quand les choses vont mal, parce qu'il est alors justifié de nous crier après et de nous donner des ordres. »

Bowman était un homme froid et distant, d'une incassable sévérité. Il s'était interdit tout lien d'amitié avec ses joueurs. En dehors de la glace, il ne leur parlait à peu près jamais. Le croisaient-ils par hasard sur la rue ou dans un hall d'hôtel, il leur faisait un petit mouvement sec de la tête comme pour signifier : « Ça va, je vous ai vus, fichez-moi la paix. » Pas de sourire. Pas un mot.

« Malgré tout ça, j'aime cet homme-là, disait Lafleur à Larochelle. Je ne sais pas pourquoi, mais je l'aime vraiment. C'est un grand homme de hockey. Et il ne fait pas de concessions. Avec lui, ce n'est jamais compliqué. Tu sais où tu t'en vas. Peut-être que tu n'as pas envie d'y aller, mais au moins tu sais parfaitement où tu t'en vas. Scotty est franc et honnête. Mais il ne veut pas qu'on le connaisse, parce qu'il a peur qu'on découvre qu'il est un bon gars. Ça lui compliquerait la vie. Et ça, les joueurs le savent. Quand il n'est pas là, on se dit qu'on le déteste, mais dans le fond, tout le monde a de l'admiration pour lui. C'est un homme fort et généreux. »

Ce soir-là, Lafleur a joué avec ses vieux Bauer aux pieds. Contre les Red Wings de Detroit, qu'il battit facilement. Les patins neufs aux lames brillantes, il ne les remit jamais. Il devint même de plus en plus conservateur dans sa tenue « sacrée » de joueur de hockey. Plutôt que de changer de patins, il demandait à Eddy Palchak, le responsable de l'équipement, de lui poser de nouvelles lames, cinq, six ou sept fois, jusqu'à ce que la bottine tombe en lambeaux. De même, il portait jusqu'à l'extrême limite ses jambières et ses épaulières.

Il était tout aussi conservateur avec ses vêtements de ville. Mais pas de la même facon. Autant il aimait le vieux et l'usagé sur la glace, autant il appréciait porter du neuf dans la vie. Tout le monde s'accordait pour dire qu'il était le plus élégant des joueurs de hockey. Ses goûts cependant étaient très classiques. Il adorait la cravate, les complets-veston, ne portait à peu près jamais le jean, symbole vestimentaire de l'époque.

Il sera d'ailleurs sollicité par le magazine *Penthouse* qui préparait un reportage sur les dix Canadiens les plus élégants, un par province. Malgré l'insistance de son agent, qui voyait là un bel *exposure*, Lafleur refusa. Question d'image. Il venait d'accepter d'être le porte-parole de Yoplait. Il savait par ailleurs qu'il représentait beaucoup de choses pour les jeunes. Il considérait qu'une apparition dans *Penthouse*, qu'il ne détestait quand même pas feuilleter à l'occasion, ne pouvait que brouiller ou souiller son image.

Petrie s'était associé à des designers pour créer des vêtements marqués d'une fleur stylisée, T-shirts, chemises et pulls distribués par la chaîne Woolco. Puis il y eut des vêtements de cuir fabriqués par la Crown Waterproof de Ville Saint-Laurent. On avait aussi créé deux lignes (ligne bleue et ligne rouge, comme au hockey) de produits de toilette : lotion, Cologne, savon et déodorant pour homme, le numéro 10, « un parfum net et citronné », disait la pub, un « mélange de bois exotique relevé de musc, pour l'homme mûr ». Grosse campagne radio et télé. On projetait également de mettre en marché des parfums et des eaux de toilette pour femme de marque Guy.

En juillet, Lafleur partait avec sa femme pour Helsinki, invité par Koho, qui leur avait arrangé un voyage guidé en URSS, à Leningrad, à Moscou. La place Rouge avec Lise, le Kremlin, beaucoup de caviar et de champagne, d'agréables promenades le long de la Moscova dans les soirées tièdes et claires qui s'étirent en été jusqu'à près de minuit. Ils trouvèrent cet univers austère et triste. Lise surtout était horrifiée et horripilée par la lenteur des services, le piètre état des installations (ascenseurs, téléphone, etc.), l'inconfort et l'insalubrité des lieux publics, la timidité paranoïaque des gens.

Un jour, faisant la queue pour visiter le tombeau de Lénine, elle lia conversation avec un jeune homme qui baragouinait l'anglais. Il était intelligent, curieux, cultivé. Elle lui offrit de la gomme à mâcher. Un gardien armé intervint et exigea brutalement du jeune homme qu'il rende ce qu'on lui avait donné. Lise fit un esclandre et quitta les rangs en signifiant au gardien, par des gestes sans équivoque, qu'il était ridicule et imbécile. Rien au monde ne l'enrageait plus que voir brimer les libertés individuelles. Le lendemain, ils rentraient à Helsinki, leur vision du monde communiste inchangée.

Les artisans de la firme Koho fabriquèrent un prototype de bâton sur mesure pour Guy Lafleur. Il avait le poids parfait, la flexibilité idéale, la courbe la plus géniale qui soit. Il avait une âme. C'était un véritable bâton magique qui « répondait » avec une extraordinaire subtilité et permettait de bien « sentir » la rondelle.

Si Yvan Cournoyer était le plus gros consommateur de patins (jusqu'à sept paires par année), Lafleur était le grand champion en matière de consommation de bâtons de hockey. Il en passait quarante douzaines par saison. Une partie d'entre eux étaient autographiés pour les fans. Il en cassait aussi quelques douzaines dans ses colères. Avant chaque match, il enrubannait lui-même ses propres bâtons (trois ou quatre), il les soupesait, en éprouvait la flexibilité.

Les fabricants québécois lui firent d'amers reproches. Les entreprises Victoriaville, Sherwood et Les Bâtons canadiens, dont ses coéquipiers Savard, Cournoyer et Lapointe était actionnaires, prétendaient faire aussi bien que Koho. Qu'est-ce que c'était que cette idée d'aller encourager des Finlandais, alors qu'on fabriquait ici des bâtons qui faisaient le bonheur de la plupart des joueurs de la Ligue nationale, les meilleurs joueurs au monde ? Lafleur avait une réponse à cela. Une réponse de joueur de hockey d'élite pour qui la performance comptait avant tout.

« Je n'ai rien contre les produits québécois. Au contraire. Mais je fais la publicité de produits auxquels je crois et qui font mon affaire. Et j'ai la prétention de savoir ce qu'est un bon bâton de hockey. »

Lafleur était vraiment devenu un monument culturel, une icône. Il était le centre du monde, foyer des regards et de toute l'attention. Mais, de même que les bêtes de scène aveuglées par les projecteurs ne peuvent voir la foule qui les acclame, il percevait difficilement la société qui l'adulait. Il ne parvenait pas vraiment à s'intéresser à ce qui se passait hors de lui. Ce à quoi il ne participait pas avait à ses yeux peu d'importance. C'était vague et flou. Il ne lisait pas les journaux, sauf ce qui avait un quelconque rapport avec le sport.

Joe Clark, futur Premier ministre du Canada, venu assister à un match au Forum, avait tenu à le rencontrer et à se faire photographier avec lui. Comme toujours, Lafleur se prêta de bonne grâce à ce petit rituel. Mais après la séance de photo, il a demandé au photographe : « C'était qui, ce gars-là ? »

***

En août 1978, quelques jours après le retour de Finlande des Lafleur, la Carena-Bancorp (Canadian Arena Banking Corporation) de la famille Bronfman vendait le club Canadien à la Brasserie Molson. Montant de la transaction : 40 millions de dollars. Et Sam Pollock quittait la direction de l'équipe pour aller exercer ses talents ailleurs dans l'empire Bronfman.

Ces événements du « deuxième étage » allaient avoir de graves répercussions au niveau de la glace. Scotty Bowman s'attendait tout naturellement à être nommé au poste de directeur-gérant. Mais le Renard Sam s'y opposa fermement. Le rôle d'un directeur-gérant était, selon lui, de constituer une équipe gagnante. Il devait acheter des joueurs, en échanger, en vendre, toujours penser à long terme, savoir déceler le grand talent chez un jeune joueur fou de trac, savoir également utiliser à bon escient les vétérans, pouvoir négocier des échanges profitables, etc. Sur la glace, Bowman était un pur génie, mais Pollock considérait qu'il ne pouvait remplir adéquatement ces fonctions de directeur-gérant. Il s'arrangea donc pour être remplacé par un de ses proches amis, Irving Grundman qui, pour son plus grand malheur, n'était pas « un homme de hockey ». Il était propriétaire de salles de quilles. Il fut très mal accueilli par les joueurs. Et par Bowman.

« Je ne travaillerai pas longtemps pour toi », lui dit ce dernier.

Il accepta cependant de piloter les Canadiens jusqu'à la fin de son contrat, c'est-à-dire encore une saison. Mais l'atmosphère du deuxième était lourde. Et les joueurs allaient drôlement s'en ressentir. L'esprit d'équipe s'était dissous. Scotty Bowman était toujours ferme et sévère, mais plus distant que jamais, presque indifférent. Il attendait que ça finisse, résigné. Lafleur, lui, ne l'était pas. Au contraire.

Il venait de réaliser qu'il y avait énormément d'argent dans le sport professionnel. Et il ne voyait pas pourquoi il n'aurait pas sa part. Pendant qu'il était à Helsinki, au cours de l'été précédent, des industriels européens du hockey lui avaient offert une véritable fortune pour jouer chez eux. Et il laissait entendre qu'il était toujours très mal payé par les Canadiens. En fait, il n'avait aucune envie d'aller jouer en Europe, mais cette offre l'avait fait réfléchir. Après le camp d'entraînement, il commença à dire qu'il voulait être mieux payé. Et qu'il était prêt à aller jusqu'à la grève, s'il le fallait.

Le 25 octobre 1978, les Canadiens rencontraient les Maple Leafs à Toronto. La veille au soir, Lafleur avait lancé un ultimatum à Grundman. Si on n'ajustait pas son salaire, il allait faire la grève. Une meute de journalistes l'attendaient à l'aéroport de Toronto. Il se dirigea vers eux et leur dit que son contrat, signé sous pression en 1973, était une véritable infamie. Il considérait qu'il s'était fait avoir par Sam Pollock. Il leur dit aussi que son agent Jerry Petrie avait préparé une proposition et que si Grundman ne signait pas, il ne jouerait pas ce soir-là. Il se considérait comme lésé. Trois années de suite, il avait été le champion des compteurs de la Ligue nationale, et des gars comme Dionne, Perreault, Esposito, qui avaient considérablement ralenti depuis quelques années, avaient tous les trois au moins 100 000 $ de plus que lui.

« Combien penses-tu valoir ? lui demanda un journaliste.

— Pas loin de 2% de ce que Molson vient de payer pour les Canadiens, c'est-à-dire 800 000 $ par année. Mais je ne veux pas exagérer. Je me contenterai de moins que ça... Un peu moins. »

Ce jour-là, il n'est pas allé s'exercer avec l'équipe. Il est resté dans sa chambre d'hôtel, au Sutton Place, dans le centre-ville de Toronto. Il était tendu et nerveux. Il se sentait traqué, menacé. Il avait froid. Il avait envie de se battre et en même temps il avait peur, il regrettait de s'être embarqué dans cette guerre à finir avec l'Organisation. Il s'était enveloppé dans une couverture et il essayait de suivre un film à la télévision. Mais il n'y comprenait rien. Tout lui semblait soudainement confus et incohérent. Comme sa vie. Il avait finalement travaillé tout l'été, emporté par un véritable tourbillon.

Les journalistes non plus n'étaient pas allés assister à l'exercice des Canadiens. Ils flânaient dans le hall et le bar du Sutton Place. De temps en temps, l'un d'eux s'enhardissait à téléphoner à Lafleur pour savoir ce qui se passait. Rien.

À 5 h 25, Lise téléphona à Guy pour lui dire d'aller le plus rapidement possible au Maple Leaf Garden. Grundman, Langvary, son chargé d'affaires, et Jerry Petrie, qui avaient pris l'avion de 4 heures à Dorval, le rejoindraient là-bas. Il s'y rendit, suivi des journalistes.

Grundman refusait de signer la proposition de Petrie qu'il jugeait insensée. Mais il était prêt à négocier. Et il donnait à Lafleur sa parole d'homme qu'il ferait tout pour qu'ils s'entendent. Mais ce dernier se trouvait dans une position fort inconfortable ; il avait dit aux journalistes qu'il ne jouerait pas si Grundman ne signait pas. Et les journalistes étaient là, qui l'attendaient, de l'autre côté de la porte. S'il jouait, il aurait l'air du gars qui recule. S'il ne jouait pas, ses relations avec l'Organisation risquaient de s'envenimer. Il avait parlé trop vite.

Une demi-heure avant le match, Petrie rencontra les journalistes et leur dit que Grundman et lui étaient sur le point de s'entendre.

« Est-ce qu'il a signé votre proposition ?

— Les négociations vont bon train, répondit Petrie.

— Mais il n'a pas encore signé, n'est-ce pas ?

— Pas encore. Il doit réfléchir.

— Est-ce que Lafleur va jouer ?

— C'est à lui de décider.

— On peut lui parler ?

— Bien sûr. Mais il faudrait d'abord le trouver ! Je crois qu'il est allé dans la chambre des joueurs. »

Les journalistes étaient fort perplexes. D'habitude, Lafleur venait vers eux. Même quand il n'avait rien de bien sérieux à dire. Or, pour la première fois, il fuyait la presse. Les gars se massèrent devant la chambre des joueurs et attendirent. Jouera-t-y, jouera-t-y pas ?

Lorsque les joueurs sortirent pour la période de réchauffement, Lafleur était parmi eux, en uniforme, la face longue, l'œil hagard et fuyant. Aucun journaliste n'osa lui demander quelque commentaire. Il était évident qu'il avait plié devant Grundman.

Quelques jours plus tard l'affaire était réglée. Guy Lafleur avait 325 000 $ par année (soit environ 4 000 $ par match). Il était devenu le joueur le mieux payé de toute l'histoire des Canadiens de Montréal.

Il commençait alors à fréquenter régulièrement les bars et les discothèques. Au Thursday's surtout, chez Gatsby, au 1234, un ancien salon funéraire de la rue Crescent converti en discothèque très huppée, très chère. L'atmosphère de ces lieux lui plaisait bien. Il aimait s'enfoncer dans cette lourde musique disco dont les pulsations, un cœur qui bat, l'apaisaient. On ne pouvait se parler. Que boire, fumer, reluquer les filles, paraître.

Un jour, une fille, la plus belle fille qu'il y avait dans la place, l'invita à danser. Lafleur avait un peu bu ; il répondit, macho :

« Si je voulais danser avec toi, bébé, je te l'aurais déjà demandé. »

La fille était allée se rasseoir, visiblement offusquée. Plus tard, lorsqu'elle quitta le 1234, elle passa près de Lafleur, se pencha vers lui et lui hurla à l'oreille :

« T'es rien qu'une lavette. (*You're a real drip*). »

Sans doute dans le but plus ou moins avoué de se faire bien voir d'elle, Lafleur raconta cette histoire à sa femme qui, avec son implacable humour, lui répondit :

« Elle a raison, cette fille-là. T'es qu'une lavette. »

Elle riait, mais au fond, elle n'aimait pas du tout voir son mari fréquenter les bars et les discothèques. Elle sentait qu'il s'éloignait chaque jour davantage. Il ne trouvait plus jamais le temps de parler avec elle, comme ils faisaient autrefois pendant des heures, de ses états d'âme, de ses joies et de ses peines. Et lorsqu'elle voulait se rapprocher de lui, il devenait vite nerveux et impatient. Au moindre reproche (« Tu ne vois pas ton fils », « T'as oublié notre anniversaire », « Où étais-tu ? »), il éclatait et disait qu'il avait déjà assez de pression sur les épaules, qu'il n'avait surtout pas besoin qu'elle en rajoute.

Et malgré tout, malgré la vente de l'équipe, le départ de Pollock, la déception de Bowman et les conflits de Lafleur avec la haute direction, cette saison 1978-1979 se terminait bien. Pour la quatrième année consécutive, les Canadiens allaient remporter la coupe Stanley. Le 21 mai 1979, à Montréal, ils brisaient les espoirs des Rangers de New York de boire dans cette coupe, ce qu'ils n'avaient pas fait depuis quarante ans.

Cependant, les observateurs éclairés avaient noté que l'hégémonie des Montréalais tirait à sa fin. De grands joueurs prenaient leur retraite. La direction était perturbée. Le feu sacré était mal entretenu. Mais surtout, de nouveaux géants s'étaient levés dans la Ligue nationale. Et les Canadiens n'étaient plus équipés pour se défendre.

Ce n'était pas encore évident, pas même apparent, mais quelque chose clochait vraiment dans la belle grosse machine du Bleu, Blanc, Rouge.

Certains observateurs avertis commençaient à comprendre que Sam Pollock avait bien raison quand il disait que la clé du succès au hockey, comme dans n'importe quelle autre business, était la stabilité. Au début des années 70, le club était en pleine mutation. Pollock avait demandé à Jean Béliveau, qui voulait prendre sa retraite dès 1969, de rester deux ans de plus, afin d'assurer la continuité, de laisser à l'Organisation le temps de trouver un bon entraîneur et aux recrues le temps de s'affirmer.

De 1971 à 1979, Bowman avait su conserver une très grande cohésion dans l'équipe, un équilibre, un esprit. On était vraiment sur la même longueur d'onde. Exactement comme le chantait à l'époque Diane Dufresne. La société québécoise vivait dans une espèce d'enchantement, très « woodstockien ». Et les Canadiens de Montréal étaient le reflet fidèle de cette société unie dans un même projet.

En 1978, les Canadiens furent vendus et Pollock partit. L'année suivante, Bowman quittait à son tour. En deux ans, de l'automne 1979 à l'automne 1981, on aura quatre entraîneurs, Bernard Geoffrion, Claude Ruel, Bob Berry et Jacques Lemaire. La stabilité chère à Sam le Renard venait d'en prendre un coup. Et ce n'était pas fini. Trois joueurs clés quittaient l'équipe. Jacques Lemaire, Yvan Cournoyer et Ken Dryden prenaient leur retraite, trois grands joueurs intelligents et talentueux qui ensemble avaient vingt-cinq bagues de la coupe Stanley.

Sans l'extraordinaire Dryden devant les filets du Bleu, Blanc, Rouge, il faudrait sans doute changer un peu la stratégie et le style de jeu, être plus prudent, se replier plus souvent sur la défensive, ce qui voulait dire compter moins de buts, et par conséquent donner un moins bon spectacle. Avec un bon gardien fiable et une solide défense, on pouvait prendre des risques, exécuter des montées spectaculaires, vivre dangereusement.

Lemaire aussi laissait un vide énorme. Pendant sept ans, il avait été sur la glace l'alter ego de Lafleur. C'était un joueur studieux, un scientifique, un homme méthodique et réfléchi, tout le contraire de Lafleur, homme de passion et d'instinct. Mais ils se complétaient admirablement. Lemaire n'était pas seulement un joueur valorisant qui savait préparer des jeux et permettait à ses coéquipiers de compter abondamment, c'était aussi celui qui savait apprécier vraiment, profondément, totalement, l'art de Guy Lafleur, celui qui l'avait le mieux compris. Et lorsque celui-ci réussissait un bon but, il se tournait très souvent vers Lemaire et allait vers lui. Le regard de Lemaire, son sourire, son coup de poing affectueux, tout cela allait lui manquer beaucoup. Lafleur avait besoin de l'admiration ou de la considération de cet homme.

Lorsque les gars de l'équipe se sont quittés pour l'été, ils savaient qu'une grande époque venait de se terminer et qu'à la rentrée, ils se retrouveraient dans un tout nouveau monde.

***

La gloire, cet « éclairage artificiel », disait le poète Jean Cocteau ! On dit que ceux qui l'ont connue, artistes, athlètes, politiciens, héros et créateurs de toutes sortes, l'ont aimée au point de ne pouvoir s'en passer. Ils en deviennent vite les esclaves consentants, avides et dociles.

Inconsciemment, comme les héliotropes se tournent vers le soleil, Guy Lafleur s'était mis à chercher partout l'éclairage artificiel sous lequel il se sentait bien en vue, bien au chaud. Il passait de plus en plus de temps dans les bars et les discothèques de la rue Crescent, les plus chers et les plus chics en ville. Il buvait de bons scotchs, de grands vins, du champagne.

Il allait parfois seul au Thursday, en fin d'après-midi. Il s'installait à l'écart, tranquille. Il était vite entouré. On venait lui parler, des gars, des filles, qui voulaient lui serrer la main, voir de près la grande vedette, prendre un verre en sa compagnie. Il aimait bien cette fervente adulation qu'on lui portait.

Certains soirs, il achetait à la vendeuse de roses tout son stock de fleurs et les faisait distribuer aux filles qui se trouvaient dans la place. Il payait le champagne. Il aimait paraître et projeter cette image du bon gars désintéressé, généreux.

«Tu aimes faire le jars, lui disait Lise. Tu aimes qu'on te remarque.

— Les gens m'ont encouragé et soutenu ; il faut que je leur rende ce qu'ils m'ont donné.

— Et tu penses honnêtement que t'es obligé, pour marquer ta reconnaissance, d'aller te faire voir dans les bars de la rue Crescent et de te soûler avec de purs inconnus !

— J'ai besoin de décompresser. Tu ne sais pas ce que c'est.

— Je sais bien que tu as besoin de décompresser. Je ne discute pas là-dessus. Ce que je te dis, c'est que tu pourrais de temps en temps décompresser avec ta femme et ton fils.»

Lise était une habile dialecticienne. Elle possédait mieux que Guy l'art de discuter et d'argumenter. Et en plus, elle avait la raison et le gros bon sens de son côté. Chaque fois qu'il s'embarquait dans une discussion de ce genre avec elle, il était immanquablement désarmé et réduit au silence.

Et pourtant, il se disait qu'il avait raison lui aussi. Depuis l'âge de dix ans, il avait mené une véritable vie de moine, se privant de plein de choses, travaillant dur, toujours sous une pression énorme, toujours sur la ligne de feu. Il n'avait pas eu d'adolescence, pas de jeunesse. À treize ans, il était déjà un professionnel. Et depuis, il avait scrupuleusement suivi le droit chemin, sans jamais se permettre le moindre écart de conduite. Il se rappelait ce que Jacques Richard, l'enfant terrible des Remparts de Québec, lui disait autrefois, que ça ne ferait de mal à personne qu'il baise une groupie de temps en temps, qu'il prenne un coup, ou qu'il tire un joint. Mais il n'avait jamais sauté de groupie, jamais touché à un joint, jamais pris un coup la veille, ni même l'avant-veille d'un match important.

Et il se disait maintenant que Jacques Richard avait peut-être un peu raison après tout. Évidemment, il n'était pas devenu une superstar, mais il menait la grande vie. Et au fond, n'était-ce pas cela qui comptait, faire la belle vie ? N'était-ce pas pour ça d'abord et avant tout qu'on était sur la terre ?

Lafleur commençait à considérer qu'il avait maintenant bien le droit, à vingt-huit ans, star accomplie, de se payer un peu de bon temps, de se changer les idées et de décompresser un moment. Avoir tout ce fric et toute cette gloire et ne pouvoir en profiter, c'était le supplice de Tantale.

«Qu'est-ce que tu veux dire par "en profiter" ?» demandait Lise.

— Je veux dire qu'un gars qui fait mon métier est soumis à des tentations qui ne sont pas toujours supportables pour un être normal.

— J'aurais espéré, Flower, que tu sois plus fort que ça. Tu me déçois. »

Mais il y avait des hordes de groupies autour des joueurs du Canadien. Et plusieurs d'entre eux évidemment finissaient par succomber. Les filles étaient belles, jeunes, libres, patientes. Le plus recherché des joueurs était Lafleur, la Comète blonde, le Démon blond, Flower. Il était resté timide et réservé avec les filles. Mais il est peu de barrières qu'une groupie décidée ne puisse franchir.

On va vite se mettre à jaser. On lèvera des essaims de rumeurs malignes dont on entendra les inquiétants échos dans le milieu, puis dans les médias, partout. Guy Lafleur prend un coup, il se drogue, il drague, il se tient avec des voyous, il trompe sa femme.

Claude Larochelle, son ami journaliste, qui venait de publier un livre sur lui, *Le Démon blond*, apprenait avec stupeur que l'athlète aux mœurs irréprochables et à l'idéal indéfectibble et impeccable, dont il avait dressé le portrait, était en pleine mutation. Il entendait tout à coup, de-ci de-là, toutes ces rumeurs, à travers lesquelles il ne reconnaissait plus son personnage.

Lafleur était soudainement fasciné par le monde de la nuit, qui vivait lui aussi sous un éclairage artificiel. Il aimait rencontrer de nouvelles gens, qui avaient d'autres visions, d'autres habitudes, d'autres modes de vie que tout ce qu'il avait toujours connu.

En même temps qu'il faisait ces rencontres et ces découvertes, il se rendait compte que tout ce qui l'avait jusque-là motivé, soutenu et poussé, lui échappait comme par enchantement. Il n'était plus en mouvement, il ne montait plus, ni ne grandissait. La flèche, lorsqu'elle a atteint son but, reste fichée dans la cible. C'était ainsi que se sentait Guy Lafleur, à l'été de 1979. Il était au bout du voyage, arrivé, immobilisé.

Il avait la certitude qu'il ne pouvait faire plus, ni aller plus loin. Il allait brusquement changer de vie. C'était excitant et inquiétant à la fois. Il rentrait souvent tard, de plus en plus tard. Il faisait clair parfois quand Lise entendait arriver sa voiture. Et alors, elle se retournait dans son lit et enfin s'endormait. Le lendemain, elle boudait. Elle ne répondait pas à Guy quand il lui parlait. Il était troublé. Il avait peur. Il avait parfois l'impression qu'il était en train de gâcher sa carrière et sa vie avec Lise.

Lorsqu'il était devenu le porte-parole de la General Motors, celle-ci lui avait demandé de vendre sa Ferrari. Il l'avait fait avec plaisir. Cette trop belle et trop puissante voiture commençait à lui faire peur. Il roulait trop vite, de plus en plus vite. Il avait même fait, une nuit, Québec-Montréal, de pont à pont en moins d'une heure. C'était trop. C'était fou. Et pourtant, quelques mois plus tard, il s'était acheté une grosse Harley-Davidson. Et parfois, pendant qu'il roulait à cent cinquante à l'heure sur les autoroutes suburbaines, il pensait à ce que son père avait dit lorsqu'il lui avait fait faire un tour en Ferrari, qu'un homme qui s'achète de semblables bolides cherche inconsciemment à se détruire. La peur alors le saisissait et il rentrait chez lui à basse vitesse, triste, désemparé. Pendant quelques jours, il était gentil et prévenant avec Lise, puis l'ennui le reprenait ; il sortait, il rentrait tard.

De temps en temps, il rencontrait des amis, Guy Cloutier, le fameux gérant des p'tits Simard ou Claude Quenneville par exemple, à qui il se confiait. Mais la plupart des gars de son âge et de son milieu, du moins ceux qu'il avait plaisir à rencontrer, vivaient le même genre de problèmes que lui. Et ils faisaient comme lui. Ils essayaient de s'étourdir. Beaucoup y parvenaient assez facilement. Pas lui.

Le 4 septembre 1979 au matin, le *Montreal Star* annonçait en primeur, sous la plume de Red Fisher, que Bernard Geoffrion était nommé instructeur des Canadiens. Boum Boum avait alors quarante-neuf ans. C'était l'une des plus attachantes et des plus spectaculaires figures de l'histoire du hockey, l'un des Douze Apôtres ayant réussi l'exploit inégalé de remporter cinq coupes Stanley d'affilée. Il avait marié la fille de Howie Morenz, première grande star de la dynastie des Canadiens, mort des suites d'une blessure de hockey subie sur la glace du Forum. Geoffrion était un homme plein d'humour et de chaleur, un joyeux drille, champion des relations publiques, mais c'était aussi un homme dangereusement fragile.

Douze ans plus tôt, il avait dirigé les Rangers pendant trois mois. Il avait dû se retirer à cause d'ulcères à l'estomac. En 1971, il contribuait au lancement des Flames d'Atlanta, les rendit en quart de finales de la coupe Stanley, et tomba encore malade. La même chose n'allait-elle pas se produire avec les Canadiens ? Les joueurs étaient heureux de travailler sous les ordres d'un vrai homme de hockey. Mais sa présence, si amusante fût-elle, n'était pas vraiment rassurante.

Heureusement, Claude Ruel était là, le bon vieux Piton, qui avait lui-même dirigé le Canadien de 1968 à 1970, pendant presque deux ans. Piton avait la science, mais pas la manière. Il ne savait pas parler aux journalistes, ni imposer le respect à ses joueurs, ni résister aux diktats du public. Il avait démissionné, alléguant qu'il ne pouvait supporter la pression des médias et de la foule. Or Geoffrion, lui, aimait passionnément parler à la foule. Il avait même tâté du show-business et tenté une carrière de crooner. Il aimait paraître. On se disait donc que Boum Boum et Piton avaient ensemble toutes les qualités requises pour bien diriger une équipe.

Lafleur était rassuré. Il adorait Geoffrion. Il aimait Piton qui, à ses débuts, lorsqu'il était arrivé à Montréal, l'avait beaucoup encouragé.

Mais la belle euphorie n'allait pas durer longtemps.

*
**

Un écrivain amérindien, W.P. Kinshela, a écrit au début des années 80 une fort jolie nouvelle, dans laquelle il raconte la picaresque histoire d'un minable club de hockey d'un pauvre petit village amérindien du fin fond de l'Alberta. Les joueurs étaient mal équipés, mal dirigés, mal entraînés, mais ils avaient un formidable esprit d'équipe. Ils avaient surtout une mascotte extraordinaire, un chien un peu sorcier et farouchement partisan. C'était un grand colley à collier blanc, qui aboyait joyeusement chaque fois que l'un des siens s'emparait de la rondelle et qui se mettait à gronder et à hurler quand l'ennemi la lui enlevait ou que l'un de ses propres joueurs faisait une erreur. C'était un brave chien intelligent et passionné que l'injustice et l'incompétence révoltaient. Les gars l'avaient baptisé Guy Lafleur. Kinshela a intitulé sa nouvelle *The Truth* (« La Vérité »).

Au début des années 80, Guy Lafleur (le joueur de hockey) s'était en effet mis à proférer (à aboyer) des vérités, parfois énormes, parfois blessantes, mais toujours nécessaires, vérités qui allaient changer profondément l'organisation des Canadiens et la perception que les Québécois avaient du hockey.

Les premières fois qu'il a aboyé très fort, il se trouvait à bord de l'avion, au moment où le club effectuait une tournée dans l'Ouest. Lafleur adorait voyager en avion. Il aimait rouler en voiture ou à moto. Ce qu'il préférait dans le voyage, ce n'était jamais le but, mais le voyage lui-même, le mouvement, la route. L'avion surtout le plongeait dans une espèce d'euphorie douce. Et lorsque les Canadiens partaient en tournée vers les divisions de l'Ouest, il était généralement de fort bonne humeur. Il avait l'habitude (droit d'aînesse ou droit de star) de s'asseoir à l'arrière, près d'une fenêtre, à gauche de l'avion.

S'il n'y avait pas de match important le soir même, il prenait volontiers un verre (ou trois ou plus) avec les journalistes qui eux aussi se tenaient à l'arrière de l'avion. Et alors, il se livrait à diverses pitreries. Sa préférée consistait à emprunter le veston du stewart et à faire le service des consommations. Plus volontiers, il se laissait aller aux confidences. Il avait découvert l'inépuisable plaisir de dire librement ce qu'il pensait. Ses déclarations, souvent mordantes et incisives, faisaient évidemment la joie des journalistes, qui reprenaient ses propos, lesquels faisaient presque toujours les manchettes du lendemain.

Peu de gens dans une société peuvent impunément se payer le luxe de s'exprimer ainsi à haute voix. Et parmi les quelques-uns qui le peuvent, rarissimes sont ceux qui osent le faire. Lafleur osait. Il lui arrivait évidemment de se tromper, de proférer des bêtises ou des inepties, mais jamais il ne se privait de parler lorsqu'il en avait envie. Et une fois la chose faite, jamais il ne se rétractait. Il pouvait s'excuser, regretter d'être allé trop loin, être peiné d'avoir blessé, mais jamais il ne reprochait aux journalistes de l'avoir mal cité ou d'avoir déformé ses propos ou exagéré sa colère ou son indignation.

Une autre grande vedette québécoise était alors connue pour sa franchise souvent démesurée : Robert Charlebois. Par beaucoup de côtés, Charlebois et Lafleur se ressemblaient. C'étaient des rebelles-nés, compulsifs diseurs de quatre vérités. On leur a d'ailleurs, à tous les deux, reproché de manquer de jugement et de discernement. Pendant ses grandes années, Charlebois avait dit impunément tout ce qui lui passait par la tête. Même, une fois, à la face des Premiers ministres du Québec et du Canada.

C'était lors de la Superfrancofête, à l'été de 1974, juste après le mémorable spectacle des plaines d'Abraham, *Le Loup, le Renard, le Lion*, auquel il participait en compagnie de Félix Leclerc et de Gilles Vigneault. Pierre Elliott Trudeau et Robert Bourassa étaient venus féliciter les trois grands de la chanson québécoise dans leur loge. Charlebois avait dit à Trudeau :

« Toi, Pierre Elliott, t'es un vrai bon Premier ministre. »

Puis désignant Bourassa d'un mouvement de tête, il avait ajouté :

« Je ne peux pas en dire autant de celui-là. »

Trudeau avait eu la présence d'esprit d'ajouter :

« Vous savez, je ne détesterais quand même pas avoir sa majorité en chambre. »

Tout le monde dans la loge était mal à l'aise. Sauf Charlebois. Il avait dit ce qu'il avait à dire. Et ce qu'il avait à dire était oracle, puisqu'il était une superstar intouchable, incontestable. Et, de ce fait, la vérité incarnée. Ainsi se percevait Guy Lafleur au tournant des années 80. Il était *la* vérité.

D'ailleurs, lorsque Charlebois et lui se rencontrèrent, à l'instigation du journal *La Presse* qui leur avait demandé de s'interviewer mutuellement, la première question que le hockeyeur avait posée au chanteur concernait le célèbre esclandre que celui-ci avait causé à l'Olympia de Paris quelques années plus tôt. Charlebois avait lancé sa guitare et ses batteries dans la foule et traité les Français d'endormis. Lafleur voulait savoir ce qu'il avait ressenti et pensé à ce moment-là et pourquoi il avait fait et dit cela. Charlebois répondit qu'il n'avait rien contre la foule elle-même, mais qu'il était alors en conflit avec la mafia du show-business, « qui ressemble à celle du sport, tu dois savoir ce dont je parle. C'est un pouvoir, et les pouvoirs m'écœurent ».

Guy Lafleur savait effectivement de quoi il retournait. N'était-il pas lui aussi en lutte contre un système, contre l'establishment, contre le gouvernement du hockey ?

Il commençait à se rendre compte que si ses trois premières années avec les Canadiens avaient été si peu reluisantes, c'était qu'il avait été sacrifié au système. Le club était alors en pleine transition. Et pour éviter que les jeunes ne commettent trop d'erreurs, l'organisation privilégiait un style de jeu très défensif, très prudent. On demandait souvent aux joueurs d'avant de se replier dans leur zone et de barrer la route aux envahisseurs. Or Guy Lafleur aimait mieux foncer et déjouer que défendre des positions. Son grand plaisir et son grand talent avaient toujours été de percer, par ruse ou audace, les lignes ennemies et de s'échapper vers le filet adverse. Il avait quand même dû suivre les directives de l'Autorité et renoncer aux grandes incursions chez l'ennemi. Il avait dû surtout se contenter de peu de glace. Mais il était tout jeune, alors. Et il savait qu'il s'en sortirait. Il n'avait qu'à faire ses preuves. En 1979, la situation était tout autre. D'abord, Lafleur était désormais un athlète établi. Il considérait qu'il avait droit à sa part de glace et droit de parole.

Contrairement à Scotty Bowman, Boum Boum Geoffrion n'avait pas de plan précis, pas de projet clair et net. Il dirigeait l'équipe avec Piton. Lafleur comprit vite que le tandem Piton-Boum Boum ne pourrait fonctionner. Il fut en tout cas le premier à le dire.

En novembre, à bord de l'avion qui emmenait les Canadiens dans l'Ouest, il confiait au journaliste Bernard Brisset de *La Presse* que le club manquait de leadership et que les joueurs ne savaient plus à quel saint se vouer. Ruel ou Geoffrion ? Qui était le patron ?

Lui-même avait fait son choix : Geoffrion. Et il cassa quelques tonnes de sucre sur le dos du pauvre Ruel, disant à Brisset que selon lui Piton devrait se taire et laisser Geoffrion mener seul la barque. Lafleur, joueur offensif, privilégiait, il va de soi, le style Geoffrion, qui était un attaquant-né, plutôt que le style Ruel, qui prêchait la prudence et recommandait à Boum Boum de modérer les transports de ses joueurs d'avant.

Geoffrion était de la vieille école (Toe Blake, les Richard, Béliveau). Il pensait attaque. Il adorait les raids dévastateurs et les sauvages razzias en territoire ennemi. Pour lui, le hockey, c'était aussi du show-business. Il fallait gagner, bien sûr, mais surtout donner un bon spectacle, exciter les foules, créer des événements médiatiques. Le drame, c'était qu'il écoutait à la fois son instinct de fonceur et les conseils du prudent Piton. Celui-ci n'avait jamais su s'attirer le respect des joueurs, mais il avait au Forum une grande autorité morale et une expérience d'une incomparable richesse.

Les joueurs ne savaient plus à qui se rallier. Il y eut un schisme au sein de l'équipe, des clans, des cliques. C'était ça surtout que Lafleur dénonçait. La direction hybride avait brisé selon lui la cohésion de l'équipe.

« Si on n'est pas ensemble, on ne peut pas gagner », disait-il à Brisset.

Le lendemain, ce dernier sortit son papier qui eut à Montréal l'effet d'une bombe. Piton était profondément blessé, d'autant plus que Guy Lafleur avait été son protégé, il l'avait soutenu et encouragé au début de sa carrière professionnelle, il avait passé des centaines d'heures à lui parler, à le conseiller, à l'observer. Et on considérait dans le milieu que c'était lui qui avait remis Lafleur sur ses rails après ses noires années. C'était lui aussi qui au moment du repêchage de 1971 avait insisté pour que les Canadiens le choisissent de préférence à Marcel Dionne.

Lafleur regrettait évidemment la peine faite à Piton, mais il ne pouvait retirer ses paroles. Pour la bonne et simple raison que c'était la vérité. Il considérait donc qu'il avait eu raison de parler ainsi. C'était pour le bien de l'équipe. Cette magnifique et géniale machine, jadis si bien entretenue par Sam « le Renard » Pollock, était en train de se déglinguer. Elle avait perdu son bel équilibre, sa vigueur, son âme.

Lafleur souhaitait que Piton s'occupe de la formation et de l'entraînement des joueurs, mais qu'il n'intervienne pas dans la direction de l'équipe. Ce nouveau partage des tâches qu'il proposait se serait peut-être fait. Mais Boum Boum tomba malade et dut quitter. Un peu avant les fêtes, Piton se retrouva aux commandes. Pour Lafleur, pour tous les joueurs fonceurs qui aimaient aller au front, c'était une mauvaise nouvelle.

On savait maintenant où on s'en allait. Mais avait-on envie d'y aller? Piton ne parvint pas à relever rapidement l'équipe.

Mais la faute n'incombait pas qu'à lui et aux administrateurs du deuxième étage. Quelques semaines plus tard, en janvier 1980, lors du second voyage de l'équipe dans l'Ouest, entre Denver et Los Angeles (les Canadiens venaient de battre les minables et éphémères Rookies du Colorado et s'en allaient détruire les Kings), exactement au-dessus du Grand Canyon, Guy Lafleur, toujours calé dans son fauteuil à l'arrière de l'avion, s'exprima sur les piètres performances de ses coéquipiers, fustigeant les paresseux, «les joueurs qui se moquent du monde et qui se contentent de trente buts par année et qui refusent de jouer quand ils ont un petit mal de tête». Autre bombe le lendemain dans les médias québécois. Une fois de plus, Guy Lafleur triomphait dans le rôle du critique officiel et donnait une sérieuse leçon aux journalistes.

Serge Savard avait succédé à Cournoyer comme capitaine des Canadiens. Mais en fait, Guy Lafleur exerçait le véritable leadership au sein de l'équipe. Il provoquait les changements, les remises en question. C'étaient ses déclarations d'abord et avant tout que la presse voulait entendre.

Jean Béliveau avait lui aussi exercé une grande autorité dans son temps. Mais d'une tout autre manière. Ainsi, lorsque dans la chambre des joueurs, pendant les éliminatoires de 1970, Henri Richard avait fait sa mémorable sortie contre l'entraîneur Al MacNeil, Béliveau s'était levé et, en passant près de lui pour aller vers les douches, lui avait mis la main sur l'épaule, fermement, fraternellement. Richard, qui était sur le point d'éclater, s'était tu. Tout le monde s'était tu. Le journaliste Bertrand Raymond qui se trouvait alors dans le vestiaire des Glorieux, son calepin à la main, n'avait pu tirer un seul autre mot du Pocket Rocket. Jean Béliveau, comme tous les joueurs de sa génération, croyait que rien de ce qui se passait dans la chambre des joueurs ne devait être divulgué. Il croyait que l'esprit et l'honneur de l'équipe devaient être protégés dans le plus imperméable huis clos.

Lafleur au contraire s'était fait l'apôtre passionné de la transparence, de la *glasnost* avant la lettre. Il voulait que tout se sache, que tout devienne débat public. Les intellectuels, les artistes et les publicitaires du Québec parlaient alors dans leurs chansons, leurs discours et leurs commerciaux, de la conquête de la parole. « On est six millions, faut se parler », clamait la publicité. C'était ce que faisait Lafleur, sans théorie, sans thèse. Il avait pris la parole. Lui, autrefois si timide et silencieux, il allait devenir, au cours de ces années, le Grand Divulgateur, le Grand Diseur de vérités, le Poseur de questions. Il n'est certainement pas exagéré de dire qu'il a eu une profonde influence sur la presse sportive.

Malgré les dures admonestations qu'il servait aux joueurs, il exerçait sur eux un puissant ascendant. D'abord, il était toujours le plus talentueux de tous. Il ne faisait jamais rien comme les autres. Il avait de la classe, comme on dit. Toujours très élégant, cravaté, parfumé. Beaucoup de joueurs portaient le jean et le chandail, mangeaient chez McDonald's et buvaient de la grosse bière. Lafleur, lui, s'habillait chez les grands couturiers, mangeait des mets raffinés, buvait du champagne et des grands vins. Sa plume, c'était une Mont-Blanc, ses souliers, des Gucci, ses valises, des Vuitton. Beaucoup de joueurs, surtout les Anglais, étaient près de leurs sous. Pas nécessairement radins, mais excessivement prudents. Dryden, fils du petit peuple, comme Lafleur, lisait toujours attentivement l'addition au restaurant. Gainey usait tout à la corde. Les Québécois avaient au contraire la réputation d'être beaucoup plus dépensiers. Parmi eux, le plus prodigue était incontestablement Lafleur. Il voulait toujours payer pour tout le monde. Très souvent, lorsqu'ils étaient sur la route, il entraînait avec lui une partie de l'équipe à qui il faisait découvrir un bon restaurant, une nouvelle discothèque, dont il connaissait les propriétaires. C'était délicieux et cher. Et très souvent, c'était lui qui payait. Dans les bars, même chose. Un soir de morose délectation, au Privé, il avait appelé le garçon :

« Garçon, vingt bouteilles de champagne, s'il te plaît. Tu en mets deux à ma table et tu distribues le reste. »

C'était près de 2 000 $ de champagne. Et Lafleur payait avec plaisir. Pour se ruiner ? par mépris ? par désespoir ? pour qu'on l'aime ? Les gars étaient évidemment impressionnés par ces largesses, cette munificence. Lafleur exerçait ainsi une sorte de fascination, un pouvoir assez semblable à celui qui l'impressionnait tant chez son beau-père Roger Barré, le grand seigneur aux largesses spectaculaires et élégantes. Quand son coéquipier Pierre Larouche s'était marié, il avait organisé chez lui à Baie-d'Urfé un gigantesque party de noces qui lui avait coûté les yeux de la tête. On avait brûlé les tapis, on avait cassé et sali un tas de choses. Mais il était content. Payer était pour lui le geste symbolique de la réussite et de l'autorité.

Mais là où il avait vraiment tous les pouvoirs, c'était auprès du grand public, qui était toujours de son bord. Comme il était du bord de Charlebois lorsqu'il affrontait les multinationales du disque, qu'il pourfendait les riches, tançait les pauvres, disait aux Premiers ministres sa façon de penser et s'affichait comme un « gars ordinaire ». Une vedette de haut calibre jouit d'une totale liberté, d'une totale immunité. Lafleur pouvait jouer au grand seigneur et poser des gestes qui chez d'autres eussent été arrogants ou insignifiants, mais qui chez lui prenaient les dimensions de la fable, de la légende.

En janvier 1980 par exemple, un petit garçon de Calgary, Corey Gurnsey, neuf ans, fut poignardé par un fou alors qu'il rentrait de l'école. On le transporta à l'hôpital. Par miracle et bonheur, il s'en tira. Mais son chandail des Canadiens de Montréal, le numéro 10, marqué « Guy Lafleur », troué et maculé de sang, avait été jeté. Un journaliste, qui enquêtait sur le sordide incident dont le petit Corey avait été victime, contacta Claude Mouton, le relationniste du Forum de Montréal. Celui-ci informa Lafleur qui appela le petit garçon et lui promit de compter un but pour lui le soir même et de lui envoyer la rondelle.

Ce soir-là, les Canadiens jouaient au Forum contre les Maple Leafs de Toronto. À 4 minutes 12 secondes de la première période, Lafleur enfilait un but. Et on le vit alors poser un geste inusité qui laissa des centaines de milliers de personnes perplexes : il écarta le gardien de but, se pencha à l'intérieur du filet et ramassa la rondelle qu'il alla porter à Claude Mouton derrière le banc des Canadiens. Un joueur fait cela quand il vient de réaliser un truc du chapeau, de battre un record ou de franchir une barre importante, celle des 100 ou des 500 buts, par exemple. Mais quelle importance, en ce 19 janvier 1980, Guy Lafleur pouvait-il bien attacher à cette rondelle ? Le lendemain, le Canada entier connaissait la réponse. On revoyait dans tous les journaux Guy Lafleur cueillant la rondelle derrière le gardien des Leafs, et le sourire du petit Corey.

Encore une fois, le célèbre numéro 10 des Canadiens avait réussi un but qui n'était pas ordinaire. C'était plus que du hockey. Un pur chef-d'œuvre tenant à la fois du show-business, du sport, de la légende. Comme les grands écrivains ou les grands cinéastes, Guy Lafleur nous racontait une histoire, il tissait une légende. Il était devenu plus qu'un personnage, il était un auteur, un véritable créateur d'événements. Un symbole aussi. Il était le prototype du gars du petit peuple qui a réussi et qui défend les droits des petits contre les puissants et les riches, qui aboie contre l'injustice et l'imcompétence.

Pierre Larouche, un joueur extrêmement talentueux, mais aux humeurs erratiques, tantôt brillant, tantôt absent, jouait maintenant au centre, à la place de Lemaire, entre Lafleur et Shutt. Larouche se révélait un bon passeur, rapide et inventif. Et un agréable compagnon. Au cours de la saison régulière, il compta 50 buts, Lafleur aussi. Shutt, 47. À eux trois, ils ramassèrent près de la moitié de toute la récolte de buts (328) enregistrés par l'équipe au cours de la saison régulière. Apparemment, ça continuait donc à bien aller. Mais la machine était devenue terriblement fragile. Du temps de Bowman et de Pollock, on avait tout en double ou en triple. Un joueur d'avant gaucher, pesant cent quatre-vingt-cinq livres, était-il blessé ? Pas de problème, on en avait plusieurs autres en réserve. Même poids, même style, même vitesse. Le club avait alors de la profondeur. Plus maintenant.

L'équipe était de nouveau en transition. En moins d'un an, les Canadiens avaient perdu beaucoup plus que quelques grands joueurs, plus qu'un entraîneur extraordinaire et qu'un directeur-gérant hors pair, ils avaient perdu quelque chose de non mesurable, de pratiquement indéfinissable, la foi, l'esprit, le vrai désir de vaincre.

Le 27 avril 1980, au Forum, ils étaient éliminés en semi-finale par les North Stars du Minnesota. Pour la première fois en cinq ans, la coupe Stanley allait leur échapper. Guy Lafleur n'était pas là. Quelques jours plus tôt, il avait été accidentellement blessé par l'ailier Pat Boutette des Whalers de Hartford, au cours de la troisième partie des éliminatoires. À l'issue de ce match, deux très grands joueurs de la Ligue nationale annonçaient leur retraite : Gordie Howe et Bobby Hull. On dira aussi plus tard que ce match du 27 avril 1980 aura été le dernier du vrai grand Guy Lafleur. Après, ça ne sera plus jamais pareil. C'était ce que d'aucuns appelèrent le commencement de la fin de Guy Lafleur.

Cette défaite à laquelle il n'avait pu participer à cause de sa blessure le troubla profondément. Il avait beau se dire que ça faisait changement, que ça poserait un nouveau défi, que toujours gagner pouvait devenir lassant, il trouvait que ça tombait vraiment très mal. Le club s'était en effet trouvé en position de battre le record des Canadiens des années 50 qui avaient remporté cinq coupes Stanley d'affilée, de 1956 à 1960. Douze hommes, qu'on appelait les « Douze Apôtres » (« the Magnificent Twelve »), avaient participé d'un bout à l'autre à cet exploit sans précédent. Ils constituaient une légende dans la légende des Canadiens et dans l'histoire du hockey et du sport moderne, comme les Yankees de New York des années 50. C'étaient des êtres sacrés, tous bien installés sur leurs lauriers, tout à fait au sommet du Temple de la Renommée.

Lafleur aurait aimé appartenir à une équipe semblable. Réussir des exploits individuels, c'était grisant et excitant mais, en équipe, ça devait être encore plus exaltant. Or on se retrouvait à la case départ. C'était toujours possible. Mais il faudrait rebâtir très rapidement un vrai bon club et gagner les cinq prochaines coupes Stanley, de 1981 à 1985, ce qui était en fin de compte fort peu probable. Pour la première fois de sa carrière, Guy Lafleur voyait devant lui un sommet qu'il ne pourrait peut-être pas atteindre. Pour la première fois de sa vie, il doutait de lui.

Et il se passait dans sa vie des choses infiniment graves qui le troublaient profondément.

*
**

De temps en temps, comme tout journaliste sportif soucieux d'entretenir de bonnes relations avec les joueurs et l'organisation des Canadiens, Claude Quenneville allait assister à un exercice au Forum ou à l'aréna de Ville Saint-Laurent. Un beau jour, au tout début du camp d'entraînement de la saison 1980-1981, il venait à peine de s'asseoir dans les gradins du Forum, derrière le banc des joueurs, que Lafleur, l'ayant aperçu, vint vers lui.

« Il faut que je te parle, Claude. Attends-moi, veux-tu ? »

Lafleur était toujours le premier arrivé aux exercices. Et presque toujours le premier parti. Il détenait le record de vitesse pour se doucher, se changer, ranger son équipement et prendre la porte. Même qu'un soir de la saison précédente il était parti si vite qu'on n'avait pu l'attraper à temps pour qu'il vienne saluer la foule après avoir été choisi l'une des trois étoiles du match. Quenneville n'attendit donc pas longtemps. Dix minutes après l'exercice, ils roulaient sur la rue Sherbrooke, lorsque Lafleur, se tournant vers Quenneville, lui annonça qu'il avait laissé Lise.

« J'espère pour toi que c'est une farce.

— C'est pas une farce, Claude, je te jure. J'ai quitté Lise. »

Pendant un long moment, Quenneville était resté muet. Il savait que ça n'allait pas toujours très bien entre Lise et Guy et qu'ils se disputaient de plus en plus souvent. Mais il ne pouvait imaginer son ami Lafleur faisant sa vie sans cette femme. Il les avait connus au tout début de leurs amours. Et depuis, il avait souvent rencontré Lise. Il avait vu l'importance qu'elle avait dans la vie de Guy. Elle n'avait rien de la typique femme de joueur de hockey, timide, attentive et obéissante. Elle était au contraire très indépendante d'esprit, opiniâtre, toujours déterminée en toutes choses. Pas une décision que Lafleur n'ait prise sans la consulter. Il avait même l'habitude de dire, en riant bien sûr, qu'elle était son véritable entraîneur. C'était une manière de se plaindre un peu de l'autorité incassable qu'elle exerçait sur lui ; une manière aussi de dire qu'elle était importante dans sa vie, qu'elle avait plus souvent qu'autrement raison, qu'elle était forte.

Quenneville aimait beaucoup Lise Lafleur. Il la trouvait intelligente et articulée. Celle-ci, après l'avoir classé parmi les mauvais compagnons de son mari, avait découvert qu'il était sérieux et responsable. Elle aimait sa délicatesse, son humour, sa culture sans prétention.

Depuis deux ans, Quenneville avait beaucoup changé. Il avait brusquement cessé de boire, de fumer, il s'était mis au jogging et à l'eau. Il était devenu le plus sage des amis de Guy Lafleur. Peut-être aussi le plus proche de Lise, sa femme.

« C'est très sérieux, lui disait Lafleur. Je suis parti de la maison hier au soir.

— Et Lise ?

— Je pense qu'elle va s'en aller chez son père en Floride.

— Martin ?

— Martin est avec elle.

— Et toi ?

— Moi, je me suis loué une suite juste ici. »

Il venait de ranger la Cadillac devant le Ritz, rue Sherbrooke. Un valet en livrée leur ouvrait la porte, pendant qu'un autre allait stationner la voiture. Ils passèrent tout de suite au restaurant et, à la demande de Lafleur, on leur donna une table à l'écart, derrière un massif de plantes vertes.

« En fin de compte, je n'ai rien d'autre à dire, Claude. J'ai laissé Lise. Et je ne veux pas être seul dans le moment. C'est tout. »

Puis il se mit à dire qu'il s'ennuyait de son fils et qu'il ne pourrait pas vivre sans le voir.

« T'ennuies-tu de Lise aussi ?

— Je ne le sais pas. »

Ce n'est qu'au milieu du repas et de la bouteille de Chablis qu'il avoua à Quenneville qu'il avait une aventure et que c'était à la fois pénible et merveilleux.

« Je la connais ?

— Mais oui ! Tout le monde la connaît.

— Qu'est-ce qu'elle fait dans la vie ?

— Elle chante.

— Bon ! alors, je sais qui c'est. »

Quelques semaines plus tôt, Quenneville était rentré de Los Angeles avec un tout nouveau gadget, un magnétophone portatif de marque Sony, le Walkman. Lafleur avait été fasciné par la qualité sonore de cet appareil. Il avait demandé à Quenneville, qui avait des contacts dans les studios d'enregistrement, de lui faire préparer quelques cassettes avec des chansons de Barbra Streisand, Mireille Mathieu, Diane Tell, Diane Juster, Dionne Warwick et quelques autres chanteuses américaines ou européennes.

« Es-tu en amour avec elle ?

— Je ne sais pas. Peut-être. Mais dans le fond, j'espère que non. »

Il l'avait rencontrée au début de l'été dans un restaurant de la rue Sherbrooke, le Toit rouge, lors du lancement d'un album disco. Elle était riche, cultivée, indépendante. Elle apportait le changement dans sa vie et lui ouvrait toute grandes les portes d'un nouveau monde, celui du show-business. Elle le fascinait par son assurance, son élégance, sa façon de dire et de sentir les choses. Elle connaissait tout le monde. Elle aimait rire. Elle aimait parler et, surtout, faire parler Lafleur de ses états d'âme, de ses émotions. Il avait toujours aimé les femmes qui savaient le faire parler. Avec Lise, il lui semblait avoir tout dit trop souvent, il n'avait plus de secrets, elle n'avait plus de mystère. Il redécouvrait avec une autre le plaisir de se confier.

Elle prit l'habitude de venir le rencontrer au Forum. Très discrète, d'abord. Mais ce genre de chose ne peut rester longtemps caché. Si bien qu'à la fin du camp d'entraînement la majorité des gars avaient compris ce qui se passait. Fin septembre, elle suivit l'équipe à New York et assista au match de présaison contre les Rangers. Ce soir-là, Lafleur fut éblouissant. Après avoir compté un but, il la chercha des yeux dans la foule du Madison Square Garden ; mais il ne put la trouver. Il se mit alors à penser très fort à Lise et à Martin. Et, malgré l'euphorie et l'ovation et la joie d'avoir réussi un beau but, il eut envie de casser son bâton sur la bande. Pourquoi fallait-il que tout ça soit si horriblement compliqué, si tourmenté? Il connaissait bien d'autres gars qui avaient toutes sortes d'aventures, d'un soir ou d'une semaine ou d'une vie, et ils s'arrangeaient facilement. Pourquoi pas lui?

Lise était effectivement partie pour la Floride avec son fils. Et elle avait évidemment tout raconté à son père. Elle aurait souhaité qu'il déteste Guy Lafleur. Mais Roger Barré lui avait dit:

«J'ai beaucoup de peine, Lise, quand je pense à ce qui vous arrive. Mais ne me demande pas de le haïr. J'ai beaucoup d'affection pour lui.»

En fait, Roger Barré n'était pas tout à fait étranger à la transformation morale que son gendre avait subie au cours de la dernière année. Il avait une conception très épicurienne de la vie. Il aimait boire et bien manger, il aimait l'argent, les belles femmes, le pouvoir, tous les plaisirs. Ce n'était pas un homme sage et pondéré, mais il était extrêmement attachant, toujours intéressant. Et il exerçait sur Lafleur, autant que sur sa propre fille, un puissant ascendant. Celle-ci avait d'ailleurs souvent reproché à son mari de n'être pas comme son père, de ne pas avoir sa flamboyante et rayonnante autorité, sa force de caractère.

Une dizaine de jours passèrent sans que Lafleur ne donne de nouvelles aux siens. Il jouissait de sa liberté, maladroitement, excessivement, toujours vaguement inquiet, comme lorsqu'on se retrouve au volant d'une nouvelle voiture superpuissante, dont on ne connaît pas trop bien le maniement et les réactions.

Il aurait voulu que sa liaison avec la chanteuse reste discrète. Mais ni l'un ni l'autre ne pouvait passer inaperçu. Chaque fois qu'ils sortaient, ça se savait, d'abord dans les milieux du hockey et du show-business, puis peu à peu dans le public.

Un soir, au Kyoto, un restaurant japonais, ils tombèrent sur des amis de Lise. Quelques jours plus tard, ils dînaient en tête à tête à la maison Bradley, à Hudson, dans une lointaine banlieue cossue de Montréal.

«Ne te retourne pas, dit-elle.

— Qu'est-ce qu'il y a?

— Il y a que les charmantes épouses de trois ou quatre de tes confrères viennent d'entrer ici.

— Et tu penses que je devrais me cacher?

— Je ne pense rien, Guy. Tu fais comme tu veux.»

Il se leva. Il alla saluer les quatre épouses. Il savait que le lendemain matin toute l'organisation des Canadiens saurait qu'il était à la maison Bradley, en tête à tête avec une chanteuse célèbre. Il était flatté. Et révolté.

«N'importe quel gars ordinaire peut coucher avec sa voisine et personne ne le sait. Moi, je ne peux jamais rien faire sans que tout le monde le sache.

— C'est parce que tu veux bien que ça se sache. C'est ta vie qui est faite comme ça. C'est la vie que tu as choisi de vivre. Tu es un homme public. Tu dois assumer tes responsabilités.»

Le lendemain matin, il téléphona en Floride. Ce fut Roger Barré qui répondit. Lafleur ne savait pas quoi dire. Il était piteux.

«Ça va?

— Ça va. Toi?

— Ouais. Quel temps il fait en Floride?

— Écoute, Guy, j'ai deux choses à te dire. D'abord, que tu laisses tomber ma fille, ça me fait énormément de peine, tu le sais, mais ce n'est pas mes oignons, c'est ta vie. Et je suis mal placé pour te faire la morale là-dessus. Quelque part, je peux comprendre. Mais que tu passes dix jours sans prendre des nouvelles de ton fils, ça, je ne le prends pas. T'as presque trente ans! Si t'es pas capable de prendre tes responsabilités...

— Je voudrais parler à Lise.

— Comment tu penses qu'elle est, Lise? Peux-tu une seconde penser qu'elle a envie de te parler?

— Je voudrais lui dire deux mots.

— Pas elle. Ma fille ne veut pas te parler.

— Vous ne lui avez même pas demandé!

— Elle nous a dit que si tu appelais, elle ne voulait pas te parler. Je n'y peux rien. T'imagines-tu que c'est moi qui vas décider à sa place? Tu connais pas ma fille, Guy Lafleur. Même moi, j'arriverais pas à lui faire changer d'idée.

— Je peux parler à Martin?»

Martin avait eu quatre ans en juin. Il riait au téléphone. Le «daddy» pleurait, il ne s'était jamais senti aussi seul, aussi désemparé de toute sa vie. Pour se guérir de ce mal, il sortait, descendait dans les bars, appelait sa chanteuse, mais le matin, quand il se retrouvait seul, dans sa suite du Ritz, c'était l'enfer.

Rentrée du Sud, Lise appela Claude Quenneville pour avoir des nouvelles de son mari. Elle était bien, reposée, bronzée. Quenneville savait qu'elle était assez forte moralement pour passer à travers cette épreuve. Il était plus inquiet pour Lafleur. Lise aussi.

«Qu'est-ce qu'il fait?

— Je ne peux pas te dire. Je ne l'ai pas vu depuis cinq jours.

L'équipe est sur la route.

— Penses-tu qu'elle est avec lui ?

— Ça m'étonnerait beaucoup. T'es mieux placée que moi pour savoir qu'il n'y a pas de place pour les femmes dans ces tournées. »

Ils sont allés voir le dernier film de Gilles Carle, *Les Plouffe*. Puis ils ont joué au Backgammon une partie de la nuit. Et Lise s'est mise à parler de Guy.

« Il ne voulait plus jamais venir avec moi au cinéma, ni aller à l'épicerie ou dans les boutiques, nulle part. Il disait tout le temps que les gens étaient après lui et qu'ils ne le laissaient pas respirer.

— C'est vrai qu'il ne sait pas se défendre contre ceux qui l'envahissent. Il veut toujours être trop gentil avec tout le monde. Quand il sort, il n'est jamais en paix. Il y a toujours plein de gens autour de lui.

— Mais il aime ça dans le fond. Il va dans les bars, dans les restaurants. Quand il n'est pas avec moi, il court après le monde. Quand il est avec moi, il n'est pas bien. Il n'est plus jamais bien avec moi. C'est ça qui me brise le cœur.

— Il n'est plus jamais bien avec personne, Lise. Même pas tout seul avec lui-même. Il passe un dur moment. Mais attends un peu, ça va s'arranger, tu vas voir.

— Autrefois, on passait des heures, des nuits entières, à se parler, lui et moi. Il m'écoutait, il m'écrivait souvent, même quand il était à la maison. Quand je me levais et qu'il était déjà parti, je trouvais souvent un billet sur le frigidaire. Des fois, quand il était sur la route, il m'envoyait un télégramme, juste pour me dire qu'il pensait à moi. Mais depuis un an, on ne se parle plus. Il n'écrit plus jamais. Il ne m'appelle plus, même quand il est sur la route. S'il le fait, on finit presque toujours par se disputer. »

Que pouvait dire Quenneville ? Lui-même était mal placé pour lancer la pierre à son ami. Avant de s'assagir, il avait lui-même royalement bamboché. La position de Lise était franche et nette. Elle considérait que Guy et elle avaient une entente. Il avait triché. Il était coupable. Pour elle, tout était fini, sans rémission. À ses yeux, les lois de l'amour et celles des affaires étaient les mêmes.

Lafleur de son côté s'était rendu compte que l'aventure qu'il vivait ne menait nulle part. C'était excitant, mais sans issue. À sa maîtresse, il parlait sans cesse de sa femme, de son fils. Et celle-ci lui disait :

« Tu vois bien que tu aimes toujours ta femme. Qu'est-ce que tu fais avec moi ? Tu vois bien que tu nous rends malheureux tous les trois. »

Elle lui reprochait exactement ce que Lise lui avait si souvent reproché. De ne pas se décider, de laisser les choses se faire ou se défaire d'elles-mêmes, de laisser aux autres le soin ou l'odieux de trancher. Et c'est elle, sa maîtresse, qui le poussa à prendre une décision, qui lui fit comprendre qu'il voulait et qu'il devait rentrer à la maison. Mais comment?

Il se trouvait un soir chez Gatsby avec son ami Brian Travers, le grand rouquin exubérant et volubile qui servait de chauffeur à Sam Pollock. Travers trouvait toute cette histoire complètement tordue. Si au moins Lafleur avait pu vivre son aventure avec plaisir. Mais c'était torturé, compliqué, douloureux. Chaque fois qu'ils se voyaient, Lafleur parlait de ses problèmes.

«Tu sais une chose, lui disait Brian. T'avais l'air de t'amuser beaucoup plus quand tu étais avec ta femme. D'habitude, un gars a une maîtresse pour le plaisir. Toi, on dirait vraiment que c'est pour le drame.»

Lafleur lui avoua qu'il cherchait à établir un protocole de retour à la maison. Travers fouilla dans sa poche et en sortit une pièce de vingt-cinq cents qu'il lui tendit.

«Si tu veux vraiment rentrer à la maison, il faut que tu commences par mettre un vingt-cinq cents dans la machine.

— Mais si je l'appelle d'ici, elle va entendre la musique. Elle va savoir que je suis encore dans une discothèque.

— Écoute, Guy. Faudrait quand même pas que t'essaies de faire coller à ta femme que t'as complètement changé de vie en l'espace d'un mois. Et puis je ne suis pas sûr qu'elle ne sera pas bien disposée, quand elle va se rendre compte que tu es tout seul dans une discothèque et que tu penses à elle.»

Le cœur battant, Lafleur se leva pour aller téléphoner à Baie-d'Urfé. Pas de réponse. «Où est-elle? Qu'est-ce qu'elle fait?» Il rappela aux quarts d'heure. À minuit, toujours pas de réponse. «Elle doit être chez sa mère! Ou chez sa sœur! Ou chez son amie Michèle!» Brian riait de l'inquiétude de son ami.

Ce n'est que le lendemain dimanche en fin de journée que Lafleur put enfin rejoindre sa femme. Elle était de glace, comme il se doit. Et lui, sans être tout feu, tout flamme, laissait parler son cœur. Il voulait que tout recommence, qu'on oublie tout. Pas elle.

«Les filles qui prétendent tout oublier sont des menteuses. Moi, je n'oublie jamais rien. Tu devrais le savoir.»

Elle accepta finalement de le rencontrer en terrain neutre, au Latini, un restaurant italien du centre-ville où ils avaient leurs habitudes.

« L'expérience que je viens de vivre m'a prouvé que j'avais besoin de toi pour vivre. Quand tu n'es pas là, il n'y a rien qui marche. Je suis désorganisé…

— Ah oui ? Et tu veux revenir vivre avec moi uniquement parce que t'es incapable de t'arranger tout seul ? T'as fait une erreur.

— Ce n'était pas une erreur, c'était une expérience.

— Moi, je considère que c'était une erreur. Tu m'as blessée. Tu m'as trompée. Et en plus tu as le front de venir te plaindre d'avoir trouvé ça dur.

— Je te dis simplement que je ne peux vivre sans toi. »

Il demandait pardon, promettait de ne plus recommencer. Mais elle restait froide et distante. Elle disait qu'elle était prête à se séparer. Elle garderait Martin, évidemment. Il le verrait quand il voudrait.

« Mais au fond, qu'est-ce que ça changerait pour toi ? Tu ne le vois à peu près jamais, de toute façon. Il n'y a que ta carrière qui compte. »

Il eut droit ce soir-là à ses quatre vérités. Calmement, Lise exposait ses griefs, pointait les erreurs qu'il avait commises.

« Il faut que tu comprennes une chose, Guy Lafleur. J'ai le cœur brisé, mais je n'ai pas besoin de toi pour vivre. Je peux m'arranger sans toi, tant sur le plan sentimental que financièrement. Des peines d'amour, ça finit toujours par guérir. »

Il la reconduisit à Baie-d'Urfé. Ils restèrent un long moment à se parler dans l'auto. Il voulut l'embrasser. Elle le repoussait, gentiment, fermement. C'était une étrange et grisante impression, comme s'il faisait la cour à une jeune fille et qu'il se retrouvait devant la maison de ses parents où elle ne voulait pas le laisser entrer.

En retournant en ville, il ressentait une véritable euphorie. Jamais personne ne lui avait parlé avec une aussi froide et clairvoyante franchise. D'habitude, c'était lui qui servait aux autres leurs quatre vérités, qui reprochait à Piton de ne pas être un bon entraîneur, à Geoffrion d'écouter Piton ou à ses coéquipiers de manquer de cœur à l'ouvrage et de jouer sans génie. Or pour une fois, quelqu'un lui parlait de lui-même, lui renvoyait de lui une image qui n'était pas flatteuse, certes, mais qui semblait juste. Et il avait l'intime conviction que pour poser sur lui un regard si pénétrant, il fallait l'aimer profondément. Personne au monde n'avait une si claire et si juste vision de lui. Jamais personne ne lui avait parlé sur ce ton. Avec Lise, il n'y avait jamais de faux détour, pas de faiblesse. Elle lui avait même dit qu'elle l'aimait. Mais elle restait maîtresse de ses émotions, de ses sentiments. Comme lui sur la glace.

Le lendemain, il lui fit envoyer des fleurs, il lui téléphona, voulut tout de suite discuter d'un protocole de retour à la maison. Il était plus que jamais amoureux de cette femme. Mais elle tenait à réfléchir. Lui, cependant, avait rompu avec sa maîtresse, qui lui avait également assené quelques vérités.

«Tu n'as jamais été vraiment avec moi.»

Il protestait. Mais il savait bien au fond que c'était vrai. Il avait été séduit non par l'amour, mais par la nouveauté, le changement. Il était seul de nouveau. Et n'avait plus qu'un but : rentrer à la maison.

Roger Barré, à son retour de Floride, eut un entretien fort sérieux avec son gendre.

«Je ne suis pas là pour te dire quoi faire. Mais si tu retournes vivre avec ma fille, il faut que tu saches où tu t'en vas. Et qu'on le sache nous aussi. Un mariage, c'est une histoire d'amour d'abord et avant tout. Mais c'est aussi une relation d'affaires, c'est un marché, un *deal*. Tu ne peux pas changer d'idée à tout bout de champ.

— Je ne changerai plus d'idée.

— Ma fille est en droit d'exiger des garanties sur papier, c'est-à-dire un nouveau contrat de mariage. Réfléchis comme il faut avant de lui faire des promesses.

— Je lui donne toutes les garanties qu'elle veut. Quand je me suis marié, j'avais vingt et un ans. Je savais plus ou moins ce que je faisais. Aujourd'hui, j'en ai presque trente. Je sais à quoi je m'engage.

— Je l'espère pour toi, mon garçon.»

Il rentra donc bien sagement au bercail. Après avoir signé un nouveau contrat avec Lise Barré. Celle-ci avait désormais le gros bout du bâton.

«La prochaine fois, c'est fini; tu le sais, j'espère.

— Il n'y aura pas de prochaine fois. Je t'aime.

— Moi aussi.»

Elle allait prendre de plus en plus d'importance dans sa carrière et dans sa vie. Elle restera cependant méfiante. Elle savait bien que son homme avait été durement secoué. Et elle comprit après quelques jours de leur nouvelle vie commune qu'il n'était pas tout à fait revenu. Quelque chose de lui était resté ailleurs.

*
**

Le 24 mars 1981, Guy Lafleur se rendit au Thursday vers la fin de l'après-midi dans le but d'y noyer son ennui, seul dans un coin. Il savait bien que tôt ou tard quelqu'un viendrait le divertir ou l'accompagner dans sa morose rêverie. Les gens qui fréquentaient cet endroit avaient de l'argent et des relations ou se fendaient en quatre pour que tous le sachent. Mais ils n'étaient jamais trop envahissants.

Il y a au moins ça de bon avec les snobs, pensait-il, ils ne sont pas achalants. Le fin du fin, au Thursday, était en effet de ne pas broncher, ne pas ciller, de faire comme si de rien n'était, lorsqu'on apercevait Guy Lafleur à une table voisine. Comme si on sortait d'une réunion avec l'Aga Khan, Mick Jagger ou Indira Gandhi. Ailleurs, dans un bar de l'est de la ville, que fréquentait le vrai monde, on se serait rué vers lui, on lui aurait demandé des autographes, des opinions, on aurait été avec lui d'une oppressante familiarité. Or il n'avait plus du tout envie de cela. Il voulait la sainte paix. Et ce soir, il avait décidé de s'enivrer un peu avant de rentrer à la maison, histoire de colorer un peu la grisaille de sa vie.

Depuis cinq mois, il avait repris la vie commune avec Lise. Mais ça n'allait pas vraiment.

« Tu n'es revenu qu'à moitié », lui disait-elle.

Elle avait raison. Il n'était pas tout à fait revenu. Et en plus, le peu de lui qui était revenu n'était presque jamais là. Après l'euphorie des premiers jours de retrouvailles, il avait recommencé à sortir, à rentrer tard, de plus en plus tard. Lise était persuadée qu'il repartirait. Elle avait fait son deuil de leur amour.

« Qu'est-ce que tu cherches ? » lui demandait-elle.

Il ne savait pas. Il se cherchait. Il n'aurait su dire ce qu'il voulait. Les filles, bien sûr, figuraient en tête de liste de ses objets de convoitise. Mais il n'osait plus les approcher. Chat échaudé craint l'eau froide. Il allait désormais se contenter de les regarder, de les désirer.

Assis au deuxième du Thursday, près de la fenêtre, il essayait de penser à sa vie, peser le pour et le contre, le plus objectivement possible. Mais tout lui échappait. Comme s'il était dans l'apesanteur, dans le vide. Il avait vu à la télévision un reportage sur les voyages dans l'espace. On interviewait des techniciens aux prises avec un problème théorique extrêmement complexe : comment peser des objets dans l'apesanteur, dans le vide. Il avait le même problème. Il essayait de peser le pour et le contre dans le vide de sa vie, mais il n'arrivait à rien, il ne comprenait plus.

Il songeait sérieusement à rentrer quand, vers sept heures, survint Robert Picard, un défenseur que les Canadiens avaient acquis quelques jours plus tôt. Six pieds deux pouces, plus de deux cents livres, vingt-trois ans, le genre de joueurs qui avaient désormais la faveur de l'organisation des Canadiens. Car Claude Ruel privilégiait plus que jamais un jeu défensif.

Au cours de cet hiver, Lafleur avait lui-même demandé à plusieurs reprises que l'organisation achète quelques gros joueurs. Toujours par le truchement des médias, il s'en était pris au pauvre Piton. Il avait décidé de dire tout haut ce que beaucoup pensaient, qu'il y avait des pleurs et des grincements, des clans et des cliques au sein de l'équipe et qu'on souffrait sérieusement d'un manque de leadership et de cohésion. Le club était mal adapté au nouveau hockey qui se jouait dans la Ligue nationale. Les autres grands clubs avaient de gros joueurs costauds et lourds qui enfonçaient comme si de rien n'était les frêles remparts des Canadiens.

Ceux-ci avaient beau se vanter de jouer le hockey le plus raffiné et le plus scientifique qui soit, ils se faisaient régulièrement écraser par des équipes constituées de brutes sans génie. Le seul gros joueur offensif et agressif dont disposait le club montréalais était Chris Nilan, ailier droit comme Guy, un cogneur, un fonceur aveugle qui aimait autant aplatir l'adversaire dans la bande que loger la rondelle dans le filet. Il aurait fallu trois ou quatre joueurs de ce genre. Les Canadiens comptaient de moins en moins de buts et se faisaient battre plus souvent qu'à leur tour. Grundman, cependant, comprenant le message de Lafleur, avait commencé à doter son équipe de lignes défensives solides. Voilà pourquoi on avait engagé Picard, pour barrer la route aux envahisseurs.

Il avait joué à Washington pendant trois ans et passé quelques mois à Toronto, chez les Maple Leafs. Il n'était pas fâché de se retrouver à Montréal, avec les Canadiens, mais il gardait de bons souvenirs de Washington. Et il parlait à Lafleur des douceurs de la vie là-bas, de l'hiver qui ressemblait au printemps...

Lafleur vivait alors de durs moments. Sa dixième saison (1980-1981) avec les Canadiens de Montréal tirait à sa fin. Il avait, comme d'habitude, réussi quelques spectaculaires exploits. Trois semaines plus tôt, à Winnipeg, il avait franchi la barre des 1 000 points en carrière, lors de sa 720e partie dans la Ligue nationale. Il appartenait maintenant aux *happy few*, aux très grands. Son ciel était gagné. Il était d'ores et déjà évident pour tout le monde qu'il entrerait un jour au Temple de la Renommée, même en ne comptant plus jamais un seul but.

Or justement, il n'en avait amassé cette année-là que 27, moitié moins que l'année précédente. Steve Shutt, son compagnon des grands moments, connaissait lui aussi sa plus faible récolte de buts et d'assistances en six ans. Et Pierre Larouche, leur joueur de centre, auteur de 50 buts en 1979-1980, n'en avait réussi que 25. C'était une inquiétante dégringolade. Le Canadien était toujours le club le plus prestigieux de la Ligue nationale, toujours un géant, mais un géant fatigué, incertain, pas très heureux.

Selon Lafleur, la cause du mal était le style défensif de Ruel qui forcément laissait peu de glace aux joueurs offensifs comme lui. Et le peu de temps de glace dont ils disposaient était gâché par les brutes adverses qui les mettaient violemment en échec.

« Il nous faudrait deux ou trois gros fonceurs. Grundman n'a qu'à en trouver. On a beau dire que nos adversaires sont des brutes incapables de jouer du beau hockey subtil et raffiné comme nous, ça ne les empêche pas de gagner. Et si j'ai bien compris le jeu, le but est de gagner. Il faut avoir un esprit de gagnant. »

Les déclarations de Lafleur, ses récriminations et ses admonestations à l'emporte-pièce forçaient sans cesse le pauvre Piton à changer de stratégie. Et ça permettait au public de donner son opinion, d'approuver ou pas chacune de ses décisions. La direction des Canadiens était devenue un véritable débat national : jouer défensif ou offensif? Utiliser tel ou tel joueur? Échanger celui-ci contre celui-là? Ruel, sans cesse épié, désavoué, ne savait plus où donner de la tête. L'équipe changeait donc constamment de style et de stratégie. En février, les journalistes s'étaient mis à parler de l'année du Caméléon.

En plus d'exposer publiquement la problématique à laquelle l'équipe devait faire face, Lafleur donnait franchement son opinion. Il rappela que la tradition des Canadiens, ayant permis de former la fameuse et très sainte dynastie, était basée sur le jeu offensif. Toe Blake, lui-même, grand joueur et entraîneur des Richard, Geoffrion et Béliveau (dix coupes Stanley en tout), avait toujours soutenu que l'attaque était la meilleure défensive. Si tu veux la paix, prépare la guerre.

Lafleur reprochait à Ruel de briser cette noble tradition et de privilégier un jeu timoré. Dès que les Canadiens avaient une avance d'un ou deux buts, on retirait les joueurs offensifs, on se repliait peureusement dans sa zone et on protégeait l'avance, alors qu'autrefois, on continuait de compter, on écrasait, on écrabouillait l'adversaire.

Dans les circonstances actuelles, il devenait difficile pour Lafleur de compter. Certains joueurs, par ailleurs, pouvaient s'épanouir. D'où les dissensions et les tensions de toutes sortes. Bob Gainey, par exemple, un avant défensif, avait droit à beaucoup de temps de glace. Il convenait parfaitement à la vision de Piton d'un club prudent, capable d'encaisser.

« Dans ton cas, c'est différent, disait Lafleur à Robert Picard. Tu es un défenseur. Il y a de l'avenir chez les Canadiens pour un gars comme toi. »

Picard écoutait les doléances de Guy. Il était plus ou moins d'accord que les Canadiens s'en allaient nulle part.

Quand ils eurent épuisé le sujet de leur beau métier, un peu soûls, ils abordèrent celui des voitures, de l'argent, puis l'inépuisable question des femmes. Ils se disaient ce que se disent deux gars dans un bar devant leur sixième ou dixième verre : que les femmes sont toutes pareilles, toujours prêtes à faire un drame à propos de tout et de rien et, comme chantait le groupe Offenbach, paroles de Pierre Harel, qu'elles étaient toutes « jalouses du blues ».

Lafleur raconta à Picard ses démêlés avec Revenu Canada qui, en décembre, était venu fouiller dans son passé fiscal. Ça l'inquiétait. Pas directement, mais par le truchement de Lise.

« Quand ta femme commence à s'énerver pour des questions d'argent, ça devient moins drôle. Moi, dans le fond, je m'en fous, de l'argent. C'est pour ma femme que je fais tout ça. Les femmes passent leur vie à s'arracher des plumes pour faire un petit nid douillet, tout chaud. Moi, j'étouffe là-dedans. Je voudrais vivre dans le bois. C'est dans le bois que je suis bien, moi. Là, il n'y a pas de problèmes. Mais ici, dans les villes, c'est toujours elles qui mènent tout et qui nous disent toujours quoi faire, quand le faire et avec qui. »

Il commençait à se faire tard. Et le remords tranquillement entrait dans le cœur de Guy. Il pensait à sa femme, seule à la maison, qui ne l'attendait plus, qui n'attendait plus jamais rien de lui. Quand il rentrerait, elle ne lui parlerait pas... Elle n'essayait pas de le comprendre.

« Si t'appelles pour dire que tu seras en retard, tu te fais écœurer. Si t'appelles pas, c'est le lendemain que tu te fais ramasser. D'une manière ou d'une autre, tu dois payer. Chaque fois que tu t'amuses dans la vie, tu dois payer. T'as pas le droit de prendre un verre. Y a pas une maudite femme au monde qui peut comprendre qu'un gars a besoin de décompresser de temps en temps. Faudrait toujours qu'on soit à côté d'elles, comme un petit chien docile et doux, un *poodle*... Moi, j'aurais plutôt envie d'être un loup.»

Mais le bar du Thursday, un soir de printemps, ça ne ressemble pas du tout au fond des bois. Il y a du plexiglass, des miroirs glacés, des parfums troublants, des femmes affriolantes, du champagne, de la musique enivrante.

Et tout d'un coup, Lafleur s'attendrissait. Il disait qu'il aimait sa femme, qu'il ne pourrait se passer d'elle, qu'elle était intelligente et faisait bien l'amour et tout et tout. Et il parlait de son fils... Et puis il affirmait encore qu'elle le martyrisait, qu'elle l'empêchait de vivre.

«Moi, je suis marié deux fois. Avec ma femme depuis sept ans. Avec les Canadiens depuis onze ans.»

Ils avaient pris plusieurs apéros, du vin en mangeant, quelques digestifs. Vers minuit, ils étaient passablement gourds, lorsqu'ils quittèrent le Thursday pour aller «se rachever» au bar du Privé, tout près. Ils regardèrent danser les filles, blasés. Vers deux heures du matin, fatigués et écœurés, ils décidaient de lever le camp. Picard, qui habitait au centre-ville, rentrait chez lui à pied.

«Donne-moi tes clés, Flower.

— Comment ça, te donner mes clés?

— Tu peux pas conduire, Flower, t'es trop soûl. Tu viendras chercher ton char demain.

— Je suis capable de conduire mon char... Qu'est-ce que tu vas chercher là?

— Si tu te fais arrêter, tu risques de perdre ton permis. Imagine le scandale. T'as déjà assez de problèmes comme ça, non? Laisse tes clés au gars du stationnement.

— D'accord.»

Mais le préposé au stationnement était parti depuis déjà un bon bout de temps. Ils ont alors décidé, tant qu'à faire, d'aller prendre un dernier verre à la Saga, une discothèque dont la porte de sortie donnait sur le parc de stationnement où se trouvait la Cadillac de Lafleur.

Guy Cloutier, le gérant de Nathalie et René Simard, était là avec un musicien et un technicien du son. Originaire du Lac-Saint-Jean, dont il avait gardé le savoureux accent, l'humour et l'incassable bonne humeur, ex-joueur de hockey avec les Aiglons de Chicoutimi de la Ligue junior A du Saguenay, Cloutier était devenu l'un des plus solides piliers du star-system québécois, fécond créateur de stars et d'événements, sorte de colonel Parker (gérant d'Elvis Presley) ou Johnny Stark (celui de Johnny Halliday et de Mireille

Mathieu). Il connaissait fort bien Lafleur. Il avait souvent et abondamment festoyé avec lui et cent fois fait en sa compagnie la tournée des grands ducs. Tous deux possédaient une grosse Harley-Davidson et avaient l'habitude de rouler ensemble, Lafleur souvent sans casque, quand il avait un peu bu, prenant des risques énormes.

Cloutier vit tout de suite ce soir-là que le Démon blond était fin soûl. Il s'était assis à sa table, avait commandé du champagne et entrepris une partie de Backgammon avec l'un des musiciens qui accompagnaient Cloutier. Mais il ne parvenait pas à placer adéquatement ses pièces. Et après avoir perdu deux ou trois parties, il repoussa le jeu avec colère. Quand il voulut se lever pour partir, il renversa la table, le jeu, les verres, échappa son trousseau de clés que Cloutier ramassa.

« Donne-moi mes clés.

— T'es pas en état de conduire, Guy. Tes clés, je les garde. Je t'enverrai porter ton char demain matin. »

Lafleur ne riait pas. Il bouscula Cloutier, lui reprit ses clés de force et sortit, Cloutier à ses trousses qui tentait de le raisonner. Lafleur s'assit sur le capot de sa voiture et dit à Cloutier de se mêler de ses oignons. Ce dernier savait qu'il ne pourrait en venir à bout tout seul. Il rentra chercher Picard qu'il trouva sur la piste de danse. Lorsqu'ils ressortirent, après deux minutes, Lafleur était déjà parti. Avec sa voiture.

Cinq minutes plus tard, en traversant le boulevard de Maisonneuve, Picard faillit se faire tuer par un taxi qu'il n'avait pas vu venir. Pendant ce temps, Lafleur filait vers Baie-d'Urfé. L'échangeur Turcot, avec son écheveau de rampes et de bretelles, le tint en alerte. Puis il s'embarqua sur la rectiligne autoroute 20. Quelques minutes plus tard, près de Ville LaSalle, à la hauteur de la rue Notre-Dame, il s'était endormi au volant. Sa voiture percuta une balise, faucha six poteaux verticaux de la clôture métallique séparant l'autoroute de la voie de service et s'immobilisa dans le grillage. La poutrelle de soutènement horizontale avait traversé le parebrise, était passée à l'intérieur du cercle du volant pour s'enfoncer dans le dossier du siège du conducteur, lui écorchant au passage l'oreille droite. Eût-il été éveillé et assis bien droit qu'elle l'aurait atteint en pleine figure ou dans la gorge, et il serait mort sur le coup.

Au moment où se produisit l'accident, il venait de doubler une petite voiture conduite par un agent de police qui rentrait chez lui après le travail. Ce dernier vit la Cadillac quitter la chaussée juste devant lui et percuter la clôture. Il se rangea derrière. Il trouva Guy

Lafleur assis sur le parapet qui pleurait et tremblait de tous ses membres.

Après avoir constaté qu'il n'était pas gravement blessé, il le fit monter dans sa voiture en lui disant qu'il avait intérêt à quitter les lieux avant que la Sûreté du Québec n'arrive. Il l'amena à l'hôpital de Lachine. Lafleur demanda qu'on le conduise à l'Hôpital général de Montréal.

Le policier téléphona à Lise. Celle-ci n'était pas surprise. Elle s'était dit depuis longtemps que ça arriverait un jour ou l'autre. Elle se rendit à l'hôpital. Son mari reposait dans une toute petite pièce près d'une salle d'opération. La tête bandée. Elle crut d'abord qu'il était grièvement blessé. Le médecin l'informa qu'on devrait attendre pour l'opérer que le taux d'alcool dans son sang baisse un peu. Ce n'est qu'au cours de l'avant-midi du lendemain qu'on lui fit une plastie pour lui rafistoler le pavillon de l'oreille.

Le lendemain, Irving Grundman convoqua Robert Picard à son bureau et lui demanda une explication. Picard était évidemment fort piteux. Il venait tout juste d'arriver chez les Canadiens. Il raconta tout. Que Lafleur avait passé une bonne partie de l'après-midi et toute la soirée à boire et qu'il était passablement soûl au moment de l'accident.

Irving Grundman n'était peut-être pas un très grand homme de hockey, mais il avait bon cœur. Il était secoué et vivement peiné, non seulement que Lafleur ait eu un accident, mais aussi qu'il soit malheureux au point de passer des heures à se soûler dans les bars. Il se rendit à l'hôpital et le rassura.

« Ce pourrait être le début d'une autre vie pour toi. Je suis persuadé qu'une telle expérience va te faire réfléchir. J'espère que tu sauras en profiter. »

Il demanda aux journalistes de le laisser en paix. Ceux-ci voulaient tout savoir en détail. Après avoir ouvert la porte aux médias et s'être fait l'apôtre de la transparence, Guy Lafleur était malvenu de leur reprocher leur curiosité au lendemain de cet incident. Les quatre quotidiens montréalais publièrent à la une d'impressionnantes photos de la Cadillac accidentée. Dans chacune des légendes, on parlait de miracle. On disait aussi que Guy Lafleur n'était pas soûl, ni drogué, qu'il ne roulait pas vite, qu'il était seulement fatigué.

Bizarrement, toute la presse couvrait celui qui ne cachait jamais rien. Personne n'osait à ce moment-là égratigner l'idole. Et on se donnait bonne conscience en se disant que c'eût été nuire aux Canadiens que d'accabler son meilleur joueur.

La nuit de l'accident, Brian Travers se trouvait à Québec. À quatre heures du matin, le téléphone sonna. C'était Irving Grundman qui lui dit :

« Guy had a bad accident. »

En fait, Grundman considérait Brian comme un mauvais compagnon de Lafleur. Brian faisait en fait partie d'une espèce d'opposition informelle à l'organisation.

Il sauta dans sa voiture et rentra à Montréal avant l'aube. Il alla directement à l'Hôpital général. Il y avait déjà un garde du corps devant la chambre où se trouvait Guy. Une armoire à glace. Défense d'entrer. Brian l'écarta d'autorité. Il allait s'occuper de tout. De Guy, de Lise, de la presse...

On convainquit l'agent de police qui avait secouru Lafleur d'aller incognito raconter l'incident à *Allô Police* qui publia un dithyrambique reportage où on disait et répétait que le Démon blond n'était pas soûl, qu'il ne sentait même pas la boisson, qu'il était seulement fatigué. Il n'y avait pas eu d'alcootest, parce qu'il était seul impliqué dans l'accident et qu'il n'y avait pas eu de blessures graves.

Les coéquipiers et les amis de Lafleur n'étaient pas surpris de ce qui lui était arrivé. Ils savaient tous qu'il vivait dangereusement et qu'il raffolait de la vitesse. L'organisation avait été soulagée quand GM l'avait forcé à vendre sa Ferrari. Mais on s'était affolé lorsqu'il avait acheté une moto Harley-Davidson quelques semaines plus tard. Cette fois, Grundman lui-même était intervenu et lui avait demandé de s'en débarrasser.

Lafleur resta quatre jours à l'hôpital. Quelques-uns de ses amis vinrent le voir. Avec eux, il riait et s'extasiait de l'aventure qu'il avait vécue, de la façon hautement spectaculaire dont il avait frôlé la mort. Mais dès qu'il se retrouvait seul, il réfléchissait avec effroi à tout cela. Il avait peur. Il se sentait responsable, évidemment. Mais il lui semblait également que la guigne s'acharnait sur lui. Ce grave accident du 24 mars venait s'ajouter aux nombreux déboires qu'il avait connus au cours de cette saison :

2 octobre : blessure au genou droit pendant un match de présaison

25 octobre : blessure à la cheville pendant un exercice de patinage

14 novembre : un journaliste de Vancouver écrit qu'il a de graves problèmes matrimoniaux, qu'il mène une vie dissolue et qu'il s'est infligé sa blessure du 25 octobre non pas sur la glace du Forum, mais en tombant dans l'escalier d'une discothèque

17 novembre : amygdalite
26 novembre : autre amygdalite
15 décembre : Revenu Canada vérifie ses livres
30 décembre : blessure à l'œil droit
10 janvier : blessure à la cheville gauche
31 janvier : blessure à l'aine
3 février : blessure à l'œil gauche
17 mars : blessure à la cuisse gauche
24 mars : l'accident sur l'autoroute 20

Il avait manqué 29 matchs de la saison régulière. Et ce n'était pas fini. Le 14 avril, après que les Canadiens eurent été éliminés par les Oilers d'Edmonton, Lafleur était blessé lors d'un match des Championnats du monde, à Stockholm.

Quelques jours plus tard, toujours dans la capitale suédoise, lors d'une conférence de presse, il rencontra Vladislav Tretiak, le fameux gardien de but soviétique contre lequel il avait joué à quelques reprises. C'était dans un grand hôtel, devant la presse sportive internationale. En l'apercevant, Tretiak était venu vers lui et lui avait dit (ou plutôt lui avait fait dire par le truchement de son interprète) qu'on avait parlé de son accident dans les journaux soviétiques.

« Tu devrais faire attention, Guy. Bois du café au lieu du whisky. C'est moins dangereux. »

Lafleur, honteux, ne sut quoi répondre. Il en voulut évidemment à Tretiak de l'avoir ainsi humilié en public. Tretiak jouissait d'une réputation irréprochable. C'était un bel athlète. Il venait d'être nommé le meilleur gardien des Séries mondiales et avait reçu le trophée du meilleur joueur en URSS et en Europe. Devant lui, à l'issue de cette conférence, à un journaliste qui lui demandait comment il expliquait la puissance des Soviétiques, Lafleur avait eu cette réponse qui avait comblé d'aise la presse soviétique :

« Parce que ce sont des patriotes. »

Pour rien au monde il n'aurait voulu mener leur vie. Mais il y avait quand même quelque chose qu'il enviait chez eux, une sorte de sagesse, de pureté, de frugalité. Il n'aurait su dire au juste. Mais il aurait voulu connaître la même passion. Il lui semblait que, contrairement à eux, il ne croyait plus à rien.

Et à ses nombreuses blessures aux chevilles ou au visage, s'ajoutaient celles, moins évidentes, mais tout aussi dommageables, faites à son amour-propre, à son ego, à son image. Il se sentait sombrer dans une sorte d'amer désarroi.

Un jeune joueur des Oilers, Wayne Gretzky, vingt ans, avait terminé la saison en tête des compteurs de la Ligue nationale. On ne parlait plus que de lui. L'ombre tombait peu à peu sur Guy Lafleur. Il n'avait accumulé que 70 points, au cours de la précédente saison. Gretzky, lui, en avait 164 (55 buts, 109 passes), un record. C'était beaucoup plus que les meilleurs pointages du Démon blond qui, lors de sa meilleure saison dans la Ligue nationale, en 1976-1977, avait récolté 136 points.

Les journaux écrivaient en substance : « La dernière décennie fut celle de Guy Lafleur ; la prochaine appartient à Wayne Gretzky. » Lafleur allait avoir bientôt trente ans. On disait qu'il avait perdu un dixième de seconde de réaction, presque imperceptible à l'œil nu, mais faisant sur la glace toute la différence du monde.

Un peu amer, un tantinet jaloux, il laissa entendre que les exploits du jeune Gretzky auraient été plus difficiles à réaliser s'il avait joué avec un club gagnant. Ses propos avaient piqué au vif le « Wonder Boy » qui avait rétorqué :

« Guy Lafleur n'a qu'à suivre les séries éliminatoires. Il verra ce que c'est qu'un club gagnant. »

Lors des séries, les Oilers défirent les Canadiens avant d'être battus par les Islanders de New York pour la deuxième année consécutive. Ce n'était pas la victoire finale des New-Yorkais qui faisait mal aux Canadiens, mais la montée de ce jeune club, les Oilers, qui leur avait donné une leçon. De plus, l'argument qu'avait invoqué Lafleur pour affirmer que les records de Gretzky avaient été faciles à établir ne tenait plus. Il en sortira un autre. Il dira que Gretzky se promenait en toute tranquillité sur la glace, protégé par les fiers-à-bras des Oilers, Dave Hunter et Lee Fogolin, alors qu'il était, lui, Guy Lafleur, sans cesse mis en échec par eux. Il ne cessait de dire que le club était mal dirigé.

Au cours de l'été, lorsque des journalistes le rencontraient parfois sur les terrains de golf et le questionnaient sur son recul par rapport à Gretzky, il continuait à mettre la responsabilité sur le dos de Ruel et de Grundman :

« Ça va changer, si la direction est moins incohérente. »

La réponse de Grundman se fit cinglante.

« Guy Lafleur est un joueur indiscipliné. Il voudrait qu'on construise le club autour de lui. Ce n'est plus possible. »

Lafleur répondit : « S'il n'est pas content de moi, qu'il m'échange. »

Il amorçait son déclin. Mais il ne voulait surtout pas le reconnaître.

*
**

Avant le début de la saison 1981-1982, le Canada, les États-Unis et une demi-douzaine de pays d'Europe allaient se disputer la deuxième Coupe Canada. Scotty Bowman, entraîneur des Sabres de Buffalo, avait été désigné pour diriger l'équipe canadienne. Lorsqu'il annonça que Lafleur et Gretzky allaient figurer sur son premier trio offensif, tout le monde du hockey, tant en Europe et en URSS qu'en Amérique, fut ému et excité. On allait enfin voir jouer ensemble deux mégastars, l'une de trente ans, l'autre de vingt, l'une descendante, l'autre montante, dont la rencontre était infiniment plus attendue que l'affrontement Canada-URSS. C'était en effet un immense événement. Et un beau suspense. Lequel de Lafleur ou de Gretzky allait porter la rondelle et préparer les jeux dont l'autre profiterait ? Lequel resterait à l'avant, attendant les passes ?

On découvrit bientôt que le Démon blond et le Wonder Boy jouaient avec un synchronisme impeccable et qu'ils y prenaient tous deux un plaisir évident. Lafleur avait fait taire son ressentiment. Un match d'exhibition eut lieu à Edmonton, au pays de Gretzky. Au Northlands Coliseum, Guy Lafleur fut acclamé comme rarement il l'avait été au cours de la dernière saison. « Guy, Guy, Guy » scandait la foule, chaque fois qu'il s'emparait de la rondelle. Gretzky et lui, sans jamais se chercher des yeux, se faisaient des passes parfaites, pas une faute, jamais d'erreur, c'était l'harmonie totale.

Un jour, pour rentrer au centre-ville après un exercice, Lafleur et le journaliste Claude Larochelle du *Soleil* empruntèrent le métro de surface, plus rapide que l'autoroute. Larochelle avait les journaux du jour qu'ils se mirent à feuilleter. Lafleur tomba sur un article d'Anatoli Tarasov publié dans l'*Edmonton Journal*. Tarasov était alors le maître du hockey soviétique. Il tenait sur Lafleur des propos très durs. Il rappelait qu'il avait trente ans, laissait entendre qu'il avait abusé des bonnes choses et qu'il ne serait plus jamais que l'ombre de lui-même. Il racontait qu'il l'avait vu jouer au printemps à Stockholm et qu'il l'avait alors trouvé lourd et lent.

« C'est qui ça, Tarasov ? Pour qui il se prend, ce gars-là ? »

Il jeta le journal sur la banquette. Le reprit, relut l'article, visiblement secoué. Il savait bien qu'il était plus lent. Il en convenait. Mais il était rouillé parce qu'on ne lui laissait plus assez de temps de glace. Tarasov ne savait pas ce qui se passait. Les Russes, lorsqu'ils avaient un bon joueur, ils le faisaient jouer. Pas ici. Tarasov ne pouvait comprendre. Mais il avait brisé le bel élan de Lafleur…

Après l'élimination des Tchèques, des Suédois, des Américains, le grand affrontement tant attendu entre le Canada et l'URSS eut lieu à Montréal. L'Équipe Canada avait l'avantage de la glace. Mais les Soviétiques prirent rapidement une avance de trois points. Vladik Tretiak avait brillé lors de la première période. Mais il n'eut pas vraiment l'occasion de le faire par la suite. Les joueurs canadiens semblaient en effet incapables d'organiser de bons jeux et ne firent que quelques tirs au but mous et imprécis. Où était passée leur farouche détermination ? Jamais Tretiak n'avait vu des joueurs comme Lafleur par exemple perdre à ce point toute intensité, tout intérêt. On lui avait dit que, même dans les pires défaites, des gars comme Gretzky, Lafleur ou Perreault n'abandonnaient jamais. Or en troisième période, les joueurs canadiens erraient sur la glace du Forum, en attendant que le match finisse. Ils avaient démissionné. Ils perdirent 8 à 1.

Lafleur ignorait ce qui avait pu ralentir Gretzky et Perreault, mais il avait cependant compris, trop tard, que les propos de Tarasov le concernant avaient sans doute pour but de le déstabiliser. C'était réussi. Il avait été atteint dans son amour-propre, dans ses muscles, dans ses réflexes, au point d'avoir oublié cette grande leçon que s'acharnait autrefois à lui faire Ti-Paul Meloche, que le hockey, ça se jouait d'abord et avant tout entre les deux oreilles. En manquant de vigilance, il avait donné raison à Tarasov.

L'entraîneur russe s'en était pris à lui plutôt qu'à Gretzky, parce qu'il le sentait vulnérable. Il s'était mal défendu. Quand il avait lu ce maudit article, il aurait dû vouloir de toutes ses forces prouver à Tarasov qu'il avait tort. Il aurait dû arriver sur la glace déterminé à lui faire regretter ses paroles, gonflé à bloc, comme autrefois, au Garden de Boston, devant John Wensink et les Big Bad Bruins qui avaient juré de lui arracher la tête, ou devant les Broad Street Bullies de Philadelphie. Au lieu de cela, il s'était révolté contre les propos de Tarasov. Et il avait été battu, il avait perdu. Dans sa tête.

Il est toujours bon et utile de comprendre pourquoi et comment on a été défait, mais ce n'est pas nécessairement rassurant. Lafleur venait de comprendre qu'il avait vieilli, qu'il n'était plus innocent, ni invulnérable. Et il se disait que s'il était moins vite dans sa tête, au point de se laisser influencer par les propos d'un entraîneur soviétique, il l'était peut-être aussi sur la glace.

Les Canadiens avaient un nouvel entraîneur, Bob Berry. Piton Ruel, incapable de supporter la pression populaire et considérant que la position d'entraîneur à Montréal était intenable, avait remis sa démission à Grundman et repris son poste de responsable de la formation des joueurs. Nulle part ailleurs qu'à Montréal, les fans n'exerçaient un tel pouvoir. Nulle part ailleurs, un entraîneur n'était à ce point surveillé, contesté et sans cesse remis en question. À New York, Los Angeles ou Toronto, on avait d'autres chats à fouetter. On plaçait ailleurs sa fierté. On aimait le hockey comme un divertissement parmi d'autres. À Montréal, c'était tout à fait différent. L'âme de Montréal ne se trouvait pas à la Bourse, mais au Forum. C'était trop lourd, trop stressant pour Piton. C'est donc avec soulagement qu'il avait cédé sa place à Bob Berry.

Ce dernier, originaire de Montréal, s'était illustré avec les Kings de Los Angeles, comme entraîneur. Il avait une fiche plus qu'honorable : 107 victoires, 94 défaites, 39 nulles, en trois ans. Cet homme de discipline et d'ordre n'avait pas froid aux yeux. Il savait que le public montréalais l'attendait et qu'à la première erreur, il serait lui aussi pointé du doigt, comme Piton et Boum Boum. Quelle attitude adopterait-il avec ses hommes ? Geoffrion les engueulait ; ils avaient eu sa peau. Piton essayait gentiment de s'entendre avec eux ; ils l'avaient livré en pâture à la presse et au peuple.

Lors de la première réunion de la nouvelle saison, il parla à ses hommes de passion, de disponibilité, de discipline, de ponctualité. Quelques jours plus tard, le 20 septembre 1981, au tout début du camp d'entraînement, Lafleur ne se présenta pas à l'exercice du matin au Forum. Il arriva au début de l'après-midi. Bob Berry le convoqua tout de suite à son bureau.

« Qu'est-ce qui s'est passé ce matin ?

— C'est ma fête. J'ai trente ans aujourd'hui.

— Et alors ?

— J'ai fêté ça hier soir.

— Et alors ?

— J'ai pris un coup un peu fort. Je me suis couché à cinq heures du matin.

— La veille d'une pratique ! »

Bob Berry lui imposa une amende de 200 $ et le renvoya chez lui. Aux journalistes, il dira cependant qu'il avait apprécié la franchise de Lafleur.

« Il aurait pu me raconter n'importe quoi, que son garçon ou sa femme était malade ou qu'il avait eu un accident. Il m'a dit la vérité. Je l'apprécie. Je pense qu'on devrait bien s'entendre, lui et moi. »

Lafleur de son côté avouera qu'il voyait d'un bon œil la fermeté de Berry.

La belle entente, hélas ! ne dura pas bien longtemps.

En novembre, Guy Lafleur était de nouveau blessé à un œil et manqua plusieurs matchs. On commença à chuchoter çà et là qu'il ne savait plus éviter les coups, que ses réflexes étaient moins vifs, et qu'il récupérait de moins en moins rapidement. Et lui, pour se défendre, prétendit encore une fois que tout ça découlait du fait qu'il ne jouait pas assez. Qu'on le fasse jouer plutôt que de le laisser rouiller et sécher sur le banc, il retrouverait ses réflexes.

Grundman répliqua, chiffres à l'appui, que lors de la saison précédente, Lafleur avait été le joueur le plus utilisé au cours des 51 matchs auxquels il avait participé.

« On ne peut quand même pas lui donner de la glace quand il est blessé ou qu'il se ramasse à l'hôpital parce qu'il est rentré dans une clôture à deux heures du matin. »

La mauvaise humeur régnait. Pierre Larouche, le compagnon de ligne de Lafleur, affichait lui aussi son mécontentement. Il avait signé un assez minable contrat, lorsqu'il était passé de Pittsburgh à Montréal, en décembre 1977. Il demandait donc une révision, espérant une substantielle augmentation de salaire. Or non seulement on n'agréait pas à sa demande, mais on le privait de glace. On disait ouvertement qu'il ne convenait pas au style de jeu défensif qu'on voulait promouvoir.

Lafleur n'était pas du tout de cet avis. Il prétendait et confiait à ses amis journalistes qu'on privait Larouche de glace parce qu'il avait manifesté son mécontentement. Et que c'était là une façon de faire tout à fait typique de l'Organisation. En freinant un joueur, on le rendait improductif. On était ainsi justifié de le négocier à rabais et de le faire taire.

Que Berry se prête à ce jeu révoltait encore plus Lafleur. Il n'hésita pas à dire, au cours d'une entrevue télévisée, que ce dernier n'était qu'une marionnette manipulée par Grundman. Il rappelait que pendant les mois précédant la renégociation de son contrat avec les Canadiens, en 1973, on l'avait ainsi tenu à l'écart du jeu et qu'il avait, par conséquent, mal joué et peu compté. « C'est normal. Un joueur qui joue peu joue mal. Tout le monde sait ça. » On l'avait dévalorisé sur le marché des joueurs. Selon lui, tout ça était intentionnel, planifié, dégueulasse et inadmissible.

Or Guy Lafleur était très pesant dans l'opinion publique. Au Québec, on aime bien les rebelles. Et Lafleur affrontait bravement l'autorité. Il tenait tête à l'Anglais, à l'establishment, aux riches et aux propriétaires. Il avait le beau rôle en fait. Il savait intuitivement qu'il était assuré de l'immunité auprès du public. Grundman aussi qui, par prudence, fuyait autant que possible les journalistes et se contentait de déclarer, lorsqu'ils le coinçaient, que les allégations du numéro 10 étaient paranoïaques et farfelues, que pas un club au monde ne se priverait d'utiliser un joueur productif. Mais il était mal placé pour donner tort à Guy Lafleur. En décembre, quelques jours avant Noël, l'équipe tout entière des Canadiens était huée au Forum. Les récriminations de Guy Lafleur et de Larouche continuèrent de plus belle.

Un jour, dans l'autobus qui ramenait l'équipe de l'aréna Saint-Laurent, Larouche et Grundman eurent une violente dispute à laquelle participèrent quelques joueurs. Quelqu'un traita Grundman de «maudit juif». Grundman, peiné et découragé, ne répliqua pas et ne voulut même pas savoir qui avait proféré cette insulte. Tout le monde s'était tu dans l'autobus. C'était l'impasse. C'était triste et bête à pleurer. Comment en était-on arrivé là, à s'entre-déchirer ainsi? Comment pouvait-on espérer aller chercher la coupe Stanley quand on était à ce point divisé?

Guy Lafleur, qui pendant six ans avait porté cette équipe à bout de bras, commençait à se demander s'il n'était pas de trop dans ce qu'on appelait le nouveau système et s'il valait encore la peine de se battre pour avoir plus de glace.

Autrefois, avec Lemaire, il ne se posait jamais ce genre de questions. Il jouait. Comme un enfant joue. Dès que les adversaires avaient percé l'offensive des Canadiens, Lemaire se repliait et partait à leur poursuite. Lafleur restait sur la ligne de front et attendait en avant du jeu, prêt à quitter le territoire dès qu'il serait en possession de la rondelle. Lemaire allait la chercher, la lui passait, Lafleur s'échappait et comptait. Ou Shutt s'en chargeait. Voilà un scénario classique auquel ces trois hommes avaient apporté pendant quatre ans une infinité de variantes.

Mais depuis le départ de Lemaire, plus personne ne préparait les jeux. Pire, la direction des Canadiens leur interdisait pratiquement de reprendre ce scénario pourtant si efficace. On ne voulait plus de ces flamboyantes sorties, de cette improvisation, de ce jazz sur glace. On demandait à Lafleur de jouer sagement selon des partitions bien orchestrées. Lafleur n'avait plus sa place dans ce système. Et même s'il l'avait eue, il n'était plus certain d'avoir envie de jouer le jeu.

Un soir de décembre, alors qu'il regardait la télévision, il entendit le chroniqueur Bertrand Raymond du *Journal de Montréal* dire que les Canadiens auraient peut-être avantage à l'échanger.

«Guy Lafleur n'a plus sa place dans l'organisation des Canadiens. Mais ailleurs, il pourrait être fort utile. Et les Canadiens obtiendraient en retour trois ou quatre jeunes joueurs qu'ils formeraient à leur convenance. Moi, je trouve indécent qu'un tel talent soit inutilisé. Si Lafleur reste à Montréal, il perd son temps. »

Sur le coup, Lafleur fut estomaqué. Mais en y repensant et en parlant avec Lise, il trouva l'idée de Bertrand Raymond pas bête du tout. Il se voyait très bien avec un jeune club de la ligue, avec les Kings ou les Canucks. On lui donnerait beaucoup de glace. Il connaîtrait une autre ville, de nouveaux amis. Pendant quelques jours d'ailleurs, il jongla avec cette idée. Los Angeles surtout les faisait rêver, Lise et lui. Ce n'était pas nécessairement le paradis du hockey, mais on y menait la belle vie, la grande vie, avec des palmiers, des couchers de soleil sur la mer, des dollars américains.

Mais voilà qu'au cœur de l'hiver le Canadien se mit à mieux aller. Le système de Berry, avec quatre trios complets, douze joueurs offensifs à qui on distribuait la glace avec parcimonie, commençait à donner de bons résultats. Lafleur cependant sombrait dans une profonde léthargie. Berry était en train de faire la preuve que son système était bon et qu'il pouvait pratiquement se passer d'un joueur comme lui. Il forçait d'ailleurs Lafleur à se replier dès que l'adversaire s'emparait de la rondelle. Plus question de rester à l'avant et d'attendre qu'on lui fasse une passe. Résultat : Lafleur tomba au 40e rang des compteurs de la ligue, lui qui pendant des années avait été tout seul en tête.

Il y eut cependant un autre brusque revirement. Le 22 mars 1982, suprême insulte, les Canadiens de Montréal étaient éliminés en quart de finale par les Nordiques de Québec conduits par un petit homme agressif, arrogant, provocant, Michel Bergeron, dit le Tigre. Cette défaite bouleversa l'organisation montréalaise. Surtout que les Nordiques s'étaient révélés nettement plus talentueux que les Canadiens ; ils avaient plus d'étoffe et un meilleur esprit d'équipe.

Ce fut une défaite humiliante et hautement symbolique, historique. Depuis toujours, le club Canadien considérait le Québec comme sa chasse gardée. Et voilà que les Nordiques brisaient cette souveraineté absolue. Dès lors, le hockey ne serait plus jamais le même au Québec. Il y aurait désormais un autre enjeu que celui de la coupe Stanley, infiniment plus important et stimulant. Entre Montréal et Québec une guerre d'hégémonie venait alors de s'engager, guerre passionnante dans laquelle Guy Lafleur allait jouer un rôle important. Mais pas du tout celui qu'on avait prévu pour lui.

*
**

Le 8 mai 1982, Guy et Lise Lafleur se trouvaient au Château Frontenac. Il était dans la salle de bains de leur suite en train de se faire la barbe, quand Lise, la voix altérée, cria depuis le petit salon :

« Guy, Gilles est mort ! »

Lafleur connaissait bien une demi-douzaine de Gilles, mais pas une fraction de seconde il n'eut le moindre doute. Il avait compris qu'il s'agissait de Gilles Villeneuve. Il sortit de la salle de bains et se planta devant la radio.

« Gilles est mort ! Je le savais ! Je le savais ! »

Ils s'étaient connus à Mont-Tremblant, lors de la course Atlantique 76. Villeneuve commençait alors à s'affirmer avec force sur les circuits automobiles internationaux. Le lendemain, tous les journaux du Québec avaient publié de magnifiques photos des deux athlètes penchés sur les formidables bolides. Ils semblaient déjà liés d'une vive amitié. On voyait Lafleur, vêtu de la combinaison ignifuge et du casque de pilote, recevant des conseils de Villeneuve. Puis une formule atlantique filait sur la piste avec le numéro 10 des Canadiens au volant. Des spécialistes de la course automobile disaient que Lafleur avait un talent fou et qu'il aurait très bien pu faire un pilote de course.

Quelques mois plus tôt, au Gala de la Médaille d'or, Gilles Villeneuve et Guy Lafleur avaient été nommés ex aequo athlètes de l'année 1975, le jury n'ayant pas réussi à déterminer lequel des deux s'était le plus distingué. Ils avaient alors échangé quelques mots, des banalités. Mais à Mont-Tremblant, une espèce de grande complicité s'était tout de suite établie entre eux, comme s'ils s'étaient toujours connus, toujours parlé, comme des compatriotes se rencontrant par hasard dans un pays lointain. Ils se comprenaient à demi-mot, riaient des mêmes choses aux mêmes moments.

La passion des voitures et de la vitesse les rapprochait, mais il y avait autre chose. Ils étaient alors certainement les plus adulés des Québécois. Lafleur venait encore une fois de donner la coupe Stanley aux Canadiens. Et la firme Ferrari, qui est à la course automobile ce que les Canadiens sont au hockey, venait de s'attacher Villeneuve qui partait habiter en Italie avec sa famille.

Lafleur et Villeneuve vivaient tous les deux sous l'énorme pression qui règne dans les hautes sphères où évoluent les superstars, êtres rares et souvent très seuls. À cette altitude, au-dessus du territoire québécois, il n'y avait qu'eux. Ils étaient de la même race, de la même trempe, celles des grands champions. Alors que le commun des mortels, en s'adressant à eux, se sentait obligé de parler sport et de leur poser mille questions sur leurs exploits et leurs états d'âme, ils n'attendaient rien l'un de l'autre et ils n'avaient rien à se dire. C'était merveilleusement reposant.

Lafleur avait côtoyé beaucoup d'athlètes dans sa vie. Il se sentait avec tous en pays de connaissance. Avec certains cependant, ça «cliquait» naturellement mieux qu'avec d'autres. Les coureurs automobiles, comme les joueurs de hockey ou les skieurs de vitesse, les slalomeurs, les boxeurs, sont des êtres de tension extrême, toujours toutes griffes et toutes antennes dehors. Les cyclistes ou les coureurs marathoniens ou les nageurs de fond, eux, sont des praticiens de la détente et de la relaxation. Les uns éclatent, explosent; les autres accumulent leurs énergies, les couvent comme des braises.

Mais dans un cas comme dans l'autre, tension ou détente, explosion ou concentration d'énergie, le sport d'élite exige énormément de discipline et une force de caractère hors du commun. Tous les grands athlètes sont des champions de la méditation, du recueillement, de la descente au fond de soi, des sortes de samouraïs, de mystiques à l'état sauvage qui savent puiser en eux, très profondément, les ressources et les forces ou la folie dont ils ont besoin pour réaliser leurs exploits. En fait, c'est comme s'ils s'abreuvaient tous à la même source nourricière, comme s'ils étaient tous animés de la même force. C'est peut-être ce qui fait que, frères d'inspiration, ils se reconnaissent et se rassemblent si facilement, même s'ils pratiquent des disciplines parfois très différentes.

Gilles Villeneuve avait le même genre d'intensité et de nervosité que Lafleur. Lui aussi, bien que calme et froid en apparence, était du genre explosif. Il était tout petit, il pesait près de cinquante livres de moins que Lafleur. Mais une énergie à tout casser le portait. Et il était toujours extrêmement sérieux. Même quand il riait, on sentait poindre sous son rire le sérieux. Comme chez Lafleur.

Après cette journée à Mont-Tremblant, ils s'étaient quelquefois revus, à Montréal ou sur la Côte d'Azur. Et chaque fois, instantanément, le courant se rétablissait entre eux. Ils étaient profondément attachés l'un à l'autre.

«Je savais qu'il finirait par se tuer.»

Guy Lafleur ne croyait pas à la fatalité. La mort selon lui était une erreur que l'on commettait. Chacun était responsable, pour ne pas dire coupable, de sa mort. Tôt ou tard, chacun faisait son inéluctable erreur, son ultime gaffe. C'était exactement le raisonnement que se faisaient les pilotes d'essai du grand roman-reportage de

Tom Wolfe, *L'Étoffe des héros* (*The Right Stuff*). Chaque fois que l'un d'entre eux, aux commandes d'un avion expérimental, tentait de franchir le mur du son et se cassait la gueule, personne parmi ses amis en deuil ne parlait de malchance ou n'accusait la technique et la mécanique. Les gars disaient tout simplement : «Pauvre Bob ! Il n'avait pas l'étoffe des héros.»

Ainsi, Lafleur considérait que son ami Gilles Villeneuve s'était tué parce qu'il avait manqué de concentration et de jugement, «parce qu'il devait être frustré dans sa vie».

Lafleur avait allumé le téléviseur. Il a vu et revu l'accident. Le corps disloqué de son ami éjecté de son bolide, lui-même devenu bolide fonçant dans l'espace, survolant la piste et allant percuter... au ralenti... la clôture de la piste de Zolder en Belgique, les gens accourant et restant debout auprès de lui, interdits. Et sans cesse, on reprenait la scène. Lafleur pensait à sa propre mort, à l'accident qu'il avait eu lui aussi quelques années plus tôt.

«Les gens ont dit que j'avais eu un accident parce que j'étais soûl. Mais quand on a dit ça, on n'a strictement rien dit.

— La vraie question en effet, c'était de savoir pourquoi tu étais soûl. Pourquoi tu voulais mourir à ce moment-là de ta vie. Avec tout ce que tu avais. Pourquoi tu n'étais pas content, pas heureux.

— Tu sais ce que mon père m'avait dit en me voyant arriver à Thurso avec ma Ferrari ? Que j'étais un homme qui cherchait sa mort.

— Il n'avait pas tort. Souviens-toi comment tu étais dans ce temps-là. Avec ta Ferrari, puis avec ta grosse Harley. Ton père avait raison : tu cherchais ta mort.

— Comme Gilles avec sa formule Un.

— La différence, c'est que lui, il l'a trouvée.

— Oui, il a été plus vite que moi.»

Peut-être y avait-il dans toute cette époque une sorte de fascination pour la mort inutile, gratuite, sans cause. Autrefois, on mourait pour défendre la patrie, des valeurs, des idées. Mais les plus grands héros de la génération de Lafleur, Janis Joplin, Jimi Hendrix, Jim Morrison, pour ne nommer que ceux-là, étaient morts très jeunes et, plus ou moins par leur faute, comme James Dean autrefois. Et leur mort les avait grandis, transfigurés et sublimés aux yeux d'une génération que l'absurdité semblait fasciner.

Lafleur avait connu la griserie de la vitesse. La vitesse, vraie conquête de l'espace et du temps, a été le grand défi de ce siècle, un défi que seuls les nantis, les puissants, les braves pouvaient relever. La vitesse a été une affaire de riches et de jeunes. Le temps, c'est de l'argent; la vitesse aussi. Et les deux tuent. Lafleur avait eu peur. Peur de la vitesse. Peur de lui surtout. Peur de la mort.

Moins de trois semaines plus tard, le 29 mai 1982, Roger Barré, le beau-père bien-aimé, mourait lui aussi après une longue et cruelle maladie. Or Roger Barré aimait passionnément la vie et ne voulait certainement pas mourir. On ne pouvait affirmer, comme dans le cas de Villeneuve, qu'il avait voulu et cherché sa mort. Cette fois, il fallait croire à la fatalité. Lafleur eut une immense peine. Il perdait un ami, un appui, un conseiller, un modèle, l'un des grands hommes de sa vie.

Ce fut donc un triste été. Lafleur passa des jours entiers à ne rien faire, à jongler avec de noires idées, à prendre un coup. Comme chaque été, le club de balle molle des Canadiens était en tournée à travers le Québec et rencontrait un peu partout de bons clubs amateurs.

Un soir d'août, à Saint-Georges-de-Beauce, Guy Lafleur se présenta au match passablement éméché. Dans l'après-midi, il avait participé à l'ouverture d'une brasserie et il avait beaucoup bu. Claude Mouton s'en rendit compte et lui conseilla amicalement de modérer un peu. La foule aussi s'en aperçut. Il jouait mou, frappait dans le vide, riait fort, engueulait l'arbitre.

Les journalistes comme toujours l'entouraient. Et lui, comme d'habitude, leur livrait généreusement ses pensées. Il se mit à parler de l'énorme écart salarial qu'il y avait entre lui et les autres grands joueurs de la Ligue nationale. Il gagnait alors un peu moins de 400 000 $ par année. Il se disait déterminé à en avoir plus et menaçait même publiquement d'aller jusqu'au président de la Brasserie Molson, Morgan McCammon. Il prétendait que Michael Bossy avait quelque 600 000 $ de plus que lui. Gretzky plus encore. Et que beaucoup de joueurs moins utiles et moins productifs avaient des salaires comparables au sien.

« D'accord, je marque moins de buts, avouait-il, mais c'est parce que depuis trois ans, j'ai été ralenti par l'Organisation. Dans le temps de Bowman, je jouais jusqu'à trente-cinq minutes par match. Aujourd'hui, j'en ai rarement plus de quinze minutes. Demandez-vous pas pourquoi je compte moins. »

Le lendemain matin, le Québec apprenait par les journaux et la radio que Guy Lafleur avait l'intention de renégocier son contrat dès la rentrée. Et qu'il négocierait seul. Jerry Petrie, son agent et ami pendant une dizaine d'années, s'occupait également des affaires du joueur de baseball numéro un des Expos, Garry Carter, et

Lafleur considérait qu'il n'avait plus vraiment le temps de s'occuper de lui.

Il forma un front commun avec Larry Robinson qui voulait lui aussi qu'on rouvre son contrat. Toutes sortes de rumeurs circulèrent alors à leur sujet. Un jour il était question qu'ils soient échangés ou vendus à quelque autre club de la Ligue nationale. Le lendemain, on racontait que de richissimes industriels du sport étaient venus exprès pour eux du Japon et qu'ils joueraient vraisemblablement à Sapporo dès l'hiver suivant. Ils n'avaient garde d'infirmer ou de confirmer ces rumeurs. Ils souriaient. Lafleur laissait clairement entendre qu'il partirait avec plaisir, disant qu'il en avait assez de se faire dévorer par l'impôt québécois et qu'il ne comprenait pas comment des hommes incapables de bien gérer la province pouvaient être autorisés à leur arracher des fortunes en impôts.

De telles déclarations ne lui attiraient pas nécessairement la sympathie populaire. Sauf que, comme toujours, on appréciait son extraordinaire franchise. En fait, c'était beaucoup par respect pour la mémoire de son beau-père qu'il avait décidé de s'affirmer ainsi. Lors de leur dernière longue conversation, Roger Barré lui avait fortement conseillé de renégocier son contrat avec les Canadiens.

« Ce n'est pas qu'une question de sous, disait-il. C'est une question de principe et de dignité. Sinon, tu te fais avoir. Et il y a quelqu'un qui s'enrichit sur ton dos. Aie un peu plus de respect pour toi-même. Ne te laisse pas manger la laine sur le dos. »

Le 12 août, lors du lancement du livre de Johnny Rougeau, le célèbre lutteur aux allégeances péquistes et indépendantistes bien connues, des journalistes demandèrent à René Lévesque ce qu'il pensait de l'affaire Lafleur-Robinson qui faisait alors la manchette quotidienne. Sans nommer personne, le Premier ministre y est allé de considérations légèrement acidulées.

« Je trouve un peu excessif, disait-il, que pour quelques milliers de dollars de plus, des athlètes professionnels lâchent un public qui les a, en quelque sorte, bâtis. Je trouve ça un peu dur. »

Une fois lancé, il traita les athlètes professionnels d'enfants gâtés, « les plus gâtés de nos enfants gâtés ». Il ajouta qu'il trouvait toute cette histoire un peu scandaleuse, alors qu'on était en pleine récession économique et que les gouvernements tentaient de mettre en place des programmes de restrictions salariales. Son salaire de Premier ministre du Québec était alors de 84 296 $ par année, soit près de cinq fois moins que ce qui ne faisait déjà plus l'affaire de Guy Lafleur.

Celui-ci avait toujours clairement manifesté le peu de sympathie qu'il éprouvait pour les thèses souverainistes. Il était continentaliste et se considérait nord-américain d'abord et avant tout. Sa réaction à la douche de René Lévesque ne manqua pas de finesse.

« Tout le monde dit que les Canadiens français se sont trop longtemps laissé manger la laine sur le dos. Je ne comprends pas comment un homme comme René Lévesque désapprouve le geste d'un gars qui ne veut plus être exploité... Avec Maurice Richard, Geoffrion et les autres, l'organisation des Canadiens a fait une fortune colossale. Tout le monde sait ça. Tout le monde est fâché parce que Maurice Richard, la légende, n'est pas aujourd'hui un homme riche, comme il devrait l'être. Il n'a pas profité de la richesse qu'il a permis d'amasser. Moi, je ne veux pas être une marionnette, je ne veux pas qu'on me manipule et qu'on m'exploite comme on a exploité les autres. Je veux être indépendant, moi. Il me semble que Monsieur Lévesque devrait comprendre ça. »

Guy Lafleur jouait des médias en virtuose. Jamais, au Québec, un politicien ou un artiste n'avait maîtrisé ce jeu aussi brillamment que lui. Tous ceux qui s'en prenaient publiquement à lui finissaient par mal paraître. Les journalistes, plus ou moins consciemment, rapportaient leurs propos de manière à donner le beau rôle à Guy Lafleur.

Le 12 septembre, un laconique communiqué faisait savoir que Grundman, Robinson et Lafleur avaient réglé leur différend. Il n'y avait plus que quelques petites clauses à définir. Lafleur avait donc tout lieu d'être content et d'entamer la nouvelle année avec appétit.

Il était le joueur de hockey le mieux payé au Québec, avec près de 475 000 $ par année et il figurait sur la liste des cinq plus gros salariés de la ligue (avec Gretzky, Bossy, Dionne et Denis Potvin). Il restait fort loin cependant derrière plusieurs des joueurs des Expos. Garry Carter recevait plus d'un million et demi de dollars ; Steve Rogers touchait quelque 750 000 $; en tout neuf joueurs des Expos étaient mieux rémunérés que Lafleur. Mais le hockey ne pouvait rivaliser sur ce plan avec le baseball dont les clubs disputaient 162 matchs par année dans des stades de plus de 50 000 sièges et avaient de faramineux revenus de télévision.

Cet automne-là, le tennisman Jimmy Connors fit un retour triomphal à Flushing Meadows. Connors, dit Jimbo, extraordinaire showman, né en 1952, avait remporté l'épreuve du double à Wimbledon (avec le Roumain Ilie Nastase) et s'adjugeait le simple à la fois à Wimbledon et à Forest Hill, se hissant à vingt et un ans en tête du prestigieux palmarès de tennis. Neuf ans plus tard, on estimait qu'il était fini et que le jeune Bjorn Borg, l'étoile montante, n'en ferait qu'une bouchée. C'était bien mal le connaître.

En 1982, Connors écrasa tout le monde à Wimbledon et à Flushing Meadows. Il avait travaillé avec acharnement, s'entraînant avec intelligence, retrouvant la vigueur ancienne, le goût de gagner, remontant peu à peu la pente. À trente ans, il renouait avec l'énergie et la gloire de ses vingt ans. «Quand on veut se battre, on n'est jamais tout à fait mort», disait-il.

Ce retour spectaculaire avait vivement impressionné Lafleur qui décida lui aussi de se battre, de s'entraîner, de faire un retour. Il ne voulait pas pour autant se bercer d'illusions. Il savait bien qu'à trente et un ans et, de surcroît, dans le système défensif qu'avaient adopté les Canadiens, il était fort peu probable qu'il puisse un jour se retrouver en tête des compteurs de la Ligue nationale. Ce n'était plus sa place. Il devait l'admettre.

L'hiver précédent, il avait accepté de faire un commercial pour les piles Energizer d'Eveready. On le voyait sur la glace du Forum avec son fils Martin. Celui-ci, portant le chandail 99, le numéro de Wayne Gretzky, réussissait à déjouer son père. Le texte faisait appel à des notions de durée, d'énergie, de dépassement. Pour Lafleur, il y avait là une humiliante comparaison. Le 99 supplantait le 10, comme la pile Energizer supplantait ses concurrentes. Mais il jouait le jeu. Il admettait qu'il y avait maintenant des joueurs supérieurs à lui : Gretzky, Bossy, Stastny. Il demeurait cependant persuadé qu'il pouvait avoir encore de bonnes années. Comme le lui avait dit Claude Ruel qu'il avait rencontré à quelques reprises au cours de l'été.

«Tu devrais pas lâcher, Guy. T'as encore du hockey dans toi. C'est moi qui te le dis.»

Ces événements, la cuite honteuse de Saint-Georges-de-Beauce, la mort de Gilles Villeneuve, celle de Roger Barré, le retour spectaculaire de Jimmy Connors, poussèrent Guy Lafleur à se prendre en main. Il se mit au Perrier, ce qui fit évidemment la manchette de tous les journaux pendant une bonne semaine, et se remit très sérieusement à l'entraînement et à la diète. Il avait terminé la saison précédente à cent quatre-vingt-quinze livres, soit une bonne quinzaine de livres au-dessus de son poids normal.

Tout le Québec suivit la transformation de Guy Lafleur, comme s'il se fût agi d'un grand projet collectif, une sorte de *work in progress* auquel participait toute la population. Sollicités par la presse, les spécialistes et les médecins y allèrent de leurs commentaires. Selon le docteur Jean-Paul Bédard par exemple, il faudrait de huit à dix mois avant que le corps de Lafleur ne retrouve son total équilibre. «Après, il va faire du feu.» On disait aussi qu'il avait certainement gagné en maturité ce qu'il avait pu perdre en vitesse et qu'en retrouvant son poids il allait être encore plus terrible qu'avant. Partout, on parlait du nouveau Guy Lafleur.

Il arriva au camp d'entraînement à cent quatre-vingt-trois livres. Et il continua de travailler fort. Le 10 octobre, il souleva la foule du Forum qui lui servit une vibrante ovation. Il patinait comme au bon temps, faisait des feintes inédites, des échappées électrisantes, il était partout sur la glace.

Larouche était parti pour Hartford en décembre 1981. Après ce qui s'était passé entre lui et Grundman, il pouvait difficilement rester dans l'Organisation. Il n'était pas, comme Lafleur, un monument intouchable et inamovible. Grundman n'avait donc pas hésité à l'échanger. Le jeune Doug Wickenheiser avait eu mission de le remplacer comme joueur de centre entre Shutt et Lafleur. Wick était un gros joueur solide et énergique, possédant une bonne anticipation. Beaucoup croyaient en l'efficacité de ce nouveau trio. Hélas ! Lafleur fut blessé à nouveau et dut quitter la glace pendant quelques semaines. Cette blessure et cette absence constitueront les éléments d'un des épisodes les plus loufoques de la vie de Guy Lafleur.

Le 8 septembre 1983, vers neuf heures et quart du matin, une limousine noire conduite par un chauffeur en livrée entra dans la toute petite ville de Mégantic et emprunta à basse vitesse la rue Principale jusqu'à l'Hôtel de Ville. Cinq hommes en veston, cravate et lunettes fumées, en descendirent et entrèrent dans le Palais de Justice, un sourire nerveux aux lèvres : Georges Guilbeault, René Bureau, Guy Lafleur et leurs avocats.

Trois chefs d'accusation pesaient sur Guy Lafleur : avoir chassé le gros gibier en période prohibée, avoir chassé sans permis, avoir eu en sa possession un gros gibier abattu. Guilbeault et Bureau étaient quant à eux accusés d'incitation au crime. De même que Léo Drolet qui, alors hospitalisé, n'avait pu être du voyage.

«Nom, prénom, âge et qualité...

— Lafleur, Guy, trente et un ans, presque trente-deux, joueur de hockey et chasseur.»

La petite foule qui remplissait à craquer la salle exiguë où le juge Laurent Dubé de la Cour des sessions de la paix de Sherbrooke était venu rendre justice s'esclaffa.

«Il a dit joueur de hockey et chasseur!»

Pendant quelques heures, Mégantic fut la capitale du Québec. Les témoins défilèrent devant le juge : un gars qui avait éviscéré le cerf tué par Lafleur, deux gardes-chasse, un photographe...

Toute cette affaire avait commencé dix mois plus tôt, en novembre 1982, sur la glace du Forum de Montréal. Lafleur venait de se replier dans sa zone défensive et s'apprêtait à faire face aux envahisseurs, lorsqu'il sentit un choc lourd et sec sur son patin droit. Dans le feu de l'action, quand les sangs sont échauffés et les muscles bien déliés, on ne sent pas vraiment la douleur. Lafleur continua de jouer jusqu'à ce que Berry le rappelle, une minute et demie plus tard environ. Sur le banc des joueurs, il éprouva un lancinant élancement au pied droit. Mais dès que Berry le renvoya sur la glace, la douleur disparut. Ce n'est qu'après le match, en enlevant son patin, qu'il s'aperçut qu'il avait le pied enflé, bleuissant, très douloureux. Le soigneur du club l'envoya à l'hôpital où la radiographie révéla qu'il avait le petit orteil droit cassé. Le médecin recommanda un repos de trois semaines. Et c'est ainsi que Guy Lafleur pourra se vanter d'avoir le plus célèbre petit orteil droit du siècle.

Un de ses amis, Georges Guilbeault, directeur-gérant des Jets de Sherbrooke, gérant des ventes et directeur du marketing de la compagnie Sherwood, un gros fabricant de bâtons de hockey des Cantons de l'Est, lui proposa alors une partie de chasse au chevreuil, ce dont Lafleur avait envie depuis fort longtemps, mais qu'il ne pouvait se permettre, le temps de la chasse étant également celui du hockey.

Le 27 novembre, il se leva à deux heures et demie du matin et monta dans les Cantons de l'Est où il retrouva Guilbeault et Léo-Paul Drolet, le propriétaire de Sherwood. Quelques heures plus tard, il tirait à cent cinquante pieds (avec une carabine Tika de calibre .3006) un beau cerf de Virginie dont les bois faisaient douze pointes. Un photographe professionnel prit une belle photo de Guy Lafleur posant fièrement à côté de sa victime.

Il s'agissait bien sûr d'une partie de plaisir et d'une opération publicitaire. Lafleur avait en effet délaissé les bâtons Koho pour les Sherwood dont il était devenu le représentant officiel. On allait tirer de cette scène touchante 15 000 affiches surmontées de l'appellation Sherwood en grosses lettres de trois pouces de hauteur, qu'on distribuerait à travers le Québec et l'Ontario, chez tous les marchands d'articles de sport, dans tous les centres sportifs, les brasseries, etc. Le surlendemain, 29 novembre, Lafleur paraissait avec son trophée de chasse dans *La Tribune* de Sherbrooke.

Il rentra ce jour-là à Baie-d'Urfé avec son chevreuil étendu sur le toit de la familiale que lui avait prêtée Léo Drolet. Son voisin ne put cacher son étonnement :

« Je pensais que la saison de la chasse était finie !

— Pas dans le Maine. »

Le lendemain, les nombreuses lignes ouvertes de la radio sportive furent envahies par une foule d'auditeurs scandalisés. Le monde, perplexe, abasourdi, peiné, se demandait comment il se faisait que Guy Lafleur, son Guy chéri, pouvait aller à la chasse avec un orteil cassé, alors qu'il était incapable de jouer au hockey. Il répondit qu'il pouvait très bien marcher, qu'il était même allé quelques jours plus tôt chasser la perdrix avec son ami Claude Quenneville dans la forêt de Thurso. Mais en patinant, il risquait d'aggraver sa blessure. Le patineur a en effet besoin de ses orteils, car la poussée, au moment de l'accélération, se donne avec les doigts de pied.

Mais le mal était fait, le public était froissé et considérait qu'il avait été lésé. Si Lafleur avait encore eu le feu sacré, disait-on, il se serait privé d'aller chasser.

« Branchez-vous, répondait celui-ci, non sans humour. Je traîne sur la rue Crescent, vous me disputez. Je m'en vais dans le bois, même chose. »

À son retour au jeu, le Canadien était entré dans une profonde léthargie. L'année 1983 avait bien mal commencé. L'attaque à cinq en supériorité numérique ne fonctionnait à peu près jamais. La défensive était lâche et poreuse. Et les jeux, incohérents. Bob Berry, comme Ruel deux ans plus tôt, ne savait plus où donner de la tête et changeait constamment de style. Lafleur avait eu comme joueur de centre Wickenheiser, puis Bryan Walter, qui se révélèrent inaptes, trop nerveux, trop lents. On essaya le jeune Guy Carbonneau. Celui-ci avait pu s'affirmer comme un joueur prometteur en l'absence de Lafleur, mais il manquait d'expérience.

Lafleur s'ennuyait de plus en plus de Lemaire. Il rêvait d'avoir un centre comme lui. Mais ce n'était pas facile. Même Lemaire avait fini par craquer. Le centre d'un joueur comme Guy Lafleur devait être un faire-valoir ; il travaillait dans l'ombre. Et très fort. Rôle terriblement ingrat ! L'obligation de produire que Lafleur imposait à son coéquipier créait chez ce dernier une pression énorme. S'il faisait bien son job, on encensait Lafleur. S'il ne réussissait pas à le mettre en valeur, il se voyait copieusement hué.

C'était arrivé à Lemaire déjà. D'habitude, il s'arrangeait pour prendre le contrôle de la rondelle et attirait à lui les adversaires, de façon à permettre à Lafleur de se découvrir. Il lui refilait alors la rondelle et le Démon blond allait compter. Un soir, tous les jeux de Lemaire avortèrent, toutes les passes qu'il tenta de faire à Lafleur furent interceptées. Lafleur attendait en vain. Quelqu'un dans la foule cria très fort à Lemaire qu'il n'était qu'un pas bon. Lemaire, fou de rage, s'approcha de la clôture et, avisant l'individu qui l'avait apostrophé, il lui tendit son bâton et hurla :

« Tu veux jouer à ma place ? Tu t'imagines peut-être que c'est simple, ce que j'ai à faire ! »

À la mi-janvier, malgré une absence prolongée (onze matchs) et plusieurs changements, Lafleur se trouvait en tête des marqueurs du club. Il faut préciser que le club ne comptait pas beaucoup. Et que de nombreux joueurs se partageaient le temps de glace. Berry avait constamment à sa disposition quatre trios offensifs qu'il utilisait en rotation. Dans ses grandes années, Lafleur jouait toujours sur deux trios, de sorte qu'il était souvent sur la glace. Mais on ne fonctionnait plus de cette façon. Berry envoyait ses trios au front pour de courtes périodes et en changeait souvent.

Le 8 février 1983, Lafleur se permit une autre de ses fracassantes déclarations. Il dit aux journalistes qu'il n'y avait pas de relève chez les Canadiens. Selon lui, les Voyageurs de la Nouvelle-Écosse, club-école de la formation montréalaise, n'avaient pas de grands joueurs. Il y eut un tollé. Les Voyageurs furent profondément insultés.

Mais encore une fois, il disait tout haut ce que beaucoup pensaient. En fait, les Canadiens avaient épuisé leurs réserves et perdu toute profondeur.

« Si on ne corrige pas ça tout de suite, ça va prendre un joli bout de temps avant qu'on revoie la coupe Stanley à Montréal. »

C'était une flèche lancée à Grundman. Un bon directeur-gérant se devait en effet de penser à long terme, de prévoir. Grundman avait laissé vieillir le club sans penser à la relève. Voilà ce que lui reprochait Lafleur.

Il était bien évident que la vieille garde devrait bientôt partir. Shutt, Robinson, Gainey, Lafleur, les hommes forts de l'équipe avaient tous près ou plus de trente ans. Personne ne semblait s'être préoccupé de ce qui se passerait après leur départ.

Lafleur aurait aimé partir avec le sentiment d'avoir participé à la construction de quelque chose de grand et de durable. Or il était de plus en plus probable qu'il n'allait laisser derrière lui que des décombres. La continuité était brisée. La dynastie allait s'éteindre avec lui. Et Lafleur perdit soudain toute motivation, au beau milieu de la saison. Le public et les chroniqueurs d'Edmonton qui l'avaient applaudi et ovationné lorsqu'il était venu jouer aux côtés de Gretzky et de Perreault pour la coupe Canada le retrouvaient à la mi-saison amoindri, sans vigueur. Tout le monde parlait de son déclin.

« Lafleur se débarrasse de la rondelle dès qu'il l'a en sa possession, il patine pour rien, il fait de mauvaises passes, il est incapable d'attraper celles qui lui sont destinées, lui qui autrefois était le passeur le plus habile qu'on n'avait jamais vu. »

En février 1983, au salon des manufacturiers d'articles de sport, les noms et les visages qui attiraient étaient ceux de Gretzky, Bossy, Stastny. Depuis son accident et depuis la levée de rumeurs voulant qu'il mène une vie peu recommandable pour un athlète, les publicitaires s'étaient considérablement refroidis. Selon eux l'image de Guy Lafleur s'était ternie.

Elle n'était pas pour autant moins attrayante aux yeux du grand public. Bien au contraire.

La grande majorité des athlètes ne retiennent l'attention que lorsqu'ils produisent, font de bonnes passes, de vraies mises en échec, de beaux buts. Dès qu'ils cessent de compter et de monter, ils disparaissent ; on les oublie, on les remplace. Pas Lafleur. Sa chute et le marasme dans lequel il sombrait allaient être spectaculaires et excitants, suivis autant, sinon plus, que son ascension. On commenta en long et en large ses humeurs, ses erreurs, ses malheurs. On vit de longs papiers sur ses biorythmes. Des astrologues se prononcèrent. Des physiatres, des médecins, des psychiatres, des graphologues, également. Les vétérans, les grands joueurs des autres équipes, Gretzky lui-même donna son opinion et ses conseils, Marcel Dionne aussi, Michael Bossy, Maurice Richard, tout le monde fut consulté, tout le monde eut son mot à dire.

Guy Lafleur était devenu une curiosité nationale. On donnait au public toutes sortes de commentaires sur lui, des cours de physiologie. On parlait par exemple de mémoire musculaire. On disait que les muscles de Guy avaient de l'acquis, de l'automatisme. Qu'il suffirait qu'il soit placé dans un contexte motivant pour qu'il se remette à compter. Le peuple québécois faisait de la science appliquée, Guy Lafleur faisant office de démonstrateur, de cobaye. Mais tout cela mettait une pression supplémentaire sur ses épaules. Il se trouvait de nouveau enfermé dans un cercle vicieux.

«Je suis inquiet parce que je joue mal. Et plus je joue mal, plus je suis inquiet. Il faut que j'arrive à avoir la tête libre.»

Mais il ne savait plus trop où donner de la tête, ni quelle attitude adopter. Il essayait tour à tour le sarcasme, la rébellion, la soumission. Il décidait un jour de ne plus lire les journaux, de ne plus parler aux journalistes, de ne plus écouter les conseils de qui que ce soit, d'être positif et obéissant. Si le système ne changeait pas, Guy Lafleur allait changer. Il ferait tout ce que Berry lui demanderait de faire. Avec le sourire. Berry lui demandait de former un trio défensif avec Bob Gainey et Keith Acton. C'était aberrant. Ça enrageait le peuple qui voulait revoir son Démon blond compter des buts. Mais celui-ci faisait ce que Berry lui demandait.

Le 22 février, au Forum, on entendit encore ce cri sauvage, sourd, troublant, «Guy, Guy, Guy», hurlé à pleine voix par la foule qui crut un moment avoir retrouvé son idole. Il enregistra deux buts magnifiques. Tout le monde le lendemain, encore une fois, parlait du retour de Guy Lafleur. Mais un mois plus tard, à quelques jours de la fin de la saison 1982-1983, l'affaire du chevreuil et du petit orteil rebondit.

Lafleur dut avouer publiquement qu'il avait tué sa bête non pas dans le Maine, comme il avait laissé entendre, mais à Saint-Évariste-de-Forsyth, dans la Beauce, sur la ferme cynégétique de Réal Bureau, un domaine clôturé de cent quatre-vingt-huit acres dans lequel on trouvait une centaine de cerfs de Virginie en captivité, quelques orignaux, des wapitis, des daims fauves et des caribous, plus d'innombrables lièvres, des perdrix, de nombreux faisans. C'était terriblement gênant. D'une part, Guy Lafleur, l'homme qui disait toujours la vérité, avait menti; d'autre part, il passait pour un chasseur de salon. Tuer un chevreuil en captivité, ce n'est pas bien reluisant, surtout pas pour un héros. Les caricaturistes le représentèrent mettant en joue un chevreuil tenu en laisse. Et ce n'était pas fini.

Des fonctionnaires du ministère des Loisirs, de la Chasse et de la Pêche s'étaient avisés que l'animal avait été abattu en dehors de la saison de la chasse, que Lafleur n'avait pas de permis. Ce fut ainsi que, le 8 septembre 1983, Guy Lafleur et ses comparses se retrouvèrent à Mégantic pour subir leur procès. Ils plaidèrent l'innocence.

En fin d'après-midi, le juge Dubé rendait son jugement. Lafleur, Drolet et Guilbeault étaient innocents. Quant à Bureau, son procès était remis à plus tard. (Il sera lui aussi innocenté.) L'affaire était close, mais continuerait de faire jaser fort longtemps. Elle avait depuis près d'un an fait couler des tonnes d'encre et considérablement agité les ondes de la radio sportive. Elle avait aussi mécontenté certains amateurs. Pour la première fois, depuis douze ans qu'il était à Montréal, le public avait quelque chose à reprocher à Guy Lafleur.

*
**

Le 25 octobre 1983, Guy Lafleur compta le 498e but de sa carrière et entra de ce fait dans le cercle très sélect des dix meilleurs compteurs de tous les temps, avec Maurice Richard, Jean Béliveau, Phil Esposito, Gordie Howe, Marcel Dionne, Jean Ratelle et compagnie.

Le match avait été très dur et tirait à sa fin, une fin honorable pour les deux parties, 0 à 0. La foule soudain s'était mise à crier «Guy, Guy, Guy». Et tout le monde regardait vers le banc des Canadiens. «Guy, Guy, Guy», encore et encore. Il restait moins d'une minute et demie de jeu quand Berry envoya finalement Lafleur sur la glace. La foule se tut immédiatement.

Il n'est pas allé tout de suite vers la rondelle. C'est elle qui est venue à lui. On aurait dit qu'il s'était caché. Ou déguisé en homme invisible. En une fraction de seconde, on avait pratiquement oublié qu'il se trouvait sur la glace, il s'était placé de manière à n'être pas vu de l'ennemi, mais seulement de ses coéquipiers qui lui ont rapidement passé la rondelle. On est alors tombé en pleine magie, en pleine extase. Comme dans le bon vieux temps, en 1976 ou 1977, quand il comptait cinquante beaux gros buts par année. Tout s'était fait avec une sorte de voluptueuse lenteur. La foule était hypnotisée. Même le défenseur de l'autre club dormait profondément lorsque Lafleur est arrivé devant lui. Il n'a rien vu. La rondelle est passée tranquillement sous lui, Lafleur l'a frôlé, l'a contourné en prenant bien son temps, il a repris la rondelle de l'autre côté et s'est retrouvé seul devant le gardien de but qui est tombé par terre en le voyant foncer sur lui. Il a probablement cru, le pauvre, qu'ils étaient deux ou trois, trois Guy Lafleur qui l'attaquaient en même temps, à gauche, à droite, au centre, qui se passaient la rondelle l'un à l'autre, juste devant lui. Que vouliez-vous qu'il fît, seul contre trois?

L'un des Guy Lafleur, prenant bien son temps, d'un petit revers de rien du tout, ramassa la rondelle qu'un autre Guy Lafleur lui avait passée et la lança par-dessus l'épaule du gardien. Le filet s'est agité tout doucement comme un drapeau qui reçoit un petit coup de vent, la lumière rouge s'est allumée et la foule debout, traversée d'un formidable frisson, se remit à crier « Guy, Guy, Guy » encore plus fort. Tout ça en moins de soixante secondes. Sans un accroc. C'était si beau, si juste, si parfait ! La foule, les yeux plein d'eau, cherchait son souffle, riait aux éclats, comblée. Un pur chef-d'œuvre !

Emporté par son élan, Lafleur avait contourné le filet, levant bien haut les bras pour marquer sa victoire. À la télévision, des millions de personnes pouvaient voir son visage rayonnant, son sourire. Et ses coéquipiers se sont jetés sur lui, le bourrant copieusement de coups, lui accrochant la tête à deux mains et s'en frappant la poitrine, lui écorchant les oreilles, lui écrasant le nez contre leurs armures. Dur, viril, barbare et beau rituel. « Guy, Guy, Guy », continuait la foule en délire. Il était de retour. La Magie, la Force, Lafleur était de retour.

Et pourtant, quelques jours plus tard, Bob Berry n'hésita pas à le laisser poireauter sur le banc des joueurs pendant les dernières minutes de jeu, alors que les Canadiens perdaient le match par un seul but. Pourquoi ? Pour le punir. Parce qu'il avait laissé s'échapper Willi Plett, le joueur des North Stars du Minnesota qu'il était chargé de couvrir. Et ce dernier était allé enfiler le but vainqueur : 4 à 3 pour les North Stars. Berry tenait Lafleur responsable de la défaite des Canadiens. Il aurait dû se replier. Il ne l'avait pas fait. Autrement dit, Guy Lafleur, joueur d'avant, était puni pour avoir mal joué défensivement.

Ce n'était pas la première fois que Berry agissait ainsi avec lui. Il avait fait de même, dans des circonstances analogues, lors des précédentes séries éliminatoires. C'était à Buffalo, en quart de finale, à une minute de la fin du match. Les Sabres menaient alors 4 à 3, eux aussi. Dans de pareilles circonstances, un entraîneur rappelle son gardien de but, ce qu'avait fait Berry, et il envoie sur la glace ses six meilleurs compteurs. Mais Berry ce soir-là avait décidé de laisser Lafleur sur le banc. La minute s'était écoulée. Les Canadiens n'avaient pas compté et s'étaient trouvés de facto éliminés de la course à la coupe Stanley. En première ronde éliminatoire, pour la quatrième année consécutive. L'événement se fût produit au Forum que le bon peuple montréalais eût sans doute lynché Bob Berry. Le lendemain d'ailleurs, il fut copieusement abîmé de bêtises par la presse et les aficionados des lignes ouvertes. Un mois plus tard, il était dégommé. En même temps que Grundman, qui retourna, amer et déçu, administrer ses salles de quilles.

Serge Savard, nommé directeur-gérant, rappela tout de suite Bob Berry comme entraîneur-chef et lui adjoignit Jacques Lemaire et Jacques Laperrière. L'un s'occuperait de la formation et de l'entraînement des joueurs d'avant; l'autre, brillant théoricien et praticien du jeu défensif, ferait de même avec les défenseurs.

Au cours de l'été, chaque fois qu'on lui demanda de s'exprimer sur le sujet, Lafleur se dit heureux de ces nominations. Pendant un moment, il crut, encore une fois, que le bon temps était revenu, qu'un bel esprit régnerait à nouveau sur l'équipe et qu'il y aurait de la glace et de la chance pour tout le monde. Or voici que Berry récidivait et le laissait encore une fois sur le banc des joueurs dans un moment extrêmement critique où il aurait pu se rendre utile à son club. C'était de la provocation pure et simple. Lafleur eut envie de se lever et de rentrer au vestiaire. Mais la foule s'était mise à hurler «Guy, Guy, Guy» si fort que les joueurs sur la glace avaient peine à comprendre leur propre jeu. Lafleur mit une ombre de sourire sur sa face. Et après le match, lorsque les journalistes vinrent vers lui, il leur signifia avec un calme olympien qu'il n'avait rien à dire. La foule avait parlé. C'était clair et net.

Bob Berry comprit ce soir-là qu'on ne pouvait diriger le Canadien librement en présence du public montréalais. À Buffalo, passe encore. Mais au Forum, c'était maintenant le peuple qui menait. Et le peuple aimait d'amour Guy Lafleur. Celui-ci en avait pratiquement fait le véritable instructeur des Canadiens, en l'informant constamment des états d'âme du club, des conflits et des drames qu'on y vivait, des luttes qu'on y menait. Il semblait bien que le peuple, indéfiniment reconnaissant de la confiance que lui portait Lafleur, l'appuierait désormais sans réserve.

Cependant, le nouveau directeur-gérant, Serge Savard, n'avait d'autre choix que de se porter à la défense de son entraîneur et de l'appuyer inconditionnellement. Il devait prendre parti. Il sortit alors sa très fameuse phrase sur laquelle les journalistes dissertèrent pendant des jours :

«Personne n'est plus important que le sport qu'il pratique.»

Cela aussi était clair et net. C'était une prise de position, une profession de foi. Savard disait en quelque sorte qu'il n'avait pas l'intention de sacrifier l'équilibre des Canadiens au bonheur de Guy Lafleur.

« Ou on bâtit une équipe de dix-neuf joueurs autour de Guy. Ou une équipe de vingt joueurs, dont Guy Lafleur. »

Les jeunes clubs de la Ligue nationale choisissaient souvent la première option. Ils n'avaient pas tellement le choix. Ils se payaient un grand joueur et tentaient d'organiser leur équipe et leur avenir autour de lui, en fonction de lui. On lui adjoignait des passeurs, des gorilles, on lui donnait toute la glace qu'il voulait. C'était souvent très efficace, mais ça demeurait toujours une structure terriblement fragile. Il suffisait que ce pilier tombe pour que tout s'écroule. Savard refusait de prendre ce risque.

Il était infiniment plus ambitieux. Il ne voulait pas nécessairement gagner la prochaine coupe Stanley, mais d'abord et avant tout rebâtir une équipe, un grand club solide et invincible qui serait son œuvre, qu'il façonnerait à sa manière. C'était à cela qu'il travaillait. Il avait vite compris qu'il n'y avait pas de place dans ce plan pour un joueur vieillissant comme Guy Lafleur. D'ailleurs, Lemaire et lui, qui s'étaient absentés de Montréal pendant deux ans, avaient été étonnés à leur retour des piètres performances du Démon blond. Lemaire surtout qui considérait que son ex-coéquipier avait tellement régressé qu'il était illusoire d'espérer qu'il puisse être de nouveau un grand hockeyeur.

Savard lui chercha quand même sérieusement un joueur de centre. Il en trouva un très bon, Bobby Smith, un beau joueur intelligent, habile passeur, doux géant de six pieds quatre pouces, deux cent dix livres, vingt-cinq ans, qui s'était joint à l'équipe en octobre.

« Cette fois, murmura Savard, Lafleur n'aura plus d'excuse. »

C'était en fait un ultimatum. Depuis deux ans, Lafleur se plaignait, entre autres choses, de ne pas avoir un bon centre. On en avait essayé une dizaine ; aucun ne faisait l'affaire. Mondou, Larouche, Acton, Wickenheiser, Walter, Carbo, tous avaient échoué.

En lui donnant Bobby Smith, un joueur qu'il avait payé très cher, Savard achetait (ou croyait acheter) son silence. Mais ce que voulait Lafleur, ce n'était pas qu'un bon faire-valoir, c'était de la glace. Et Savard et Lemaire semblaient déterminés à ne pas lui en donner plus qu'à un autre.

Lorsqu'il affirmait, après avoir tiré une bouffée de son gros cigare, la tête rejetée vers l'arrière, de manière à dominer plus encore la foule des journalistes, que personne n'était plus important que le sport qu'il pratiquait, Savard croyait asseoir une indéniable et incontestable vérité. Ce n'était en fait qu'un vœu pieux. Dans le cœur des amateurs québécois, Guy Lafleur était alors infiniment plus important que le sport qu'il pratiquait. Il était le hockey.

De même, lorsque Lemaire laissait entendre que Lafleur n'était plus un grand joueur, il errait. Lafleur n'avait plus la force et la vitesse de ses vingt ans, c'était tout à fait évident. Mais il savait encore, mieux que jamais et mieux que personne, soulever la foule et créer des événements.

Ce fut de nouveau l'affrontement entre Lafleur et l'organisation des Canadiens. Ou plutôt entre cette dernière et le grand public. Lafleur n'avait plus besoin ou plus envie de parler. Le monde le faisait à sa place. Il se drapa donc dans un silence arrogant. Et ce fut la guerre froide de l'hiver 1984. Lafleur passait de longs après-midi au Ritz à boire du cognac et des scotchs. On le voyait, le soir venu, dans les discothèques chics et chères de la rue Crescent. Il arrivait aux exercices et aux matchs à la toute dernière minute, s'habillait en sifflotant, infiniment calme, détendu, parfaitement indifférent.

De temps en temps, dans un formidable sursaut d'énergie, il secouait sa torpeur et jouait du grand hockey. Un soir, à lui tout seul, il battit les Nordiques de Québec. Deux semaines plus tard, en février, il se paya un spectaculaire truc du chapeau. Puis il retomba dans une sorte de léthargie. Et Berry le laissa sur le banc de plus en plus souvent, de plus en plus longtemps. Il le considérait comme un mauvais joueur défensif. Et lorsque la mise au jeu se faisait dans le territoire des Canadiens, il le remplaçait par Mark Hunter, à la droite de Bobby Smith et de Ryan Walter.

Et peu à peu, malgré ce traitement méprisant administré sans ménagement à l'idole, les «Guy, Guy, Guy» devinrent moins pressants. Il n'y avait plus que quelques farfelus ici et là dans la foule qui, de temps en temps, lâchaient un grand cri, «Guy Lafleur», qui résonnait lugubrement d'un bout à l'autre du Forum, mais que la foule ne reprenait plus.

Lafleur restait sur le banc, impassible, absent. Il regardait par terre devant lui. Il attendait que le match finisse. Il avait parfois l'impression qu'il était en train de glisser tranquillement dans l'ombre, en train de disparaître et qu'on ne s'en apercevait pas, que plus personne même ne demanderait : «Où est passé Guy Lafleur?» Il allait devenir l'un des fantômes du Forum, un *has-been*. Il voyait bien qu'il était en train de terminer sa carrière à la Pete Mahovlich plutôt qu'à la Bobby Orr. Mais il n'éprouvait même pas de peine, ou si peu.

Il savait pourtant que s'il voulait réaliser son rêve d'obtenir un poste aux relations publiques chez Molson ou chez les Canadiens, il devrait tôt ou tard faire certains compromis et changer d'attitude. Son image avait pris un dur coup au cours des récentes années. Il voyait encore de temps en temps l'impeccable et très honorable Jean Béliveau à l'impeccable réputation... jamais un écart ni une erreur en trente-trois années chez les Canadiens, comme joueur-étoile ou comme vice-président aux affaires sociales. L'image de Guy Lafleur par contre avait beaucoup changé depuis douze ans. Le petit garçon taciturne et effacé des débuts, le champion sage et serein des grandes années avait fait place au héros délinquant, au rebelle, à l'homme brisé...

Mais peut-être était-ce pour ça au fond que le monde l'aimait tant, pour ses erreurs autant que pour ses exploits, pour son « sombre verso », pour son côté imprévisible...

Évidemment, les grands patrons de la Brasserie Molson ou des Canadiens ne pensaient certainement pas ainsi. Ils ne voudraient probablement pas comme représentant d'un gars qui sème partout la pagaille et qui entre dans des clôtures d'autoroute à deux heures du matin, qui se sépare de sa femme et qui traite ses patrons d'incompétents. Tant pis pour eux.

De toute façon, si jamais les Canadiens ou Molson lui fermaient leurs portes, d'autres possibilités s'offraient à lui. Il pouvait toujours s'associer à Pierre Barré, son beau-frère, qui avait repris le commerce de son père. Ils ouvriraient un garage de voitures de grand luxe, Lamborghini, Ferrari, De Lorean. Rien au monde n'était plus fascinant que ces mécaniques sophistiquées. À part les gens qui les achetaient et les pilotaient.

Il concoctait aussi d'autres projets avec Guilbeault et Drolet, une grosse entreprise d'équipement de hockey. Mais celui de ses rêves qui le sollicitait le plus, même pendant les matchs, c'était de tout laisser tomber, de s'acheter une terre ou un morceau de forêt et de se bâtir un domaine. Comme avaient fait Roger Barré dans les Bois-Francs et Léo Drolet dans les Cantons de l'Est.

Même sur le banc des joueurs, il lui arrivait de se laisser bercer par ce rêve : une maison de pierre entourée d'arbres, un ruisseau tout près qui ferait des gazouillis pendant l'été, des sentiers dans la forêt. Il ferait tout lui-même. Il aurait un tracteur. Lise, des chevaux. Ils seraient heureux.

Un jour que le club partait pour une tournée dans l'Ouest, Lafleur se présenta à l'aéroport avec une quinzaine de minutes de retard, sans excuse, sans même faire semblant qu'il s'était un peu dépêché ou qu'il regrettait d'avoir fait attendre l'équipe. Arrivé à Winnipeg, Serge Savard le convoqua à sa chambre, lui offrit un cigare et un verre et entreprit de lui parler dans le blanc des yeux. Mais Lafleur refusa le cigare et le scotch. Il se méfiait.

« Qu'est-ce que tu veux ? lui demanda Savard.

— Tu le sais. Je veux juste jouer au hockey.

— Alors pourquoi tu ne joues pas ?

— J'ai toujours eu de la misère à jouer assis. »

Savard, agacé, ne voulait pas s'engager dans cette discussion sans issue, considérant que Lafleur était de mauvaise foi. Il avait eu plus de glace que tout autre joueur au cours de l'année précédente.

« C'est quand même beaucoup moins que ce que j'avais dans le temps.

— Mais ça n'a rien à voir, Guy ! Les temps ont changé. L'équipe a changé. Le hockey a changé.

— C'est vous qui voulez tout changer. Donnez-moi de la glace, je vais compter des buts.

— On t'a donné de la glace...

— Pas assez !

— Je pense honnêtement que tu refuses de regarder la réalité en face. Et je crois que tu devrais cesser de rendre tout le monde responsable de tes malheurs. Tu voudrais que l'équipe soit construite en fonction de toi. Moi je te dis que ce n'est plus possible. Et ça ne sera plus jamais possible. Ton problème, c'est que tu penses à toi plutôt qu'à l'équipe.

— Et toi, à qui tu penses ?

— Pour ne rien te cacher, je perds mon temps à penser à Guy Lafleur et aux problèmes qu'il nous pose.

— Si je ne fais plus l'affaire, tu peux toujours m'échanger !

— Ce serait tellement plus simple, Guy, si tu voulais faire partie de l'équipe.

— Et que je reste assis sur le banc jusqu'à la fin de ma carrière ? Pour ne rien te cacher, Serge, ça ne m'intéresse pas vraiment.

— Qu'est-ce qui t'intéresse ?

— Continue. Tu vas finir par l'apprendre. »

***

Au printemps 1984, trois semaines avant le début des séries éliminatoires, Jacques Lemaire remplaça Bob Berry comme entraîneur-chef des Canadiens, poste qu'il avait refusé un an plus tôt, parce qu'il détestait la pression que devait subir l'entraîneur de Montréal. Lemaire était l'homme de l'ombre, une éminence grise. Il trouvait absurde qu'un entraîneur de hockey soit forcé de composer avec les journalistes et de tenir compte, même pour des vétilles, des réactions et des humeurs du peuple. Selon lui, l'entraîneur des Canadiens n'avait pratiquement pas de pouvoir. Il devait être passé maître dans l'art du compromis et tenir compte dans ses moindres décisions de l'opinion des autres. Il considérait que les affaires internes de l'équipe ne concernaient les journalistes en aucune façon. Leur insatiable curiosité, leurs commentaires intempestifs étaient, selon lui, une forme d'ingérence inadmissible, inutile. Il rêvait d'un hockey pur, sans commentaire et sans critique, presque non figuratif, un hockey abstrait. Il se rendait compte que ce n'était pas possible. Mais Savard insistant, il avait fini par accepter.

Lafleur achevait alors sa saison la moins productive depuis dix ans. Lemaire considérait qu'il avait beaucoup changé depuis la belle époque où, avec Shutt et lui, il faisait la pluie et le beau temps sur toutes les patinoires d'Amérique du Nord. Quelque chose dans son regard s'était durci ou éteint. Il ne montrait plus l'espèce de candeur étonnée d'autrefois. Avec Lemaire, il était railleur et gouailleur, un peu cynique, comme si tout ça n'était pas sérieux, comme si un compagnon d'armes ne pouvait devenir un vrai patron. « Ce n'est plus le même homme », songeait Lemaire.

Il était étonné et peiné de le voir dans cet état. Mais en même temps, il réalisait qu'il avait toujours su que ça devait se passer ainsi, que ça ne pouvait se passer autrement. Avec un tel talent, une telle foi en lui, Lafleur était d'une certaine façon plus fragile qu'un autre. Il ne connaissait pas ses limites. Quand il se mit à moins compter, il fut incapable d'admettre que c'était à cause de lui. Il chercha à l'extérieur de lui les causes de sa léthargie. Grave erreur, selon Lemaire. Il y avait cependant autre chose qui l'intriguait énormément.

Lafleur patinait toujours aussi bien. Pendant les exercices, lorsqu'il décochait un lancer contre la bande, la rondelle faisait un boum qui remplissait l'aréna. Il semblait toujours aussi fort, aussi souple, aussi rapide. Mais il ne comptait plus. Il ne parvenait presque jamais à se libérer de son couvreur, ce qu'il faisait autrefois avec une extraordinaire maestria. Mais le pire était que, même quand il en avait l'occasion, il ne lançait plus vers le filet adverse. Tout cela rendait Lemaire perplexe. Il avait d'abord cru que Lafleur était fini, mais en y regardant de plus près, il découvrait qu'il était toujours aussi solide. Mais alors ?

« C'est comme s'il avait perdu le goût de gagner », disait Lemaire.

Se peut-il qu'un homme ait, à certains moments de sa vie, le goût de connaître l'échec et la défaite ? On aurait dit que c'était ce que cherchait Lafleur. Or un entraîneur-chef ne peut se permettre d'utiliser un joueur qui n'a pas le désir de gagner. Et Lemaire, sachant pertinemment que la presse et le grand public lui demanderaient des comptes, utilisa fort peu Lafleur en ce printemps 1984.

Une chose l'ennuyait profondément. On murmurait et on écrivait qu'il se vengeait. Lorsque Lafleur était arrivé avec les Canadiens, en 1971, Lemaire était peu à peu devenu un passeur, un faiseur de jeux, un plombier. Pendant trois ans, il avait battu Lafleur aux points, marquant moins de buts que lui, mais récoltant beaucoup plus d'assistances. Puis, à partir de 1974, lorsque Lafleur s'embraya vraiment et qu'il amorça sa série de six grandes années (plus de cinquante buts par saison), Lemaire entreprit sa descente sur les fiches de pointage. Plus jamais il ne compterait autant que Lafleur.

Or il était maintenant devenu son supérieur, son entraîneur, son patron. Qu'il ait été jaloux de Lafleur, c'était peut-être vrai. Il s'était livré à un minutieux examen de conscience sur ce qui dictait sa conduite. En ne faisant pas jouer Lafleur, il commettait peut-être une injustice grave. En lui donnant de la glace par peur des représailles populaires, il nuisait peut-être à l'équipe. Dilemme ! Angoisse !

On disposait d'un grand joueur qui ne convenait plus au style de jeu adopté. L'idéal eût été qu'il soit carrément et ostensiblement et toujours mauvais, essoufflé, gaffeur. Ou, mieux encore, qu'il décide lui-même de partir. Mais Lafleur s'entêtait à démontrer pendant les exercices qu'il était encore le meilleur, de sorte que Lemaire était tenté de l'utiliser lors des matchs. Le faisait-il que Lafleur se révélait mauvais joueur.

« Pourquoi reste-t-il ? se demandait Lemaire. Moi, à son âge, quand j'en ai eu assez, je suis parti. »

Il avait en effet trente-trois ans, en juin 1979, lorsqu'il accrocha ses patins pour accepter un poste d'instructeur en Suisse où il resta deux ans. Pour apprendre, autant que pour enseigner. Le hockey s'internationalisait de plus en plus. Il voulait connaître le hockey européen, ses techniques, son éthique, sa pratique. Les Suisses n'étaient évidemment pas aussi forts que les Russes. Mais ils utilisaient les mêmes modèles théoriques, des jeux d'équipe rigoureusement planifiés; et ils avaient mis au point de remarquables techniques de formation des joueurs.

Il était donc rentré avec une nouvelle conception du hockey. Un hockey dans lequel il y avait moins de place pour le naturel, pour l'instinct, pour l'initiative individuelle... autrement dit pour un gars comme Lafleur.

Mais aujourd'hui, il ne savait plus. Aujourd'hui, c'était lui, Lemaire, qui se demandait s'il avait bien fait de partir, en 1979. Était-ce le bon moment? N'avait-il pas quitté parce qu'il en avait assez de vivre dans l'ombre écrasante de Guy Lafleur, d'être son faire-valoir, son serviteur? N'était-il pas inconsciemment en train de se venger, comme le prétendaient certains journalistes?

Ainsi, l'angoisse existentielle de Lafleur forçait tous les hommes de l'organisation à se poser mille questions très graves sur le sens de leur vie, leur rôle au sein de l'équipe, leur relation avec le hockey.

Lemaire tenta d'avoir avec lui une vraie conversation d'homme à homme. Mais il se rendit compte qu'il avait perdu la confiance de son ancien compagnon. Il eut vaguement l'impression que c'était parce que celui-ci considérait qu'il ne pouvait légitimement être son boss. En fait, Lafleur était en mal d'autorité. Il aurait aimé avoir un vrai patron, plus grand, plus vieux, plus expérimenté que lui, un guide. Mais plus personne, ni dans sa vie ni sur la glace, ne savait quoi lui dire, ni lui enseigner ou lui conseiller quoi que ce soit. Il n'avait plus de modèle, les ayant tous surpassés. Même Béliveau, cet homme qu'il avait tant admiré et qu'il aimait encore profondément, ne pouvait lui venir en aide.

Bowman avait été un vrai boss, capable d'exercer un puissant ascendant sur ses hommes. Roger Barré avait été un vrai maître à penser, qui connaissait mieux que personne les choses de la vie. Mais Lemaire, mais Savard, il les avait côtoyés pendant des années sur la glace, il avait pris un coup, cent coups, avec eux, il les avait vus cent fois, mille fois, faire les mêmes erreurs... Comment pouvaient-ils aujourd'hui le diriger, le corriger, le motiver? Comment pouvaient-ils décider unilatéralement que lui, Guy Lafleur, ne convenait plus aux Canadiens de Montréal?

Lors d'une réunion, à Los Angeles, Lemaire rappela à ses hommes qu'un règlement interdisait de prendre un verre dans l'hôtel où se trouvait l'équipe. Quelques minutes plus tard, il aperçut Lafleur assis au bar de l'hôtel, une bière à la main.

«Guy, le fais-tu exprès?

— Évidemment que je le fais exprès, Coco. Ce règlement-là est stupide. C'est toi-même, Jacques Lemaire, qui n'arrêtait pas de le dire, dans le temps, chaque fois qu'on partait en tournée. Combien de fois on s'est cachés de Bowman, toi et moi et tous les autres, pour prendre un coup ? Moi, j'ai décidé de ne plus me cacher. Parce que c'est idiot. J'ai trente-deux ans. Je suis assez grand pour savoir ce que je fais. Sois sérieux, sois cool, Coco. Viens t'asseoir. Je t'offre un verre. »

Il espérait sérieusement que Lemaire accepte. Ils auraient bu et parlé ensemble, comme autrefois. Ils auraient parlé encore. Lemaire, qui savait si bien écouter, l'aurait aidé à comprendre ce qui se passait dans sa vie.

« Je peux pas faire ça, Guy.

— Pourquoi pas ?

— Tu le sais très bien.

— C'est pas parce que tu es devenu le patron que le règlement est moins stupide. Jacques, t'as changé.

— C'est bien évident que j'ai changé, Guy. Je ne suis plus un joueur de hockey. Je suis l'entraîneur-chef de l'équipe. J'ai un autre genre de responsabilité. Comment peux-tu ne pas comprendre ça ? »

Dans le bon vieux temps de Bowman, quand l'équipe était en tournée, Lafleur et Lemaire s'assoyaient presque toujours à l'arrière de l'avion. Lemaire s'occupait du lait. Lafleur, de la Tia Maria. Ils se fabriquaient des *Nestlé Quik Specials*. Ils parlaient de leurs projets, de leurs enfants. Lemaire aimait donner des conseils sur l'éducation des enfants. Il avait lu des livres là-dessus. Et sur les bateaux aussi. Il voulait s'acheter un voilier. Il suivait des cours de pilotage. Il savait parler des vents, des courants marins du Saint-Laurent, des étoiles. Il pouvait être passionnant, Lemaire, même s'il était toujours sérieux et raisonnable, réfléchi. Trop peut-être. Il ne faisait jamais de vraies folies jusqu'au bout. Il ne buvait jamais trop, il pesait toujours ses paroles. Devant les journalistes, il se taisait, hermétiquement. S'ils parlaient quand même de lui, il était mal à l'aise. Rien ne l'ennuyait plus que de se voir la face dans les journaux.

Voilà sans doute la seule chose sur laquelle il ne s'entendait pas avec Lafleur. Celui-ci aimait les journalistes, il savait comment s'arranger avec eux, quoi leur dire et leur faire dire. À travers eux, il allait chercher l'assentiment et l'appui du public. Lemaire, devenu instructeur-chef, se rendit bien compte que Lafleur avait pris énormément de pouvoir et qu'il pourrait difficilement affirmer son autorité envers ou contre lui. Il considérait que Lafleur avait tort, mais il était le plus fort. Et la raison du plus fort, comme disait le fabuliste, n'est-elle pas toujours la meilleure ?

Lafleur, lui, ne se sentait pas en conflit d'autorité avec Lemaire. Pendant huit ans, il avait joué avec lui, dans une extraordinaire harmonie. Et sans doute qu'au fond de lui, il cherchait toujours l'assentiment de Lemaire. Celui-ci, brillant théoricien du hockey, savait, mieux que quiconque, apprécier un beau jeu, le préparer, le mener à bout.

Quelques jours avant les séries de 1984, un sondage Sorecom révélait, à la grande surprise de plusieurs, que les Canadiens de Montréal avaient encore de très profondes racines partout au Québec. Près du tiers des quelque deux mille personnes interrogées considérait que Guy Lafleur était encore l'athlète le plus populaire au Québec, très loin devant Michel Goulet et Peter Stastny qui à eux deux ne récoltaient que 16 % des opinions exprimées. Partout au Québec, sauf évidemment à Québec même et dans les régions excentriques et peu peuplées du Bas-Saint-Laurent et de la Côte-Nord, les Canadiens supplantaient les Nordiques.

Or ces derniers se montraient nettement supérieurs aux Montréalais, plus dynamiques, plus efficaces, moins expérimentés certes, mais infiniment plus déterminés. Ils n'avaient cependant pas l'appui populaire, ne créaient pas autour d'eux cette espèce de culte quasi religieux qu'on portait aux Canadiens. C'était à cela que travaillait Bergeron à l'époque. À faire de son équipe un objet de culte des Québécois.

La rivalité entre les deux équipes, qui allait culminer avec ce qu'on appellerait la Bataille de Québec et le Massacre du Vendredi saint (20 avril 1984), a été l'un des événements les plus fascinants de cette décennie. C'était de la grosse passion barbare, raciste, primaire. Au Colisée de Québec, on arborait des croix gammées et on traitait les Canadiens de suppôts des juifs de la rue Saint-Jacques. Les Nordiques étaient devenus l'équipe fétiche, l'équipe étendard des indépendantistes purs et durs. Bergeron, le p'tit gars de Trois-Rivières, personnifiait le *go-getter* québécois par excellence qui s'accrochait et se bagarrait. C'est dans ce contexte que se produisit un soir, au Colisée, une chose qu'on n'aurait jamais crue possible. Québec s'est mis à huer Guy Lafleur, son enfant chéri, traître à sa patrie.

On considérait en effet les joueurs francophones comme des vendus et des lâches. Reprenant le rêve de Maurice Richard, la foule aurait souhaité que Guy Lafleur, Mario Tremblay, Guy

Carbonneau et les quelques autres francophones des Canadiens puissent passer aux Nordiques. Et alors, on aurait assisté à l'affrontement du siècle.

Les Montréalais, plus cosmopolites, plus éclectiques, récusaient avec hargne la thèse des partisans des Nordiques et appuyaient les joueurs du Tricolore plus que jamais. Ce qui se disputait alors sur les glaces du Forum et du Colisée était infiniment plus que du hockey. Chaque fois qu'une idéologie s'immisce dans le sport, on vit d'inoubliables moments.

À la mi-avril, lors d'un autre match important contre les Nordiques, Jacques Lemaire laissa Guy Lafleur sécher sur le banc plus souvent qu'à son tour. Lafleur, confiant, attendait les protestations de la foule. Il y en eut. «Guy, Guy, Guy.» Lemaire ne broncha pas. De temps en temps, Lafleur regardait Lemaire du coin de l'œil. Ce dernier semblait fermement décidé à les laisser hurler jusqu'à ce qu'ils s'égosillent. «Ils ne me feront pas changer d'idée», se disait-il. La foule comprit rapidement et se tut. Lemaire laissa flotter sur son visage un petit sourire satisfait. Il avait gagné. La foule le laisserait désormais travailler librement. Il donna un peu de glace à Lafleur, plus tard dans le match, alors que les Canadiens avaient déjà une confortable avance.

Le lendemain matin, on rassembla les joueurs pour l'analyse du film de cette rencontre. Lemaire était un maniaque de la vidéo, comme beaucoup d'entraîneurs à l'époque. Mais il l'utilisait différemment. Alors que Berry par exemple exigeait que ses gars visionnent le film du match afin de voir leurs erreurs, Lemaire préférait attirer leur attention sur leurs bons coups et sur les erreurs de l'adversaire. C'était beaucoup plus positif, en somme. Et les gars qui, jusque-là avaient une sainte horreur de la vidéo qui ne servait qu'à leur rappeler leurs bévues, raffolaient maintement de ces séances de visionnement dirigées par Lemaire.

Toujours est-il que ce jour-là, lorsque les gars se présentèrent au studio, Lemaire fit signe à Lafleur d'approcher et lui dit, très calme :

«Toi, Guy, tu vas aller t'entraîner avec les réservistes.»

Lafleur n'a pas dit un mot. Il a viré de bord et est allé patiner pendant que l'équipe visionnait le match de la veille. Ça faisait au fond son affaire, parce que la veille, il n'avait vraiment rien produit de bon. Mais il se demandait si Lemaire agissait ainsi pour l'humilier ou pour lui permettre de récupérer et de se remettre de la blessure qu'il avait eue à la hanche la semaine précécente. En fait, se disait-il, Lemaire voulait peut-être lui signifier qu'il n'avait pas de bons coups à lui montrer, que des erreurs. Et comme ce n'était pas le but de l'opération…

Il aurait pu aller le lui demander. Mais non ! Il ne pouvait plus parler à Lemaire. Il ne savait plus comment. Le contact était définitivement coupé.

Une semaine plus tard, les Nordiques éliminés, les Canadiens affrontèrent en demi-finale les Islanders de New York, depuis quatre ans détenteurs de la coupe Stanley. Lafleur n'avait pas compté depuis vingt-cinq matchs. En fait, depuis l'âge de huit ans, depuis plus d'un quart de siècle, il n'avait jamais passé autant de temps sans faire bouger les filets ennemis.

Le jour du troisième match contre les Islanders de New York, il eut une vraie conversation avec Lemaire. Au moment où il s'y attendait le moins. C'était à Uniondale, à l'aréna des Islanders. Lafleur, comme d'habitude était arrivé plus tôt que les autres, s'était installé dans les gradins et regardait dans le vide en grillant une duMaurier, plongé dans ses sombres rêveries. Il se rendit compte tout à coup qu'il n'était pas seul. Quelqu'un, lui faisant dos, était appuyé contre la clôture et regardait la glace, comme lui. C'était Lemaire.

« C'est toi, Coco ? »

L'autre ne se retourna pas.

« Comment ça va, Guy ? »

Le ton était chaleureux. Lafleur cependant ne répondit pas. Alors Lemaire monta s'asseoir près de lui, deux ou trois rangées en contrebas. Et lui redemanda très doucement :

« Comment ça va, Guy ?

— Je vais pas fort, Coco, pour ne rien te cacher.

— Est-ce que tu vois une solution ?

— Je vous ai demandé plus de glace.

— Ce n'est pas que ça, le problème. Je te regarde aller depuis des mois, Guy. Tu ne lances pas. Tu tires pas au but. Moi non plus, je comprends pas ce qui se passe. Qu'est-ce que tu attends pour lancer au but ? Qu'il soit vide ?

— Je ne sais pas, Coco. Je ne sais pas ce qui se passe. Il arrive toujours quelque chose quand je viens pour lancer. La rondelle sautille. Ou il y a un autre bâton. Ou quelqu'un dans mes jambes. Il y a toujours quelque chose.

— Mais il y a toujours eu quelque chose, Guy. Il faut lancer quand même…

— Écoute, Coco, branche-toi. Vous me demandez depuis deux ans de jouer défensif. Puis tu viens me dire de tirer au but.

— Tu comprends ce que je veux dire, Guy. Rentre dans le jeu, d'une manière ou d'une autre. C'est tout ce que je te demande. T'es plus jamais dans le jeu. »

Guy s'était tu, mal à l'aise. Lemaire avait raison. Il n'était plus dans le jeu. Il se sentait comme un étranger sur la glace. Le jeu tournait autour de lui et il n'arrivait plus à y entrer. Le jeu était devant ou derrière lui. Il lui arrivait encore de s'emparer de la rondelle et de filer avec elle le long de la clôture, mais lorsqu'il entrait dans la zone ennemie, là où autrefois il était si bien, si vite, si terrible, il ne savait maintenant plus jamais quoi faire ; incapable de contrôler la rondelle, il s'en débarrassait au plus vite ou la perdait.

Lemaire aussi s'était tu. Ils regardaient la glace tous les deux. Puis Lemaire se leva pour redescendre vers la chambre des joueurs.

« Il faut que tu reviennes dans le jeu, Guy. Il n'y a pas d'autre solution.

— Donne-moi de la glace, Coco. Je ne peux pas être dans le jeu, si j'ai trente secondes de glace. Ça me prend plus de temps.

— Autrefois, tu restais dans le jeu, même quand tu étais sur le banc. Ce n'est pas une question de temps, Guy. C'est dans ta tête que ça se passe. »

Ce soir-là, sans doute attendri par la conversation qu'ils avaient eue, Lemaire donna à Lafleur un peu plus de glace que d'habitude. Et Lafleur joua avec beaucoup de cœur. Mais il n'arriva rien. Les Islanders éliminèrent les Canadiens, les battant à leur propre jeu. C'est-à-dire que dès qu'ils furent assurés d'une avance de deux buts, ils se replièrent en position défensive et formèrent un véritable rempart à leur ligne bleue.

Lafleur retourna au vestiaire la mort dans l'âme. Il se déshabilla, prit sa douche, sans parler à personne, puis en retournant vers son coin, resta accroché devant le miroir, devant son image, tout nu. Il se regarda longuement. Les gars passaient près de lui, le bousculaient. Il se trouvait vieux. Il perdait ses cheveux. Il avait vraiment essayé d'entrer dans le jeu, mais c'était fermé, barré. Il n'y avait plus jamais de place pour lui dans le jeu. Lemaire avait raison. Ce n'était pas qu'une question de temps de glace. Il fallait qu'il cesse d'accuser tout le monde. Ses déclarations-chocs ne faisaient même plus la joie des journalistes. C'étaient de vieux refrains usés. Il avait critiqué ses quatre derniers entraîneurs, Geoffrion, Ruel, Berry, Lemaire. Et les directeurs-gérants de l'équipe. Il avait dit que Berry manquait d'imagination, que Keith Acton n'avait pas de talent et qu'il gardait la rondelle pour lui, que Savard ne respectait pas ses engagements. Il fallait qu'il trouve autre chose. Qu'il cherche ailleurs des solutions.

Peut-être que les gars eux-mêmes en avaient assez d'entendre ses récriminations. Il avait cru remarquer que depuis quelque temps, certains ne l'écoutaient plus qu'en hochant machinalement la tête. Gainey par exemple. Et Mario. Parfois même Robinson. Et les jeunes, que pouvaient-ils bien penser de lui ? Bryan Walter lui avait confié un jour qu'il était formidablement intimidé lorsqu'il jouait avec lui, parce qu'il avait été longtemps son idole. L'était-il encore ?

Il pensait à ce que Béliveau lui avait dit concernant son rôle au sein de l'équipe. « Tu pourrais aider les jeunes, les motiver. Arrête de penser que tout le monde t'en veut. » Il lui avait parlé du rôle des vétérans dans une équipe. C'était son obsession, à Béliveau. Il disait que les vétérans étaient très utiles, surtout quand l'équipe traversait une période difficile. Ils devaient initier les jeunes, servir de calmants. Et les journalistes ! Ils étaient toujours après lui pour lui faire dire ce qu'ils avaient besoin d'entendre.

Il pensait devant son miroir embué à ce que lui avait souvent dit la Chouine autrefois, qu'il se laissait toujours influencer et manipuler. Est-ce qu'il se laissait encore manipuler ? Est-ce qu'il parlait parfois aux journalistes pour leur faire plaisir ?

Il ne se voyait plus. Il regardait la buée, il s'était estompé, il était devenu invisible. Un fantôme. Même la foule était en train de l'oublier. Pas une fois pendant ces séries contre les Islanders elle n'avait crié « Guy, Guy, Guy ».

Voilà le fin fond du drame. La foule l'avait abandonné. Pourquoi ?

Il avait froid. Il alla s'habiller. Et partit rejoindre les autres. Ils allèrent dans une discothèque où la musique était si forte qu'ils ne pouvaient parler. Il fit de beaux efforts pour se soûler. En vain. Plus d'ivresse. Mais tout au fond de lui, il y avait cependant une petite flamme qui allait peut-être bien illuminer à nouveau sa vie. Lise lui avait annoncé ce soir-là au téléphone, lorsqu'il l'avait appelée après le match, qu'elle croyait bien être enceinte.

Les Canadiens étaient éliminés, mais les finales de la coupe Stanley furent tout de même fort excitantes pour les Montréalais. Les Islanders avec quatre championnats d'affilée, de 1980 à 1983, étaient en passe de battre le plus prestigieux record de toute l'histoire du hockey, celui des cinq coupes Stanley consécutives qu'avaient remportées les Canadiens de Montréal, de 1956 à 1960.

Heureusement, les Oilers d'Edmonton battirent les Islanders. L'honneur était sauf. Les Canadiens avaient été défaits, mais fort honorablement. Lemaire en quelques mois s'était affirmé et s'était fait respecter, non seulement de ses hommes, mais aussi du public. Il était maintenant l'homme fort du hockey au Québec.

Le 7 mai, pour la deuxième année de suite, les Lafleur ne se présentèrent pas au souper annuel des Canadiens.

Et cet été-là, ils ne virent presque personne. Ils regardèrent ensemble les Jeux Olympiques de Los Angeles. Guy fut sage comme une image. Il joua dans l'équipe de balle molle des Canadiens, participa à quelques charitables omniums de golf, battit quelquefois son ami Quenneville au tennis et courut tous les deux ou trois jours le circuit de huit milles qu'il s'était fait dans Baie-d'Urfé. Lise et Martin le suivaient parfois à bicyclette. Elle était enceinte. Le reste du monde n'avait plus beaucoup d'importance.

*
**

Le jeudi 18 octobre 1984, une chose fort étonnante se produisit au Forum de Montréal. Les Canadiens s'étaient assurés, en troisième période, d'une confortable avance de 4 à 1 sur les Kings de Los Angeles. L'issue du match étant tout à fait certaine pour tout le monde, les gradins du Forum avaient commencé à se vider. Mais soudain, sans qu'on ne sache comment, sans que personne certainement ne se fût attendu ou préparé à cela, comme lorsque parfois des nuages venus de nulle part et de partout à la fois couvrent entièrement un ciel tout à fait bleu, on entendit, d'abord en sourdine, puis en crescendo et jusqu'à l'explosion, la vibrante évocation : « Guy ! Guy ! Guy ! »

Tout le monde regarda, étonné, vers le banc des Canadiens. Certains joueurs sur la glace s'arrêtèrent et cherchèrent des yeux à comprendre ce qui pouvait bien se passer. Un attentat contre Lafleur ? Une agression de Lafleur contre Lemaire ? Pourquoi ces « Guy ! Guy ! Guy ! » ? Lafleur lui-même, qui se trouvait sagement assis sur le banc des joueurs, était étonné. Pourquoi l'appelait-on ainsi ?

Un sondage Sorecom publié quelques jours plus tôt avait cruellement souligné la dégringolade qu'il avait prise dans les faveurs populaires. À la question « Quel est l'athlète amateur ou professionnel que vous préférez ? », 11 % des gens avaient répondu Gaëtan

Boucher ; 8 %, Sylvie Bernier ; 8 %, Gretzky ; 6 %, Garry Carter, joueur étoile des Expos ; Guy Lafleur, 2 % seulement.

La seule explication qu'on put trouver aux cris de la foule fut que l'ennui l'étreignait. Ce match qui tirait à sa fin avait en effet été d'une formidable platitude. Les Canadiens gagnaient, bien sûr. Mais sans éclat, sans magie. Il ne se passait rien. Il ne s'était rien passé. Il ne se passerait plus jamais rien. On assistait à du hockey de fonctionnaires, machinal et banal.

Depuis le début de la saison, le club allait bien. Lemaire avait réussi à lui redonner une grande cohésion et à créer un bon esprit d'équipe. On parlait même d'un retour des Canadiens. Lemaire avait su donner à son club un style original. Ou plutôt, plusieurs styles originaux. Il avait en effet construit quatre trios offensifs très typés, très spécialisés. Pendant quatre ans, les Canadiens avait eu un jeu sans grand mystère ; ils étaient très prévisibles, donc vulnérables. Avec ces quatre trios que Lemaire avait mis au point, ils devenaient terriblement polyvalents, capables de s'adapter en un rien de temps à toutes les situations et de déjouer tous les plans de l'ennemi. Ils étaient bons, performants. Hélas ! ils n'avaient plus aucun charisme.

C'était donc un long gémissement ou une lamentation, que laissait entendre la foule, ce soir-là. Elle réalisait qu'elle s'ennuyait à périr et que le bon temps, dont Lafleur avait été le génial artisan, était en train de passer. Ces cris étaient une sorte de désaveu du style de Jacques Lemaire. C'était horrible pour lui. Il avait relevé le club. Mais on lui signifiait que ce n'était pas cela qu'on cherchait. Ou que c'était plus que cela. Encore une fois, la foule donnait raison à Lafleur. À l'autre conception du hockey. Il ne suffisait pas de gagner, il fallait le faire avec panache. Mieux valait perdre en beauté que gagner platement. Et la beauté, c'était le terrain de Lafleur. Sans lui, on le sentait, on le savait, tout allait sombrer dans l'ennui mortel, dans l'ombre.

Ce soir-là, au Forum, on commençait à comprendre qu'une grande histoire d'amour allait bientôt prendre fin. Et la foule ne voulait pas laisser partir celui qu'elle avait tant aimé. On savait que la continuité allait être brisée. Pour la première fois depuis la guerre de 39-45, la plus prestigieuse et sainte dynastie du hockey serait interrompue : Richard, Béliveau, Lafleur, et après ? Personne. Il y avait autrefois, en plus des superstars, des stars de moyenne magnitude, comme Geoffrion, Harvey, Henri Richard, Dickie Moore, Tremblay, Cournoyer, et combien d'autres, des grands joueurs issus du peuple, donnés par lui au Tricolore. Or la grandeur était en train de passer. La passion aussi. Et l'amour.

Jamais, depuis deux générations au moins, les Canadiens n'avaient si peu ressemblé aux Montréalais. En 1971, quand Lafleur était arrivé à Montréal, près des deux tiers des joueurs des Canadiens étaient francophones. En 1984, il n'y avait plus que cinq Québécois dans l'équipe, et six Américains, un Suédois, un Tchèque, un Amérindien et une bonne douzaine de Canadiens anglophones de l'Ontario et de l'Ouest. Aucune étoile francophone en vue, à part Guy Carbonneau et peut-être Stéphane Richer et Claude Lemieux qui, bien qu'ils aient été acquis par l'Organisation, évoluaient encore dans les ligues juniors. Mais personne parmi ces joueurs, toutes origines confondues, n'avait le charisme ni l'envergure de Lafleur, ou Richard. « Guy ! Guy ! Guy ! », c'était un déchirant cri d'angoisse... de deuil.

Une semaine plus tard, le 25 octobre, Lafleur enregistrait, contre les Sabres de Buffalo, son 518e but en saison régulière, son deuxième en 39 matchs, un tout petit but de rien du tout qu'il avait compté presque accidentellement, et sans plaisir, parce qu'il l'avait trop longtemps attendu et qu'il n'y croyait plus. Et pourtant, la foule s'était levée et l'avait longuement applaudi. Il avait salué. Mais il trouvait ces effusions un peu excessives et ridicules. Autour de lui, il y avait quinze joueurs qui se démenaient corps et âme, Gainey, Walter, DeBlois, Hunter, Smith, entre autres, qui enfilaient de plus beaux buts que lui et ils n'avaient jamais droit à ce traitement de faveur de la foule.

Et puis brusquement, comme si un virus avait, en quelques jours, contaminé tous les médias, on se mit à conspuer Lafleur. Il eut le malheur, au début de novembre, de se plaindre encore une fois de n'être pas suffisamment utilisé par Lemaire. On écrivit le lendemain :

« Par ses déclarations incendiaires, Lafleur se fait plus de tort que de bien. » — « Lafleur vient de jouer la vierge offensée une fois de trop. » — « On ne peut plus blâmer Lemaire. » — « Le Canadien est plus important que Lafleur. Il serait temps qu'il s'en rende compte. » Même Maurice Richard écrivit dans sa chronique du *Dimanche-Matin* : « Lafleur devrait se taire et compter des buts. »

Le vent avait tourné. Plutôt que de voir Lafleur s'étioler, on semblait préférer qu'il disparaisse. Un mini-sondage du *Journal de Montréal* révélait que 70 % de la population souhaitait qu'il soit échangé à un autre club de la Ligue nationale.

Et soir après soir, le supplice reprenait. Trois ou quatre fois par match, Lafleur sautait sur la glace, errait pendant une petite minute dans un jeu qu'il ne semblait pas comprendre et rentrait docilement au banc, la tête basse.

Le vendredi 23 novembre, il rencontra Serge Savard au deuxième étage du Forum, là même où douze ans plus tôt, il venait parfois s'entretenir avec Sam Pollock ou Claude Ruel. C'était le même petit bureau, les mêmes fauteuils. Seuls les murs avaient changé. Pollock était parti avec ses toiles de paysagistes canadiens. Et Savard avait accroché partout des tableaux et des photos de joueurs de hockey. Lafleur eut l'impression en s'asseyant devant lui que toute l'équipe et toute l'Organisation le regardaient.

Serge Savard a un extraordinaire sens politique. Ce n'est pas pour rien qu'on l'appelait le Sénateur. Il sait dissimuler, manipuler, imposer. Il sait aussi être franc et direct, dur. Ainsi, la semaine précédente, à Edmonton, il avait congédié Steve Shutt, avec qui il avait joué et vécu pendant près de dix ans. Il lui avait dit tout simplement qu'il n'avait plus sa place dans l'équipe et qu'il devrait aller voir ailleurs s'il y était.

« L'équipe n'est plus faite pour des gars comme toi. »

Shutt avait été profondément humilié. Il était parti chez les Kings de Los Angeles. Sans même revoir ses compagnons, sans cérémonie d'adieu. Il avait beau avoir été pendant neuf ans l'un des joueurs les plus utiles de toute la Ligue nationale et figuré avec une remarquable régularité dans le peloton de tête des compteurs, il avait toujours vécu dans l'ombre de Guy Lafleur, toujours numéro 2. Et il s'en accommodait tant bien que mal, même si ça l'ennuyait parfois un peu. Il avait eu l'intelligence et l'humour de ne jamais pleurer sur son sort.

Le hasard même semblait le défavoriser. Ainsi, un an plus tôt environ, le 12 décembre 1983, il avait marqué, contre les Devils du New Jersey, le 400e but de sa carrière. Or le même soir, après une disette de plusieurs matchs, Lafleur avait enfilé son 500e but. L'exploit de Shutt était évidemment passé presque inaperçu, comme tout ce qu'il faisait, dans l'ombre de Lafleur, toujours.

Savard ne pouvait agir avec ce dernier comme il avait fait avec Shutt. Lafleur était une institution. À un journaliste qui lui avait demandé quelques jours plus tôt, suite au sondage du *Journal de Montréal*, s'il accepterait de l'échanger, il avait catégoriquement répondu par la négative.

« On n'échange pas les colonnes du temple. »

Lafleur avait entendu ça le soir même à la télévision et il avait pensé :

« Il n'échange pas les colonnes du temple, mais il fait tout pour les jeter par terre. »

Il voulait rencontrer Savard pour tenter d'obtenir son élargissement.

« Je sais que tu as décidé de toute façon de te débarrasser de tous les gars avec qui tu as joué.

— Où es-tu allé chercher ça ?

— Je le sais. Tu l'as dit. J'ai des témoins.

— Qui ça ?

— Je ne l'ai pas cru au début. Mais quand j'ai appris la semaine dernière que tu avais échangé Shutt, j'ai compris que j'étais le prochain sur la liste. Tu vois bien que j'ai raison !

— Je ne vois rien du tout. Ce n'est pas moi qui veux te renvoyer, Guy. C'est toi qui parles de partir. J'ai clairement dit aux journalistes qu'il n'était pas question de t'échanger.

— Il y a d'autres manières de se débarrasser d'un joueur. Tu veux me forcer à partir pour nulle part.

— Admettons que, dans les circonstances, ça m'arrangerait. C'est vrai. Mais ce n'est pas ce que j'ai voulu. Ce n'est pas comme ça que j'aurais souhaité que tu termines ta carrière. Si tu étais resté un bon joueur, penses-tu vraiment que l'Organisation n'aurait pas tout fait pour te garder ?

— Si j'avais de la glace, je serais un bon joueur. »

Savard prit le temps de rallumer son cigare et de tirer quelques bouffées, en regardant en l'air, par-dessus la tête de Lafleur, vieille habitude qui donnait à ses interlocuteurs une pénible impression d'écrasement. Cette discussion commençait à l'horripiler sérieusement. Après un long silence, il ajouta :

« Demain soir, on joue au Forum contre les Red Wings. Je vais demander à Lemaire de te donner de la glace. Mais en définitive, c'est lui qui devra décider. C'est lui le maître de la glace. Pas moi. »

Et Lafleur fit alors une chose qu'il regretta tout de suite. Il remercia Savard. Comme s'il venait d'obtenir une faveur imméritée. Ce n'était pas une attitude de champion. Savard l'avait parfaitement compris. Il lui fit un petit sourire malicieux, se leva et dit :

« On verra demain soir ce que t'as dans le corps. »

Le lendemain matin, Lafleur arriva au Forum près de deux heures en avance pour l'exercice. Il travailla fort, encourageant de la voix ses coéquipiers. Il avait décidé de passer l'après-midi au Forum, comme il faisait autrefois. Vers trois heures, il alla voir Lemaire, à qui Savard avait effectivement parlé. Lemaire lui confirma qu'il le ferait jouer, qu'il l'utiliserait entre autres choses pour tuer les punitions. Puis il ajouta, sans arrière-pensée, des mots qui blessèrent profondément Lafleur.

« Prouve-moi que t'es encore capable. »

Et Lafleur en quittant Lemaire pensait :

« Comment ça : « Prouve-moi que t'es encore capable » ? Comment un gars comme Lemaire peut douter que je suis encore capable ? »

C'était ce qui l'écrasait le plus, que ses anciens compagnons d'armes, ceux qui l'avaient vu si souvent ramasser la rondelle et déjouer des centaines de fois les défenseurs et les gardiens de but de la Ligue nationale, doutent maintenant de lui. Il avait effectivement été peu productif au cours des derniers mois, mais Piton lui-même affirmait qu'il était encore l'un des meilleurs patineurs et l'un des plus puissants lanceurs de toute la Ligue nationale. À l'Auditorium de Verdun, il avait encore brisé la baie vitrée avec un lancer de plus de cinquante pieds.

Mais s'il voulait être efficace pour le match contre les Red Wings, il ne devait pas penser à tout cela. Il avait assez d'expérience pour savoir comment se débarrasser des noires pensées qui l'assaillaient. Vers six heures, il alla s'asseoir tout en haut des gradins dans un Forum vide et tranquille. De temps en temps, il entendait, venant de très loin, des klaxons, des sirènes. Il regardait la glace, essayant comme autrefois d'imaginer des jeux, des montées...

Il avait téléphoné à Lise et lui avait parlé de sa conversation avec Lemaire, ne retenant que les aspects positifs. Lise n'y croyait pas trop. Elle lui avait si souvent répété : « Ce gars-là, il va finir par avoir ta peau. » Même quand Lemaire était parti en Suisse. On savait qu'il allait étudier le hockey européen et qu'il reviendrait encore plus rationnel, plus cartésien, plus froidement, implacablement technique qu'auparavant. Et Lise de dire de nouveau : « Quand Lemaire va revenir, il va se débarrasser de toi. »

Et son beau-père, Roger Barré, lui avait dit, le jour de ses noces : « Moi, je ne lui aime pas la face à ce gars-là. Méfie-toi de lui. »

Mais Lafleur avait décidé d'oublier tout cela.

« Il m'a dit qu'il me ferait jouer. Moi, quand on me dit quelque chose, je prends ça pour du cash.

— Tu m'en reparleras ce soir. »

Enceinte de huit mois, elle préférait regarder le match à la télévision plutôt que d'aller au Forum. Avant la fin de la première période, elle avait compris que Savard et Lemaire avaient tendu une sorte de piège à son mari. Elle trouvait cela d'une inconcevable cruauté. De toute évidence, ils voulaient le briser.

Pendant les deux premières périodes, Lafleur n'eut que sept ou huit minutes de glace. Il en espérait au moins deux fois plus. Il trouva quand même le moyen de rater une chance en or devant un filet presque désert. Il eut un moment d'hésitation. Et quand enfin il lança, ce fut par-dessus le filet. Lemaire le rappela et le laissa sur le banc jusqu'à la fin de la période.

Alors Lafleur se tourna vers Monsieur Charest, le gardien de sécurité en faction derrière le banc des joueurs, et lui demanda d'aller chercher Serge Savard qui devait se trouver, comme toujours, dans la loge de l'Organisation en compagnie de Ronald Corey. Monsieur Charest revint au bout de cinq minutes en disant qu'il n'avait pas trouvé Savard. Il était mal à l'aise et regardait ailleurs en parlant. Il mentait, évidemment. C'est à ce moment-là, debout devant lui, entre la deuxième et la troisième période, entre la porte de la patinoire et celle du vestiaire, que Guy Lafleur décida de s'en aller. Il savait que sa décision était irrévocable. Quoi qu'il arrive, il ne changerait pas d'idée.

Pendant la troisième période, Lemaire le fit jouer à deux reprises. Mais Lafleur était trop distrait, trop ému aussi, pour réussir quoi que ce soit. Après le match, il se changea et sortit rapidement de la chambre des joueurs pour aller téléphoner à Lise. Il tomba sur Claude Mouton qui comprit tout de suite que quelque chose n'allait pas. Il voulut lui faire part de sa décision, mais il fondit en larmes. Le bon Claude Mouton l'entraîna à l'écart, afin de le soustraire aux regards des curieux.

« Je ne vais pas à Boston, lui dit finalement Lafleur.

— Comment ça ?

— Je démissionne. »

Claude Mouton, lui-même au bord des larmes, ne savait quoi dire. Il était là, debout devant Lafleur, lui pressant l'épaule. Il ne voyait pas de solution. Il était atterré à l'idée qu'une si brillante carrière se termine de cette façon. Il dit à Guy :

« Réfléchis, mon Guy. Réfléchis bien avant de prendre une décision.

— C'est tout réfléchi. »

Lafleur téléphona à sa femme.

« Qu'est-ce que je t'avais dit ?

— Trouves-tu que j'ai bien fait ?

— C'était la seule chose à faire. Viens, je t'attends. »

En retournant vers la chambre des joueurs, il croisa Savard et Corey debout dans le corridor. Savard ne pouvait pas ne pas savoir qu'il l'avait fait demander entre les deux périodes. Passant près d'eux, Lafleur lui dit : « C'est fini, Savard, t'as eu ce que tu voulais. »

Il n'avait pas fait trois pas que Savard le rappelait.

« Qu'est-ce qu'on va dire aux journalistes si tu ne viens pas à Boston ?

— On s'est mal compris, Serge. Je n'irai plus jamais nulle part avec vous.

— Qu'est-ce que tu veux dire ?

— Tu le sais très bien. T'as eu ce que tu voulais. Je m'en vas.

— T'as pas répondu à ma question. Qu'est-ce qu'on va dire aux journalistes ?

— Tu leur diras ce que tu voudras, comme d'habitude. Ce n'est plus mon problème. »

Quelques minutes plus tard, Savard retrouva Lafleur dans la chambre des joueurs.

« Écoute, Guy, quand Monsieur Charest est venu me dire que tu me faisais demander, je ne pensais pas que c'était aussi urgent. Je pensais que tu voulais me voir à la fin de la partie.

— Prends-moi pas pour une valise, Serge. On te voit toujours la face après un match, de toute façon. J'avais pas besoin de t'envoyer chercher pour ça.

— Viens me voir à mon bureau lundi matin. Pour ce qui est du match de Boston, on va dire aux journalistes que tu as la grippe.

— J'ai pas la grippe.

— On dira que t'as une blessure à l'aine.

— Je me suis pas fait mal.

— Tout ce que je te demande, Guy, c'est de réfléchir jusqu'à lundi avant de parler à qui que ce soit. D'accord ?

— D'accord. »

Lafleur ramassa son sac et le mit dans sa voiture. Larry Robinson et Chris Nilan montèrent avec lui. Nilan adorait Lafleur. Un soir, deux ou trois ans plus tôt, blessés tous les deux, n'ayant pu accompagner le club en tournée, ils étaient allés s'exercer ensemble à l'Auditorium de Verdun, tout seuls pendant une heure et demie. C'était resté l'un des plus beaux souvenirs de la carrière de Nilan.

Au début, il était nerveux et terriblement intimidé par Lafleur. Originaire de Boston, il l'avait passionnément haï autrefois, quand Lafleur année après année éliminait à lui seul les Bruins de la course à la coupe Stanley. Même Don Cherry, leur entraîneur, disait que s'il ne portait que son jonc de mariage et aucune bague de la coupe Stanley, c'était à cause de Guy Lafleur. Mais lorsque Nilan était arrivé à Montréal pour jouer avec les Canadiens, il avait tout de suite été, comme tout le monde, charmé par l'énorme gentillesse de Guy Lafleur. Et bizarrement, lui qui n'avait pas froid aux yeux, qui aimait se battre et s'engueuler avec tout le monde, il avait développé une grande timidité à l'égard de son célèbre coéquipier. Il lui parlait rarement. Et pendant les exercices, il évitait de le mettre en échec, il lui faisait toujours de belles passes bien propres.

Ce soir-là, à Verdun, Lafleur et lui étaient devenus des amis. Après leur exercice, ils étaient allés prendre un verre ensemble. Nilan non plus ne se sentait pas très à l'aise dans le système de Lemaire. Gros joueur offensif, il aimait foncer tête baissée contre les remparts ennemis. Il totalisait déjà, à sa cinquième saison avec les Canadiens, plus de 1 000 minutes au banc des punitions et semblait bien parti pour battre le record de Maurice Richard dans ce domaine. C'était un instinctif, comme Lafleur.

D'habitude, lorsque le club partait pour Boston, Nilan était surexcité. Mais ce soir-là, assis sur la banquette arrière de la Jaguar de Lafleur, il restait silencieux. Lafleur leur avait tout dit, à Robinson et à lui. Pendant un moment, personne ne parlait dans l'auto. Puis dès qu'ils eurent enfilé l'autoroute, Robinson dit :

« Fais pas ça, *man*, ça va s'arranger.

— Vous savez fort bien que non. »

Il conduisait lentement, comme pour profiter une dernière fois de la chaleureuse amitié de Chris et de Larry. À l'aéroport, il sortit de la voiture pour leur serrer la main. Nilan ne disait rien. Robinson avait les larmes aux yeux. Il serrait contre lui son vieux compagnon de route.

« Fais pas ça, *man*, attends encore un peu.

— J'ai déjà trop attendu. J'en ai assez.

— Qu'est-ce que tu comptes faire ?

— Je ne sais pas encore tout à fait. Mais je suis sûr d'une chose : ça va faire du bruit. »

*
**

Lafleur, sa femme et son fils passèrent la journée du lendemain, dimanche, à Thurso. Ils avaient convenu de ne pas parler de ses projets à ses parents. Il leur dit simplement qu'il s'était étiré un muscle à l'aine et qu'il avait obtenu quelques jours de repos. Il ne voulait pas les énerver inutilement. Ils étaient déjà assez inquiets à cause de toutes les rumeurs qui circulaient à son sujet. De plus, il avait beau faire plus d'un demi-million de dollars par année, plus que son père dans toute sa vie, celui-ci avait toujours peur qu'il se retrouve au bord de la dèche. Il lui parlait souvent de Joe Louis, Jack LaMotta ou Jesse Owens, tous ces grands athlètes qui avaient fini sur la paille. Il croyait dur comme fer que la légende dorée de l'athlète idolâtré devait fatalement mal se terminer. Et il demandait régulièrement à son fils s'il avait fait de bons placements, ce qui amusait énormément ce dernier qui lui retournait parfois la question.

« Et toi, papa ?

— Moi, c'est pas pareil, mon garçon. Faut surtout pas t'inquiéter pour moi. Je n'ai rien à perdre. »

Guy pensait parfois que ce devait être merveilleux de n'avoir rien à perdre. Quelle liberté ! Quelle paix ! Il avait, lui, tout à perdre depuis tellement longtemps, la fortune, la gloire, l'amour.

Suzanne, sa grande sœur, venue elle aussi visiter ses parents ce jour-là, lui rappela qu'il leur avait promis une loge pour une partie des Canadiens. Guy Lafleur réalisa alors que ceux qui l'aimaient ne le verraient plus jamais sur la glace du Forum. Son père, sa mère, ses sœurs, tous ses amis, si contents, si fiers de lui, si heureux pour lui n'auraient plus jamais ce plaisir. Et cette idée lui fit si mal qu'il ne put suivre les conversations. Il étouffait dans le petit salon de Thurso. Il se leva, prétexta qu'il devait s'acheter des cigarettes et sortit marcher dans le village. Il fit le tour du nouveau quartier de jolis bungalows qui s'élevaient maintenant dans les champs où il avait passé les étés de son enfance. Plus de mare aux grenouilles, plus de ruisseau sous les mousses. Même la grosse roche plate qu'ils utilisaient autrefois comme quartier général lorsqu'ils jouaient aux cow-boys et aux Indiens était disparue, dynamitée, engloutie elle aussi, comme tout le reste.

Il traversa la voie ferrée et se retrouva dans le terrain vague derrière l'aréna où étaient stationnées une cinquantaine de voitures. De temps en temps, il entendait des clameurs provenant de l'édifice. La porte toujours cadenassée et le vieux mur de planches grises par où il entrait autrefois, quand Ti-Paul était le maître de l'aréna, avaient été refaits. Le toit aussi, fraîchement repeint. Tout était changé.

Mais on jouait encore au hockey le dimanche après-midi, à Thurso. Comme dans le temps. Il fut tenté d'entrer. Il aurait aimé voir si on avait encore les mêmes clôtures avec les mêmes réclames qu'il avait tant de fois repeintes avec Ti-Paul. Hôtel Lafontaine, Valiquette Sports, Singer, McLarens, etc. Mais ils se seraient jetés sur lui. Ils lui auraient demandé : « Qu'est-ce que tu fais ici, Ti-Guy ? T'es pas à Boston ? » Et il aurait dû s'expliquer. Il n'aurait pas su quoi dire.

Il traversa le terrain vague, croisa la rue Guy-Lafleur, fit le tour du terrain de jeu et revint vers la rue Principale, presque déserte. Un vieillard l'accosta.

« Salut Ti-Guy ! T'es pas à Boston, toi ?

Pris au dépourvu, il répondit :

« Non, ils m'ont donné congé. J'ai la grippe.

— C'est correct, dit le vieux en riant. De même, tu la passeras pas aux autres. »

Et Guy se mit à penser que les autres étaient peut-être soulagés qu'il soit parti. Qu'est-ce qu'ils se sont dit la veille au soir à bord de l'avion de Boston quand ils ont vu qu'il n'était pas là ? Qu'est-ce que Lemaire et Savard ont bien pu leur raconter ? Il réalisait que même s'il leur donnait sa démission le lendemain, la pression serait encore là longtemps. On allait se questionner sur son départ, tout analyser.

Ils rentrèrent à Baie-d'Urfé en fin d'après-midi, sous une petite pluie fine et serrée. Pendant que Lise préparait le repas, Guy resta auprès d'elle dans la cuisine. Ils réfléchissaient tout haut à ce qu'il dirait à Savard le lendemain matin.

Il n'avait qu'une envie, lui claquer la porte au nez. Même si Savard lui faisait des promesses, même s'il lui disait qu'il aurait désormais toute la glace qu'il demandait ! Il ne voulait plus, il ne pouvait plus le croire. Lise voyait les choses tout autrement. Elle disait qu'il devrait exiger un poste dans l'organisation.

« Tu y as droit. Autant que Jean Béliveau. Tu leur as donné cinq coupes Stanley. Ils ont fait une fortune avec toi.

— Avec Maurice Richard aussi ils ont fait une fortune. Et regarde comment ils l'ont traité.

— D'accord, ce sont des salauds. Mais ce n'est pas une raison pour que tu te laisses avoir. Tu peux toujours t'arranger avec eux. »

Il savait bien qu'elle avait raison. Les femmes enceintes ont toujours raison. Elles sont fortes et rassurantes. Elle savent voir et comprendre les vraies choses. Ça ne l'empêchait pas, lui, d'avoir toujours cette folle envie de leur claquer la porte au nez.

Depuis le bon vieux temps pee wee, il savait bien que le hockey ne se jouait pas que sur la glace. Ça se passait aussi entre les deux oreilles, comme disait Ti-Paul Meloche. Il y avait des luttes de pouvoir, des guerres froides, des jeux et des trafics d'influence. Mais qu'est-ce qui avait bien pu se passer pour que ses alliés soient devenus ses ennemis et se tournent brusquement contre lui et tentent de l'écarter ?

« Peut-être qu'ils ont raison ! Peut-être que je ne suis plus un bon joueur ! se répétait-il. Il est bien possible que je sois moins rapide et moins fort. »

Mais Lise restait persuadée qu'il pouvait encore être le meilleur et le plus fort. Là où justement ça se passerait désormais, devant tout le monde, dans les journaux, dans la tête et dans le cœur des gens.

« Le monde t'aime, tu le sais, disait-elle. C'est là qu'est ta force. Savard et Corey le savent fort bien. Tu peux être beaucoup plus dangereux pour leur autorité si tu t'en vas que si tu restes. Ils vont se fendre en quatre pour que tu ne partes pas en claquant la porte, quitte à se mettre à genoux devant toi. C'est toi qui es en position de force là-dedans. Autant en profiter, non ? »

Mais il était en colère, blessé dans son orgueil. Il considérait que ce qu'ils lui avaient fait la veille était une marque de mépris quasi indélébile. Il ne comprenait pas comment il pourrait encore s'entendre avec eux.

Il s'était fabriqué un solide scénario qu'il continua de peaufiner après que Lise fut allée se coucher. Il entrerait dans le bureau des Canadiens, il leur dirait sa façon de penser — bref, précis, cinglant — avec en sus un petit sourire en coin qui donnerait un joli punch à toute l'opération.

« Je veux juste que vous sachiez une chose, c'est que c'est pas correct d'avoir écœuré un gars comme vous l'avez fait. Vous avez été trop lâches pour me dire en face que vous vouliez que je m'en aille. J'ai été obligé de faire la job à votre place. Mais vous ne pourrez jamais vous vanter de vous être débarrassés de moi ; c'est moi qui vous laisse tomber. »

Il imaginait que Ronald Corey allait essayer de jouer au gars supercool qui ne comprend pas trop ce qui se passe.

« Il va me dire que j'ai toujours ma place avec les Canadiens, que tout peut encore s'arranger, qu'il n'y a pas de problème. Il ne faut pas que je me laisse faire. Ni par Savard qui va se mettre à me barber, ni par Corey qui va vouloir m'amadouer. »

Il monta se coucher en pleine possession de son rôle. Mais le lendemain matin, en se rendant au Forum, il n'était plus sûr de rien ni de personne, sauf de Lise, de sa famille. On aurait dit, bizarrement, que plus sa carrière allait mal, mieux il était avec Lise.

Au printemps de 1976, quand il avait raflé tous les trophées de la Ligue nationale après avoir atteint des sommets jamais vus, il avait dit publiquement que sa carrière passait avant tout, avant sa famille, avant sa femme et même avant son fils Martin qui avait alors un peu moins d'un an. Et on avait repris son propos dans tous les journaux, à la radio, partout. Certains avaient été choqués, des féministes et des moralistes de tous poils qui disaient que Guy Lafleur était un macho égoïste et chauvin. Mais lui, il avait répondu : «Moi, au moins, je dis ce que je pense.» Il était content d'avoir toujours dit ce qu'il pensait, de n'avoir jamais rien caché à personne. Sauf peut-être à lui-même. Mais ça, on ne peut jamais vraiment le savoir.

Ce matin-là, si on lui avait demandé ce qui comptait le plus dans sa vie, il aurait dit exactement le contraire de ce qu'il affirmait jadis lorsqu'il se trouvait en pleine gloire; il aurait dit que ce qui pour lui passait avant tout, c'était maintenant sa famille, sa femme et son fils Martin qui avait huit ans, et surtout cet autre enfant qui s'en venait. Sa carrière, elle était terminée. Dans une heure, quand il sortirait du Forum pour la dernière fois de sa vie, ce serait fini. Et il recommencerait sa vie. Ils feraient enfin les voyages dont Lise avait toujours rêvé. Il ferait enfin construire ce petit château dont il avait les plans tout tracés dans sa tête depuis si longtemps.

Mais qu'est-ce qu'il ferait après? Déménager, changer d'auto, faire un jardin, du ski, un bébé... Tout ça était bien beau, mais après? Qu'est-ce qu'il allait faire désormais? Se tourner les pouces? Regarder la télé? Se soûler tranquillement la gueule? Faire comme Elvis Presley qui, devenu gros et mou, avait dit à un journaliste qui l'interrogeait sur son avenir qu'il avait l'intention de regarder par la fenêtre en attendant que ça finisse?

Lise avait sans doute raison. Plutôt que de claquer la porte, il devrait peut-être exiger une fonction au sein de l'Organisation. Lise savait toujours comprendre et analyser les situations. Et ça rassurait Guy, ça lui faisait chaud au cœur, parce qu'elle était son alliée, qu'elle comprenait tout, qu'elle arrangerait tout. Il le savait.

Elle n'avait jamais aimé Jacques Lemaire, même pendant les glorieuses années où il jouait avec Guy et qu'ils formaient avec Steve Shutt la plus formidable ligne d'attaque des Canadiens et qu'ils comptaient à eux trois plus de cent cinquante buts par saison.

Quant à Ronald Corey, il ne l'avait jamais porté dans son cœur. D'abord parce que ce n'était pas un vrai homme de hockey. Comme tous les grands athlètes, Lafleur avait conscience d'appartenir à une élite et de se dissocier du commun des mortels. Mais en plus, il considérait Ronald Corey comme un être de ruse et d'astuce, insaisissable et calculateur, tout sucre et tout miel, avec qui il ne s'était jamais senti en confiance.

Même la première fois qu'il l'avait rencontré, du temps qu'il jouait pour les Remparts de Québec et que Corey était venu lui offrir ses services comme agent d'affaires, il avait refusé d'associer sa carrière à la sienne. Il avait dit à son ami Jean-Yves Doyon :

« Je n'aime pas le sourire de ce gars-là. »

Il savait maintenant que cette antipathie naturelle était partagée. Un soir, quelques années plus tôt, dans un restaurant de la rue Stanley, à Montréal, Ronald Corey, alors vice-président de la Brasserie O'Keefe, débitait des bêtises sur Guy Lafleur. Malheureusement pour lui, à une table voisine, se trouvait Lise Lafleur en compagnie de quelques amis. Elle se leva et vint « charitablement » avertir le pauvre Corey qu'elle était la femme de Guy Lafleur et qu'il ferait peut-être mieux de se taire.

Corey fut drôlement refroidi. Quelques minutes plus tard, il faisait envoyer une bouteille de Dom Pérignon à la table de Lise Lafleur. Celle-ci la renvoya dare-dare à son expéditeur.

« Et dites à ce monsieur que sa bouteille de champagne, il peut se la mettre là où je pense. »

Mais tout compte fait, Corey avait été correct avec Lafleur. Plus que Lemaire et Savard qu'il avait profondément aimés et à qui il avait donné sa confiance. Ils jouaient ensemble, buvaient, voyageaient ensemble. Lafleur considérait donc qu'ils l'avaient trahi. Ils l'avaient laissé tomber. Et ce matin, il s'en allait les voir avec l'intention de leur dire sa façon de penser, et de leur faire comprendre qu'il pourrait fort bien vivre sans eux...

Il avait acheté les journaux du jour. Seule la *Gazette* parlait de sa démission. Sans doute que Chris Nilan ou Larry Robinson avait informé le journaliste Red Fisher. Les journalistes francophones seraient froissés de ne pas avoir eu le scoop. Et à l'heure actuelle, ils devaient lui courir après partout en ville. Mais il était trop tard. Ça lui avait échappé. Comme tout le reste. Et tant pis.

En plus, il continuait à perdre ses cheveux. Il s'étirait le cou pour se regarder dans le rétroviseur, il voyait ses traits tirés, son teint blafard...

Il remonta lentement la côte Atwater, franchit le boulevard Dorchester et aperçut droit devant lui l'imposante masse du Forum de Montréal. Il se revit un moment, sur la glace, en pleine lumière, en pleine gloire, avec l'immense clameur de la foule scandant son nom, «Guy, Guy, Guy». Et il levait les bras pour marquer sa victoire et cueillir les hommages.

Alors, quelque part au fond de lui, il sentit confusément qu'il y aurait tôt ou tard autre chose. Il savait bien qu'en entrant dans le Forum, il serait de nouveau chez lui. Une dernière fois. Et il retrouverait les mots et les gestes pour dire à ses boss sa façon de penser. Et après, il serait libre, enfin. Après, il recommencerait sa vie.

Il tremblait un peu quand il monta le petit escalier. La réceptionniste et le secrétaire en le voyant arriver interrompirent leurs conversations.

La porte du bureau de Savard était grande ouverte. Lorsqu'il aperçut Lafleur, il se leva et lui tendit la main. Lafleur la saisit. Ce n'était dans aucun des scénarios qu'il avait développés pendant la nuit.

Il comprit alors que quelque chose venait de lui échapper. Et qu'il n'était plus maître de la situation.

*
**

Il se trouvait debout devant Savard, mal à l'aise, toute sa colère soudainement rentrée. Il savait qu'il ne claquerait pas la porte au nez de personne. Ronald Corey passa, comme par hasard, et il entra saluer Lafleur, affable et souriant, évidemment, comme si tout allait pour le mieux dans le meilleur des mondes. Lafleur se ressaisit et dit :

«Tu peux rester ici, Ronald. J'aimerais assez que tu entendes toi aussi ce que j'ai à dire.»

Il se lança alors dans un long et maladroit récit du conflit qu'il avait vécu avec l'Organisation au cours de la dernière année. Il dit qu'il aurait préféré savoir plus tôt qu'on ne voulait plus de lui. Corey protesta poliment de leur bonne foi et de la confiance qu'ils gardaient toujours en lui. Lafleur enchaîna en rappelant que Lemaire lui avait souvent fait des promesses de glace qu'il n'avait pas tenues. Savard et Corey l'écoutèrent, un peu embarrassés eux aussi. Puis Corey dit : «Je reviens, ce ne sera pas long, j'ai un téléphone important à faire.»

Moins de deux minutes plus tard, il était de retour. Avec un large sourire. Il mit sa main sur le bras de Lafleur et lui dit :

«Guy, tout est arrangé. Tu as un job à vie dans l'organisation des Canadiens; 75 000 $ par année, avec indexation. Tu vas t'occuper de marketing et de relations publiques.»

Lafleur comprit que Corey était allé téléphoner aux Molson, ses patrons. Il songea que 75 000 $ par année ce n'était pas beaucoup d'argent. Comme joueur de hockey, il gagnait autant en deux mois. Mais Corey lui expliqua que ce salaire indexé équivalait en fait à environ 1,2 million de dollars en dix ans. L'Organisation lui garantissait en effet une augmentation de 10 % par année, de sorte qu'il toucherait, lors de la dernière année de son contrat, en 1994, un salaire de plus de 175 000 $. À ce salaire se greffaient d'alléchants bénéfices marginaux : une voiture neuve, une carte de membre dans les plus chics clubs de golf de la région, un généreux compte de dépenses, beaucoup de liberté, de très longues vacances.

Mais il n'y avait pas que cela à considérer. Ce que lui offrait Corey, c'était une fonction, une raison d'être. Il se souvenait de ce que Lise lui avait dit :

«C'est bien beau de démissionner et de claquer des portes au nez des boss, mais qu'est-ce que tu vas faire après? Un gars de trente-trois ans qui ne fait rien, ce n'est pas normal, Guy. Quand tu n'as rien à faire, tu capotes, tu le sais. Qu'est-ce que tu vas devenir, si tu n'as rien à faire?»

Comme en rêve, il entendait Corey lui vanter les joies de ce job à vie qu'il lui offrait.

«On va te payer ton année d'option évidemment. Et pour commencer, tu vas prendre des vacances. Tu reviendras après les fêtes, quand ta femme aura accouché. On va te donner un bureau. Tu vas travailler avec nous. Tu vas nous aider à relever l'équipe.»

Lafleur était désarçonné. Il sentait bien qu'on était en train d'acheter son silence. On ne voulait pas qu'il aille dire qu'il avait été mal traité par les Canadiens. Les récriminations de Maurice Richard avaient fait mal à l'Organisation.

Pendant qu'il réfléchissait, Savard tirait sur son cigare, Corey se raclait doucement la gorge.

«Si tu es d'accord, dit finalement Savard, on va organiser une conférence de presse cet après-midi. Tu vas annoncer que tu te retires. Ensuite, Ronald va annoncer que tu es intégré à l'organisation des Canadiens. D'accord?»

Il y eut un long silence. Puis Lafleur laissa tomber d'une voix blanche :

«D'accord.»

Ce fut comme un signal de départ. Corey sortit rapidement du bureau. Sans doute pour aller avertir ses patrons que tout était rentré dans l'ordre. Savard appela sa secrétaire et convoqua une réunion de tout l'état-major des Canadiens.

« Quand ?

— Tout de suite. »

Plus personne ne semblait s'occuper de Lafleur. Il traversa le petit hall aux murs couverts de photos et de tableaux de joueurs. Il jeta un coup d'œil à son portrait qu'il eut envie d'arracher du mur. Il s'en voulait. Il savait qu'il venait de se faire mettre en boîte. Mais il sortit bien sagement sur la rue Lambert-Closse.

Il n'avait pratiquement rien mangé depuis la veille au soir. Il n'avait pas faim, mais il savait bien qu'il ne pourrait pas affronter la presse à jeun. Ce serait peut-être la dernière fois de sa vie. Ce serait dur, terriblement émouvant. Il fallait manger.

Il se demanda s'il devait appeler Lise et lui parler de cette offre que lui avaient faite les Canadiens. Et qu'il avait acceptée. Trop vite peut-être. Sans réfléchir, sans négocier. N'allait-elle pas lui dire qu'il avait plié encore une fois, qu'il s'était laissé avoir, qu'il aurait dû poser ses conditions ?

Il aperçut alors Brian Travers qui venait vers lui. Il était évident que celui-ci était déjà au courant de sa démission et de l'arrangement que lui avait proposé Corey. Brian Travers savait toujours tout ce qui se passait au sein de l'Organisation. On disait même qu'il savait parfois les choses avant qu'elles n'arrivent.

« Tu vas manger, Guy ?

— Oui.

— J'y vas avec toi ? »

S'il y a une personne au monde qu'il faut souhaiter rencontrer quand on est dans le malheur, c'est bien Brian Travers. À la condition, bien entendu, qu'il vous ait à la bonne. Brian, c'était un remontant-né. Vous pouviez vous effondrer en toute sécurité ; s'il était dans les parages, il prenait d'autorité tout en main, d'une main, et de l'autre, il écartait vos ennemis, puis il remuait ciel et terre jusqu'à ce que tout rentre dans l'ordre. C'était ce qu'il avait fait quand son grand ami Roger Barré était mort. Il était monté à Québec et il avait aidé, conseillé, consolé la famille. Il était ensuite resté en étroit contact avec Pierre, le frère de Lise, qu'il avait convaincu de laisser ses études pour prendre la succession de son père. Et il s'était arrangé pour lui obtenir de gros contrats avec Maislin, l'entreprise de camionnage et de transport pour laquelle il travaillait.

De même, quand Guy avait eu son accident, il était accouru. Il avait rassuré Lise, il avait éloigné les journalistes. On disait même que c'était lui qui avait convaincu l'agent de police, témoin de l'accident, que Lafleur n'était pas en boisson et qu'il serait charitable d'aller le dire aux journalistes d'*Allô Police* qui s'étaient engagés auprès de Brian à publier un reportage «positif» sur les événements. Quand Brian vous aimait, vous n'étiez jamais en danger. Et Brian aimait Guy Lafleur...

Ils marchèrent sans mot dire sur la rue Sainte-Catherine jusqu'au restaurant Le Paris où on leur donna une table à l'écart.

«Qu'est-ce que tu veux manger?

— N'importe quoi.

— Il faut que tu manges quelque chose de pas trop lourd. Apportez-lui un foie de veau avec patate pilée. Deux fois. Rosé, le foie.

— Qu'est-ce que tu bois?

— N'importe quoi.

— Il faut que tu boives un peu. Ça va te détendre. Un Pouilly-Fumé.»

Et Brian entreprit d'expliquer à son ami Guy Lafleur que ce qu'il lui arrivait pouvait être merveilleux.

«Tu vas voir, ça va bien se passer. Y aura pas de problème.

— En tous cas, j'aurai plus cette maudite pression sur le dos. C'est fini.

— C'est pas fini, Guy. Ça commence. Et si jamais tu t'ennuies, au deuxième étage du Forum, t'auras rien qu'à t'en aller. T'es pas marié avec les Canadiens.»

*
**

Le restaurant du Forum où eut lieu la conférence de presse au cours de laquelle Guy Lafleur annonça officiellement qu'il prenait sa retraite, le 26 novembre 1984, s'appelle, étrange ironie, la Mise au Jeu. Ce jour-là, les mots disaient le contraire exactement de ce qu'ils avaient toujours signifié. Comme dans le célèbre roman de George Orwell, *1984*, où le ministère de l'Amour s'occupe des choses de la Guerre et celui des Loisirs, de l'organisation des camps de travail.

Le héros d'Orwell, implacablement broyé par une toute-puissante machine totalitaire, finit par se soumettre, dans la joie la plus totale, à la suprême autorité représentée par l'omnipotent et omniscient Big Brother. À la toute fin, complètement asservi et défait, il déclare avec conviction qu'il aime enfin le Système. « He loved Big Brother. » Comme Guy Lafleur, ce jour-là, affirma aimer l'organisation des Canadiens.

On avait placé un lutrin devant le mur en bois de grange de la Mise au Jeu. Et juste devant, un impressionnant bosquet de micros. Dès le milieu de l'après-midi, une foule de journalistes et de curieux s'était massée aux abords de la Mise au Jeu. Tout le monde avait cette grisante conviction qu'on allait vivre des moments historiques. Vers 16 heures, l'état-major des Canadiens fit son entrée, Savard et Corey encadrant Guy Lafleur. Tout le monde était visiblement très nerveux et tendu. Presque en même temps, les joueurs de l'équipe, qui venaient à peine de terminer un exercice, étaient arrivés, en sueur, plusieurs portant encore leur tenue de hockey. Tout le personnel du Forum était là, les secrétaires, les hommes de l'entretien, les gardiens.

Pendant un moment, on n'entendit que le crépitement des appareils photo. Puis Claude Mouton présenta Lafleur qui s'avança devant les micros et les caméras. Il commença par expliquer qu'il était depuis longtemps dans une sorte de léthargie et qu'il ne parvenait plus à produire. Mais presque aussitôt sa voix se brisa. Il réussit cependant à ravaler ses sanglots.

Il expliqua qu'il se retirait parce qu'il n'avait plus le désir de jouer. C'était, à peu de chose près, les mots qu'avait utilisés le Rocket pour annoncer sa retraite, en septembre 1960. Lafleur dit ensuite qu'il était convaincu qu'il partait au bon moment. L'équipe allait bien, selon lui, et la relève semblait assurée. Il raconta que l'avant-veille, en se préparant pour la partie contre les Red Wings, il s'était demandé ce qu'il était en train de faire et il avait finalement réalisé qu'il devait partir. Il ne se sentait plus de ferveur. Pendant le week-end, il avait discuté avec sa femme. Elle était d'accord elle aussi pour qu'il parte.

Il parla ensuite de ses parents, de son fils Martin, de cet autre fils que sa femme attendait, de Madame Baribeau, de ses entraîneurs, tous compétents et compréhensifs… Puis il a remercié la Brasserie Molson. Et, après que Ronald Corey eut annoncé qu'il était accueilli dans le giron de la sacro-sainte Organisation, Lafleur ajouta qu'il était heureux de ne pas avoir été échangé à un autre club, comme Steve Shutt, et qu'il réalisait enfin un vieux rêve en entrant dans cette vénérable institution.

Pas l'ombre d'un reproche à l'Organisation. Rien sur le conflit pourtant connu de tous qui l'avait si longtemps opposé à Lemaire et à Savard. Guy Lafleur avait décidé de jouer le jeu, l'autre jeu. Pour la première fois de sa carrière, il cachait la vérité.

Il dit ensuite qu'il regrettait beaucoup de ne pas avoir battu le record des 544 buts en carrière de Maurice Richard. En 961 matchs, il avait marqué 518 buts (26 de moins que Richard) et obtenu 728 assistances, soit un total de 1 246 points, ce qui constituait un record d'équipe.

Il dit enfin sa peine de quitter des gars comme Larry, Bob, Mario, Bobby et les autres, tous ceux qui pendant treize saisons lui avaient permis de s'affirmer comme l'un des grands joueurs de la Ligue nationale.

« Je me considère chanceux d'avoir joué avec ces gars-là. Ils m'ont beaucoup aidé. »

Les journalistes, profondément émus eux aussi, ne savaient pas quoi dire ; eux d'habitude si pressants, ils le regardaient et attendaient, sachant pertinemment qu'il ne disait pas toute la vérité, qu'il ménageait pour une fois ses arrières et ne dirait pas les vraies raisons de son départ. Pour la première fois, Guy Lafleur, celui qui avait toujours tout dit à tout le monde, l'homme transparent par excellence, cachait quelque chose. Et on ne lui en tiendrait pas rigueur. Pour la première fois, les journalistes n'insisteraient pas et tairaient eux aussi la vérité. Ils fermeraient les yeux et tiendraient respectueusement leurs distances. Dans leurs papiers du lendemain, ils reprirent les propos lénifiants de Lafleur.

Ainsi, ce 26 novembre 1984, au terme de sa carrière de hockeyeur, Guy Lafleur jura solennellement fidélité à une organisation qu'au fond de lui il honnissait. Et à l'instar du héros de George Orwell, il proclama bien haut qu'il l'aimait et la respectait. Mieux encore : il affirma qu'il avait été toujours bien traité par elle. Guy Lafleur, ce jour-là, aimait les Canadiens.

Troisième entracte

On épilogua longuement sur les raisons du départ de Guy Lafleur. Les journalistes se précipitèrent sur tout le monde, entraîneurs et gérants, coéquipiers, public, parents et amis, pour tâcher de comprendre la Passion selon Guy Lafleur, pour savoir ce qu'on en pensait, comment on expliquait ce départ, comment on le ressentait.

Certains, implacables moralistes, affirmaient que Guy Lafleur avait mené une vie de bâton de chaise et qu'il payait maintenant pour ses erreurs et ses péchés. D'autres, plus défaitistes, voyaient dans sa déchéance le tragique de l'existence de l'homme qui, après trente ans d'âge, n'est plus aussi beau, aussi vite, aussi fort. La superbe machine Guy Lafleur, la plus magnifique et la plus performante machine humaine que la nation eût produite et dont elle était si fière, s'était déglinguée, non pas que son propriétaire en ait abusé, mais parce que c'est la vie, parce qu'on vieillit tous et qu'à trente-trois ans on n'a plus qu'à s'asseoir et à attendre que ça finisse ! D'autres enfin, les plus nombreux, tenaient ouvertement Lemaire, Savard et Corey responsables de la chute et du départ de Guy Lafleur, et ils faisaient de lui un exemplaire héros de la lutte contre le pouvoir et l'establishment.

Guy Lafleur s'était révolté contre le gouvernement du hockey. C'est cela surtout que le peuple québécois aimait et admirait en lui. La pure et dure révolte de l'irréductible Guy Lafleur qui l'assimilait au grand Maurice Richard, à tous les héros rebelles.

Jean Béliveau, lui, s'était coulé dans le moule, sans éclaboussure. C'était un joueur de centre ; et il était resté un homme de centre, jamais compromis, jamais déplacé. Pour cette raison peut-être, il ne deviendra pas un véritable héros populaire, ni un être mythique. Un véritable héros doit s'être opposé et s'être révolté, avoir été battu ou menacé.

Serge Savard était devenu le moule, un cadre, un patron. Pour cette raison, il ne pouvait être un héros lui non plus, ni un symbole, ni un mythe. Surtout pas au Canada français où les cadres et les patrons sont souvent considérés comme l'exécrable enveloppe de la société. Il était respecté, certes. Il avait du pouvoir et de l'autorité. Comme un mortel parvient parfois à en avoir, sans plus. Il avait réussi, mais sans poésie, sans risque réel, sans s'être investi corps et âme dans la grande aventure, comme Guy Lafleur qui, à l'instar des artistes de la scène, s'était littéralement donné à son public.

Le lendemain de la démission de Guy Lafleur, le député de Yorkton-Melville, Lorne Nystrom, lui rendit cet hommage devant la Chambre des communes :

« Peut-être que partout ailleurs dans le monde le règne de la fleur a débuté et a pris fin dans les années 60, Monsieur le président, mais à Montréal, il a débuté en 1971 et a pris fin hier quand Guy Lafleur a annoncé sa retraite.

« C'est la fin d'une grande époque, Monsieur le président. Je suis certain que la Chambre et toute la population du Canada se joignent à moi pour lui souhaiter bonne chance dans l'avenir et le remercier pour les moments inoubliables qu'il nous a fait connaître. »

Et la digne Chambre s'est levée et a longuement applaudi le grand Canadien qu'était Guy Lafleur.

La nouvelle de sa démission fit évidemment le tour de l'Amérique du Nord en un rien de temps. Avant même que n'ait lieu la conférence de presse de la Mise au Jeu, tout le monde du milieu savait tout.

Les Nordiques étaient en plein exercice matinal au Pavillon de la Jeunesse lorsque des journalistes vinrent recueillir les impressions des joueurs. Richard Sévigny, le gardien de but, qui avait travaillé avec les Canadiens au cours des quatre années précédentes, blâma sévèrement Serge Savard et Jacques Lemaire, dont il avait connu la férule.

À Boston, les Bruins étaient eux aussi en plein exercice lorsqu'on leur a appris la nouvelle. Leur gardien de but, Gerry Cheevers, que Guy Lafleur avait plusieurs fois privé de la coupe Stanley, parla de lui avec une touchante admiration. Il avoua ne pas comprendre ce qui avait pu se passer à Montréal, mais il affirma qu'une organisation de hockey qui ne parvenait pas à s'entendre avec un si grand joueur était à blâmer.

Marcel Dionne, le cher ennemi de toujours de Guy Lafleur, fut rejoint chez lui, dans sa jolie banlieue de Los Angeles, par les journalistes québécois qui le confessèrent soigneusement. Dionne avait le même âge que Lafleur. Il avait commencé sa carrière professionnelle en même temps que lui. Il s'était toujours maintenu comme lui dans le peloton de tête des compteurs. Et il continuait de produire à un fort bon rythme. Il fut étonné par la nouvelle de sa démission, mais contrairement à Sévigny et à Cheevers, il n'accusa cependant pas l'organisation des Canadiens d'avoir brisé la carrière de Lafleur.

Selon lui, le problème venait du fait que Lafleur ne faisait pas que jouer au hockey. Il jouait à la fois sur la glace et dans les médias. Il courait deux lièvres à la fois. C'était stressant, c'était beaucoup de pression. Trop. Dionne rappela qu'à Montréal le public s'appropriait les vedettes du hockey, plus que partout ailleurs. C'était cela, selon lui, qui avait rendu Lafleur improductif. Le public, trop exigeant, trop pressant, était donc d'une certaine manière responsable de la défaite et du départ de ce grand joueur qu'il avait aimé plus que tous.

Sam Pollock, qui après avoir quitté la direction des Canadiens s'était joint aux stratèges de l'empire Bronfman et continuait de s'intéresser au hockey amateur, fut surpris et désappointé du départ de Guy Lafleur.

« Je savais qu'il n'était pas fini comme joueur. Et je trouvais toute cette histoire absurde.

«Lorsqu'il est arrivé avec les Canadiens, en 1971, on était en pleine transition. En quelques années, le club a changé complètement de personnalité. Ce fut une sorte de cocon dans lequel le grand talent de Guy Lafleur a pu se développer. Il y avait une parfaite adéquation entre ce milieu et lui, une sorte d'osmose qui pendant plusieurs années a fonctionné à merveille.

« Puis de nouveaux changements se sont produits, une nouvelle personnalité d'équipe a commencé à se structurer, à laquelle Guy était, cette fois, mal adapté. Je ne sais pas ce qui a cloché. Mais il semble bien que tout le monde y a perdu. Le contexte n'était pas le même. Le hockey avait beaucoup changé. À cause de l'Association mondiale. À cause des Russes. Guy aussi avait changé. C'est la vie. »

Paul Dumont fut surpris et peiné lorsqu'il apprit le départ de Lafleur.

« Il y a quelque chose dans cette histoire-là que je n'ai toujours pas compris. Rien ne ressemble moins à Guy Lafleur qu'une démission. Autrefois, les difficultés semblaient le stimuler. Moi, je savais cela. Je savais que Guy se sort toujours grandi des pires difficultés. Lorsque j'ai vu, en 1981 qu'il commençait à ralentir, je me suis dit que ce n'était qu'un mauvais moment à passer, qu'il ferait un retour foudroyant, comme il avait toujours fait. Mais le mauvais moment a duré, un an, deux ans, presque trois. Et je me suis mis à le suivre avec autant d'attention que du temps où il était un gros compteur. Ça devenait intrigant et mystérieux. Comment se faisait-il qu'un si grand joueur encore en pleine possession de ses moyens devienne tout à coup si terne, si peu productif?

«Ce qu'on disait dans les journaux — qu'il était en conflit avec Ruel, puis avec Lemaire et Savard — me semblait, surtout au début, complètement farfelu. Je les avais vus jouer ensemble tellement longtemps et si bien, avec Shutt aussi, que je pouvais difficilement imaginer que ces deux hommes ne puissent plus s'entendre. Je me suis dit qu'il y avait autre chose, que le conflit avec Lemaire était en partie une invention des journalistes, mais que la vraie explication était ailleurs, beaucoup plus profonde. Je me suis mis à penser que Guy Lafleur avait peut-être perdu la foi, comme ça arrive à des mystiques, même aux plus grands, et surtout peut-être aux plus grands, qui ont tout à coup l'impression que le contact avec Dieu est coupé. Brusquement, il n'y a plus personne, plus de réponse, plus de présence. Guy, c'est peut-être ça qui lui est arrivé. Il a perdu la foi. Ou le goût ou le plaisir de jouer. Ce qui revient probablement au même.»

«Pour que Guy lâche, il fallait qu'il soit vraiment écœuré, dira Jacques Richard, son compagnon du temps des Remparts. Je l'ai vu à la télévision quelque temps avant qu'il annonce sa démission. Il patinait encore très bien. Mais on ne lui donnait presque plus de glace. Il voulait compter à tout prix, donc il visait les coins. Et chaque fois qu'il ratait le but, il perdait encore plus confiance. Il y a des périodes comme ça, dans la vie, où on voit tout venir; on a une anticipation parfaite, tout est clair et en ordre et on dirait que les choses se passent comme on les a imaginées ou arrangées dans sa tête. Et il y a d'autres moments où on patauge dans le noir, on devient nerveux et enragé, on s'enlise. C'est ça qui lui est arrivé, à Guy. Il s'est enlisé.

«Ce que je ne comprends pas, c'est que personne ne l'a aidé. Tout le monde était là autour de lui, toute l'équipe et tout le Québec, et on l'a regardé s'enliser pendant deux ou trois ans. Et personne ne l'a aidé.»

«Moi, dit Maurice Richard, je pense que Lafleur était encore un bon joueur quand il a lâché. Il était en tout cas l'un des rares à jouer vraiment au hockey. Il ne se contentait pas de lancer tout le temps de la ligne bleue, comme font tous les autres aujourd'hui. Il essayait vraiment d'entrer dans la zone ennemie en contrôlant la rondelle. Mais alors, il se retrouvait tout seul. Il n'y avait plus personne autour de lui. Il essayait de compter lui-même. Mais un gars ne peut pas tout faire ! Une fois, dans ce temps-là, je l'ai rencontré, je lui ai conseillé d'essayer de garder sa position. Je trouvais qu'il se donnait du mal pour rien. Il avait la nostalgie du beau hockey. Malheureusement pour lui, ce n'était plus à la mode. »

Jean Béliveau a toujours prétendu que les bons athlètes devaient jouer le plus longtemps possible. Selon lui, la démission de Lafleur était prématurée.

« Guy est arrivé avec les Canadiens au moment où toutes les figures d'autorité étaient renversées. Le rôle des vétérans au sein de l'équipe n'était plus considéré. Tout devait être jeune et instinctif. On n'écoutait pas l'autorité, comme dans les années 50 et 60. Moi, je pense que ça rendait la tâche de Guy beaucoup plus difficile. Il n'y avait plus d'encadrement fort, plus de leadership. Selon moi, c'est là, quelque part dans ce relâchement, que se trouve le problème. Ce n'était pas particulier à Guy. C'était un problème de sa génération, un signe des temps. Autrefois, les joueurs étaient des soldats disciplinés et déterminés. Ils allaient au combat. Aujourd'hui, c'est chacun pour soi. L'esprit d'équipe s'est perdu. »

« Guy et moi, on a beaucoup de choses en commun, dit Jacques Lemaire. On est tous les deux du signe de la Vierge — Guy du 20 septembre 1951, moi du 7 septembre 1945 —, donc très méthodiques, terre à terre.

« Nous sommes des grands timides aussi, mais des timides fonceurs. Si tu n'es pas fonceur, tu ne seras jamais un vrai joueur de hockey. Mais Guy, à la différence de moi, il fonçait partout, tout le temps, même en dehors de la glace. Tu mettais un obstacle devant lui, ça le stimulait.

« Je l'ai connu dans le temps de l'École moderne de hockey. Mais la première fois que je l'ai vraiment vu jouer, c'est à Verdun. Dans le temps des Remparts de Québec. Il était déjà une grosse vedette au Québec et en Ontario. Mais on l'avait tellement porté aux nues — ça, ce sont les journalistes, on n'y peut rien, et au fond, c'est bon pour le club, même si c'est dur pour le joueur — qu'on s'attendait fatalement à ce qu'il soit encore meilleur que ce qu'il était vraiment. Quand il est arrivé avec nous autres, en 1971, j'ai été surpris de la lenteur de son développement. Mais plus tard, en le connaissant mieux, j'ai compris qu'il était comme ça. C'est quand il a réalisé que plus personne dans le milieu ne disait qu'il était un Maurice Richard ou un Jean Béliveau ou une superstar du hockey qu'il en est devenu une, qu'il est devenu Guy Lafleur. Il a toujours été comme ça en tout. C'est quand il réalise qu'il est en train de perdre quelque chose qu'il se réveille.

«Mais il est arrivé un moment donné où il n'avait plus aucun défi à relever. Moi, je pense que c'est là qu'il s'est fatigué et qu'il a décroché. Il avait été le plus grand. Même encore aujourd'hui, avec Gretzky et Mario Lemieux dans le décor, il y a encore des gens qui disent que le plus beau joueur qu'ils ont vu évoluer était Guy Lafleur. C'est ce que Dick Irvin J[r], le commentateur sportif de la CBC, a écrit dans son livre. Lafleur ne pouvait pas être plus grand que le plus grand. Je pense qu'il était fatigué de tout ça.

«Quand je suis rentré d'Europe, j'ai été étonné de voir à quel point il avait baissé. Ce n'était plus le même homme. Sur la glace, il avait perdu son naturel. J'ai parlé avec lui. J'ai compris qu'il était incapable d'accepter de ne plus être un grand compteur. C'est là à mon sens son erreur. S'il avait voulu, il aurait pu rester un très grand joueur, même s'il ne comptait plus beaucoup. Il ne jouait plus au hockey, il cherchait à compter, compter. Il s'est gâché la vie avec ça. Alors que le jeu, ce n'était plus ça du tout. Il n'a pas pris le changement.»

Les fonctions que Guy Lafleur allait occuper au sein de l'Organisation étaient très vaguement définies. On avait fait savoir qu'il aurait sa place quelque part au deuxième étage du Forum, sans préciser où. Il était question qu'il remplace Jean Béliveau aux relations publiques. Ce dernier avait en effet commencé à parler de se retirer. Il avait cinquante-trois ans, des petits-enfants, des projets de voyage avec sa femme Élise et plusieurs autres fonctions chez Molson, diverses vice-présidences, quelques bonnes œuvres, beaucoup de choses qui l'occupaient énormément.

Mais l'Organisation ne voulait pas confier à Guy Lafleur le soin de la représenter. Il s'était parfaitement bien amendé avec son gentil petit laïus de retraite, mais il restait certainement au fond de lui quelque chose du rebelle qui pendant des années avait assené ses quatre vérités à toute autorité. Guy Lafleur était beaucoup trop franc, trop direct et spontané, pour faire un bon chargé de relations publiques de cette vénérable institution. Il avait d'ailleurs fait rapidement comprendre à ses patrons que ce n'était pas parce qu'il avait accroché ses patins qu'il allait se priver de dire ce qu'il pensait.

Quelques jours après l'annonce de sa démission, les Expos vendaient leur joueur-étoile Garry Carter aux Mets de New York. En moins d'une semaine, Montréal avait donc perdu ses deux plus grandes vedettes du sport. Un jour que Lafleur s'était pointé au Forum pour discuter avec Ronald Corey de ses nouvelles fonctions, des journalistes lui demandèrent ce qu'il pensait du départ de Carter. Il répondit spontanément :

« Les organisations sportives sont en train de sortir toutes les vedettes de Montréal. Les gros noms vont manquer au public. Je trouve ça très grave, socialement. Je me demande à qui les jeunes vont pouvoir s'identifier désormais. »

Ces paroles furent évidemment interprétées comme un blâme sans équivoque envers les dirigeants des Canadiens qui n'avaient pas su le garder actif. Encore une fois, Lafleur voyait plus grand que le hockey. Selon lui, une organisation comme celle des Canadiens ou celle des Expos avait une sorte de mission sociale. Il s'agissait bien sûr de former une bonne équipe gagnante, mais aussi de donner un bon spectacle et surtout de mettre au monde des modèles, des héros.

Corey, homme de compromission et de diplomatie, comprit rapidement le danger que pouvait représenter Guy Lafleur au sein de l'Organisation. Ce dernier, quelles que soient les circonstances, ne serait solidaire que de la justice, de la vérité. Pas de l'Organisation elle-même. C'est sans doute pourquoi Corey ne lui donna jamais de rôle clairement défini, ni de responsabilité réelle. Et qu'il l'accompagna, obséquieux chaperon, dans presque toutes ses sorties officielles. En fait, on voulait harnacher la formidable énergie médiatique que dégageait la personnalité de Guy Lafleur, mais on voulait le faire prudemment, sans prendre de risque.

En attendant, Corey lui avait préparé une liste des endroits où il devrait se produire. Dès que Guy Lafleur fut nommé aux relations publiques des Canadiens, le Forum avait en effet été inondé d'appels originant de toutes sortes d'organismes, écoles, clubs sportifs et sociaux, hôpitaux, prisons, réunions politiques, causeries d'universitaires ou de gens d'affaires ; tout le monde voulait Guy Lafleur pour des conférences, des remises de trophées, des lancements, des campagnes de souscription, etc. Mais souvent, tout ce qu'on lui demandait, c'était d'être là, d'être quelque part à un moment donné.

Par sa seule présence, par son seul passage en un lieu, il créait un événement. Il était donc toujours vivant.

Ainsi, loin de regretter d'avoir accroché ses patins, il fut, pendant un certain temps, soulagé et exalté. De nouveaux horizons s'ouvraient devant lui. En voyant l'intérêt qu'il suscitait partout, il retrouvait sa confiance en lui. Il s'était trompé lorsqu'il avait cru que la foule l'avait abandonné. Elle avait simplement détourné ses regards au moment où il était à terre, comme si elle avait refusé de le voir décliner.

Par ailleurs, il découvrait une toute nouvelle vie. Ainsi, le samedi soir 1er décembre, une semaine après sa démission, il regarda le hockey à la télévision, en homme de maison sage et tranquille, avec sa femme très enceinte. Il se glissait doucement dans une petite vie douillette et confortable, pas du tout désagréable. Le guerrier au repos.

Le lendemain matin, autre première dans sa vie, il accompagnait son fils Martin à l'aréna. Martin jouait avec les Saints de Baie-d'Urfé. Il jouait bien. Il était très rapide et avait un sens évident du hockey. Mais son père songeait en le regardant aller que ce serait très difficile pour lui de faire carrière. Quelle intolérable pression il aurait sur les épaules, le fils de Guy Lafleur !

Maurice Richard lui avait parlé déjà des problèmes que ses fils avaient eus dans le hockey mineur ; ils se faisaient rentrer dedans par tout le monde et sans cesse mettre à l'épreuve, tout simplement parce qu'ils étaient les fils du Rocket. Toute sa vie, s'il embrassait la carrière de joueur de hockey, Martin Lafleur serait continuellement en lutte contre l'ombre de son père.

Celui-ci aimait mieux imaginer son fils en avocat ou en homme d'affaires brillant et inventif. Il souhaitait qu'il étudie longtemps, d'une manière ou d'une autre. N'importe quoi, n'importe où, mais qu'il étudie. Il réalisait qu'il avait lui-même failli prendre un bien grand risque en voulant interrompre ses études très jeune. Une chance que la Chouine avait insisté auprès de ses parents pour qu'il passe son certificat de onzième année. Mais s'il avait eu un gros accident, un genou brisé, comme Bobby Orr, un œil crevé, comme Georges Guilbeault, n'importe quoi de grave, même avec son certificat de onzième, il serait probablement resté une petite personne anonyme, il aurait vécu toute sa vie dans l'ombre.

Sa carrière lui avait permis de rencontrer des gens intéressants de tous les milieux, de très grands et très fameux artistes, comme Lorne Green, Mireille Mathieu et beaucoup d'autres. Il avait voyagé autant qu'il avait voulu. Il avait serré la main de Son Altesse royale le prince Charles, de la princesse Caroline de Monaco... Depuis vingt ans, tous les Premiers ministres du Canada avaient tenu à le rencontrer pour le féliciter. Il avait été chanceux, infiniment chanceux.

Mais pour son fils, il ne voulait pas se fier à la chance. Il voulait des certitudes, du solide. Plusieurs années d'université. Il disait souvent que c'était le véritable héritage qu'il désirait lui laisser. Pas de l'argent. Il était persuadé que l'argent qu'on n'a pas soi-même gagné peut être très dangereux et parfois se retourner contre soi.

Lafleur réalisa ce jour-là qu'il avait à peine connu son fils. Martin avait grandi sans qu'il s'en rende vraiment compte.

« J'étais peut-être trop jeune quand il est né, se disait-il. Est-ce qu'on sait ce qu'on fait à vingt-quatre ans ? Est-ce qu'on sait jamais ce qu'on fait dans la vie ? »

Il s'était promis que ce serait différent pour cet autre enfant qui allait naître dans quelques jours. Il le dorloterait, il jouerait avec lui, il l'emmènerait à la campagne, à la pêche, au cinéma, il s'en occuperait, plus qu'il n'avait pu le faire avec Martin. Celui-là, Lise l'avait vraiment élevé toute seule. De temps en temps, Guy s'apercevait que son fils savait lire, compter, programmer le magnétoscope, patiner... Mais avec lui, son père, il était resté un petit être secret, très indépendant déjà.

« J'étais comme ça, à cet âge-là. Je ne disais jamais rien à personne. »

Il pensait, ce matin, au jour où son père était venu le voir jouer pour la première fois. C'était à l'aréna de Rockland, pendant le Tournoi international moustique. Il avait neuf ou dix ans et jouait avec le Mosquito de Thurso. On était rendu au milieu de la deuxième période quand il avait aperçu son père, debout contre la clôture, près du banc des joueurs. Il était avec Jean-Paul Danis et Ti-Paul Meloche et le frère Léo et d'autres hommes de Thurso.

Pendant un moment, Guy en avait eu le souffle coupé et avait complètement perdu le fil du jeu, ne parvenant plus à trouver la rondelle. Il cherchait partout, à gauche, à droite, devant, derrière lui. Pas de rondelle, nulle part ! Et pourtant, tous les joueurs s'agitaient à une folle vitesse partout autour de lui. Et ça criait très fort dans la foule. La rondelle devait bien se trouver quelque part. Les gars ne couraient quand même pas pour rien. Rondelle, où es-tu, où te caches-tu, rondelle ?

Il crut alors entendre la voix de son père, toute proche, toute douce et parfaitement claire malgré l'immense clameur de l'aréna, comme s'il lui avait chuchoté à l'oreille : « Derrière toi, mon garçon. Ramasse-la. Elle est derrière toi. » Il la ramassa et il la lança de toutes ses forces vers le filet adverse ; le gardien la reçut en pleine poitrine, tomba à la renverse et vit la rondelle rouler derrière lui, jusqu'au fond du filet. Guy s'était retourné vers son père. Il avait vu son sourire et la fierté dans ses yeux.

Est-ce que Martin était déjà un bon joueur comme lui à cet âge ? Lui aussi cherchait son père des yeux ce matin. Mais chaque fois qu'il l'apercevait, quelqu'un était en train de lui parler. Les parents et les amis des autres joueurs venaient saluer le grand Guy Lafleur, le féliciter, ils lui demandaient des autographes et comment il se sentait depuis qu'il avait pris sa retraite, s'il avait des projets et comment se passait la grossesse de Lise. Il aurait tellement aimé regarder jouer son fils. Mais il ne pouvait rien faire. Les gens étaient si gentils, si prévenants !

Martin marqua un but qu'il ne vit même pas. Il y eut une clameur, Guy leva la tête et comprit, au regard déçu qu'il lui jeta en retournant vers le banc des joueurs, que son fils s'était aperçu qu'il ne suivait pas le jeu. Comme d'habitude, il était pris ailleurs, avec les autres. Alors Martin se détourna et ne regarda plus dans sa direction de toute la partie, même après avoir réussi de spectaculaires montées.

Lise disait souvent à son mari que son fils lui ressemblait. C'était dans sa bouche l'ultime compliment. Elle aimait profondément ses hommes. Ils étaient toute sa vie. Guy avait l'impression que Martin lui ressemblait vraiment. Il avait ses gestes, ses intonations de voix, son rire, ses expressions, ses goûts.

« Ce n'est pourtant pas de moi qu'il a pu prendre tout ça, se disait-il. Je ne l'ai pas assez vu ! »

Et il pensa que Lise avait façonné Martin à son image et à sa ressemblance à lui. Les femmes font ça. Elles modèlent leurs fils sur l'homme qu'elles aiment.

Ce même dimanche soir, cinq jours après l'annonce officielle de sa retraite, Guy Lafleur faisait sa première apparition officielle au Forum de Montréal. Lorsqu'il est arrivé derrière le banc des Canadiens, complet maron, cravate à rayures au logo du Canadien, aux côtés du président Ronald Corey, la foule a littéralement explosé. Sur un signe de Corey, Lafleur s'est levé et a salué en levant les bras. Mais ça n'arrêtait pas. Le Forum tout entier l'ovationnait à tout rompre. Claude Mouton, la voix officielle et bilingue du Forum, a dû attendre un gros cinq minutes avant d'annoncer qu'il y aurait avant le match une cérémonie en hommage aux plus anciens employés du Forum. Lorsque plus tard, au premier entracte, Lafleur s'avança sur le tapis rouge pour remettre à Monsieur Fournier une plaque commémorative de ses cinquante années de bons et loyaux services, il y eut une nouvelle explosion, des cris, des pleurs. Et on entendit ce chœur parfaitement harmonieux, même si nul chef d'orchestre ne le dirigeait, scander cette magnifique symphonie : «Guy ! Guy ! Guy ! »

Ce n'était évidemment pas prévu. Corey avait annoncé qu'il y aurait au cours de la saison, en janvier ou en février, une grande fête en l'honneur de Guy Lafleur. Mais le peuple avait choisi cette première occasion pour manifester à son héros la grande passion qu'il éprouvait pour lui. Il n'avait pas besoin de Ronald Corey pour saluer ses héros. Cet hommage spontané était une manière de dire à l'organisation des Canadiens que Lafleur ne lui appartenait pas vraiment. Lafleur appartenait au peuple. «Et vous verrez, pouvait-on entendre à travers ces applaudissements, qu'il ne se laissera pas manger la laine sur le dos. Lafleur, c'est le loup dans la bergerie. »

Le 20 décembre, Lise accoucha d'un gros garçon. «Mon cadeau de retraite», claironnera le père. Ce même jour, il vit dans un magazine que le mark allemand était une monnaie forte. Il eut l'idée d'appeler son fils ainsi, Mark, avec un k, Mark Lafleur. Lise aimait bien cette idée. Encore une fois, comme au moment de la naissance de Martin, Lafleur se rendit compte que tout dans sa vie prenait un nouveau sens. Ce dont il avait rêvé lui était enfin permis : une nouvelle vie s'offrait à lui. Et pendant quelque temps, il crut vraiment qu'il y serait heureux. Ou fit semblant d'y croire. Ce qui au fond revient peut-être au même. De toute façon, il se trompait et se leurrait; il n'était pas heureux.

Le 16 février 1985, on lui fit une somptueuse fête dans un Forum rempli à craquer et terriblement ému. Bien qu'il fût à la retraite, Guy Lafleur était plus populaire que l'équipe tout entière. L'événement avait attiré dans le vénérable temple du hockey de la rue Sainte-Catherine plus de deux cents journalistes, photographes et cameramen. On avait distribué à la foule des casquettes marquées d'un gros «Lafleur» rouge et du logo des Canadiens.

À 19 h 30, les Canadiens et les Sabres de Buffalo étaient assis bien sagement à leurs bancs. Les Sabres, en bleu et or, du côté est du Forum. Les Glorieux, dans leur magnifique uniforme blanc, qu'ils portaient à l'époque lorsqu'ils jouaient à domicile. Un étrange murmure couvrait la foule du Forum. Les caméras étaient braquées, immobiles, sur la patinoire et sur l'antre sombre conduisant au vestiaire des Canadiens. Un tapis rouge avait été tendu, comme une jetée, vers le centre de la glace. Et soudain, comme de partout à la fois, la foule se mit à appeler son héros, tout bas, pour commencer, « Guy ! Guy ! Guy ! », puis de plus en plus fort, en crescendo, jusqu'à ce que ce soit un cri, une prière, une sorte d'incantation irrésistible, « Guy ! Guy ! Guy ! ». Et le héros apparut.

Il portait l'uniforme rouge des Canadiens, celui qu'ils portaient lorsqu'ils étaient sur la route. Il fit, pour la dernière fois, le tour de la patinoire du Forum, avec son bâton, mais sans rondelle, très lentement, le visage tourné vers la foule. On avait annoncé que le chandail de Lafleur, le numéro 10, serait retiré. Comme le 2 (Doug Harvey), le 4 (Jean Béliveau), le 7 (Howie Morenz), le 9 (Maurice Richard) et le 16 (Elmer Lach et Henri Richard).

Pendant ce temps, sa femme, son fils, ses parents et celle qu'il appelait sa deuxième mère, Madame Baribeau, s'avançaient jusqu'au milieu de la glace sur le tapis rouge.

De l'autre côté de la patinoire, le gérant des Sabres, Roger Crozier, était monté debout sur le banc des siens. Tous ses joueurs, s'étant levés derrière lui, avaient enlevé leurs casques et applaudissaient eux aussi. Puis les joueurs du Canadien se sont mis à frapper contre la clôture avec leurs bâtons. Les Sabres aussi. Ils firent tous ensemble un extraordinaire tintamarre, sauvage et grandiose, magnifiquement émouvant. Jamais personne n'avait eu droit à un tel hommage. Sauf Howie Morenz, mort d'une blessure subie sur la glace, et Maurice Richard, lors de sa retraite. Toutes rivalités tombées, les joueurs rendaient un ultime tribut au meilleur d'entre eux.

Lafleur se dirigea vers le banc des Canadiens et serra la main de chacun de ses anciens coéquipiers. Plusieurs avaient les larmes aux yeux. Certains, qui voulaient lui dire quelques mots, devaient l'embrasser étroitement et lui parler à l'oreille, tant la foule criait. Il s'arrêta un long moment devant Robinson, devant Mario Tremblay et Gainey, il salua longuement Lemaire et lui serra la main.

Et alors, il se tourna vers les Sabres de Buffalo qui étaient toujours debout de l'autre côté de la glace. Il parut hésiter un moment. Les salua de la main. Puis, sous un tonnerre d'applaudissements, de cris, de sanglots, d'éclats de rire, dans une sorte d'apothéose, de délire, il traversa la patinoire et alla leur serrer la main à eux aussi. Le vétéran Gilbert Perreault, son cher rival du temps du junior A, qu'il avait retrouvé avec tant de plaisir lors des séries contre l'URSS, se pencha vers lui et lui parla longuement, pendant que de partout crépitaient les flashes des caméras.

Puis il retrouva sa famille au centre de la glace. C'était comme s'il réintégrait la vie privée. Après avoir pendant presque toute sa vie appartenu au public, il était enfin rendu à sa famille. C'était profondément émouvant. Et un peu effrayant. Il avait la nette impression qu'il goûtait pour la dernière fois à cette voluptueuse sensation. Après, à partir de demain, il deviendrait une sorte de fantôme. Il avait traversé tout le rêve, comme on traverse un Pays des Merveilles. Il était rendu de l'autre côté, à la frontière d'un pays inconnu de lui... C'est ce soir-là, devant la foule, qu'il réalisa cela. Pour la première fois de sa vie, il était devant l'inconnu.

Guy Lafleur sentait que quelque chose lui échappait. Il avait dans sa vie tous les éléments du bonheur. Une femme qu'il aimait, deux enfants, de l'argent, et malgré tout cela, au cœur de l'hiver, il se sentit de nouveau enveloppé par l'inquiétude et l'ennui. Tout ce qui lui arrivait, tous ces hommages qu'on lui servait partout où il allait, lui faisait bien plaisir. Mais son avenir était toujours aussi incertain. Pas financièrement, bien sûr. Depuis près de dix ans, il avait vécu exclusivement de ses revenus de publicité. Son salaire de joueur de hockey avait été placé en fiducie par le club. Jusqu'à l'âge de cinquante-cinq ans, il toucherait près de 250 000 $ par année. Ce n'était donc pas de ce côté que pointait l'inquiétude, mais sur le rôle qu'il jouerait dans l'Organisation. Corey était resté très évasif. Et Lafleur commençait à se demander si encore une fois on n'était pas en train de le manipuler. On lui avait tant de fois répété qu'il était naïf ! Et il s'était tellement souvent fait avoir !

L'organisation des Canadiens n'avait jamais été bien généreuse à son égard. Il avait été pendant plusieurs années la superstar de toute la Ligue nationale et malgré cela il avait dû se battre pour être payé décemment. Il comptait cinquante buts par année et gagnait moins que certains joueurs qui parvenaient à peine à en enfiler une demi-douzaine.

Il se demandait si Savard et Corey ne lui avaient pas fait miroiter une brillante carrière au deuxième étage afin qu'il débarrasse la patinoire de sa présence. Tant et aussi longtemps qu'il restait sur la glace, il était un maître. Mais là-haut, avec un beau parleur comme Ronald Corey, habitué au monde des affaires, ils pourraient n'en faire qu'une bouchée et le maîtriser à leur guise. Il savait tout cela, mais il ne voulait pas trop y penser. Il essayait d'être positif.

L'Organisation l'avait envoyé suivre des cours de marketing. Et il s'était persuadé que c'était passionnant, appliquant de nouveau dans sa vie les principes de pensée positive de Roger Barré. Il aurait aimé comprendre comment tout fonctionnait au Forum, comment vivait et pensait l'Organisation, le Système. Et y jouer un rôle. En parlant avec Jean Béliveau, il avait compris qu'il devrait s'y faire une niche. Mais tout ça le lassait et l'enrageait même un peu. Après s'être battu pendant des années pour avoir de la glace, il devrait encore lutter et discuter sans relâche pour avoir une place au sein de l'Organisation. Par moments, son enthousiasme déraillait et il se demandait avec effroi si ce qu'il était en train de faire avait vraiment un sens.

En mars, on prit la photo officielle des Canadiens de Montréal, version 1984-1985. Pour la première fois depuis quatorze ans, Guy Lafleur y figurait en habit et cravate. Cette année-là, il y avait beaucoup de cravatés, neuf en tout, chacun avec un titre, entre parenthèses, juste après son nom. Yvon Bélanger (thérapeute athlétique), Jean Béliveau (vice-président, affaires sociales), Serge Savard (directeur-gérant), Jacques Lemaire (entraîneur-chef). Guy Lafleur était dans la deuxième rangée, entre Pierre Mondou et Jean Perron (adjoint à l'entraîneur). À côté de son nom, rien. Guy Lafleur (rien). Depuis toujours, tous les hommes en civil paraissant sur ces photos de groupe avaient une fonction précise et clairement affichée (soigneur, entraîneur-chef, président, etc.). Pas Guy Lafleur. C'était une première. Guy Lafleur (rien). L'exil avait commencé. Lafleur avait perdu son pays, sa glace, sa place. Et son sourire aussi. Celui qu'il arborait sur cette photo était de toute évidence emprunté.

Les trois mois qu'il avait passés dans l'organisation des Canadiens ne l'avaient pas tellement avancé. Il s'était vite rendu compte qu'il vivait sur son acquis. On le recherchait non pas pour ce qu'il était, mais pour ce qu'il avait été. Et il sentait confusément que ce stock de charisme qu'il avait accumulé au cours des ans n'était pas inépuisable. Assister à des banquets, présider des campagnes de financement, tout ça était bien beau. Mais il ne voulait pas devenir une parure, une décoration, la mascotte des Canadiens.

On lui avait finalement assigné un bureau et loué une voiture, mais il n'avait toujours pas de fonction clairement définie, jamais rien à faire, aucune responsabilité. Il était comme un bibelot sur une tablette, une curiosité, le monstre sacré de service. En fait, il n'y avait pas de place pour lui dans cette affaire-là. Il avait l'impression d'y perdre son temps, son âme. Il s'était réellement fait avoir. On l'avait intégré à l'Organisation pour le neutraliser. Et le pire, c'était qu'il avait été assez imbécile pour les aider. Il était lui-même allé s'asseoir sur le banc.

Un jour, chez son ami Quenneville, il aperçut le beau livre de Jean-Marie Pellerin sur Maurice Richard, *L'Idole d'un peuple*, qu'il emprunta. Il constata en le lisant qu'il était en train de revivre exactement le même drame que le Rocket. Lorsque Richard s'était retiré, le 15 septembre 1960, après larmes et discours pieux, on avait annoncé qu'il devenait « l'assistant du président David Molson » et on l'avait nommé ambassadeur de bonne entente pour le club Canadien.

Il parcourut le pays, d'un océan à l'autre, signant des autographes, serrant des mains, prenant de nombreux bains de foule, présidant des banquets, etc. Son salaire, qui n'était déjà pas très élevé, fut coupé de moitié. Il resta néanmoins dans l'Organisation, disant qu'il voulait participer au développement et à l'administration de son ancienne équipe. On l'installa dans un petit bureau où il passait ses journées à faire des ronds de fumée. Jamais il ne fut invité à aucune réunion. Jamais on ne fit en aucune manière appel à ses connaissances du hockey. On se contentait de l'exhiber.

Le 30 août 1965, défait et humilié, il annonça sa démission du poste de vice-président des Canadiens. En 1972, lorsqu'il devint instructeur des Nordiques, on lui retira ses billets de saison. Parce qu'il n'avait pas été fidèle... à une organisation qui ne lui avait manifesté aucune reconnaissance et qui l'avait exploité sans vergogne.

Lafleur réalisa, en lisant le livre de Pellerin, qu'il subissait le même sort que Maurice Richard. Mais alors qu'autrefois le club était dirigé par des anglophones exclusivement, il était maintenant entre les mains de francophones, ses anciens compagnons d'armes, ses propres frères.

Quand commencèrent les séries contre les Nordiques, on lui conseilla fortement d'aller faire un tour en Floride avec sa femme. On ne voulait pas qu'il intervienne d'une manière ou d'une autre dans cet explosif dossier. Il avait déjà laissé entendre qu'il aimait bien la personnalité et la mentalité de l'équipe de Québec qu'il considérait à plusieurs égards comme supérieure à celle de Montréal. C'était vrai, d'ailleurs. Mais on ne voulait pas l'entendre.

Lafleur commença alors à comprendre qu'il n'avait d'autre choix que de quitter à jamais l'Organisation. Mais comment ? Mais pour aller où ? Et pour quoi faire ?

Il eut quand même beaucoup de plaisir, cet été-là, avec l'équipe de balle molle des Canadiens, un plaisir un peu triste, empreint de nostalgie. Il se rendait compte à quel point il aimait encore jouer au sein d'une équipe. Mais il réalisait que ce qu'il aimait le plus au monde (courir après une balle, un ballon, une rondelle) était une activité plus ou moins réservée à la jeunesse. La plupart des gars de son âge ne jouaient plus qu'au golf ou au tennis, des sports individuels ou à deux, des sports purement mondains. Et ils ne semblaient pas s'ennuyer des jeux d'équipe qu'ils avaient pratiqués pendant toute leur enfance et leur jeunesse.

Tout ça le déprimait. Il se sentait vieillir. Le meilleur de sa vie, lui semblait-il, était déjà derrière lui. Et il avait l'impression de ne pas en avoir profité tout à fait, de s'être laissé manipuler.

Il n'avait jamais provoqué consciemment les grands changements de sa vie. Mais il savait être attentif. Quelque chose allait se produire tôt ou tard. Il attendait.

***

En août, Lafleur rencontra par hasard Yves Tremblay qui, comme toujours, avait une demi-douzaine de projets du siècle à lui proposer, tous plus passionnants et plus payants les uns que les autres, un vidéo pédagogique sur le hockey, un jeu-questionnaire sur le sport, un quiz télévisé, une anthologie des plus beaux moments de sa carrière, des commerciaux, une biographie, un film, des campagnes de souscription, de promotion.

Yves Tremblay, que Lafleur appelait le Kid, était une véritable machine à projets. Il venait de se casser la gueule dans le monde du show-business. Il avait investi plus qu'il ne possédait sur une chanteuse disco qui s'était pris un agent américain dès que sa carrière avait commencé à démarrer, le laissant criblé de dettes, agent d'artistes sans artiste. Il ne s'était pas laissé abattre. Au contraire. Il donnait toujours l'impression qu'il était en train d'exploser. Chaque jour, il jetait sur papier de nouvelles idées, y injectait des doses massives de foi aveugle, de ferveur et de candeur à toute épreuve.

Lafleur l'aimait bien. Non seulement parce que le Kid lui vouait depuis toujours une admiration sans bornes, mais aussi parce qu'il le savait foncièrement honnête et généreux et qu'il avait la certitude qu'il n'essaierait pas de le manipuler. Le Kid avait travaillé pendant quelques années aux relations publiques du Forum et avait été cavalièrement remercié de ses services. Il ne portait donc pas l'organisation actuelle dans son cœur. Et il s'amusait à rêver du jour où un putsch bien mené permettrait à Guy Lafleur de prendre la présidence du club à la place de Ronald Corey.

En attendant, il proposa à son ami Lafleur de faire un vidéo sur le hockey. À des démonstrations de patinage et de tricotage, de maniement de la rondelle, de réceptions et de lancers, de jeux de passes, de mises en échec et de feintes diverses, on ajouterait quelques belles images de la carrière du Démon blond, deux ou trois montées mémorables, la grande scène des adieux, le 500e but, des remises de trophées, quelques images-souvenirs du temps des Remparts, de l'Idéal et des Boomers. Et on aurait un produit à la fois promotionnel et pédagogique semblable à ceux que Jack Nicklaus et Martina Navratilova, champions de golf et de tennis, avaient déjà mis sur le marché. C'était simple. Ça pouvait être vite fait et à peu de frais. Et ça risquait d'être assez payant.

Le scénario fut rapidement esquissé. On forma une équipe. L'animateur Alain Montpetit et le journaliste Pierre Ladouceur, tous deux bons hockeyeurs amateurs, allaient servir de coéquipiers et de commentateurs. Le Kid trouva des commanditaires, Steinberg et Simpson, qui s'engageaient à acheter 20 000 copies du vidéo. Et un lieu de tournage, les Quatre Glaces, un gigantesque complexe sportif, à Ville-Brossard, sur la Rive-Sud de Montréal. Or quelques jours avant le début du tournage, prévu pour la mi-septembre, Lafleur fit certaines rencontres qui allaient considérablement perturber les opérations et changer radicalement le cours de sa vie.

Il avait passé une soirée en compagnie de Guy Cloutier. Celui-ci savait, mieux que n'importe quel politicien, ce que voulait et ce qu'aimait le bon peuple du Québec : jeux, modèles, vedettes, mythes. Et il s'arrangeait généralement pour le lui donner. Ou plutôt pour le lui vendre. Il avait souvent laissé entendre à Lafleur qu'il aurait aimé être son impresario. Mais Lafleur ne mordait pas à l'hameçon. Cloutier, conscient qu'il pouvait, en insistant, briser leur belle amitié, n'avait pas insisté. Mais il trouvait dommage que l'énorme potentiel charismatique de Lafleur ne soit pas harnaché proprement. Il considérait qu'il était mal utilisé par les Canadiens.

Ce soir-là donc, dans un bar de la rue Crescent, il avait servi à Guy Lafleur une magistrale leçon sur lui-même, le campant en quelque sorte dans le décor socio-culturel québécois, lui démontrant clairement qu'il avait mal orienté sa carrière et que travailler comme fonctionnaire ou comme commis de bureau sous les ordres d'un Ronald Corey n'était vraiment pas la chose à faire.

« Tu vaux plus que ça, Guy ! Tu es plus grand que ça. »

Lafleur considérait qu'il valait effectivement plus que les 75 000 $ par année que lui versait l'Organisation. Il avait par ailleurs tenu à rencontrer le propriétaire des Canadiens, Eric Molson, pour lui dire bien poliment qu'il en avait assez d'être la mascotte de son club et qu'il souhaitait s'impliquer davantage dans l'Organisation.

Molson l'écouta avec bienveillance, mais lui fit comprendre que même s'il était le propriétaire, il ne pouvait passer par-dessus la tête de Savard et de Corey.

Or ceux-ci ne faisaient toujours pas confiance à Lafleur qui se demandait même s'ils ne s'étaient pas dépêchés de le fêter et de retirer son chandail afin de lui enlever toute idée ou toute possibilité d'un retour au jeu.

« Un peu plus, se disait-il, ils auraient coulé mes patins dans le ciment. »

Cloutier lui répétait qu'il était toujours la plus grande star du Québec. Et qu'une star devait briller et paraître.

« Tu as un immense potentiel. Mais tant et aussi longtemps que tu resteras enfermé au Forum, tu ne pourras pas te mettre en valeur. »

Lafleur savait tout cela. Mais de l'entendre dire par quelqu'un comme Cloutier le confirmait dans son projet d'émancipation.

Quelques jours plus tard, de bon matin, Bertrand Raymond se trouvait à son bureau, au *Journal de Montréal*, lorsqu'il vit entrer Guy Lafleur dans la salle de rédaction. Il faisait une promotion pour Weston, distribuant pains et gâteaux aux employés des diverses entreprises de la presse écrite et parlée. Quelle idée avaient les Canadiens de confier à Guy Lafleur de telles tâches ? Il se laissait gentiment photographier en compagnie des secrétaires, des pressiers, des journalistes.

Apercevant Bertrand Raymond, il vint vers lui. Chroniqueur sportif depuis 1971, Raymond avait suivi au plus près toute la carrière de Lafleur, hauts et bas. Il savait ce qu'il pensait et ce qu'il ressentait. Ils s'enfermèrent dans une salle d'entrevue et Lafleur lui confia qu'il songeait à contacter Marcel Aubut des Nordiques de Québec pour lui offrir ses services comme joueur de hockey. Il voulait savoir ce qu'en pensait Bertrand Raymond.

Celui-ci était franchement étonné. Lafleur, toujours sous contrat avec les Canadiens, n'avait pas le droit de contacter lui-même d'autres clubs. D'ailleurs ceux-ci, s'ils étaient convaincus de maraudage, perdaient automatiquement leur premier choix à la prochaine séance de repêchage.

« Marcel Aubut ne pourra pas te répondre, Guy. Même s'il veut de toi, il n'a pas le droit de t'embaucher sans passer par Serge Savard. Et même si tu réussissais à t'entendre avec Aubut sans passer par Savard, il pourrait faire annuler la transaction n'importe quand. Tu ne peux légalement rien faire sans l'accord de Savard.

— Autrement dit, je suis prisonnier de l'Organisation. Parce que la dernière chose que je peux espérer avoir de Serge Savard, c'est un O. K. pour quoi que ce soit. Sauf peut-être si je lui en demandais un pour me faire disparaître.»

Et comme d'habitude, il se mit à dire ce qu'il avait sur le cœur, qu'il n'était pas heureux sur sa tablette et qu'il n'avait pas l'intention d'y sécher bien longtemps :

«Je ne vais pas passer ma vie à jouer au commis de bureau à 75 000 $ par année.»

Il était profondément humilié. Les tâches qu'on lui confiait (distribuer des petits gâteaux, assister à l'ouverture d'une brasserie ou d'une station-service, arpenter les galeries d'un centre commercial ou assister à des dîners ennuyeux) n'avaient plus rien de valorisant à ses yeux.

Bertrand Raymond était pour sa part fort perturbé. Lafleur parti, il consulta ses confrères : devrait-il publier ce genre de choses? Après avoir réfléchi, il décida qu'il ne dirait rien de ses velléités de retour au jeu, mais qu'il parlerait de ses états d'âme, de sa grande tristesse, de son insatisfaction. Il rappellerait que Lafleur considérait que l'Organisation l'avait manipulé et qu'on le laissait sécher sur une tablette, comme on l'avait laissé sécher sur le banc des joueurs. Son texte parut le lendemain matin. C'était le détonateur qui allait tout déclencher.

Cette fois, Savard et Corey décidèrent qu'ils en avaient assez. Lafleur lui-même, en prenant connaissance du texte de Bertrand Raymond comprit qu'il était peut-être allé trop loin et qu'il aurait sans doute mieux fait pour une fois de se taire. Lise surtout était fâchée et inquiète. Son mari avait, selon elle, manqué de jugement. Et Bertrand Raymond avait trahi sa confiance.

Le lendemain, dimanche, à huit heures, le Kid réveillait Lafleur et lui lisait les journaux au téléphone. Ronald Corey répondait à Lafleur par le truchement des journaux. Plutôt que de l'appeler directement et lui demander de s'expliquer ou de se rétracter, il avait communiqué avec les médias pour faire une mise au point. Ses propos à l'égard de Lafleur étaient très durs. Cette fois, c'était la guerre totale, une guerre à finir entre Guy Lafleur et l'organisation des Canadiens.

Le Kid était surexcité. Lafleur aussi. Il n'osait l'avouer à sa femme, mais il était au fond infiniment heureux de ce qui arrivait. Il y avait de l'action enfin, intense, rapide. Il sentait que dans les prochains jours les événements allaient se bousculer et que sa vie prendrait un nouveau virage. Et il aimait les virages. C'était excitant. Et après, tout était nouveau.

Le lundi matin, 24 septembre 1985, dix mois jour pour jour après avoir accroché ses patins, quatre jours après son trente-quatrième anniversaire de naissance, Guy Lafleur commençait à tourner son vidéo aux Quatre Glaces. On avait planté la caméra de trois quarts dans un coin de la patinoire. Il fit toute une série de lancers de revers, haut, bas, courts, raides, de gauche, de droite. Puis il échangea des rondelles avec Pierre Ladouceur, passes arrière, passes avant. C'était amusant et relaxant. L'enfance de l'art !

Vers le milieu de l'après-midi cependant, la réceptionniste de l'aréna vint l'informer que Ronald Corey le cherchait.

« Il m'attend au téléphone ?

— Non. Quelqu'un du Forum a appelé pour vous dire que Corey voulait vous parler. »

Lafleur téléphona au Forum et demanda Ronald Corey. La secrétaire lui répondit que le président était en réunion, mais qu'il avait affaire à lui. Lafleur se changea, sauta dans sa voiture et rentra en ville. Il n'avait aucune idée de ce qu'il allait dire à Corey. Il trouvait bien regrettable que Bertrand Raymond ait publié ses confidences. Mais il ne pouvait se rétracter. Pour la bonne et simple raison que ce qu'il avait dit et tout ce qui était paru noir sur blanc dans le *Journal de Montréal* était la vérité, mot pour mot. Corey lui-même le savait. Lafleur lui avait cent fois dit tout cela, à Savard aussi, et même à Eric Molson. Mais il savait bien que ce qui irritait Ronald Corey, c'était que ces vérités aient été proférées publiquement. Pour Corey, l'image des Canadiens était sacrée, intouchable. Si elle était ternie et souillée, il ne fallait pas le dire, ni même s'en apercevoir.

Au Forum, il trouva son bureau fermé à clé. Il demanda à la secrétaire ce qui se passait. Elle lui répondit que Ronald Corey avait donné l'ordre de ne pas le laisser entrer. Il se rendit voir Corey qui lui signifia son congé. Très laconiquement. « On ne veut plus te voir ici, Guy. Va-t'en. » Lafleur fut tenté de lui demander pourquoi il ne lui avait pas dit ça au téléphone. Quelle idée en effet de faire venir un gars de l'autre bout de la ville pour lui dire de s'en aller ! Mais il sortit du bureau en laissant la porte ouverte. Tout le monde semblait aux aguets. La seule chose qu'il entendit, jusqu'à ce qu'il atteigne la porte au haut de l'escalier, ce fut le bruit de ses pas. Il passa devant les secrétaires, les réceptionnistes, un messager. Personne n'osait le regarder. Mais personne ne travaillait. On aurait dit que tous étaient figés à jamais, comme dans un film de science-fiction.

À 17 heures, il était dehors, dans la rue. Il n'appartenait plus à l'organisation des Canadiens. Il sentit une douce euphorie monter en lui. Il rentra tranquillement à Baie-d'Urfé. Il téléphona à sa femme depuis sa voiture. Il ne lui apprit rien. Elle savait ce qui s'était passé. Un bref communiqué émis par l'Organisation était déjà parvenu aux médias. Toutes les radios ne parlaient que de cela. Lise était atterrée. Elle pleurait. Mais Guy lui dit :

« Tu vas voir, Lise. C'est la meilleure chose qui peut m'arriver. »

Le lendemain matin, il se rendit quand même aux Quatre Glaces. Cinquante journalistes l'attendaient avec caméras, spots et micros. Encore une fois, Guy Lafleur faisait la manchette. Et encore une fois, calmement, il parla en homme libre, sans retenue.

« Quand les Canadiens m'ont offert un contrat à vie, c'était pour acheter mon silence. Pour pouvoir se donner une belle image. Mais ils ne voulaient pas de moi, c'était évident. S'ils m'ont gardé dans leur organisation, c'était pour se débarrasser de moi. »

Ce même soir, Bertrand Raymond était installé devant son téléviseur. Pierre Nadeau demandait à Guy Lafleur s'il tenait le journaliste qui avait rapporté ses propos dans le *Journal de Montréal* responsable de l'irréparable conflit qui l'opposait maintenant à la direction des Canadiens. Certains commentateurs radiophoniques avaient laissé entendre que Raymond avait dénaturé les propos de Lafleur et lui avait fait dire ce qu'il voulait entendre. Lafleur hésita un long moment ou ce qui parut un long moment à Bertrand Raymond. Il était à la torture. Si Lafleur répondait oui à la question de Nadeau, c'en était fait de lui. Lafleur était tellement fort et puissant, tellement populaire, qu'il pouvait briser sa crédibilité de chroniqueur sportif. Jamais, devant l'opinion publique, Bertrand Raymond ne pourrait avoir raison contre Lafleur. À son grand soulagement, celui-ci répondit à Nadeau :

« Pas du tout. Bertrand Raymond a fidèlement rapporté mes paroles. »

En fait, il lui en voulait bien un peu. Nadeau lui aurait demandé si Raymond avait abusé de sa confiance, qu'il aurait peut-être répondu oui. Mais ce n'était pas la question. Et Guy Lafleur ne répond jamais aux questions qu'on ne lui pose pas. De plus, il avait toujours eu beaucoup d'amitié et de respect pour les journalistes, même pour ceux qui le prenaient en défaut. Il comprenait leur métier. Il avait comme eux la passion de faire savoir les choses, de divulguer ce qu'on voulait cacher indûment. Il croyait dur comme fer que toute vérité est bonne à dire.

Guy Lafleur n'avait plus de rôle à jouer au sein de l'organisation des Canadiens de Montréal. En fait, il n'en avait jamais eu vraiment ; désormais cependant, c'était chose officielle. Or il n'était pas libre pour autant. Il appartenait toujours, en tant que joueur, à la formation montréalaise, c'est-à-dire qu'il ne pouvait travailler, de quelque façon que ce soit, pour aucune autre organisation de hockey, tant et aussi longtemps que le contrat de trois ans signé en 1984 ne soit échu. À moins que les Canadiens ne lui en donnent la permission.

Il n'eut pas à demander à Serge Savard s'il pouvait faire un retour au jeu avec les Canadiens. Des journalistes s'étaient chargés de poser la question. C'était non. Un gros non catégorique et définitif. Et ailleurs ? Pourrait-il offrir ses services aux Rangers ou aux Capitals ou aux Canucks ? Savard avait été évasif. Mais il était évident qu'il ne ferait rien pour favoriser Lafleur auprès d'une autre équipe.

Le fait de penser que son avenir, son bonheur, sa vie même dépendait totalement de Serge Savard et de Ronald Corey jetait parfois Lafleur dans de véritables accès de désespoir et de rage. Il était totalement à leur merci.

Il entreprit alors sur lui-même une véritable campagne de désinformation. Il n'avait pas d'autre choix. Il devait en effet se convaincre intimement qu'il n'avait plus le goût de jouer au hockey.

C'est d'ailleurs ce qu'il affirma à la presse et à ses amis, lors du lancement de son vidéo, à la fin de l'automne. Ce jour-là, pendant un visionnement, il s'était trouvé debout aux côtés de Richard Morency, directeur des sports de CKAC, un vieil ami de toujours. Ils regardaient en silence le fameux but que Lafleur avait compté contre les Bruins de Boston en semi-finale de la coupe Stanley 1979. C'était 4 à 3 pour les Bruins, à deux minutes de la fin du match. On voyait la figure réjouie de leur entraîneur, Don Cherry, qui croyait la victoire assurée. Puis on voyait Lafleur courir le long de la bande, ramasser à bout de bras une très longue passe de Jacques Lemaire, entrer dans le territoire des Bruins, seul, déjouer un défenseur, revenir vers le centre de la glace, face au but, déjouer l'autre défenseur et loger la rondelle dans le filet, derrière le gardien Gilles Gilbert.

« Tu comprends maintenant pourquoi je me suis retiré, dit alors Lafleur à Morency.

— Qu'est-ce que tu veux dire ?

— Je me suis retiré parce que je me suis rendu compte que je ne pouvais plus faire ce genre de choses, ces feintes ou ces montées.

— Mais oui tu peux encore ! rétorqua Morency. Pourquoi dis-tu ça ?

— Écoute, Richard, je le sais mieux que toi. Demande à n'importe quel joueur qui se trouve ici.

— Mais je ne vois toujours pas le rapport. De toute façon, tu peux jouer au hockey sans faire des montées comme celle qu'on vient de voir.

— Tout le monde va te dire qu'après trente-deux, trente-trois ans, on n'est plus aussi vite, on a moins de souffle, on est moins fort. »

Mais pendant qu'il parlait ainsi, une voix en lui demandait : « Pourquoi dis-tu ça, espèce d'idiot ? Qu'est-ce qui te prend ? Tu sais très bien que c'est faux. Tu peux encore faire ça. » Mais il étouffait cette voix. Et il s'entendait dire à Morency et aux autres qui se trouvaient là qu'il s'était retiré à temps et qu'il était content de sa décision. Il voulait donner l'image d'un homme heureux qui savait bien mener sa vie.

Son entreprise de désinformation ne fonctionnait pas. Il était torturé par le désir de revenir au jeu. Pendant qu'il tournait ce vidéo aux Quatre Glaces, il avait retrouvé le goût de patiner, de tenir un bâton dans ses mains, de sentir la rondelle, de lancer, de déjouer un adversaire. Et il s'était rendu compte qu'il avait encore du bon hockey en lui et que ce qu'il avait de mieux à faire, c'était probablement de rechausser ses patins et de recommencer à jouer. Il était en pleine forme. Après neuf mois loin des patinoires, il avait maintenu son poids, à une livre près. Il pourrait facilement revenir au jeu. Mais où ? sur quelle glace ? avec quelle équipe ? Il savait bien qu'il aimait jouer encore, et que tôt ou tard, à moins de vouloir devenir fou, il devrait faire un pas, prendre son courage à deux mains et retourner au jeu. Il attendit cependant très longtemps.

Ce n'est qu'à la fin de l'été suivant qu'il se décida à appeler Savard qui lui donna la permission de tâter le terrain. Il contacta les Rangers de New York, les Pengouins de Pittsburgh et les Kings de Los Angeles. À New York, où il aurait retrouvé Pierre Larouche, l'équipe était en pleine mutation. On venait de rajeunir les rangs. « Pas de place pour un vieux joueur comme Lafleur » fut la réponse. À Pittsburgh, on hésita. Mario Lemieux, vingt ans, la révélation de la saison dernière, déjà une imposante étoile à sa première année dans la Ligue nationale (43 buts, 57 passes), avait manifesté le désir de jouer avec Lafleur. Mais le grand patron des Pingouins, Eddie de Bartolo, pour des raisons qu'il tut, refusa.

Los Angeles aussi. Pourtant, le club n'était pas très performant et tout le monde disait qu'une vedette comme Lafleur ne lui aurait pas fait de tort au box-office. Lui-même avait souvent laissé entendre qu'il aurait bien aimé vivre là-bas, dans cet autre monde, loin de la grosse pression que le public et les médias québécois mettent sur les joueurs. Mais il tombait mal. Le directeur-gérant des Kings était Rogatien Vachon, celui-là même dont il avait soutenu jadis qu'il était le meilleur gardien de but de la Ligue nationale. Vachon n'avait certainement pas oublié. Mais ça ne l'empêchait pas d'être un proche ami de Serge Savard. Et on peut penser que celui-ci avait dû lui déconseiller d'engager Lafleur.

En octobre, les vingt et une équipes de la Ligue nationale de hockey avaient complété leurs alignements. Guy Lafleur ne figurait nulle part. Serge Savard avait changé d'idée. Il avait placé Lafleur sur la liste de protection des Canadiens, c'est-à-dire que Lafleur n'était plus agent libre et par conséquent ne pouvait être repêché directement par une autre équipe. Si une organisation quelconque de la ligue voulait l'acquérir, elle devrait désormais passer par Serge Savard, qui pourrait alors exercer son droit de propriétaire, accepter ou refuser les offres faites à Guy Lafleur, sans même le consulter.

Ce dernier interpréta le geste du directeur-gérant des Canadiens comme une basse vengeance. Mais le Sénateur, qui ne manquait pas de duplicité, expliqua à la presse que si Lafleur n'avait pas été protégé par les Canadiens, n'importe qui aurait pu le réclamer. Il aurait peut-être été forcé d'accepter de jouer dans un club de second ordre. Et après tout ce qu'il avait signifié pour les Montréalais, il eût été dommage qu'il termine ainsi sa carrière.

C'était l'impasse. Il n'y avait plus, dans toute la Ligue nationale, un seul pauvre petit bout de glace pour Guy Lafleur.

Au cours de l'hiver, il commença à regarder ailleurs et à essayer de voir s'il y avait autre chose dans la vie que le hockey, s'il y avait de la vie après le hockey. Georges Guilbeault et Léo Drolet de Sherbrooke lui proposèrent une association d'affaires. Ils fabriquaient les bâtons de hockey Sherwood et voulaient se lancer dans la commercialisation d'articles de sport. Lafleur s'y connaissait dans ce domaine. En tant qu'athlète professionnel, il avait suivi l'évolution de l'équipement sportif. Mais en plus, il avait été à plusieurs reprises représentant de grandes marques telles que Koho, Sherwood, Bauer. Il connaissait bien les clientèles et la mise en marché de ces produits.

Les projets de Guilbeault et de Drolet l'intéressaient assez pour qu'il songe à s'établir dans les Cantons de l'Est. Lise n'était pas tellement enchantée de cette idée, mais elle savait qu'il fallait un grand changement dans la vie de Guy. Déjà, il avait parlé de vendre la maison de Baie-d'Urfé ; il voulait tout changer, la maison, l'auto, les amis, ses habitudes. Or c'était lui qui changeait. Elle le voyait sombrer dans une terrible mélancolie. Il buvait parfois seul, dans le noir. Quand le téléphone sonnait, il disait presque toujours : « Je n'y suis pour personne. » Plus rien ne semblait l'intéresser.

Lise elle-même, depuis la naissance de Mark, était dépressive. Elle pleurait souvent. « C'est le *baby blues* », se disait-elle. Mais il y avait surtout l'intolérable sentiment que tout s'était effrité. Guy avait manqué sa sortie. Leur relation s'était progressivement détériorée au point qu'ils ne parvenaient plus à se parler. Le contact était rompu. Deux solitudes !

Un soir d'hiver, alors qu'ils se trouvaient chez Georges Guilbeault, à Sherbrooke, celui-ci leur fit une révélation terrible :

« Ça fait deux fois que Serge Savard me dit qu'il entend parler de rumeurs voulant que tu te drogues. On raconte aussi que tu bois trop et que si ta carrière a si mal tourné, c'est à cause de la drogue et de la boisson. »

Le dossier de la drogue dans le sport professionnel commençait alors à chauffer beaucoup. Deux ans plus tôt, John Ziegler, le président de la Ligue nationale, avait suspendu Ric Nattres pendant quarante matchs parce qu'il avait été pris en train de fumer un joint. C'était une punition jugée excessive. Mais Ziegler voulait donner un exemple. Et tout le monde parmi les grands stratèges de la ligue était assez d'accord avec lui. On commençait à avoir peur de la drogue. Et à en parler beaucoup. Les athlètes professionnels, riches et en forme, étaient dangereusement exposés au fléau et soupçonnés par la presse sportive, toujours gourmande de sensations et de scandales, de donner abondamment dans les trois C (cul, coke, champagne). Toutes sortes de rumeurs circulaient dans le milieu et se posaient tour à tour sur les plus célèbres joueurs de la ligue.

Lafleur pour sa part, s'il avait maintes fois consommé sa ration de champagne, avait toujours fui la drogue qu'il associait à toute une série de valeurs qui lui répugnaient.

« Quand est-ce qu'il a dit ça, Savard ?

— La première fois, on était dans le Sud. Aux Bermudes, je crois. L'autre fois, c'était ici à Sherbrooke, devant les gars de l'organisation des Canadiens juniors.

— Qu'est-ce que les gars disaient ?

— Rien. Mais je crois que c'était pas la première fois qu'ils entendaient ce genre de choses.

— Qu'est-ce que tu veux dire ? demanda Lise d'une voix blanche.

— Je veux dire que Savard n'inventait rien.

— Donc selon toi, ces rumeurs sont fondées ! »

De grosses larmes roulaient sur ses joues.

« J'ai pas dit ça. J'ai dit que Savard ne faisait que signaler des rumeurs qui sont en circulation depuis déjà un bon bout de temps. »

Lafleur était atterré. Lise pleurait à gros sanglots. Elle se leva et monta dans la chambre d'amis où son mari la rejoignit. Il voulut la prendre dans ses bras. Elle le repoussa violemment.

« Je ne veux plus jamais que tu me touches. Tu as triché encore une fois. Tu m'as menti, comme tu as menti à tout le monde. Je ne veux pas vivre avec un homme qui ment. »

Lafleur était aussi étonné de sa réaction qu'il l'avait été par les révélations de Guilbeault. Il avait beau jurer sur sa propre tête qu'il ne s'était jamais drogué, elle ne voulait rien entendre. Elle était étendue sur le lit, à plat ventre, la tête enfouie dans l'oreiller, le corps secoué de sanglots.

« Tu es assez intelligente pour voir que tout ça, ce sont des manigances de Savard. C'est lui le menteur, Lise. »

Elle ne répondait pas. Elle avait spontanément donné foi aux rumeurs dont parlait Savard. La fragile confiance qu'avait réussi à recouvrer son mari auprès d'elle, depuis ses frasques et ses écarts, venait de s'effriter à nouveau. C'était vrai qu'il buvait parfois trop. Et il passait parfois des heures seul dans le noir ! Est-ce qu'un homme dans son état normal fait ce genre de choses ? Est-ce qu'un homme heureux sent le besoin de sortir chaque soir et de rentrer à cinq ou six heures du matin ?

Jusque-là cependant, Lise n'avait jamais cru que son mari pouvait se droguer. Claude Quenneville, en qui elle avait pleinement confiance, l'avait rassurée. Il avait, quelques années plus tôt, renoncé à l'alcool, au tabac, à toute drogue. Mais avant de s'assagir, il avait beaucoup fréquenté les bars et les discothèques avec Guy. Plusieurs fois, dans des parties, il l'avait vu refuser de la drogue. Sans jamais hésiter. « Il n'a jamais rien pris, pas même un joint. Guy peut se laisser influencer dans beaucoup de domaines. Pas dans celui de la drogue. Jamais. »

De plus, on disait que la cocaïne coupait l'appétit. Et s'il y avait une chose dont Guy Lafleur n'avait jamais manqué, c'était bien d'appétit. Matin, midi, soir, il mangeait toujours beaucoup. Souvent même, lorsqu'il rentrait au milieu de la nuit, il se préparait un sandwich avant d'aller dormir. De plus, elle avait toujours cru jusque-là qu'il disait toujours la vérité. Mais quelque chose était en train de s'effondrer. Elle réalisait soudainement à quel point il s'était éloigné d'elle. Il ne l'aimait sans doute plus. Ils n'avaient plus jamais de ces longues conversations qui autrefois les rapprochaient.

Ce qui désarçonnait Lafleur, c'était que sa femme avait choisi de croire Savard plutôt que lui.

« Comment peux-tu ne pas te rendre compte qu'il fait ça pour me détruire, pour se justifier de s'être débarrassé de moi ?

— Tout ce que je vois, c'est que tu m'as menti. Encore une fois. Et si tu m'as menti sur ça, tu as pu me mentir sur bien d'autres choses.

— Mais tu sais bien que Savard cherche à me perdre !

— Je pense que c'est toi, Guy Lafleur, qui cherches à te perdre. »

Lise savait que Savard avait appelé Quenneville quelques mois plus tôt pour lui demander carrément si Guy Lafleur se droguait. Savard connaissait la profonde amitié qui depuis longtemps liait ces deux hommes.

Quenneville, froissé que Savard le prenne pour un délateur potentiel, avait cependant répondu avec conviction. Selon lui, Lafleur ne se droguait pas. Ça ne faisait aucun doute dans son esprit. Lafleur n'aimait pas la drogue. Pour des raisons très primaires en fin de compte. Par peur, parce qu'il sentait que ça pouvait être fort dangereux pour lui. Il se savait excessif en toutes choses et il craignait de ne pouvoir s'arrêter à temps, comme parfois quand il buvait ou qu'il faisait de la vitesse autrefois et qu'il poussait sa Ferrari ou sa Harley toujours plus vite, jusqu'à la limite, jusqu'au dérapage. La drogue, ce serait la même chose. Il le sentait. Et il ne voulait pas toucher à ça. Même les pilules les plus anodines lui faisaient peur. Quand il était blessé, il refusait presque toujours de prendre les calmants prescrits par le médecin.

Quenneville croyait avoir convaincu Savard. Et Lafleur était persuadé que les soupçons qui avaient pesé sur lui s'étaient dissipés. Et voilà que Guilbeault lui parlait de rumeurs largement et depuis longtemps répandues.

Lafleur soupçonnait Savard d'être à l'origine de ces rumeurs ou à tout le moins de les avoir intentionnellement colportées. En le faisant passer pour drogué, il se voyait justifié de s'être débarrassé de lui. En outre, il rendait son association avec toute autre entreprise pratiquement impossible. Qui voudrait en effet d'un drogué notoire comme représentant ? Il est certain que l'image de Lafleur était quelque peu ternie. On considérait dans certains milieux qu'il avait mordu la main qui le nourrissait.

Dans cette épreuve cependant, Guilbeault fut rassurant et efficace.

« Il faut tirer ça au clair », avait-il dit.

Ils avaient contacté Mike Pelletier, un agent de la GRC, qui au cours de l'été mena une enquête dans le milieu, pourchassant les rumeurs qui, au fur et à mesure qu'il s'en approchait, se dissipaient comme par enchantement.

«Oui, Lafleur se drogue», lui disait-on parfois.

— Vous l'avez déjà vu se droguer?

— Non, mais je connais quelqu'un qui connaît quelqu'un qui...»

Pelletier se rendit voir Savard, fort embêté par les proportions qu'avait prises cette affaire. Il commença par nier. Mais Guilbeault était un témoin crédible. S'il avait perdu un œil jadis en jouant au hockey, il avait toujours ses deux oreilles. Savard finit par avouer qu'il avait dit ça sans y penser vraiment. Il prétendit qu'il y avait alors beaucoup de rumeurs qui circulaient dans le milieu à ce sujet. Et ce n'était pas étonnant. Selon lui, Lafleur frayait dans le monde interlope des *scalpers* et des *pushers*, il se tenait avec des artistes, il fréquentait des bars et des discothèques mal famées.

«Il n'a rien fait pour s'aider», dit-il à Pelletier.

Lafleur songea à poursuivre. Mais qui? De quel côté? Et c'eût été envenimer inutilement les choses. Il préféra tout oublier. Il resta cependant persuadé que Savard avait résolu de le perdre. Il n'avait plus aucun ami au sein de l'Organisation. Brian Travers, son fidèle allié, était devenu du jour au lendemain *persona non grata* au Forum, lui qui pendant des années y avait eu ses entrées jour et nuit.

Guy Lafleur était devenu un paria, un indésirable. Pendant un moment, il accepta ce triste sort. Et entreprit même de se faire une tranquille petite vie de retraité, bien au chaud, sans rêves, sans espoir.

***

Vers la fin de cet été 1986, Richard Morency aperçut par hasard Guy Lafleur qui parlait de son vécu à la télévision. Il ne l'avait pas vu depuis fort longtemps. Au cours des mois précédents, Lafleur s'était fait rare. Plus de commerciaux, ni de promotions, ni de déclarations-chocs. Pourtant, dans le milieu sportif, il continuait à faire parler de lui abondamment. Il ne se passait pas une journée sans que Morency n'entende parler de lui d'une manière ou d'une autre ou que des auditeurs de CKAC n'appellent pour savoir ce qui arrivait au célèbre retraité.

À la télévision, il avait l'air en grande forme, l'œil clair, très bronzé, le rire abondant... Mais peu à peu, en l'écoutant, Morency fut pris d'un doute. Lafleur s'était mis à vanter les joies du golf, il était même allé jusqu'à dire que c'était un «agréable délassement». Or Morency savait pertinemment que Guy Lafleur n'avait jamais été un véritable amateur de golf et que s'il n'avait trouvé rien d'autre à faire que de se convaincre qu'il aimait ça, c'était qu'il n'allait peut-être pas très bien. D'ailleurs, lorsque l'animatrice de l'émission lui demanda quels étaient ses projets d'avenir, il répondit qu'il n'en avait aucun et qu'il se contenterait au cours de la prochaine année de s'occuper de ses fils.

Élever ses enfants est certes une activité fort louable, mais ça n'empêche pas un homme de la trempe de Guy Lafleur de mener d'autres projets. Morency le connaissait assez bien et depuis assez longtemps pour savoir qu'il était encore une fois en train de se leurrer et qu'il essayait désespérément et candidement de croire en son petit bonheur.

Le lendemain matin, il lui téléphona et l'invita à déjeuner. Ils se retrouvèrent au Latini, boulevard Dorchester. Lafleur affichait avec ostentation cette bonne humeur que Morency lui avait vue la veille et qu'il savait superficielle. Pendant un moment, Lafleur ne cessa de répéter à quel point il était heureux de sa nouvelle vie, qu'il ne regrettait rien, qu'il était soulagé de ne plus subir de pression. Il finit tout de même par avouer qu'il s'ennuyait malgré tout parfois un peu et qu'il n'aurait pas détesté avoir un «job» quelque part.

«Ce qui me fait le plus de peine, c'est quand Martin vient me dire qu'il ne sait pas quoi répondre à ses amis quand ils lui demandent ce que son père fait dans la vie.

— Fais quelque chose, alors! Tu as le choix, non?»

Justement, tant de choix s'offraient à lui qu'il ne savait lequel prendre. Il était riche et en forme, encore jeune, libre. Il aurait pu se lancer en affaires, acheter un restaurant, un bar, s'associer à Guilbeault et Drolet de Sherwood ou à son beau-frère Pierre Barré, concessionnaire d'automobiles. Il aurait pu voyager, partir en expédition au bout du monde, remonter l'Amazone ou le Zambèze, escalader l'Annapurna ou le Kilimandjaro, traverser le Kalahari ou le Sahara, voir Angkor Vat, Machupicchu, La Mecque... Mais il ne faisait rien. Il hésitait. Il attendait.

«Il faut que tu fasses quelque chose, lui dit Morency. Il faut surtout que tu cesses de dire en pleine télévision que tu ne fais rien et que tu ne t'intéresses plus à rien. Les gens ne veulent pas savoir ça. Tu représentes encore beaucoup pour le peuple québécois. Tu as des responsabilités.

— Mais qu'est-ce que tu veux que je fasse? Tout ce que je sais faire, c'est jouer au hockey.

— Tu sais parler au monde. Tu es un vrai communicateur. Quand tu parles, on t'écoute. Sers-toi de ça. »

Morency sentait que Lafleur était en plein désarroi. Il se souvenait que deux ans plus tôt, il lui avait confié que sa retraite avait été ressentie comme un deuil par les gens de Thurso.

« C'est quasiment comme si j'étais mort, disait-il. À Thurso, les gens me regardent comme si j'étais un revenant. »

Morency se demanda, ce matin-là, au Latini, si Lafleur n'avait pas fini par croire lui aussi qu'il était un mort vivant... s'il n'était pas tout simplement en train d'accepter son sort, sa condition de *has-been*.

Mais le lendemain, Lafleur l'appela à CKAC.

« Hier midi, est-ce que j'ai rêvé ou si tu m'as vraiment offert un job à la radio ?

— Si ça t'intéresse, on peut te montrer le métier. J'en ai parlé à Pierre Arcand, le directeur de la station. Il est d'accord.

— Quand est-ce que je commencerais ?

— Quand tu voudras. »

À la fin de l'automne, Lafleur retrouvait aux *Amateurs de sports* son vieux copain Pierre Bouchard et Danielle Rainville, une brillante journaliste qui s'est imposée avec force dans ce monde d'hommes qu'est le journalisme sportif. Il avait un tout petit cachet, mais il n'était pas là pour l'argent. Il voulait un « job » et la possibilité d'apprendre un nouveau métier qui lui permettrait de garder le contact avec le public sans lequel, il s'en rendait bien compte, il ne pourrait vivre. Et comme il l'avait souligné à Morency lors de leur déjeuner en tête à tête au Latini, il voulait que son fils sache quoi répondre quand on lui demandait ce que son père faisait dans la vie.

Tous les matins, à huit heures, il téléphonait au poste et livrait ses impressions et ses commentaires sur le match de la veille, sur les performances de tel joueur, les tactiques de tel entraîneur. Il n'avait pas l'aisance d'un Pierre Bouchard devant le micro, ni l'incomparable talent d'une Danielle Rainville ; son débit était lent, souvent il hésitait, il cherchait ses mots. Mais il avait un atout que même les meilleurs communicateurs n'ont pas toujours : il était une star incommensurable. Tout le monde au Québec reconnaissait le son de sa voix. Et lorsqu'on l'entendait à CKAC, où qu'on soit et quoi qu'il dise, tout le monde l'écoutait. Guy Lafleur, l'homme magnétique, parlait.

Il était content. Une nouvelle carrière s'ouvrait devant lui. Ce n'était pas tout à fait ce qu'il avait souhaité faire. Il aurait préféré travailler au sein d'une organisation de hockey, mais il se disait qu'on ne fait pas toujours ce qu'on veut dans la vie, qu'il faut savoir se relever après l'échec et que le journalisme sportif offrait de grandes possibilités.

Il vendit sa maison de Baie-d'Urfé, acheta un superbe appartement au Sanctuaire du Mont-Royal, le plus luxueux ensemble de condominiums à Montréal, changea de voiture, d'habitudes, cessa de boire seul dans le noir, commença à se coucher tôt, à se lever tôt. Il croyait vraiment avoir tourné la page et s'être habilement glissé dans une nouvelle vie. Le hockey allait cependant le rattraper au détour.

***

Dès 1985, Lafleur s'était joint, comme membre fondateur, à l'équipe de hockey des Anciens Canadiens de Petro-Canada, un bon club de valeureux et généreux *has-been* qui, pour 175 $ par match, se produisaient contre des amateurs dans diverses municipalités pour amasser des fonds destinés à encourager le sport chez les jeunes. Les gens payaient 5 $ pour assister au massacre des leurs par les ex-étoiles de la Ligue nationale. C'était généralement de bons spectacles. Guy Lafleur, qui restait le centre d'attraction de ces événements, jouait cependant sans réel plaisir. Parce qu'on ne jouait pas pour vrai.

Bien sûr, il avait la satisfaction de participer à une bonne œuvre et d'être utile à quelque chose; aussi, parfois, le plaisir de revoir de vieux copains. Même Jacques Lemaire jouait là de temps en temps. Lafleur s'était même surpris de retrouver un certain plaisir à jouer en sa compagnie. Écœuré de vivre sous l'implacable microscope des médias, Lemaire avait renoncé à son poste d'entraîneur en chef des Canadiens. Il avait lui aussi été profondément marqué par la vie. Il avait des bleus à l'âme, lui aussi, et des cicatrices. Entre Lafleur et lui, ce n'était plus la belle grande harmonie d'autrefois, mais sur la glace, ils oubliaient toute rancune, toute amertume. Et immanquablement, ils volaient la vedette.

Mais ça restait du faux hockey. Les lancers frappés étaient interdits, pas de mise en échec, pas de contact, d'où le manque d'enthousiasme. L'ex-numéro 10, resté le plus populaire et le plus recherché de tous ces « ex », ne pouvait investir réellement ses énergies dans ce simulacre de hockey. De plus, il sentait poindre en lui une déchirante nostalgie chaque fois qu'il s'apprêtait à disputer un de ces matchs. Malgré tous les efforts qu'il avait faits depuis plus de deux ans pour se convaincre qu'il n'y avait plus de bon hockey en lui, le goût de jouer lui revenait sans cesse.

Un jour, en janvier 1987, avec le club de Petro-Canada, il rencontra les anciens pee wees de Thurso avec lesquels il s'était jadis illustré en remportant en 1963 et en 1964 le Tournoi international de Québec. Ils étaient tous là, sauf un qui était décédé quelques années plus tôt. Ils avaient vieilli, grossi, blanchi. Mais ils étaient tous contents de se retrouver, célébrant à nouveau, tous ensemble, plus de vingt ans après, cette sacro-sainte cérémonie qu'est un match de hockey, dans le petit aréna de Thurso, où ils jouaient jadis, quand ils faisaient tous le même rêve, quand ils avaient encore toute la vie devant eux.

Ils jouèrent avec cœur, mais furent défaits par leur ami d'enfance. Le lendemain cependant, il joua avec eux contre le club de Petro-Canada. Cette fois, les vieux pee wees de Thurso gagnèrent. Lafleur était content. Au vieil hôtel Lafontaine où ils se rendaient tous après les matchs, il retrouvait l'immense chaleur de son enfance, ces visages familiers, les vieux gags. Et ils se tordaient de rire jusque tard dans la nuit. Mais, en même temps, quelque part au fond de lui, Lafleur sentait par moments remuer son inextinguible petite tristesse. Il se rendait bien compte qu'il était encore un très grand joueur. À lui seul, il avait pratiquement battu les deux clubs à tour de rôle. Il n'était pas un *has-been* comme les autres, mais toujours un vrai *being* encore, et n'était pas du tout à sa place parmi ces retraités. Il avait maintenant la certitude qu'il n'était pas parti du Forum de son plein gré. Il ne regrettait pas son bureau du deuxième étage, mais il s'ennuyait à pleurer de la patinoire, de sa glace. Il était devenu une espèce de Canadien errant, victime de la grande manipulation, un déporté.

Sa retraite n'avait rien de glorieux, comme celle du bon vétéran qui a fait son temps et sa gloire et qui se la coule douce enfin. C'était une défaite, une démotion, une démolition. Il avait de plus en plus l'impression d'avoir raté sa sortie et l'idée qu'il aurait dû faire ça tout autrement l'obsédait. Il avait des regrets, des remords.

« Il me semble que j'aurais eu droit à une petite supplémentaire, se disait-il de temps en temps. Mais il refoulait vite ces noires pensées. Lorsqu'on lui demandait s'il songeait parfois à revenir au jeu, il s'empressait de dire qu'il n'y pensait plus jamais.

« Je n'ai plus la tête à ça. » C'était un pieux mensonge. Mais il n'avait pas le choix.

Il réalisa cependant que ces tristes saisons passées loin de la glace, de la vraie glace, lui avaient permis de réfléchir abondamment, à sa vie, à la vie, au bonheur, à l'amour, à la mort. Il s'était beaucoup rapproché de Lise ; ils avaient repris leurs longues conversations comme autrefois. Lise et les enfants formaient à nouveau le socle de sa vie.

Aux fêtes, ils décidèrent de prendre des vacances de neige en famille et s'installèrent pour deux semaines au Mont-Tremblant Ski Lodge. Lise et Martin étaient d'excellents skieurs. Guy croyait qu'il serait nul. Les joueurs de hockey font rarement de bons skieurs. D'abord, parce que leur organisation leur interdit de skier, de peur qu'ils ne se cassent les os. Mais aussi parce que l'entraînement et le conditionnement psychologique auxquels ils sont soumis sont incompatibles avec le ski. Ils sont trop tendus et nerveux, trop agressifs, toujours toutes griffes dehors. Or le ski requiert beaucoup de souplesse, un sens du rythme, une sorte d'abandon qu'on ne trouve jamais sur la glace.

Mais après quelques heures sur les pentes du mont Tremblant, Guy Lafleur, lui-même étonné par ses propres performances, se découvrit une nouvelle passion, mesurant ainsi à quel point il était détaché du hockey.

Un brusque redoux rendit les pistes impraticables pendant quelques jours. Lafleur en profita pour visiter les environs, en compagnie de Peter Duncan, le champion de ski canadien, qui connaissait par cœur cette immense région de montagnes. C'est au cours d'une de ces promenades que Lafleur aperçut, au nord du massif du Mont-Tremblant, un paysage dont la vue lui alla droit au cœur, un champ de neige scintillante qui entrait sous un grand boisé de conifères. « À vendre, 10 acres. » Quelques semaines plus tard, il s'en portait acquéreur et réactivait le bon vieux rêve qu'il faisait autrefois avec Lise à Verchères d'un domaine bien aménagé, un supergadget avec lequel il pourrait s'amuser pendant des années. C'était l'endroit idéal pour réaliser enfin son cher vieux rêve. Il partirait de rien, de la grande sauvagerie, il organiserait ce paysage à son goût, il y vivrait parfaitement indépendant, souverain, comme Roger Barré, comme Léo Drolet.

Lise Lafleur n'était pas tellement emballée ; elle trouvait que c'était trop au nord, trop haut dans les Laurentides, trop austère et trop froid en hiver. L'été, avec les mouches noires et les brûlots, devait être insupportable. Et au printemps, tout serait défoncé... Une seule chose la consolait vraiment : le bel enthousiasme de son mari. Il était si heureux, si épris de ce projet, qu'il en oublia tout à fait ses remords et ses regrets et même toute amertume. Il songea même à enterrer la hache de guerre avec les Canadiens.

En janvier, il appela Ronald Corey et sollicita une rencontre amicale. Il voulait l'informer qu'il était prêt à reprendre du service au sein de l'Organisation. Ils s'étaient donné rendez-vous au Ritz à huit heures du matin. Lafleur, arrivé une bonne demi-heure à l'avance, attendait Corey dans le joli petit restaurant du sous-sol. Il connaissait bien ces lieux et certains visages qui lui rappelaient ses chères années folles.

À l'heure convenue, on vint discrètement l'avertir qu'il était attendu dans une suite de l'hôtel. Il y alla, étonné. Corey lui-même lui ouvrit. Poli, gentil, mielleux. Nerveux aussi. Et fort mal à l'aise. Ils se sont fait monter à déjeuner. Quand le serveur frappa à la porte, Corey sembla pris de panique. Avant d'ouvrir, il demanda à Lafleur de se faufiler dans la pièce d'à côté. De toute évidence, il ne voulait pas qu'ils soient vus ensemble. Lafleur songeait que tout cela commençait à ressembler à une sombre farce. De qui pouvait-il bien se cacher? Des journalistes, sans doute. Il voulait probablement qu'on ignore qu'il voyait Lafleur, qu'il parlait au loup qui avait menacé la bergerie des Canadiens.

Lafleur lui dit tout de même le but de sa visite. Il était prêt à refaire des promotions et de la représentation pour les Canadiens.

« Mais la niche que tu avais n'existe plus, Guy.

— Je le sais, Ronald. En fait, entre toi et moi, elle n'a jamais vraiment existé, cette niche-là. Je n'ai jamais su ce que vous attendiez de moi. »

Corey fit mine de ne pas saisir l'allusion.

« Tu comprendras qu'on ne pouvait pas garder indéfiniment un job à ta disposition.

— Mais quel job, Ronald? Tu sais très bien que je n'ai jamais eu de job dans l'Organisation ! »

Corey lui offrit alors de travailler à la pièce, sous contrat, c'est-à-dire qu'il pourrait représenter les Canadiens auprès de certains organismes qui en feraient la demande.

« Mais il faudra attendre après Rendez-vous 87. Pour le moment, avec O'Keefe dans le décor, c'est un peu délicat, tu comprends. Je n'ai pas besoin de te faire un dessin, j'espère ! »

Rendez-vous 87 allait être l'événement de la décennie dans le monde international du hockey. Me Marcel Aubut avait convié les Soviétiques à Québec, le chœur et le club de hockey de l'Armée rouge. Il avait annoncé quelques semaines plus tôt que Guy Lafleur serait l'ambassadeur officiel du Canada à ce Rendez-vous.

Or c'était la Brasserie O'Keefe, propriétaire des Nordiques de Québec, qui était commanditaire officiel de Rendez-vous 87. Nul besoin de faire un dessin en effet. Les Nordiques de Québec étaient les ennemis jurés des Canadiens de Montréal, propriété de la Brasserie Molson.

Ce n'est qu'une fois sorti de l'hôtel et assis dans sa voiture, que Lafleur se mit à penser tout à coup que Serge Savard, directeur-gérant des Canadiens, était lui-même associé à Rendez-vous 87 et que Corey ne semblait pas trouver ça gênant.

Malgré tout, après l'événement, il rappela Corey à quelques reprises. Celui-ci lui disait chaque fois, toujours affable et doucereux, prenant des nouvelles de la petite famille, de la santé de Lise :

« Malheureusement, je n'ai rien pour toi dans le moment. Mais n'hésite pas à me rappeler. »

Lafleur finit par comprendre qu'il ne pouvait compter que sur lui-même. Et qu'aucune aide jamais ne viendrait des Canadiens. Au contraire.

Prolongation

Le 26 mai 1988 au soir, affalés au creux des profonds fauteuils du luxueux appartement du Sanctuaire, Guy Lafleur et Yves Tremblay, les pieds sur la table basse en marbre d'Italie, regardaient à la télévision les Oilers d'Edmonton battre les Bruins de Boston et remporter la coupe Stanley (6 à 3) pour la deuxième année consécutive, pour la quatrième fois en cinq ans.

C'était une très douce soirée de presque été. Par les fenêtres largement ouvertes, on sentait la verdure, le grand air chaud et frais, le souffle de la montagne toute proche. Ils buvaient tranquillement leurs bières en regardant le hockey, comme quelque six millions de Canadiens.

Guy Lafleur n'avait à peu près jamais fait cela de toute sa vie. Depuis qu'il était à la retraite, il s'était peu à peu désintéressé de ce qui se passait dans la Ligue nationale. Il n'avait pas mis les pieds au Forum depuis belle lurette. D'abord, parce qu'il craignait que ça lui fasse trop de peine. Ensuite, parce que ça ne l'intéressait tout simplement plus. Depuis un an, il n'avait même pas regardé cinq minutes d'un match à la télévision. Il ne connaissait pas la moitié des joueurs et ne savait pratiquement rien des nouveaux rapports de forces dans la Ligue nationale.

Ce soir-là (Lise était chez sa mère avec les enfants), Yves Tremblay avait apporté les steaks et le vin. Ils avaient préparé des frites et cuit leurs steaks au barbecue sur la terrasse. Ils avaient soupé tôt en travaillant sur la liste des invités à l'Omnium de golf Guy-Lafleur au profit de Leucan qui devait se tenir, début juillet, à l'Estérel du lac Masson, dans les Laurentides. Cette liste avait pour Lafleur une importance énorme, en ce sens qu'elle lui permettait de se définir et de se positionner au sein de la société québécoise. Avec Lise et le Kid, il avait donc choisi très minutieusement les personnalités du monde du sport et du show-business qu'ils allaient solliciter.

En tête de liste figuraient ses amis, évidemment : Jean-Yves Doyon, Narcisse Charrette dit le Beaver, un voisin de Baie-d'Urfé avec qui il était resté en étroit contact, puis Richard Morency, Claude Quenneville, Pierre Bruneau, des gens qu'il admirait et en qui il avait pleine confiance. Autrement dit, on ne voyait personne de l'organisation des Canadiens de Montréal sur cette liste.

Lafleur faisait campagne pour Leucan depuis trois ans. Son porte-parole, le petit Charles Bruneau, était décédé du cancer quelques semaines plus tôt, à l'âge de onze ans. Figure médiatique très attachante, fonceur et bagarreur, Charles était également un grand passionné de hockey. Il avait écrit déjà à Maurice Filion et à Michel Bergeron pour leur dire que, même s'il habitait Boucherville et même si tous ses amis étaient des fans inconditionnels des Canadiens, il préférait les Nordiques, parce que c'était une équipe qui devait se battre et s'affirmer.

Lors de leurs premières rencontres, Lafleur avait été plutôt mal à l'aise. Charles avait reçu des traitements de chimiothérapie et il avait perdu tous ses cheveux. Mais peu à peu, une véritable amitié était née entre eux. Ils riaient beaucoup ensemble. Lafleur venait le voir ou lui téléphonait de temps en temps et, lorsqu'il était en voyage, il lui envoyait régulièrement des cartes postales, toujours de beaux paysages très sauvages, souvent des levers de soleil sur la mer, que Charles fixait au mur de sa chambre.

Charles avait un sens inné des relations publiques. Il était l'auteur du fameux slogan que Leucan utilisa pendant plusieurs années : « Quand je serai grand, je serai guéri... pour la vie. » La vie de Charles avait été une grande aventure, toujours aux frontières de l'inconnu. Lafleur vivait à cette époque des moments difficiles. Mais pour Charles, il restait le gars qui avait réussi.

Lafleur s'était lié d'amitié avec le père de Charles, Pierre Bruneau, journaliste et lecteur du journal télévisé du réseau TVA. Au printemps, il remarqua que celui-ci n'était plus au journal de fin de soirée. Inquiet, il se rendit à l'hôpital Sainte-Justine, où il apprit que Charles était entré dans un profond coma. En poussant la porte de la chambre, il aperçut Pierre Bruneau, assis dans la pénombre au chevet de son fils. Il s'approcha, lui mit la main sur l'épaule et dit, comme pour s'excuser d'être là : « Je ne t'ai pas vu depuis trois jours. J'ai pensé que Charles n'était pas bien. » Ils sont restés un moment dans l'ombre, sans parler. Puis Guy est parti. Une heure plus tard, Charles mourait.

Charles Bruneau a été pour les Québécois, et plus encore pour Guy Lafleur qui l'a côtoyé lors des moments les plus extraordinaires et les plus pénibles de sa carrière, un exemple de courage, de lucidité, de sang-froid, de foi en la vie. Il est mort persuadé qu'on trouverait tôt ou tard une solution, des remèdes au cancer. Et que sa maladie et son action y étaient pour quelque chose. Au cours de sa dernière année, il avait été proche de Lafleur qui trouvait sa présence rassurante et stimulante. Qu'il soit disparu rendait l'organisation de cet omnium plus difficile. Charles avait des idées, de l'énergie, de l'audace.

C'est lui qui avait poussé Lafleur à appeler André-Philippe Gagnon pour qu'il participe à son omnium et donne un spectacle après le banquet. Lafleur n'osait pas. Il disait que Gagnon, une des grandes vedettes du show-business au Canada, n'aurait pas le temps ou l'envie de participer à un omnium de golf, encore moins de donner un spectacle.

«Le pire qui peut t'arriver, avait dit Charles, c'est qu'il refuse.»

Non seulement Gagnon n'avait pas refusé, mais il avait tout de suite accepté de se produire bénévolement. Comme le petit Charles Bruneau, André-Philippe Gagnon était un partisan notoire des Nordiques de Québec, les grands rivaux des Canadiens. En s'affichant avec lui, Lafleur marquait nettement ses préférences. André-Philippe aussi. Il se rangeait du côté du «lonely wolf», contre le gros establishment.

André-Philippe est un maniaque de hockey. Son parolier, Stéphane Laporte, encore plus. Farouche partisan des Canadiens, ce dernier possède une culture de hockey avantageusement comparable à celle de Claude Mouton, l'historiographe officiel du club montréalais. Ensemble, Laporte et Gagnon ont monté d'extraordinaires numéros sur certaines vedettes de la Ligue nationale (joueurs, commentateurs ou entraîneurs).

Gagnon était au Colisée, le 25 novembre 1985, lorsque Marcel Aubut avait déclenché sa fameuse campagne de promotion. Quelques semaines plus tôt, après avoir été l'étincelante révélation du Festival Juste pour Rire, édition 1985, il avait participé au *Tonight Show* de Johnny Carson et, devant l'Amérique ébahie, il avait imité les dix-huit chanteurs et chanteuses de *We Are the World*, de Bruce Springsteen à Michael Jackson en passant par Dionne Warwick et Bob Dylan. Avant que ne débute le match, on avait projeté sur l'écran géant du Colisée des images de cette inoubliable performance. Puis Gagnon était apparu en compagnie de Marcel Aubut qui lui remit un équipement complet des Nordiques et lui laissa la parole. Devant le Colisée amusé, Gagnon imita Aubut, puis l'entraîneur des Nordiques, Michel Bergeron.

Au cours de l'été précédent, les Canadiens et les Nordiques, alors en grosse et féroce compétition, avaient dépensé de véritables trésors de charme pour s'attacher Gaétan Boucher et Sylvie Bernier, deux médaillés d'or des derniers Jeux Olympiques (d'hiver à Sarajevo et d'été à Los Angeles). En s'adjoignant Gagnon, étoile de première grandeur, Aubut avait marqué des points importants. La célébrité de Gagnon, son humour parfois mordant, sa désarmante gentillesse en faisaient un atout majeur pour un club de hockey désireux de se donner une image de vainqueur. En l'invitant à son omnium, Lafleur faisait un pied-de-nez à l'organisation des Canadiens. Il créait un immense événement dans le monde du sport dans lequel ces derniers n'avaient aucune part. Du moins, pas officiellement. Il avait invité quelques joueurs des Canadiens avec qui il était resté ami… Personne de la direction, évidemment.

Lafleur et Tremblay travaillèrent sur leur liste jusque vers les neuf heures, puis ils passèrent au salon pour regarder le match à la télé. Lafleur s'était finalement laissé convaincre de suivre cette finale de la coupe Stanley télédiffusée depuis le Northlands Coliseum d'Edmonton. Il se rendit compte dès le début, en entendant les hymnes nationaux des équipes et en regardant les joueurs à l'attention sur la glace, qu'il avait une espèce de trac, presque aussi violent que lorsqu'il jouait lui-même, un trac excitant, presque voluptueux. Il savait bien qu'il ne pourrait rester indifférent et que toutes sortes de souvenirs troublants lui reviendraient en mémoire. Mais dès que le match commença, il se mit à observer les joueurs, leurs feintes, leurs tactiques, leurs erreurs, avec une attention qu'il n'avait pas eue depuis longtemps.

Les Oilers étaient nettement supérieurs aux Bruins de Boston. Beaucoup grâce à Wayne Gretzky, qui allait encore une fois remporter le trophée Connie Smythe pour ses extraordinaires performances pendant les séries : 43 points, dont 31 passes en dix-neuf matchs. Dix ans plus tôt, c'était lui, Guy Lafleur, qui raflait tous ces trophées, le Art Ross, le Connie Smythe, le Lester B. Pearson, le Hart, en plus des trophées Molson et de la coupe Stanley et d'innombrables honneurs. Dans la Ligue nationale, il était alors le meilleur, le plus fort, le numéro un. C'était maintenant au tour de Gretzky. Il le regardait aller, non sans un certain pincement au cœur. Mais il ne pouvait pas ne pas admirer la science du jeu qu'avait ce gars de vingt-sept ans. Il était généreux, il créait les événements, tirait les ficelles du jeu… C'était lui désormais le meilleur, l'idole des jeunes, l'électrisant numéro 99, le célèbre et bien-aimé « Wonder Boy ». Heureusement que les Oilers avaient Gretzky pour préparer les jeux et faire des passes !

Au milieu de la deuxième période, Lafleur se tourna vers le Kid et lui dit :

« Sais-tu, le Kid, plus je les regarde aller, plus je me dis que je pourrais faire aussi bien que ces gars-là. À part Gretzky, évidemment, et quelques autres peut-être, deux ou trois au plus. »

Depuis trois ans, il avait travaillé très fort pour chasser de son esprit l'idée de revenir au jeu, mais cette idée était patiente et tenace, elle persistait à s'immiscer en lui. Le Kid, qui savait cela, eut envie de lui répondre : « Si tu veux jouer, Flower, il suffit que tu le fasses savoir. » Mais il lui avait déjà tenu de semblables propos. Chaque fois, Lafleur s'était mis en colère.

Ce que venait de dire ce dernier n'était cependant pas tombé dans l'oreille d'un sourd. À partir de ce moment, tout allait s'enchaîner et, comme par magie, se mettre en place pour favoriser le retour au jeu de Guy Lafleur, si bien que, quelques semaines plus tard, il n'aurait plus le choix.

L'omnium fut un succès. Beau temps, bonne humeur, bon spectacle. Lafleur remarqua qu'il excitait toujours autant les médias et que le monde du hockey lui portait encore un grand respect. Il réalisa également qu'il se retrouvait de nouveau devant rien, seul avec son passé, ses beaux souvenirs, mais sans projets.

Quelques jours plus tard, Wayne Gretzky épousait une faramineuse beauté californienne. Ce fut un mariage princier dont la presse et la télévision se régalèrent pendant plusieurs jours. Une semaine après, le journaliste Tom Lapointe du *Journal de Montréal* levait un scoop du tonnerre : Wayne Gretzky avait été vendu par les Oilers d'Edmonton, 15 millions de dollars, aux Kings de Los Angeles. Du coup, toute la géographie et toute l'économie du hockey à l'échelle du continent furent bouleversées. Une ère nouvelle commençait.

Cet été-là, Lafleur enseignait le tricotage et les jeux de passes dans une obscure école de hockey itinérante. Il adorait cela. Il avait toujours aimé la compagnie des jeunes, leur enthousiasme, leur énergie, leur folie. Presque chaque fois, d'ailleurs, il se laissait prendre au jeu et les cours finissaient par un véritable match. Bon pédagogue, il savait reconnaître le talent et aimait faire travailler les jeunes. Mais quand il retrouvait la vraie vie, sans ses patins, il ne pouvait s'empêcher de penser qu'il ne volait plus bien haut. L'omnium avait été un succès. On avait parlé abondamment de lui pendant quelques jours. Puis le mariage et la vente de Gretzky avaient tout éclipsé. Et il était rentré dans l'ombre.

Une semaine environ après la fameuse transaction Oilers/Kings, on apprenait que Bruce McNall, le directeur-gérant des Kings, désireux de bien entourer son étoile, avait fait une offre à Michael Bossy. Celui-ci, dauphin de Maurice Richard qui avait désespérément tenté de le faire repêcher par les Canadiens en 1977, s'était illustré chez les Islanders de New York, avec neuf saisons de plus de cinquante buts. Mais il s'était retiré l'année précédente, au printemps de 1987, souffrant de terribles maux de dos. D'emblée, la presse et le milieu s'étonnaient qu'on cherche à embaucher un joueur qui de son propre aveu n'était plus capable de jouer du bon hockey.

Chaque matin, dans son petit bureau de Sportstar, Yves Tremblay lisait les pages sportives. Et peu à peu « l'idée » prenait forme dans son esprit. Il avait alors un autre projet auquel il avait commencé à travailler avec Lafleur, un jeu-questionnaire, « Les Prodiges du sport », qu'il voulait mettre en marché en utilisant le nom et la personnalité de Guy Lafleur.

Le 11 août, un jeudi, Lafleur avait une séance de photo chez Denis Brodeur, réputé photographe sportif. On préparait des affiches pour une première campagne de promotion des « Prodiges du sport ». Le midi, avant la séance de photo, ils se retrouvèrent, Tremblay et lui, au restaurant La Dora, rue Sherbrooke, dans l'est de Montréal. Tremblay avait son idée en tête, lancinante, excitante. Mais la seule chose qui semblait alors intéresser Lafleur était sa maison de Mont-Tremblant, les travaux de terrassement, d'essouchement et de drainage qu'il venait d'entreprendre. Ce n'est qu'à la fin du repas que Tremblay put commencer à déballer son idée.

« Si Bossy peut faire un retour au jeu, tu peux sûrement toi aussi ! »

Ce à quoi Lafleur répondit, visiblement triste :

« La question n'est pas là, le Kid. C'est sûr que je peux. Mais ils veulent pas de moi. J'ai essayé, tu le sais bien. C'est fini.

— Tu pourrais encore essayer. Le contexte a changé !

— Je t'ai dit non. J'ai la tête ailleurs, maintenant. Ça ne m'intéresse vraiment plus. »

Après la séance de photo, il partit pour Mont-Tremblant. Yves Tremblay rentra chez lui, aux appartements Iberville, là même où Lafleur avait habité autrefois. Il regarda le soleil se coucher derrière le mont Royal et prit la décision d'agir seul.

Le lendemain, à midi, heure de Montréal, il appela à Los Angeles et demanda à parler à Bruce McNall, le propriétaire archimillionnaire des Kings. McNall n'était pas encore à son bureau. Tremblay s'expliqua :

« J'appelle de la part de Guy Lafleur qui veut faire un retour au jeu. »

On le prit au sérieux. On lui dit qu'on le rappellerait sans faute. Il raccrocha et appela Lafleur à Mont-Tremblant. Celui-ci était en train de dîner, avec Lise. Tremblay lui raconta qu'il avait appelé Bruce McNall et lui avait proposé ses services.

« Mes services à moi ?

— Quand même pas les miens, Guy.

— Es-tu tombé sur la tête ou quoi ? »

Mais Tremblay sentait bien que Lafleur était très excité.

« Le gars à qui j'ai parlé m'a dit qu'ils me rappelleraient dans la journée. Qu'est-ce que je leur dis ?

— Tu demandes à parler à Rogatien Vachon. C'est lui le directeur-gérant. Mais avec lui, j'ai bien peur qu'on n'ait pas beaucoup de chances. C'est un grand ami de Serge Savard. »

Puis il parla avec Lise un moment. Tremblay entendait mal ce qu'ils se disaient, mais il imaginait, connaissant Lise, qu'elle devait pousser Guy à accepter. Elle avait toujours été importante dans la vie de Lafleur, surtout depuis qu'il avait pris sa retraite. Il finissait toujours par faire à sa tête, comme dans le cas de la maison des Laurentides dont elle ne voulait pas, mais il la consultait quand même sur tout. Elle avait toujours été en faveur d'un retour au jeu.

Au bout de quelques minutes, Lafleur reprit l'appareil et dit au Kid qu'il le rejoindrait au Sainmartin vers huit heures.

Entre-temps, Rogatien Vachon, le directeur-gérant des Kings, rappelait Tremblay à Sportstar. Vachon avait gardé le but pour les Canadiens pendant cinq ans, de 1966 à 1971, puis il avait joué à Los Angeles, Detroit et Boston, avant de se joindre à l'organisation des Kings. Lafleur l'avait peu connu, mais il le respectait beaucoup. Pour des raisons qu'il ne s'expliquait pas, il avait toujours eu beaucoup de mal à le déjouer. Lorsqu'il se pointait devant lui, Vachon arrivait presque toujours à le déconcentrer. Et Lafleur avait l'impression qu'il pouvait prévoir ses gestes.

En appelant Tremblay, l'ex-gardien des Canadiens voulait savoir d'abord et avant tout si Lafleur était physiquement en forme.

« Il est plus qu'en forme, répondit Tremblay.

— Il n'a pas trop engraissé ?

— Crois-le ou non, il est six livres sous son poids normal. »

La plupart des joueurs, surtout les gros joueurs costauds, prennent beaucoup de poids dès qu'ils cessent de jouer. Guy Lafleur, grâce aux nombreux matchs qu'il avait disputés avec l'équipe Petro-Canada, mais aussi à cause de son métabolisme exceptionnel, n'avait jamais eu besoin de surveiller la balance.

Rogatien dit au Kid qu'il consulterait son état-major et qu'il le rappellerait dans le courant de la journée :

« D'accord, dit Tremblay, mais tu ne parles de ça à personne en dehors de ton organisation.

— Ne t'inquiète pas avec ça. Je te rappelle sans faute. »

À neuf heures du soir, Tremblay était toujours dans son bureau. Rogatien n'avait pas donné de nouvelles et il semblait évident qu'il ne le ferait pas. Il était six heures à Los Angeles, les bureaux étaient fermés là-bas aussi. À tout hasard, il laissa sur le répondeur le numéro du Sainmartin et partit rejoindre Lafleur.

Il le trouva installé à l'une des tables près des grandes fenêtres qui donnent sur l'autoroute Métropolitaine et le boulevard Langelier. Aucun paysage à Montréal ne ressemble plus à Los Angeles que ce qu'on voit des fenêtres du restaurant Sainmartin. Mais l'ambiance est rustique, bois de grange, doux éclairages tamisés, petite musique en sourdine. Lafleur et le Kid étaient là chez eux. Ils faisaient pratiquement partie de la famille. Dans l'entrée, se trouvait une grande photo de Guy Lafleur avec les propriétaires des lieux, deux garagistes costauds.

Lafleur commença par remercier le Kid de lui avoir donné le coup de pied dont il avait besoin. Il était d'ores et déjà fermement décidé à tout faire pour revenir au jeu. Ensemble, ils décidèrent que si Rogatien ne réagissait pas, ils chercheraient ailleurs dès le lendemain matin. Los Angeles eût été génial, évidemment. Le climat, l'ambiance, un tout nouveau monde à découvrir ! Pour tous les joueurs de la Ligue nationale, le pays des Kings était aussi celui de Hollywood, du luxe, de la beauté. Et en plus, il y avait la présence de Gretzky, ce qui ne gâchait rien.

Il semblait bien cependant que Rogatien Vachon et McNall n'étaient pas pressés de répondre. Ils avaient dû contacter Savard et, encore une fois, celui-ci avait dû leur dire que Lafleur leur compliquerait la vie.

« Lemaire a joué avec lui pour les Anciens de Petro-Canada et il dit qu'il est fini. Guy Lafleur, le grand Guy Lafleur, n'existe plus. » Voilà ce que Savard a dû dire à Rogatien.

Lafleur et Tremblay préparèrent soigneusement leur campagne. New York, d'abord. Ça aussi, New York, Broadway, la Big Apple, c'était drôlement excitant. Et il y avait là-bas Michel Bergeron, qui entraînait les Rangers. Et Bergeron aimait Lafleur. Il ne manquait pas une occasion de le répéter à qui voulait l'entendre. Il n'avait jamais caché qu'il préférait travailler avec des joueurs d'expérience plutôt qu'avec des recrues. Il y avait aussi à New York ce bon vieux Chris Nilan, autrefois des Canadiens. Et Marcel Dionne, qui avait l'âge de Lafleur à quelques jours près. Quel plaisir ce serait que de se retrouver sur la même glace que Dionne, plus d'un quart de siècle après les tournois pee wees de Québec !

Le Kid avait sorti son cartable, son répertoire téléphonique, et jetait sur papier les grandes lignes de leur stratégie, pendant que Lafleur commandait une deuxième bouteille.

Donc, si Los Angeles ne répondait pas, on allait appeler New York. Le directeur-gérant du club, Phil Esposito, un ancien joueur étoile (cinq saisons de plus de 50 buts), avait joué jusqu'à plus de quarante ans et, à sa dernière année dans la Ligue nationale, avait enregistré trente-neuf buts pour les Rangers de New York. Si quelqu'un sur la terre pouvait comprendre que Guy Lafleur avait envie de faire un retour au jeu et qu'il en était capable, c'était bien Phil Esposito.

Et au cas où New York ne serait pas intéressé, on contacterait les Red Wings de Detroit, dont l'instructeur était un Québécois, Jacques Demers. On appellerait Tony Esposito, le frère de l'autre, à Pittsburgh ; Mario Lemieux, le joueur de centre des Pingouins, avait souvent manifesté son grand désir de jouer avec Guy Lafleur.

Le samedi et le dimanche, 13 et 14 août, celui-ci est resté à Mont-Tremblant. Mais il avait pratiquement laissé ses travaux en plan, de nouveau tout à ses rêves.

Le lundi 15, à 8 h 30, Yves Tremblay téléphona à Michel Bergeron chez lui, à Rye, en banlieue nord de New York. Celui-ci mordit tout de suite très fort à la proposition.

« Passe-moi Guy. Je veux lui parler.

— Il est dans le Nord, à Mont-Tremblant.

— Écoute ! Ce que tu me proposes m'intéresse beaucoup. Tu m'entends ?

— Mais oui, Bergie, je t'entends !

— As-tu contacté d'autres organisations ?

— Vaguement. Mais ce matin, tu es le premier sur notre liste.

— Bon ! Laisse-moi jusqu'à trois heures cet après-midi pour consulter mon monde. »

Du temps des Nordiques, Bergeron voyait souvent Jean-Yves Doyon, le grand ami de Lafleur, devenu gérant du restaurant Le

Paddock, à deux pas du Colisée. Chaque fois, immanquablement, il lui demandait des nouvelles de Lafleur. Mais celui-ci était alors sous contrat avec les Canadiens. Et lorsqu'il fut libéré, Marcel Aubut, le grand patron des Nordiques, ne semblait pas intéressé.

Plus tard, en 1987-1988, Bergeron dirigeait les Rangers. À la mi-saison, alors qu'il avait six blessés dans l'équipe, Richard Morency de CKAC, lui avait plusieurs fois parlé de Lafleur en lui proposant de l'approcher.

«Je te le dis, Bergie, ce gars-là n'est pas fini.»

Bergeron avait ri. Non pas qu'il croyait vraiment que Lafleur était fini. Mais parce qu'il pensait que Lafleur lui-même se croyait fini, et qu'il ne voulait pas revenir au jeu. En fait, ce n'était pas aux autres à décider si Lafleur était ou non fini, c'était à lui de voir clair dans ses désirs et dans son avenir. Bergeron avait pour son dire qu'on ne dérange pas un gars qui dort. Ça ne donne rien.

«Si Lafleur a envie de jouer, disait-il, il va se réveiller tout seul.»

Or voici que Lafleur s'était effectivement réveillé et qu'il manifestait le désir de jouer.

«Je parle à Phil Esposito et à Bokino et je te rappelle.

— O. K. Pas un mot à personne.

— Pas un mot.»

Vers 11 heures, ce même lundi matin, alors que Lafleur venait d'entrer dans le bureau de Tremblay, le téléphone sonna. C'était un journaliste du *Times* de Los Angeles qui voulait s'enquérir de la rumeur voulant que Guy Lafleur s'apprêtait à effectuer un retour au jeu. Totale stupéfaction de Tremblay qui ne trouva rien de mieux à dire qu'il avait quelqu'un sur une autre ligne pour se donner le temps de penser. Mais même en pensant à son affaire, il ne trouva rien d'autre à dire au gars du *Times* que :

«Qui t'a dit ça?

— Je ne peux pas le dire. J'ai promis.

— Dans ce cas-là, je peux rien te dire moi non plus.»

Le journaliste finit cependant par laisser entendre que c'était quelqu'un de l'organisation des Kings qui l'avait informé.

«McNall?

— Non.

— Vachon?

— Non plus.»

Tremblay finit par comprendre que c'était probablement la secrétaire de Rogatien Vachon, celle-là même qui vraisemblablement avait renseigné Tom Lapointe sur la vente de Wayne Gretzky aux Kings de Los Angeles.

Finalement, Tremblay avoua au journaliste : « Oui, c'est vrai. Guy Lafleur veut revenir au jeu.

— À Los Angeles ?

— Si les Kings veulent de lui. Peut-être. Mais d'autres clubs nous ont déjà laissé entendre qu'ils étaient intéressés. »

Lafleur avait saisi le critique de la situation. Dès que le Kid eut raccroché, il lui dit :

« On ne peut pas laisser un gars de Los Angeles sortir la nouvelle. On doit garder le contrôle du scoop. »

Guy Lafleur avait fini par acquérir une grande connaissance des médias sportifs. Il connaissait leur fonctionnement et leur éthique. Il savait également que les journalistes québécois ne seraient pas très heureux d'apprendre par un quotidien de Los Angeles qu'il se préparait à un retour au jeu. Pendant qu'il tentait d'établir un plan avec le Kid, le téléphone sonna de nouveau. C'était Michel Bergeron.

« Rendez-vous jeudi, 18 août, à 10 heures du matin, au South Gate Hotel, à Manhattan, juste en face du Garden. »

Vers le milieu de l'après-midi, Rogatien Vachon appela finalement pour dire que McNall et lui avaient réfléchi et qu'ils n'étaient pas intéressés à avoir Lafleur chez eux.

« Vous ne réfléchissez pas très vite, ironisa le Kid. Je croyais que tu devais me rappeler vendredi après-midi.

— Je n'ai pas pu, je m'excuse.

— À part ça, t'aurais pu t'arranger pour respecter notre entente de confidentialité. »

Vachon semblait franchement étonné.

« S'il y a eu du coulage, ça n'a rien à voir avec moi. Je te le jure.

— C'est pas grave. Oublie ça. De toute façon, on est déjà branchés ailleurs.

— Où ?

— Devine. »

Le Kid raccrocha. Mais ils se demandaient toujours à qui ils confieraient leur scoop, lorsque Réjean Tremblay de *La Presse*, sans doute renseigné par son confrère du *Times* de Los Angeles qui cherchait à confirmer les rumeurs, appela à son tour. Encore une fois, le Kid fut pris au dépourvu :

« Je n'ai pas le temps de te parler, Réjean, je te rappelle. »

Et il raccrocha.

« Rappelle-le, dit tout de suite Lafleur. C'est à lui qu'il faut tout raconter. »

Réjean Tremblay, auteur prolixe et intelligent, fort respecté dans le milieu, disposait d'un atout considérable aux yeux de Lafleur. Contrairement à beaucoup de journalistes montréalais, il n'était pas lié à Molstar, l'entreprise de promotion de la Brasserie Molson qui assurait la couverture des matchs de hockey et qui faisait, d'une manière ou d'une autre, travailler comme commentateurs la majorité des journalistes sportifs montréalais. Tremblay était un proche ami de Marcel Aubut, le patron des Nordiques. En le choisissant, Lafleur lançait un clin d'œil narquois à l'organisation des Canadiens et s'affichait encore plus ostensiblement comme membre de la filière nordique. Il savait de plus que Réjean ferait du bon travail. Un quart d'heure plus tard, celui-ci était chez Molstar, accompagné d'un réalisateur de cinéma, un Français, qui travaillait à la fameuse série télévisée *Lance et compte*, dont Réjean Tremblay était l'un des auteurs. Ils lui racontèrent tout.

Le lendemain, la nouvelle du retour au jeu de Guy Lafleur sortait dans *La Presse*, en même temps que dans le *Times* de Los Angeles. C'était le mardi, 16 août. Toutes les radios nord-américaines reprirent la nouvelle. Au Québec, on ne parlait que de ça.

Lorsque, vers neuf heures, le Kid se pointa à son bureau, la télévision, la radio, toute la presse était déjà là, avec ses crayons, ses micros, ses spots, ses calepins. On voulait parler à Lafleur.

«Guy? Il est parti en Abitibi avec son école de hockey. Il ne sera pas là avant demain en fin de journée.»

Ce soir-là, on vit donc le Kid à tous les bulletins télévisés. On l'entendit à la radio. On le cita partout. Il confirmait la rumeur du retour au jeu de Guy Lafleur. Mais il ne parlait pas de New York. Il était très évasif.

«On a trois ou quatre propositions qu'on va prendre le temps d'étudier comme il faut.»

Mais le lendemain matin, *Le Journal de Montréal*, qui tenait sans doute à se venger du fait qu'on lui ait préféré *La Presse*, sortait en gros titres à la une : «Los Angeles dit non à Lafleur.» En plus d'être humiliant, ça pouvait compromettre la belle stratégie que Lafleur et le Kid avaient mise en place.

Au cours de l'avant-midi, les Red Wings appelèrent pour dire qu'ils n'avaient pas besoin d'un ailier droit dans leur alignement. Demers laissa même entendre qu'il ne croyait pas vraiment que Lafleur puisse faire un bon retour au jeu.

Tremblay cependant voulait rejoindre Tony Esposito, l'instructeur des Pingouins de Pittsburgh. Dans vingt-quatre heures, les Rangers de New York leur feraient un début de proposition et ils auraient l'air un peu fous dans leurs négociations s'ils n'avaient aucune alternative. Tout le monde savait maintenant que Los Angeles avait dit non. Probablement que les journalistes étaient déjà en train d'appeler un à un tous les clubs de la Ligue nationale et on saurait le lendemain matin que Detroit aussi avait refusé. Si Lafleur voulait avoir quelque pouvoir de négociation auprès des Rangers, il devrait intéresser plus d'une équipe. Mais Tony Esposito restait introuvable. Le Kid appela la mère de Mario Lemieux, le joueur-étoile de Pittsburgh.

« Mario ? il est en train de jouer au golf.

— Où ça ?

— À Joliette. »

Tremblay est un as du téléphone. Dix minutes plus tard, il avait rejoint Mario Lemieux à son huitième trou. Mario savait où trouver Tony Esposito.

En fin d'après-midi, Tremblay l'avait enfin au bout du fil. Mais Tony ne semblait pas vraiment intéressé.

« Guy Lafleur ? How much ?

— Écoute, Tony. Je ne peux quand même pas discuter de ça au téléphone ! Es-tu intéressé, oui ou non ?

— Faudrait nous laisser le temps de réfléchir.

— D'accord, réfléchis. »

Ils prirent l'avion de huit heures pour New York, leur unique espoir. Si jamais ils ne pouvaient s'entendre avec l'organisation des Rangers, ils rentreraient bredouilles. Tremblay était bien conscient qu'il avait entraîné Lafleur dans une aventure qui pouvait mal se terminer et dont il pourrait sortir amer et dévalorisé.

« Je m'en fiche, disait Lafleur, après que Tremblay lui eut parlé de cette triste éventualité. Je m'en fiche vraiment. Et ne t'en fais pas avec ça. Je fais ça d'abord et avant tout pour en avoir le cœur net. Après, au moins, je saurai à quoi m'en tenir. »

À 11 heures, ils retrouvaient Michel Bergeron, Phil Esposito et Joe Bokino, le vice-président aux finances des Rangers. À part eux, pas un chat dans le restaurant du South Gate Hotel, où il faisait frais et sombre, heureux contraste après la fournaise de la rue.

Phil Esposito était un personnage controversé. Il aimait provoquer, choquer, brasser le monde. L'hiver précédent, la journaliste Anne-Marie Dussault était allée à New York avec une équipe de l'émission *Le Point* faire un reportage sur Michel Bergeron. Anne-Marie est parfaitement bilingue, mais peu familière avec le monde et le langage du hockey. En interviewant Phil, elle lui demanda à quelques reprises de préciser sa pensée.

« *What's that? You don't understand English? Where do you think you are?* C'est l'Amérique du Nord ici, pas la France. Pourquoi vous entêtez-vous, au Québec, à ne pas parler anglais comme tout le monde ? »

Il s'était du coup créé d'irréductibles ennemis dans la Belle Province. Et il a pu se vanter pendant un moment d'être l'homme que les Québécois aimaient le plus haïr. Mais il n'en avait cure. Tout ça n'était qu'un jeu. Esposito était un leader et un provocateur-né, un homme d'une franchise à toute épreuve qui ne s'en laissait jamais imposer par personne. Lafleur l'aimait bien. Il avait souvent joué contre lui, du temps qu'il faisait la pluie et le beau temps à Boston, avec le légendaire Bobby Orr. Il le respectait. Et il savait que Phil Esposito le respectait beaucoup lui aussi.

« On va commencer à préparer une manière de contrat. Tu viendras à notre camp d'entraînement. Tu feras tes preuves. Après, quand on aura vu ce que tu as dans le ventre, on se reparlera. »

⁂

Dans l'après-midi, Lafleur et Tremblay visitèrent les installations des Rangers, au Playland, à Rye, une jolie banlieue très cossue située juste au nord de Manhattan où habitaient presque tous les joueurs et les membres de l'organisation.

Lafleur était évidemment fort excité par tout cela. Inquiet aussi. Il avait trois semaines pour se mettre en forme avant le camp d'entraînement des Rangers qui se tenait cette année-là, beau hasard, à Trois-Rivières, où l'entraîneur Michel Bergeron avait connu ses premières heures de gloire. En le reconduisant à l'aéroport, ce dernier avait recommandé à Lafleur de se mettre tout de suite à l'ouvrage.

« Il faut que tu retrouves ton souffle et ton coup de patin. Donc, patine, patine, patine. Mais il y a autre chose. Même si, d'après ce que je vois, t'as pas pris une once de graisse depuis que t'as arrêté de jouer, tes muscles ne sont certainement pas aussi fermes que dans le temps. Oublie pas que t'as pas eu la moindre mise en échec depuis quatre ans. Il va falloir que tu te refasses une carapace. Et vite ! »

Lafleur ne disait rien. Tout à son rêve, déjà, il regardait, au-delà de l'écheveau d'autoroutes, les lumières de Manhattan. Il avait furieusement envie de tout cela. Et cette envie et ce désir qu'il avait peine à contenir le rendaient fou de joie. Il n'avait pas connu ça depuis quatre ans. Et il réalisait que c'était ce qui lui manquait le plus, le désir, l'appétit, le goût de jouer, de vivre.

«Je ne sais pas si tu as suivi ça de près, continuait Bergeron, mais depuis quatre ans, les gars sont devenus beaucoup plus pesants. Si t'es pas prêt, tu risques d'avoir un drôle de choc.

— Je serai prêt, Bergie, inquiète-toi pas.»

Rentré à Montréal, le Kid et Flower se rendirent à la Bocca d'Oro, rue Saint-Mathieu, pour faire le point. Lafleur téléphona à Lise qui vint les rejoindre. Il lui parla surtout de la visite que Michel Bergeron lui avait fait faire de Rye, la banlieue fleurie, à quarante-cinq minutes de route au nord de Manhattan, où habitaient les joueurs des Rangers. Avec la mer à deux pas. Il était si excité qu'il faisait déjà des plans, comme si tout était décidé et signé.

Ce n'était plus, comme autrefois, le hockey seul qui le passionnait, mais aussi le mode de vie et le train de vie du hockey, c'était Rye, Broadway.

Il se demandait bien cependant où, quand, comment il s'équiperait de cette fameuse carapace dont lui avait parlé Bergeron. Ils en étaient au digestif quand un jeune homme entra à la Bocca d'Oro que Lafleur prit, de loin, pour l'un des frères Hilton, les fameux boxeurs.

«Demain, le Kid, tu vas appeler George Cherry, puis tu lui demanderas s'il peut m'entraîner.

— Ça, mon Flower, c'est la meilleure idée que t'as eue depuis un grand bout de temps.

— En effet. Je pense que je viens d'avoir une maudite bonne idée!»

Le lendemain matin, Lafleur était à l'aréna de Saint-Vincent-de-Paul où il participait à l'exercice du Laval junior. Dix secondes après qu'il eut sauté dans la mêlée, il avait déjà la conviction qu'il était non seulement plus expérimenté, mais aussi beaucoup plus fort et créatif que tous ces gars de vingt ans plus jeunes que lui. Ça sautait aux yeux de tout le monde. Mais c'était sa rapidité qui étonnait plus encore; il patinait mieux que tous les autres, il les déjouait tous, aller et retour.

Dans l'après-midi, Tremblay vint l'informer qu'il avait fait les arrangements avec George Cherry.

«Il t'attend demain matin, à 9 heures.

— Mais demain matin, c'est samedi!

— Il n'y a pas de jour de congé prévu dans ton programme.»

George Cherry était un tout petit homme nerveux et musclé, dur comme du fer. Il avait déjà préparé pour Guy Lafleur une heure et demie d'entraînement intensif. On dit que l'entraînement du boxeur est le plus exigeant et le plus dur qui soit, tant physiquement que psychologiquement. Un boxeur, c'est une machine à frapper, à encaisser. Son pays, c'est la douleur et la haine aveugle et froide. Il doit devenir comme un véritable robot, insensible, impitoyable.

Tremblay avait préparé pour Lafleur une cassette de la musique de *Rocky*, musique exaltante et enivrante, au son de laquelle Lafleur s'entraînait. Il avait revu *Rocky III*, celui dans lequel le champion déchu, pourri par un succès trop facile, effectue un pénible retour et reconquiert son titre et la ceinture dorée. Beau défi. Mais c'était dur, dur. Pendant des heures, Lafleur frappait, dansait, toujours à bout de souffle et de forces.

Et ce fut ainsi pendant trois semaines. Le matin, il mangeait légèrement (jus d'orange, café, toasts) au petit restaurant Labelle, angle Bélanger et Pie-IX, juste à côté du bureau de Sportstar. Puis il se rendait chez George Cherry pour se soumettre à la torture. Vers 10 heures, alors qu'il était déjà entré dans cette espèce de griserie que procure l'intense effort physique, les journalistes arrivaient. Tous les jours, sans exception, quelques-uns d'entre eux venaient assister à son entraînement. Ils le trouvaient dégoulinant de sueur, un vague sourire aux lèvres... De nouveau, les regards et l'attention bienveillante et passionnée étaient braqués sur lui. De nouveau, il était vivant.

Le retour au jeu de Guy Lafleur a été à Montréal l'un des plus gros shows des années 80, une sorte de *work in progress* à côté duquel les œuvres les plus « songées » des gens de théâtre les plus branchés faisaient figure d'exercices de style amateurs et sans génie. En plus, dans le happening de Lafleur, il y avait une intrigue et du suspense, une morale, une fascinante mythologie et bien sûr un grand héros.

Un matin, après deux semaines de ce régime, pendant le petit déjeuner, il laissa tomber : « Je me demande si on a fait la bonne affaire. » Il doutait, ce matin-là, du succès de son entreprise. Pas une seconde cependant il n'a hésité, pas une fraction de seconde il n'a songé à abandonner. Pas plus que dans le temps, quand il avait douze ou treize ans et qu'il s'entraînait seul, à Thurso, avec aux pieds les lourdes bottes lestées d'acier de son père. Mais alors, il n'avait pas le choix. Il était happé par une espèce de rêve auquel il n'aurait su résister. Voilà sans doute le vrai prodige, la vraie richesse, le vrai don de Dieu, la vocation.

Mais comment, à trente-sept ans, retrouver cette ferveur et cette ardeur, cette motivation ?

On a beaucoup épilogué dans la littérature et au cinéma sur la déchéance du grand athlète comblé et repu. C'est l'ultime morale de *Rocky II*. Il est riche et célèbre, champion du monde, mais il se découvre beaucoup plus vulnérable que lorsqu'il n'était, dans *Rocky*, qu'un misérable aspirant sans expérience et sans le sou. Par ailleurs, son challenger, le terrible Mister T, a une faim de loup, la rage au cœur, le désir de gagner, non pas seulement pour être le champion, mais pour posséder, réaliser tous ses rêves, avoir l'auto, la maison, la fille... Sans ce désir de gagner, tout devient toujours plus difficile, plus aléatoire.

Quand par exemple, en 1986, Boris Becker a remporté pour la deuxième année consécutive le tournoi de Wimbledon, son entraîneur, Günther Bosch, a commencé à s'inquiéter. C'était trop rapide, trop énorme. Boris n'avait que dix-huit ans et il venait de battre (6-4, 6-3, 7-5) Ivan Lendl, le meilleur tennisman au monde. N'avait-il pas monté trop haut, trop vite, trop facilement?

Bosch craignait que son protégé ne perde sa rage profonde et féconde et sa faim, son terrible désir et son besoin de gagner à tout prix sans lequel il n'y a pas de victoire possible pour qui que ce soit. Or cinq mois plus tard, au tournoi à New York, Boris Becker perdait devant Ivan Lendl (4-6, 4-6, 4-6). Et trois semaines plus tard, en janvier 87, aux Internationaux d'Australie, à Melbourne, il était éliminé par Wally Masur. Bosch ce soir-là lui parla de son inquiétude. Tout avait été trop facile, trop beau.

Quelques jours plus tard, le jeune Boris annonçait à Bosch qu'il avait trouvé une solution à son problème. «Je te congédie, tout simplement.» Il ne voulait plus, il ne devait plus être protégé, entouré, couvé sans cesse par cet entraîneur intelligent, dévoué, omniprésent. Il décida que désormais on cesserait de tout décider pour lui, qu'on ne réglerait plus ses problèmes, qu'il n'aurait plus de chauffeur, que plus personne ne parlerait à sa place, qu'il n'aurait plus jamais la vie facile, car la facilité, c'est le danger, c'est l'ennui, et l'ennui, c'est le contraire du désir et de la faim. «Je suis le patron; désormais, je fais ce que je veux.» Le jeune Becker, en congédiant son entraîneur bien-aimé, s'était volontairement mis en danger. Seul, il entreprit de reconquérir le titre de champion du monde.

Le défi qui attendait Lafleur avec les Rangers était cependant d'un tout autre ordre. D'abord, il avait presque deux fois l'âge de Boris Becker. Il ne pouvait être question qu'il redevienne champion compteur de la Ligue nationale et qu'on lui donne une demi-heure de glace à chaque match, comme autrefois, dans les années 70.

Mais ce n'était pas cela qui comptait. De toute façon, Guy Lafleur n'était pas une star à records. Même lorsqu'il était à son sommet, il avait établi peu de records durables. Beaucoup de joueurs (Michael Bossy, Bryan Trottier, Wayne Gretzky, Bobby Clarke, Bobby Orr, Maurice Richard, plusieurs autres, même d'obscurs joueurs de clubs médiocres) détenaient autant sinon plus de records que lui. Ce n'était pas par ses performances comptabilisées que Lafleur était grand, mais par son art, son style, son panache. Un but de Lafleur, c'était toujours un événement. Une passe de Lafleur dans un match insignifiant était immanquablement signalée à la une des journaux. Une déclaration de lui, on se la répétait pendant des jours.

En engageant Lafleur, Esposito et Bokino espéraient sortir les Rangers des limbes où ils croupissaient depuis longtemps. Ils étaient en effet devenus l'un des clubs les moins excitants de la Ligue nationale. Avec Lafleur dans les rangs, ils pourraient certainement faire parler d'eux et s'inscrire à nouveau dans l'histoire de la Ligue nationale. Ça ne les mènerait pas nécessairement à la coupe Stanley (qu'ils n'avaient pas remportée depuis 1939), mais ils retrouveraient enfin un peu d'attention, un auditoire, de la passion.

Évidemment, Lafleur faisait parler de lui plus encore que les Rangers. Le Colisée de Trois-Rivières où se tint leur camp d'entraînement, début septembre, fut littéralement assiégé par toute la presse sportive nord-américaine. Les performances de Lafleur eurent tôt fait de convaincre tout le monde, y compris Esposito et Bokino. Moins d'une heure avant le match de clôture du camp, Esposito fit appeler Lafleur dans le petit bureau qu'on lui avait aménagé au Colisée. Bokino et Jack Diller, le vice-président des Rangers et du Madison Square Garden de New York, étaient là, qui reçurent Lafleur à bras ouverts. Mais ils voulaient qu'il signe immédiatement le contrat qu'ils lui avaient préparé. Il refusa catégoriquement.

« Je ne veux rien signer tant que Georges Guilbeault n'est pas là. Je ne veux même pas voir votre contrat.

— Si tu ne signes pas, tu ne joues pas ce soir, lui dit alors Jack Diller.

— Parfait, répondit Lafleur. Je ne joue pas. »

Les New-Yorkais étaient estomaqués. Ils avaient cru jusque-là que Lafleur accepterait à peu près n'importe quelles conditions et qu'il était presque prêt à payer pour jouer. C'était lui après tout qui était venu vers eux et qui leur avait demandé de la glace !

Ce n'était pas uniquement pour la gloire et la glace que Lafleur avait suivi un rigoureux entraînement pendant trois semaines et qu'il s'apprêtait à faire ce retour extrêmement stressant et périlleux, mais pour se débarrasser d'un doute qui le taraudait depuis trois ans. Il était obsédé par l'idée qu'il s'était laissé imposer des raisons de démissionner et qu'il avait été à la fois victime et coauteur d'une sorte de machination destinée à l'écarter. Il voulait en fait comprendre ce qui s'était vraiment passé en 1984 et savoir s'il pouvait encore se comporter honorablement sur une patinoire de la Ligue nationale. Il n'allait pas compromettre son expérience en s'offrant à rabais.

Le contrat fut signé le lendemain à l'hôtel Le Baron à Trois-Rivières, devant Georges Guilbeault venu expressément de Sherbrooke pour en discuter les modalités. Lafleur obtenait un beau salaire : 400 000 $ par année, un contrat de deux ans avec option. Le soir même, à l'issue du match d'exhibition, on apprenait officiellement que Guy Lafleur était de retour dans la Ligue nationale.

Ce retour fut effectivement considéré comme l'événement de l'année par la presse sportive. Dans les journaux, à la radio, dans les chaumières, on parlait des grands retours. De Jacques Plante qui, en 1969, à l'âge de trente-neuf ans, après avoir passé trois ans loin des patinoires, remportait le trophée Vézina. De Bernard « Boum Boum » Geoffrion qui, en 1966, après deux ans et demi d'inactivité, effectuait un retour à New York et comptait dix-neuf buts pour les Rangers. De Gordie Howe qui, après une retraite de deux ans, revenait au jeu avec les Aeros de Houston de l'Association mondiale. Il avait alors quarante-trois ans. Et ce n'était pas fini. Howe allait terminer sa carrière neuf ans plus tard, en 1980, avec les Whalers de Hartford, récoltant à sa dernière saison 15 buts et 26 assistances. On parlait de Pelé aussi, le génial footballeur brésilien, l'une des plus grandes stars du siècle, qui en 1975, après avoir mené l'équipe de son pays jusqu'à la Coupe du Monde dans les plus grands stades d'Europe et d'Amérique, allait, plusieurs fois millionnaire en dollars américains, signer un contrat de trois ans avec le Cosmos de New York.

Guy Lafleur n'était plus le Canadien errant, mais le Survenant. On attachait une morale à ses faits et gestes. Même si ce retour s'était plus tard avéré désastreux, on y aurait quand même vu une leçon, un message : il faut essayer, il faut aller au bout, tant qu'il y a de la vie, il y a de l'espoir. Lafleur devint plus important encore que l'athlète qu'il avait été. Il était un athlète avec une morale, c'est-à-dire un héros.

***

Encore une fois, autour des faits et gestes de Guy Lafleur, le Québec s'est mis à méditer. Poètes, athlètes, artistes, politiciens, gens d'affaires, tout le monde tirait des leçons de son expérience.

« Lafleur a eu le rare courage d'aller à contre-courant de son époque, notait alors Gilles Vigneault. Beaucoup de gens aujourd'hui aspirent à ne rien faire et démissionnent, tout jeunes encore. Lafleur leur a donné le goût de se lever, d'aller travailler, de se remettre en forme. Il a créé une émulation extraordinaire. Dans ce monde où tout passe, il a choisi de durer. C'est le plus remarquable défi qui soit. »

On a beaucoup parlé aussi de son grand courage. Il avait su prendre un risque : il savait qu'il pouvait revenir au jeu, mais rien ne lui disait qu'on voudrait de lui. Beaucoup de gens, certains très importants à ses yeux, ne croyaient pas en lui. Et il a tenu tête quand même. Avec humilité. Si New York l'avait refusé, après Los Angeles, Detroit et Pittsburgh, l'Amérique entière aurait pu dire qu'il était fini. Pendant un certain temps, il a été seul contre beaucoup de gens. Et il a tenu bon.

Maurice Richard lui-même écrivit qu'il ne croyait pas que Lafleur puisse se comporter honorablement sur les nouvelles glaces de la Ligue nationale. Jacques Lemaire, qui au cours des derniers mois avait joué sur la même ligne que lui avec les Anciens Canadiens de Petro-Canada, affirmait qu'il était fini. Mario Tremblay ne croyait pas lui non plus qu'il puisse s'en sortir et avait même parié qu'il ne ferait pas la saison. Un sondage du *Journal de Montréal* révélait l'incrédulité totale du grand public. « Lafleur est brûlé », disait-on. « Il n'ira pas loin dans la nouvelle Ligue nationale », « Il est trop vieux », « Il ne pourra jamais retrouver l'intensité d'autrefois », « Il va se faire écraser ».

Bizarrement, la majorité des témoignages positifs venait des jeunes joueurs, c'est-à-dire de ceux-là mêmes dont le vieux Lafleur aurait dû normalement avoir tout à craindre. Pour la première fois, dans les soixante-quinze années d'histoire de la Ligue nationale, l'âge moyen des joueurs était inférieur à vingt-cinq ans. Pendant que l'ensemble de toutes les sociétés du Canada et des États-Unis vieillissait à un rythme effarant, la population de la Ligue nationale rajeunissait. Or, selon Mario Lemieux, le plus prometteur de ces jeunes joueurs, on commençait sérieusement à ressentir une overdose de jeunesse et à avoir plus que jamais besoin de vétérans et d'hommes d'expérience. Lemieux fit savoir bien haut qu'il était fort heureux du retour de Lafleur.

« Ce sera bon pour lui. Et pour nous tous. Jouer avec Guy Lafleur ou contre lui, peu importe, ça ne pourra pas faire autrement qu'être enrichissant. Tout le monde va y gagner. »

Les vieux hommes sages du hockey, comme Paul Dumont ou Ti-Paul Meloche, savaient que Lafleur était physiquement apte à réussir ce retour. Cet athlète surdoué était visiblement encore en pleine forme, fort, souple et rapide. Mais parviendrait-il à se remettre mentalement en condition et surtout à supporter la formidable pression psychologique et le trac qu'il devrait affronter ? Voilà où était le grand défi, où il pourrait se révéler plus qu'un athlète d'élite, un grand homme.

Interrogé quotidiennement par les journalistes, Lafleur poursuivait à haute voix, publiquement, sa méditation sur le sens de la vie, le bonheur, le temps qui passe :

« J'ai un message pour les jeunes. Je veux leur dire d'aller jusqu'au bout et de ne pas lâcher. »

« C'est d'abord et avant tout pour me débarrasser du doute que j'ai tant voulu faire ce retour. On ne peut pas vivre avec des regrets plein le cœur. »

« Quand je vois les gens douter que je peux faire un retour, je me dis que ce sont des peureux et je pense : « Vous me connaissez mal. » Moi, je suis imprévisible. Je suis resté imprévisible. C'est ça ma force. »

La vie est un match de hockey. Elle a ses périodes, ses entractes, ses punitions. Chacun y fait ses erreurs, y reçoit des blessures. Il y a des perdants et des gagnants. Il y en a qui ne lâchent jamais. Comme Guy Lafleur. Le voilà en prolongation. Il peut encore, il peut toujours gagner.

Le 13 juin 1988, quelque temps avant qu'il ne songe à effectuer un retour au jeu, Guy Lafleur était admis au Temple de la Renommée. Il loua alors un car de grand luxe pour amener à ses frais (quelque 10 000 $) tous ses invités, parents et amis, à Toronto. La fête fut magnifique. Un peu triste aussi. Lafleur eut l'impression d'être littéralement mis au tombeau. On fit son éloge, on rappela les hauts faits de sa carrière, on dévoila son portrait accroché bien haut, parmi de glorieux disparus, au mur du Temple. On avait placé là un de ses vieux bâtons autographiés, la rondelle de son 500e but, une vieille paire de patins, quelques reliques, un chandail. Tout était donc officiellement terminé pour lui. Exit Guy Lafleur.

En décidant de revenir au jeu, deux mois plus tard, il perturba violemment les archivistes et les statisticiens du Temple qui avaient proprement fermé son dossier, le jour de la grande cérémonie. Il avait aussi considérablement embêté l'organisation des Canadiens. Le bon usage voulait en effet que lorsqu'un joueur était intronisé au Temple de la Renommée, son club lui fasse une fête. Les Canadiens se retrouvaient donc dans l'étrange position de rendre hommage à un adversaire.

Mais ils n'avaient pas le choix. Et Ronald Corey, qui préférait l'accommodement à l'affrontement, se dit que ce serait une bonne occasion pour enterrer la hache de guerre. On fit même des arrangements avec l'organisation des Rangers afin qu'ils puissent eux aussi honorer le grand homme.

Le 17 décembre 1988, les Rangers jouaient au Forum contre les Canadiens. Pour la première fois depuis novembre 1984, Lafleur allait se retrouver sur la glace du Forum. C'était le moment ou jamais. Hélas ! quelques jours plus tôt, il fut blessé à la cheville. C'est donc sans ses patins, sans son uniforme et en boitillant un peu qu'il s'avança ce soir-là sur le tapis rouge tendu vers le centre de la patinoire. La cérémonie n'en fut pas moins très haute en couleur et en émotion.

Lorsqu'il entra sous les immenses clameurs de la foule, il se demandait encore ce qu'il allait faire et dire. Il ne put s'empêcher de jeter un rapide coup d'œil là-haut, à travers la lourde masse de lumière qui flottait au-dessus de la patinoire, vers la loge de l'organisation des Canadiens où devaient se trouver Savard, Corey, Lemaire. Sans doute debout eux aussi comme tout le monde qui l'acclamait.

Après les discours d'usage, le capitaine des Rangers, Kelly Kisios, vint lui remettre un chandail des Rangers, le numéro 10. Le protocole avait prévu que Lafleur dirait alors quelques mots, saluerait la foule, recevrait poliment les applaudissements et quitterait bien sagement la patinoire en empruntant le portillon du côté des visiteurs. Il a dit les quelques mots qu'il avait préparés, il a salué et dûment remercié la foule. Puis, lorsque celle-ci s'est mise à applaudir, il a encore levé les yeux vers la loge des Canadiens. Et il a commencé tranquillement à enfiler le chandail des Rangers. On s'est tout de suite mis à crier de toutes parts. Pendant le bref instant où il fut aveuglé, au moment où il passait le chandail par-dessus sa tête, il a pensé très fort à eux, à Lemaire, à Corey, à Savard, qui l'avaient si cruellement privé de glace autrefois et l'avaient convaincu qu'il était fini. Et quand sa tête émergea, il a levé les bras lentement, très haut, et il s'est tourné vers eux.

La foule a littéralement explosé. Et une sorte de torpeur enivrante semblait tomber sur le Forum, comme si le temps s'était épaissi, presque arrêté. La foule hurlant, pleurant. Toutes les têtes s'étaient tournées vers la loge des Canadiens. Ronald Corey lui-même s'était mis à applaudir et Serge Savard et même Jacques Lemaire, tellement ils étaient emportés par l'élan de la foule qui ovationnait Lafleur, « Guy ! Guy ! Guy ! ». Ils étaient sans doute un peu mal à l'aise, mais ils ne pouvaient s'empêcher d'admirer le courage de cet homme, son sens inné du spectacle et de l'écriture médiatique. Encore une fois, il venait de voler la vedette et de tisser un inoubliable bout de légende. Ils savaient, comme tout le monde, que cet événement allait rester comme l'un des plus hautement spectaculaires de la décennie. Ils n'ignoraient pas qu'ils auraient désormais l'air un peu fous dans toute cette histoire, où Lafleur s'était définitivement arrogé le beau rôle.

En réussissant son retour au jeu de façon magistrale, Lafleur venait en effet de faire la preuve irréfutable qu'il avait été mal utilisé et mal traité par l'organisation des Canadiens. Il accréditait donc la thèse voulant qu'il ait été forcé de prendre sa retraite. Depuis deux mois, on l'avait vu préparer à chaque match de fort beaux jeux, exécuter de spectaculaires montées, maintes fois soulever les foules des grandes villes de hockey du continent. Il avait gagné. Il était heureux. Lise et les enfants aussi.

Jamais ils n'avaient été si souvent et si longtemps ensemble. Ils allaient voir des shows sur Broadway ou magasiner sur la Fifth Avenue, flâner au bord de la mer toute proche ou à Central Park ; ils visitaient le World Trade Center, le Sea Air Space Museum... Tout était neuf, passionnant. Tout recommençait !

À Montréal, Lafleur ne sortait presque plus. La gentillesse du public était devenue trop pressante, trop étouffante. Il lui semblait qu'il risquait à tout moment de faire implosion. Après avoir pris sa retraite, il était devenu sauvage et taciturne. À New York, il avait l'impression d'éclore littéralement. Il s'intéressait soudainement à beaucoup de choses, parlait de s'acheter un bateau, voulait suivre des cours d'italien, s'était même mis à faire la cuisine avec Lise. Il avait parfois l'impression qu'il venait de rentrer sur Terre après un long voyage dans l'espace et qu'il recommençait enfin à faire une vraie vie d'être humain. Ce n'était pas qu'un retour au jeu qu'il avait effectué, c'était aussi un retour à la vie.

Il apprit à aimer la jungle de New York autant que la forêt de son enfance. Dans l'une comme dans l'autre, il savait s'orienter, se débrouiller, s'amuser; dans l'une comme dans l'autre, il était maintenant chez lui.

Quand des amis descendaient du Québec, il commençait par leur montrer ce nouveau pays dont il avait pris possession et qui le passionnait. Au cours des quatorze saisons passées dans la Ligue nationale, il venait régulièrement à New York, mais il n'en connaissait pas grand-chose. Bien qu'ils voyagent sans cesse dans les grandes villes de l'Amérique du Nord, les joueurs de hockey ne fréquentent généralement qu'un ou deux hôtels et l'amphithéâtre où ils se produisent.

Pendant deux mois, il vécut dans un motel pour gens d'affaires, à Armonk, au nord de Manhattan. Comme en 1971, l'année de son arrivée à Montréal, il se retrouvait seul, loin des siens. Mais cette fois, au lieu de se sentir perdu, il découvrait avec euphorie un nouveau monde où tout l'émerveillait et l'enchantait. Il avait convenu avec Lise qu'il prendrait deux mois pour trouver une maison. Il passait son temps libre à parcourir les routes de la région, Armonk, Rye, Westchester, Eastchester, Mamaroneck, Harrisson, ces beaux villages suburbains, juste au nord du Bronx, entre la mer et l'eau douce, entre le fleuve Hudson, large de près d'un mille à cette hauteur, et la côte atlantique très échancrée, très spectaculaire, avec ses nombreux havres, paradis des plaisanciers, ses îles, ses petites plages fermées par d'énormes rochers.

Début décembre, Lise et les enfants vinrent habiter avec lui dans la grande maison qu'il avait louée, à Rye, au cœur de l'Amérique blanche, opulente et heureuse, toute propre, pimpante, l'*American Dream* réalisé. Ils avaient complètement transformé le décor et le scénario de leurs rêves. La maison des Laurentides figurait maintenant très loin à l'arrière-plan, ce qui ne faisait pas trop de peine à Lise. Ce qu'ils voulaient maintenant, ce qu'ils souhaitaient de toutes leurs forces, c'était que Guy connaisse une bonne saison, et que les Rangers renouvellent son contrat de manière à l'intégrer à leur organisation. Alors, il demanderait sa « carte verte » et ils s'établiraient, peut-être définitivement, aux États-Unis. Lafleur était confiant. Il avait bien joué. Dès le début de la saison régulière, le 16 octobre 1988, il avait réussi son premier but dans la Ligue nationale depuis le 25 octobre 1984. Et malgré la blessure à la cheville qu'il avait subie en décembre, il s'était maintenu dans le peloton de tête des compteurs.

Sur la glace, deux ou trois petites choses l'avaient frappé. D'abord, les gars étaient effectivement beaucoup plus jeunes, plus gros et plus lourds qu'autrefois. Le jeu était plus rapide aussi. Les accrochages étaient plus nombreux, les bâtons étaient souvent élevés, mais c'était tout compte fait beaucoup moins violent. Le temps des fous furieux et des assommeurs, des Marteaux, des Bulldozers et des Cannibales semblait définitivement révolu.

Mais c'est en lui qu'il observait les changements les plus significatifs. Son approche, sa façon d'être sur la glace et dans le vestiaire, son attitude, tout cela était nouveau, différent. Sa place et son rôle au sein de l'équipe avaient changé. Bergeron lui avait dit et répété qu'il comptait beaucoup sur lui pour créer un esprit d'équipe fort et stimulant.

Pendant ces dernières années avec les Canadiens, quand tout allait si mal pour lui, on lui avait demandé d'assumer ce rôle de vétéran. Il s'y était carrément refusé. Sans doute qu'il ne voulait pas, à l'époque, admettre qu'il avait vieilli et qu'il pouvait faire autre chose qu'être sur la ligne de feu. Il voyait maintenant les choses d'une tout autre manière. Cette saison qui commençait était peut-être sa dernière. Il le savait. Il y pensait souvent. Avec un brin de nostalgie évidemment, mais aussi avec une grande sérénité et une sorte de joyeuse appréhension.

« Cette fois, quand ce sera fini, ce sera fini complètement et pour toujours, disait-il. Je ne jouerai plus jamais au hockey. Je me suis rendu compte, avec les Anciens de Petro-Canada, que c'est une chose que je suis incapable de faire à moitié ou en amateur. Jacques Lemaire n'avait pas tort quand il disait que je jouais mou. Mais ce qu'il a été incapable de comprendre, c'est que ce petit jeu ne m'intéressait pas. Quand je joue au hockey, au vrai hockey, c'est toute ma vie. Quand je ne jouerai plus, ma vie sera autre chose. »

Il venait de faire une découverte extraordinaire. Imaginez ! Vous vous croyez fini, à l'article de la mort, condamné par tous les spécialistes. On vous le dit d'ailleurs. « T'es fini, mon vieux. Accroche tes patins et fais de l'air. » Certains même s'en réjouissent. D'autres pleurent un brin. Tout le monde vous fait ses adieux. Tout le monde vous dit : « On a eu du bon temps ensemble, mais c'est fini maintenant. Va. On ne t'oubliera pas. Pas trop vite. » Et vous êtes au fond de l'abîme, seul. On ne vous regarde même plus. On éteint les lumières et on s'en va.

Soudain, en regardant quelque part au fond de vous, qu'est-ce que vous découvrez, là, toute fraîche et toute neuve, vibrante, impatiente d'être vécue ? Une autre vie. C'est plus impressionnant, infiniment plus réjouissant que mille milliards de dollars. Et c'est ça que Guy Lafleur, lui qui n'y croyait probablement pas plus qu'un autre, a découvert à l'été de 1988, comme par hasard, au fond de lui : une autre vie, rien de moins. Et il avait bien l'intention d'en profiter.

Avec Lise, il avait recommencé à visiter les environs à la recherche d'une maison qu'ils achèteraient. Ils empruntaient la Boston Post Road, l'une des plus vieilles routes d'Amérique, et flânaient pendant des heures dans ces beaux paysages. Ils avaient tous les deux des goûts très conservateurs en matière de maisons. Ils les aimaient anciennes et entourées d'arbres, en pierres grises ou briques rouges, avec du lierre, un toit d'ardoise. Le fait d'avoir ensemble une nouvelle vie les avait beaucoup rapprochés. Ils avaient recommencé à se parler, comme autrefois.

Jamais Lafleur ne s'était senti aussi libre de toute sa vie. Les journalistes new-yorkais n'étaient pas envahissants comme ceux de Montréal. Ils suivaient les activités des Rangers de loin, en dilettantes un peu blasés, ne considérant que ce qui se passait sur la glace. Tout le reste, la vie privée des joueurs, les conflits qui pouvaient les opposer à leur organisation ou à leur épouse, ne semblait pas les intéresser. Ils ne venaient à peu près jamais voir ce qui se passait dans la chambre des joueurs, ne remettaient jamais en question les politiques de l'organisation ou les stratégies de l'entraîneur. Et Lafleur découvrait une liberté et un plaisir de vivre qu'il n'avait jamais connus. Il n'avait plus qu'à souhaiter qu'il y ait une place pour lui dans l'organisation. Phil Esposito ne pouvait rien garantir, mais tous les espoirs étaient permis.

Le 4 février 1989, pour la première fois depuis le 24 novembre 1984, Guy Lafleur jouait enfin au Forum de Montréal contre les Canadiens. Pour la première fois de sa vie, dans ce lieu qu'il avait tellement aimé et où il avait connu, pendant treize ans, ses plus belles heures de gloire, il était devenu l'ennemi. Il s'était habillé dans le vestiaire des visiteurs, du côté est du Forum, un endroit où il n'avait à peu près jamais mis les pieds. Et avant tout le monde, comme d'habitude, il avait revêtu son uniforme et était allé se dégourdir sur la glace. Lorsque ses coéquipiers étaient arrivés, un peu plus tard, Nilan, Rochefort, Deblois, Dionne, ils l'avaient trouvé plongé dans ses rêveries de patineur solitaire. Il semblait prostré. Ils lui parlaient, il répondait à peine.

Dans le vestiaire, quand Chris Nilan, ex-Canadien lui aussi, lui demanda s'il avait le trac, il répondit non, évidemment. Lafleur niait toujours sa peur au moment où il l'éprouvait. Mais la peur s'impose, comme un charme. Comme un poison. Elle est tellement partout, dans le corps, dans les pensées, et jusque dans les nerfs et les muscles, que si on veut n'y pas penser, il faut ne penser à rien. Et alors, on doit se réfugier dans cette espèce d'engourdissement où se trouvait Lafleur.

Comme d'habitude, dès qu'il sauta sur la glace, le trac se dissipa. Il avait entendu à nouveau cette voix familière au timbre inoubliable, cette voix grisante de la foule montréalaise, la meilleure foule de hockey au monde, qui s'était mise à scander son nom, d'abord tout doucement, puis de plus en plus fort. La magie continuait d'opérer. Montréal n'avait pas oublié Guy Lafleur.

Pendant qu'on chantait l'hymne national américain, il entendait battre son cœur. Il cherchait les mots de son «Notre père», de son «Je vous salue Marie». En face de lui, debout eux aussi, de l'autre côté de la patinoire, se trouvaient les Canadiens, leurs casques sous le bras, leurs bâtons posés sur la glace, Robinson, Carbonneau, Gainey, ses anciens alliés, ses amis qui le regardaient furtivement. Il sentait aussi les caméras de télévision braquées sur lui. Il imaginait que les commentateurs, Lionel Duval, Richard Garneau, Mario et Gilles Tremblay, Dick Irvin, tous, en anglais et en français, canadiens et américains, étaient en train de parler de lui, de la grande nervosité qu'il devait éprouver. Il savait que partout, dans tous les foyers du Québec, les téléspectateurs se demandaient sans doute eux aussi comment il se sentait. La bonne vieille pression était de nouveau posée sur lui, intense, stimulante, exigeante compagne.

La foule aussi était nerveuse. Et déchirée. Elle voulait de tout son cœur que Lafleur joue un bon match. Mais elle ne voulait pas pour autant que les Canadiens perdent. Elle fut comblée. Elle retrouva le Lafleur de la belle époque, l'Imprévisible, le Démon blond, le Génie, qui gardait le parfait contrôle de la rondelle pendant d'inoubliables moments, exécutait des feintes inédites, des volte-face, des montées stupéfiantes, et faisait la preuve que personne ne l'avait vraiment remplacé, que personne n'avait cette grâce, ce sens inné du spectacle, de la magie.

On aurait fait écrire le scénario de cette soirée par les plus brillants auteurs de Hollywood qu'ils n'auraient pas trouvé mieux. Le public voulait que les Canadiens gagnent; les Canadiens gagnèrent. Ils voulaient que Lafleur joue un beau match; il enregistra deux buts.

Les Rangers cependant n'allaient pas bien du tout. À la mi-saison, ils étaient les derniers de la division Patrick. Et Lafleur, comme il faisait autrefois à Montréal, continuait de dire ce qu'il pensait, ce qu'il savait. Il reprocha à ses coéquipiers leur égoïsme.

Chacun jouait en effet pour soi et essayait de marquer des buts non pour faire gagner l'équipe, mais pour avoir une belle fiche de pointage.

En mai, Georges Guilbeault, l'agent-négociateur de Lafleur, était descendu à New York rencontrer Phil Esposito, qui se trouvait encore aux commandes de l'équipe, malgré les formidables bévues qu'il avait commises. Le 1er avril, alors qu'il ne restait que quatre matchs au calendrier de la saison régulière, il avait chassé Michel Bergeron et décidé de diriger lui-même les Rangers. Grave erreur ! Il avait perdu ses quatre derniers matchs. Et son club avait rapidement été éliminé des séries.

Malgré sa blessure à la cheville qui l'avait tenu hors de la patinoire pendant trois semaines, Lafleur avait quand même eu une bonne année : 18 buts, 27 passes, pour un respectable total de 45 points. Il avait même réussi, en février, un formidable truc du chapeau. Et pas n'importe quel soir. C'était à New York, contre les Kings de Los Angeles conduits par nul autre que Wayne Gretzky qu'il avait complètement éclipsé, s'affirmant dès le début du match comme le maître incontesté de la glace.

Mais il avait fait plus que compter des points. Tout au long de cette année, à cause de lui, on avait parlé des Rangers partout dans le monde du hockey. Les New-Yorkais, qui n'avaient pas vu la coupe Stanley depuis 1939 étaient de nouveau enflammés. Lafleur était donc en droit de s'attendre à ce que l'équipe lui offre un beau contrat.

Il demandait encore une année ou deux comme joueur actif, puis deux autres ou plus comme membre de l'organisation des Rangers. Sachant que tôt ou tard, il devrait quitter définitivement les patinoires de la Ligue nationale, il avait en effet commencé à se chercher un nouveau territoire à occuper. Et quoi de plus naturel pour un ex-joueur de hockey que d'œuvrer au sein de l'organisation d'une équipe ? Il ne tenait pas nécessairement à être dans les relations publiques. Il se voyait très bien travaillant comme conseiller à l'acquisition et à la formation des joueurs. Il avait découvert, pendant sa retraite, puis avec les Rangers, qu'il aimait beaucoup travailler avec les jeunes.

La rencontre de Guilbeault avec Esposito fut très positive. Ce dernier aimait beaucoup Lafleur, joueur utile tant sur la patinoire que dans le vestiaire.

Or au tout début de l'été, il y aura un autre putsch dans l'organisation des Rangers. Phil Esposito, qui avait lamentablement échoué dans son entreprise de redressement, sera à son tour chassé.

Et Lafleur n'aura plus aucun allié parmi les nouveaux patrons. En juin, on lui fit comprendre qu'on l'acceptait toujours comme joueur, pendant une saison, peut-être deux, mais pas question de le garder ensuite dans la nouvelle organisation. Il commença dès lors à regarder ailleurs, vers d'autres clubs de la ligue.

Un beau rêve venait brusquement de s'effondrer. Il fallait tout recommencer. Trouver une autre maison, une école pour Martin, une maternelle pour Mark, de la glace pour Guy, une nouvelle vie pour Lise, ailleurs, dans une ville inconnue. Mais Lafleur se disait que le monde du hockey était grand et qu'il trouverait bien le moyen de s'y tailler une place quelque part. Il croyait que, cette fois, la pression serait beaucoup moins lourde que l'année précédente.

L'avenir lui prouvera qu'il avait tort. Le prochain défi qu'allait devoir relever Guy Lafleur était le plus grave et le plus terrible que puisse affronter un glorieux vétéran du hockey.

*
**

Le Québec vivait à nouveau en plein suspense, en plein thriller intitulé « Guy Lafleur ». Tous les jours de juin 1989, dans les journaux et à la radio, on se posait mille questions sur son avenir. Dès que Michel Bergeron fut nommé entraîneur des Nordiques, en remplacement de Jean Perron, une rumeur se mit à circuler voulant qu'il engage l'increvable Démon blond. Mais le mystère dura et fit encore couler beaucoup d'encre, autant sinon plus qu'au cours de l'été précédent. Une autre rumeur cependant envoyait Lafleur à Los Angeles aux côtés de Wayne Gretzky.

Et le Québec, comme en toutes choses, était profondément divisé sur le sort de son héros. Certains considéraient qu'un retour à Québec était pure folie. Pourquoi en effet aller se jeter dans la gueule de l'hiver quand on se voyait offrir le soleil et les douceurs du Pacifique ? Pourquoi se donner en pâture aux plus voraces médias qui soient, alors qu'on pouvait se la couler douce au pays des vraies stars et des dollars lourds ? D'autres par contre considéraient qu'en acceptant de jouer à Los Angeles, Lafleur courait le risque de se faire dire jusqu'à la fin de ses jours, et quelles qu'aient été ses performances, qu'il s'était lâchement mis à la remorque de Gretzky, qu'il avait fui les lourdes responsabilités qu'il savait lui incomber à Québec.

Certains donnaient carrément dans la poésie la plus débridée en comparant Lafleur au saumon en frai qui remonte fleuves et torrents pour retrouver les lieux de sa naissance. Mais c'est pour y mourir, disaient les autres. Pourquoi Lafleur voudrait-il aller finir ses jours à Québec ?

Le 11 juillet, lors de l'Omnium de golf Guy-Lafleur au profit de Leucan, une petite armée de journalistes se rendit au Lachute Golf & Country Club pour tenter d'élucider le mystère. Lafleur et Bergeron, que tous cherchaient plus ou moins subtilement à confesser, restaient évasifs, Bergeron disant que Lafleur était un homme libre et qu'il prendrait seul sa décision, Lafleur préférant parler de Leucan, des enfants atteints du cancer, des recherches en cours dans ce domaine et des espoirs raisonnables qu'on pouvait entretenir.

Trois jours après l'omnium de Lachute, on apprit que Guy Lafleur se joignait aux Nordiques de Québec. C'était le 14 juillet 1989, date symbolique du deux centième anniversaire de la prise de la Bastille, qui n'était pas sans rappeler aux chroniqueurs sportifs cette autre belle grande date, vingt ans plus tôt exactement, le 24 juin 1969, fête nationale des Canadiens français, quand Guy Lafleur avait signé avec les Remparts de Québec. La situation était à plusieurs égards semblable. Comme en 1969, Lafleur se joignait à un club québécois en grande difficulté. Les Nordiques étaient en effet en pleine déroute. Quelques semaines plus tôt, les Québécois leur avaient organisé une parodie de parade de la coupe Stanley, faisant défiler dans les rues de la Vieille Capitale un char allégorique sur lequel étaient juchées une vingtaine de dindes.

La mission de Lafleur cependant n'était plus tout à fait la même. En 1969, il était un gros compteur de buts. En 1989, son apport devait se faire à un autre niveau. Bergeron et Aubut voulaient améliorer l'image des Nordiques, créer un bel esprit d'équipe et surtout redonner aux Québécois le goût d'aimer et d'encourager leur club. Lafleur va remplir ce mandat sans même chausser ses patins une seule fois. En quelques jours, tout de suite après qu'on eut annoncé qu'il ferait partie de l'alignement des Nordiques, on vendait quatre cents billets de saison à 1 000 $ environ, soit en somme l'équivalent du salaire annuel que lui verseraient les Nordiques. Mission accomplie donc ! Mais pour Lafleur, le plus difficile restait à faire. Il s'agissait maintenant d'être à la hauteur des espoirs que le public mettait en lui.

Après l'idyllique saison passée à New York, il allait retrouver la grosse pression d'un public avide, pressant et exigeant. Quelques jours après avoir signé son contrat, alors qu'il déambulait sur la Grande-Allée, il créa de véritables remous devant les terrasses et les cafés. Les gens descendaient dans la rue pour lui serrer la main, le féliciter, le remercier. L'accueil était chaleureux, mais excessif, effrayant.

En fait, le nouveau territoire que Guy Lafleur se proposait de reconquérir, à l'été de 1989, était infiniment plus dangereux que celui où il avait évolué l'année précédente. À New York, en fin de compte, tout avait été très facile, tout était donné. C'était exaltant et valorisant, certainement. C'était reposant aussi. Et pratiquement sans danger. Là-bas, il pouvait difficilement décevoir. Il avait beaucoup à gagner, rien à perdre.

À Québec, tout au contraire, il retournait sur les lieux où il avait connu les heures les plus glorieuses, les plus exaltantes de sa carrière. Dans cet affrontement avec lui-même, ou plutôt avec celui qu'il avait été, il jouait gros; il pourrait non seulement décevoir, mais aussi être déçu.

Une étonnante rencontre que fit alors Lafleur lui permit de mieux comprendre l'aventure dans laquelle il s'embarquait.

C'était fin août. Il habitait alors seul à Québec, au Château Bonne-Entente. Les enfants étaient à Thurso chez ses parents. Et Lise s'occupait de fermer le chalet de Mont-Tremblant et de mettre en vente l'appartement du Sanctuaire. Une dame de la maison Sarrazin téléphona à Lafleur. La maison Sarrazin, située face au fleuve, sur le chemin Saint-Louis, dans un grand parc planté d'arbres, est un mouroir. Un important homme d'affaires d'une soixantaine d'années avait demandé à voir Guy Lafleur. Celui-ci s'y rendit le jour même.

« Je voulais juste te serrer la main avant de mourir, lui dit l'homme. J'admire beaucoup ce que tu fais. Pendant des années, je t'ai suivi comme joueur de hockey. Aujourd'hui, c'est comme homme que tu m'intéresses. Je trouve que tu te tiens debout. Je trouve surtout que tu as un sacré courage de revenir jouer ici. Je ne pensais jamais que tu accepterais.

— Pour ne rien vous cacher, répondit Lafleur, je n'avais pas d'autre choix. Ils n'ont pas voulu de moi à Los Angeles.

— Tu aurais pu ne rien faire !

— J'ai essayé déjà. Je ne suis pas capable.

— Tu es comme moi. »

Et l'homme se mit à parler des projets d'affaires auxquels il avait dû renoncer. Entre autres choses, la création d'un troupeau géant de bœufs charolais dans la région de Nicolet, l'installation d'une meunerie dans les Bois-Francs, la construction d'un édifice à bureaux à Québec, d'un ensemble de condominiums près de Tampa, en

Floride. Il mit une telle passion et un tel plaisir à parler de ces projets qu'il ne réaliserait jamais, que Lafleur oublia qu'il était en compagnie d'un homme au seuil de la mort. Ils s'étaient installés sur une large terrasse, face au fleuve et au soleil. Pendant une heure, prenant un verre et fumant des petits cigarillos, l'homme parla de la vie qu'il avait menée, de ses enfants, des revers de fortune qu'il avait connus, de quelques erreurs qu'il avait faites, des femmes de sa vie. Il raconta qu'il jouait du banjo quand il était jeune et qu'il était bon patineur et excellent danseur et qu'il aimait beaucoup prendre un verre.

Il avait les traits tirés, il était maigre à faire peur et de temps en temps sa voix chevrotait. Il s'arrêtait alors un moment, cherchait ses mots et son souffle, puis il reprenait le fil de son récit. Il y avait en lui, dans ses yeux surtout, quelque chose de presque enfantin, une sorte d'émerveillement, une flamme. Tout compte fait, la vie semblait avoir été fort généreuse à son égard. Et lui aussi, il devait avoir été généreux avec elle, il devait s'être dépensé sans compter et avoir brûlé la chandelle par les deux bouts. Il semblait cependant n'avoir aucun regret. Roger Barré, le père de Lise, avait été ainsi jusqu'à la fin, tout à ses affaires et à ses passions. Vivant ! Et même s'il savait que tout serait bientôt fini pour lui, il continuait de croire en ses projets, en ses idées, en la vie.

« Pourquoi dites-vous que ça me prend du courage pour revenir vivre ici ?

— Tu sais aussi bien que moi qu'ils ne te laisseront plus jamais tranquille. On est comme ça, nous autres, à Québec. Tu devrais le savoir. Quand on aime quelqu'un, on cherche à le dévorer. Mais le plus ennuyeux pour toi, c'est qu'il faudra que tu sois parfait. J'espère que tu n'as pas l'intention de te remettre à tromper ta femme ou à défoncer des clôtures d'autoroute à trois heures du matin, parce qu'ici tout le monde finit toujours par tout savoir. Tu n'auras même pas besoin d'aller à confesse. Tout ce que tu feras, les gens le sauront.

— Pensez-vous qu'ils vont me donner l'absolution ?

— Bien sûr. Mais comme je les connais, ils vont se sentir obligés de t'imposer une pénitence et de te faire la morale. Si je peux te donner un conseil, reste à tes affaires.

— Qu'est-ce que vous voulez dire ?

— Fais ce que tu as vraiment envie de faire. De cette façon, tu ne pourras pas te tromper.

— Le drame, c'est qu'on ne sait pas toujours ce qu'on a vraiment envie de faire.

— À partir d'un certain âge, qui est à peu près le tien, on n'a plus de raison de ne pas le savoir. »

Lafleur croyait apporter quelque réconfort ; il recevait des conseils et des leçons de vie.

« Quand vous serez rendu de l'autre bord, dit-il au moment de partir, allez-vous m'aider à patiner ?

— Promis. »

Deux semaines plus tard, comme il se rendait au Colisée pour l'exercice matinal des Nordiques, Lafleur entendit André Arthur, grande gueule de la radio québécoise et moraliste compulsif, le tourner en ridicule parce qu'il avait accepté de faire un commercial de greffe capillaire. C'était prévisible. Lorsque Bobby Hull avait fait la publicité d'un perruquier torontois, toute la presse sportive canadienne s'était abondamment gaussée.

Malgré cela, quand Yves Tremblay vint lui annoncer qu'on lui offrait 100 000 $ et quelques milliers de cheveux pour un commercial qu'il mettrait une ou deux journées à tourner, Lafleur accepta tout de suite. D'abord parce que 100 000 $, selon lui, ça ne se refuse pas. À moins d'être un peu malhonnête avec soi-même. Ensuite, parce qu'il voulait des cheveux. Et puis surtout parce qu'il savait que ça faisait bien l'affaire de Tremblay, partenaire à part égale dans ce genre de *deal* publicitaire. Lafleur considérait Tremblay comme le grand responsable de son retour au jeu. Et à cause de cela, il lui pardonnait beaucoup de choses. Tremblay était parfois fort envahissant, prenant souvent des engagements sans le consulter, promettant des choses qui n'arrivaient jamais. Mais il avait de grandes qualités de cœur, il était foncièrement honnête, très dévoué. Et surtout, il était là quand on avait besoin de lui.

En écoutant André Arthur débiter ses bêtises, Lafleur repensa au monsieur de la maison Sarrazin et à ce que celui-ci lui avait dit, que les Québécois lui feraient sans cesse la morale et qu'ils passeraient au crible chacune de ses paroles et repasseraient au ralenti chacun de ses gestes, qu'ils le dévoreraient et le rumineraient. Et pendant quelque temps, il fut pris d'un trac fou.

Les seuls moments où cette angoisse se dissipait, c'était sur la glace, pendant les exercices des Nordiques. Il y mettait tout son cœur. Alors seulement, quand il commençait à faire bien chaud, il se détendait.

Dès le camp d'entraînement, il avait compris que ça n'allait pas du tout. L'équipe était terriblement faible, mal équilibrée, fragile et maladroite. Seuls le jeune Joe Sakic et le vénérable Peter Stastny semblaient réellement animés. Début novembre, on savait que la saison serait, au mieux, un désastre comparable à celui de l'année précédente. Plus tard, lorsque Lafleur, deuxième meilleur compteur, une fois de plus blessé à la cheville, fut retiré de l'alignement, on se mit à imaginer le pire. Lorsqu'il revint au jeu à Noël, c'était déjà pire que pire.

Après les fêtes, Lafleur fut encore blessé. Plus gravement, plus longtemps. Pendant un long moment, il fut incapable de s'apitoyer sur le sort des Nordiques, ni de se révolter contre la paresse de certains joueurs ou les flagrantes erreurs de jugement de l'organisation. Sa femme n'était pas heureuse à Québec. Elle n'y connaissait plus personne. Même sa mère habitait maintenant à Montréal, au Sanctuaire. Lafleur s'arrangeait donc pour passer beaucoup de temps avec elle et l'intéresser à ses projets.

Ils voulaient acheter ou faire construire une maison. Ils avaient même fait tirer les plans d'un petit château qu'ils avaient vu dans un magazine américain. En attendant, Lafleur avait acquis une grosse érablière à Saint-Augustin, un peu en aval de Québec, six mille érables et un restaurant de quelque cent cinquante places dont il avait confié la gérance à son vieil ami de toujours, Jean-Yves Doyon.

Malgré ses blessures et les déboires de son équipe, il gardait le moral. Il avait bien joué et il avait vraiment donné le meilleur de lui-même. On l'avait dit. Et c'était vrai. La saison était fichue. Mais l'avenir était radieux.

Il fallait en effet commencer à travailler dès maintenant à la reconstruction de l'équipe. Ce serait long et pénible, mais passionnant. Voilà ce qui intéressait maintenant Guy Lafleur : travailler à bâtir une nouvelle équipe de hockey, en partant de presque rien, l'inventer en quelque sorte.

En venant à Québec, il avait signé un contrat de quatre ans avec les Nordiques, deux ans comme joueur, puis deux autres années comme membre de l'organisation. Il découvrait en 1990 que cette organisation aurait, au cours des prochaines années, une œuvre de création à réaliser. Et il avait décidé d'y participer.

Quoi de mieux en effet, après avoir été un héros, que de devenir un auteur?

Un soir de janvier, rentrant de dîner chez des amis, Lafleur laissa sa femme au Château Bonne-Entente et se rendit à l'érablière de Saint-Augustin. Il voulait être seul, loin du monde, loin de tout. Là-bas, il alluma des bougies et s'installa au petit bureau où il se mit à écrire ce qui lui passait par la tête.

Il rentra au Château très tard dans la nuit. Quand Lise se réveilla, au matin, il était déjà parti. Elle trouva un poème sur la porte du réfrigérateur. Comme autrefois, aux premiers temps de leurs amours, son mari lui avait confié ses pensées :

Chandelle,
Toi qui par ta lumière nous fais rêver
Toi qui par ta lueur nous aides à relaxer
Dis-moi pourquoi tu n'éclaires pas toujours ?
Dis-moi pourquoi nous ne prenons pas le temps de t'allumer ?

Pour briller, il te faut de l'ombre
Tu nous donnes des idées de grandeur
Quand tu es là, on ne peut cacher la vérité
Tu es celle qui voit tout, qui dit tout
J'aimerais être comme toi
Avoir toujours la flamme de vérité
Savoir toujours choisir
Entre l'ombre et la lumière.

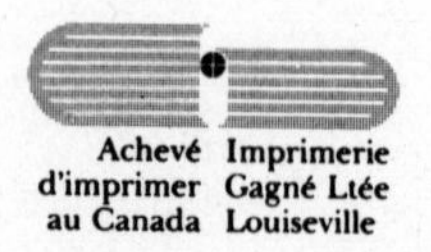
Achevé d'imprimer au Canada
Imprimerie Gagné Ltée Louiseville